KU-104-073

50 ANS
DE CHANSON FRANÇAISE

DU MÊME AUTEUR

Où en est le syndicalisme ? Buchet-Chastel, 1960.
Notions d'histoire du mouvement ouvrier français, Cahiers du C.E.S., 1962.
Vingt ans de chansons, Arthaud, 1966.
Lénine vivant, Fayard, 1970.
Clés pour le syndicalisme, Seghers, 1972.
Robert Charlebois, coll. « Poésie et chansons », Seghers, 1973.
Serge Gainsbourg, coll. « Poésie et chansons », Seghers, 1974 (1re édition, 1969).
L'Observateur des bons et des mauvais jours, Hachette, 1982.
Gilles Vigneault, coll. « Poésie et chansons », Seghers, 1975 (1re édition, 1969).
Serge Gainsbourg, nouveau texte, coll « Poésie et chansons », Seghers, 1986.
Serge Gainsbourg, coll. « Le livre compact », Seghers, 1987.
Georges Brassens, le poète philosophe, coll. « Classiques compacts », Seghers, 1988.
Jane Birkin, coll. « Le livre compact », Seghers, 1988.
Serge Gainsbourg, édition augmentée, coll. « Poésie et chansons », Seghers, 1991.

ÉCRITS EN COLLABORATION

L'Explosion de mai, avec René Backmann, coll. « Ce jour-là », Robert Laffont, 1969 (1re édition 1968).
Julien Clerc, avec Danièle Heymann, coll. « Poésie et chansons », Seghers, 1973 (1re édition 1971).
Jacques Higelin, avec Michèle Wathelet, coll. « Poésie et chansons », Seghers, 1984 (1re édition 1980).
Maxime Le Forestier, avec Geneviève Beauvarlet, coll. « Poésie et chansons », Seghers, 1984.
Rouquin rouquine, avec Xavier Fauche, Ramsay, 1985.
Tics d'époque, avec Xavier Fauche, Ramsay, 1987.
Jacques Higelin, avec Michèle Wathelet, coll. « Le livre compact », Seghers, 1987.
Julien Clerc, avec Geneviève Beauvarlet, coll. « Le livre compact », Seghers, 1987.

PRÉFACES

Alphonse Bonnafé, *Georges Brassens*, Seghers, 1987.
Françoise Mallet-Joris, *Marie-Paule Belle*, Seghers, 1987.
Georges Brassens, *La Tour des miracles*, Stock, 1991.

OUVRAGES COLLECTIFS

Syndicats et organisations syndicales, Liaisons sociales, 1967.
1978, si la gauche l'emportait, Ramsay, 1977.
Music-hall et café-concert, Bordas, 1985.
Chante made in France, Michel de Maule, 1987.
La France dans la guerre d'Algérie, Musée d'histoire contemporaine, 1992.

DOSSIERS RADIO-FRANCE INTERNATIONALE

La Chanson française, 1960-1990, 1990.
Serge Gainsbourg, 1991.
La Chanson francophone, 1992.

LUCIEN RIOUX

50 ANS DE CHANSON FRANÇAISE

De Trenet à Bruel

13, rue Chapon
75003 Paris

Si vous souhaitez recevoir notre catalogue et être tenu au courant de nos publications, envoyez vos nom et adresse, en citant ce livre, aux Éditions de l'Archipel,
13, rue Chapon, 75003 Paris.
Et, pour le Canada, à
Édipresse Inc., 945, avenue Beaumont, Montréal, Québec, H3N 1W3.

ISBN 2-909241-68-8

PROLOGUE

La folie, la déraison ont-elles gagné en France le monde du show-business, aujourd'hui si difficile à pénétrer et à appréhender ? On voudrait comprendre, trouver des points de repère, une règle du jeu à laquelle se référer, mais cela est impossible tant les informations glanées çà et là se contredisent.

Où en est au juste la chanson française ? « Elle agonise », prétendent les tenants d'un nationalisme pur et dur en matière de ritournelles. « Elle ne se porte pas si mal », affirme-t-on à la SACEM, la Société des Auteurs, Compositeurs et Éditeurs de Musique, chargée de collecter et de répartir les droits de diffusion. Elle est au meilleur de sa forme, laisse-t-on entendre au ministère de la Culture. La preuve : elle recommence à s'exporter.

Sans doute. Encore faudrait-il préciser ce que recouvre le terme de « chanson française ». Considérés comme une de ses valeurs les plus sûres, les Gipsy Kings, groupe de musiciens gitans non dénués de talent, chantent en espagnol et remettent à la mode *Volare*, succès des années 60 de l'Italien Domenico Modugno... De même, on englobe dans cette sphère d'influence les groupes de raï, parfois nés en France, mais qui ne s'expriment qu'en arabe et mêlent dans leur musique les traditions algériennes et le rock venu des États-Unis.

Bizarrement, les services culturels officiels se prévalent de cette ambiguïté. Une manifestation consacrée à la chanson française est organisée à New York. Principaux invités : les Gipsy Kings précisément, des chanteurs de raï et des musiciens – excellents, mais là n'est pas le problème – venus d'Afrique noire et attachés à la défense de leurs idiomes locaux. Bien sûr, nous voici dans l'ère de la *World*

Music et certains rêvent d'une France multiculturelle. Mais n'est-on pas en train de tourner le dos à la réalité hexagonale ?

Peut-être pas vraiment. Chaque semaine, on peut lire dans la presse la liste des meilleures ventes des magasins Virgin Megastores, chaîne ayant particulièrement la faveur de la nouvelle génération. Sur les cinquante titres de disques compacts relevés chaque semaine, une dizaine, une douzaine, une quinzaine tout au plus sont interprétés en français ; pour le reste : des disques anglais ou américains. « Les acheteurs boudent la variété française », constate désabusé un chroniqueur de *Libération*. Entraînés par les rythmiques, les consommateurs seraient-ils sur le point d'oublier leur langue maternelle ?

On pourrait le croire. Depuis plusieurs décennies, un certain snobisme pousse la jeunesse vers les modèles anglo-saxons qui dominent à la télévision, influent sur les mœurs, les vêtements, le comportement des adolescents, donnent à ceux-ci des règles de vie spécifiques. Les stations FM qui s'adressent aux jeunes constatent le phénomène et agissent en conséquence, contribuant ainsi à l'amplifier. Le P.-D.G. de Skyrock reconnaît qu'il diffuse à 85 % de la musique anglo-saxonne. Ce que font également Fun Radio ou Nova, où la portion laissée aux œuvres françaises est encore plus congrue.

Le français à l'affiche

Exit la chanson française ? N'est-elle plus l'apanage que de « papys » nostalgiques du beau langage de Georges Brassens, de la jeunesse folle (mais lointaine) de Charles Trenet, des coups de cœur de Jacques Brel et des coups de gueule de Léo Ferré ? En enterrant naguère Brel et Brassens, et récemment Gainsbourg et Montand, n'était-ce pas à la chanson française tout entière moribonde qu'on rendait hommage ?

Pas si vite ! A peine a-t-on sorti son mouchoir pour la pleurer qu'on s'aperçoit que les choses sont loin d'être aussi simples. Les meilleures places au Top 50, Top

Albums et autres hit-parades sont «trustées» le plus souvent par les Anglo-Saxons, mais, en fin de compte, c'est un Français, Patrick Bruel, qui arrive en tête des ventes de disques en 1991. Avant lui, Francis Cabrel et Jean-Jacques Goldman occupèrent cette place enviée.

Ce n'est pas tout. Madonna ou Michael Jackson, quand ils débarquent à Paris, rassemblent certes quelques dizaines de milliers de personnes, mais le temps d'une ou de quelques soirées, sur une pelouse en plein air ou au Palais omnisports de Paris-Bercy, après quoi ils repartent. Tandis que Bruel, lui, s'engage dans une tournée triomphale à travers la France: un million de spectateurs en 1991, un score que ses concurrents français du moment, Goldman/Fredericks/Jones ou Cabrel lui envient. La domination des autochtones sur les étrangers peut même être le fait d'artistes réputés «difficiles», voire «intellectuels». En 1989-1990, Jacques Higelin, pour sa tournée succédant à trois mois passés à la Grande Halle de la Villette, a rassemblé de 600 000 à 700 000 spectateurs.

Or, et c'est là le paradoxe, le public qui se rend au spectacle, n'hésitant pas à traverser un terrain boueux pour rejoindre un chapiteau planté à l'orée d'une ville, est formé de jeunes, de très jeunes le plus souvent. On croyait avoir constaté une désaffection du public jeune pour la chanson française. Pour lui plaire, il fallait, paraît-il, se cantonner dans la variété et le rock anglo-saxons. Or, voilà qu'on découvre ces mêmes ados reprenant de mémoire les chansons de l'idole du moment, chantant à sa place la plupart des refrains, capables même, Bruel a pu le constater, d'interpréter par cœur une chanson non encore enregistrée.

Qu'il y ait un «cas Bruel», personne n'en doute. Il fait montre, depuis ses débuts, d'un étonnant pouvoir de fascination. Avec lui, et sans doute malgré lui, les passions adolescentes sont portées au paroxysme. Mais il n'est pas le seul à provoquer aujourd'hui ce phénomène irraisonnable et irraisonné d'adoration. On en retrouve des traces, à des degrés divers, autour de personnages aussi différents que Vanessa Paradis, Patricia Kaas (surtout à ses débuts), Florent Pagny... Un phénomène qui est le fait de jeunes, de très jeunes interprètes, dira-t-on. A tort car, jusqu'à la disparition de Serge Gainsbourg, l'ancien bénéficiait au degré ultime de cette adoration sans nuances. Depuis sa mort, un véritable culte s'est mis en place dans son sillage.

Rock ou musette

Lorsqu'on se demande quel pourrait être le lien ténu entre les «idoles des jeunes» (comme le chantait Johnny Hallyday qui, l'un des premiers, eut droit au titre), on ne parvient à trouver qu'un seul point commun: tous ces personnages au style et au look dissemblables s'inscrivent, du moins l'affirment-ils, dans la mouvance «rock». Il convient, pour séduire les jeunes de la dernière décennie du XXe siècle, de jouer au rocker en méprisant la variété (la «variétoche»...)

Mais que recouvre le terme «rock»? Au départ, à la fin des années 50, la définition était relativement aisée: une musique simple et violente, s'appuyant sur un rythme binaire, soutenue par des guitares électriques générant un maximum de décibels. Une musique symbolisant le refus du monde adulte par les jeunes générations. L'attitude provocatrice des interprètes, les phrases hurlées plutôt que chantées, et les échauffourées à la sortie des concerts appartenaient au même climat: les teenagers, par le rock, entendaient affirmer leur différence.

La situation est devenue plus complexe. Plus confuse aussi. On range dans la rubrique rock des productions extrêmement variées. Le rock dit «alternatif» en est l'exemple typique. A l'origine, il s'agissait pour ses promoteurs de proposer et de défendre une musique originale, plutôt rude et échappant à la moulinette réductrice des multinationales du disque. Violents, exagérant la raucité du chanteur et le volume sonore, les premiers enregistrements des Garçons Bouchers apparaissent comme très représentatifs de cette esthétique.

Mais, très vite, le chemin des alternatifs bifurque. Les voilà qui redécouvrent l'accordéon, la bonne vieille chanson réaliste, le grivois début-de-siècle, la chanson sociale aussi, mais traitée avec sarcasme. Issu des Garçons Bouchers, le groupe Pigalle redessine, avec *le Bar tabac de la rue des Martyrs*, le décor dans lequel évoluaient les héros et héroïnes de Piaf : lugubre, crasseux, désespérant. Les Négresses Vertes, avec *Famille heureuse*, se lancent dans le pamphlet social rigolard et hargneux. Tandis que, proche par l'esprit des alternatifs, Elmer Food Beat se plonge avec délectation dans *Daniela*, chanson obscène s'apparentant aux rengaines de salles de garde dont raffolaient les carabins.

Renaud, qui avait ouvert la voie à ce retour à la tradition, ne s'est jamais caché des emprunts faits aux chansons début-du-siècle. Il s'était même offert le luxe de consacrer aux refrains de jadis un album entier – enregistré en public. Tandis que ses successeurs se taisent. Ils ont beau emprunter davantage au musette qu'à la musique popularisée par Elvis Presley, ils s'évertuent à se considérer comme des rockers. Attitude bizarre, mais compréhensible, tel est le passeport, le prix à payer pour garder le contact avec la jeunesse.

Rap en vrac

Encore plus frappant est le phénomène rap, hâtivement qualifié de musique des banlieues, que rejoignent la vogue zoulou, la mode hip-hop et le tag, forme la plus achevée de l'art pictural populaire. Bien entendu, tout cela nous arrive des États-Unis prémâché, prédigéré, prêt à consommer. L'origine proche du rap est celle des ghettos noirs des grandes cités américaines, là où il permet aux minorités ethniques défavorisées de se faire entendre. Mais on peut lui trouver des parentés plus lointaines. Cette façon de parler, avec un phrasé modulé sur une musique de fond, se retrouve aussi bien dans les westerns où les vendeurs de bétail font monter les enchères au rythme d'une chanson improvisée que dans les églises noires où les prédicateurs scandent leurs prêches à la façon du meneur de jeu d'une *square dance*. « Le rap, confiait récemment Charles Aznavour, n'est pas une nouveauté. Lorsque, avec Pierre Roche, j'ai écrit *Poker*, nous faisions du rap, une sorte de rap en tout cas, sans le savoir. Ce qui est nouveau, c'est le contenu social du rap. »

Quoi qu'il en soit, le rap arrive en France (avec ses variantes type « raggamuffin ») et fait rapidement de nombreux adeptes... Des groupes naissent un peu partout, créent des chansons, très souvent revendicatives, agressives, protestataires. Certains, Suprême NTM (Nique ta mère !), I am, Tonton David, Lionel D., commencent à se faire une réputation nationale. La greffe rap a donc bien pris en France.

Seulement voilà, le phénomène est vite détourné et récupéré par l'industrie du disque. Le premier succès vraiment populaire en France est un produit purement « variété » : *Chacun fait ce qui lui plaît*, interprété par le groupe Chagrin d'Amour voici une dizaine d'années. Il n'est alors porteur d'aucun contenu social. Des formations comme celle de Benny B., rejetée par les puristes, restent parmi celles ayant obtenu le plus large succès. Des pastiches, ceux des Inconnus notamment, « La banlieue c'est pas rose, la banlieue, c'est morose », finissent par porter davantage que les œuvres originales. Enfin, parmi ceux qui écrivent le mieux leurs textes, nombre s'éloignent assez vite de la revendication pure et dure. Ainsi MC Solaar, qui semble s'inscrire dans la même veine que NTM ou I am, conte les malheurs d'une fille trop rondelette qui désire maigrir (*Victime de la mode*) ; comme Chagrin d'Amour relatait le cafard d'un pochard solitaire perdu dans la nuit.

En définitive, quelle que soit la manière dont on appréhende la chanson française aujourd'hui, on se trouve submergé par la confusion, les contradictions et le flou ambiants. Gérard Blanchard, qui crie ses sarcasmes en s'accompagnant à l'accordéon, est un rocker. De même qu'Étienne Daho, qui livre ses confidences sur un ton monocorde. Malgré un ensemble et une musique relativement fidèles au modèle rock, Jean-Luc Lahaye n'a guère droit à cette qualification et se trouve rejeté dans la « variétoche », tandis que William Sheller, qui touche à tous les styles, s'accompagne lui-même en solitaire, au piano, ou fait appel à un orchestre symphonique, peut prétendre à l'appellation enviée de rocker.

Or, malgré ce méli-mélo dans lequel un musicologue

classique aurait du mal à retrouver ses notes, il existe certainement un fil d'Ariane auquel on devrait pouvoir se raccrocher. Il n'est pas immédiatement repérable, et cela semble normal. L'époque est molle, confuse, imprécise... Elle se passionne pour les pin's, le Téléthon, paraît se désintéresser du social et s'éloigner du politique. Ceux-là mêmes qui étaient prêts à s'enflammer pour de nobles causes détournent la tête, désabusés. Comme si s'occuper des autres conduisait inévitablement à en être dupes.

A époque inconsistante, chansons insaisissables ; à univers flou, chansons sans aspérités ; à monde disloqué, chanson partant dans tous les sens ; et lorsque, l'oreille aux aguets, on cherche à tracer les grandes lignes de la chanson française, il semble que le brouillard les a enrobées. Il faut, pour avancer, marcher à l'aveuglette. Sans savoir si on rencontrera un jour le bout du tunnel.

Nous vivons probablement une période transitoire. L'absence d'avenir, la morosité actuelle – qui paradoxalement atteint davantage les nantis que les exclus –, l'impossibilité de trouver des idées de rechange, l'incapacité à se définir, l'inquiétude face aux bouleversements mondiaux se répercutent sur tous les modes d'expression, chanson comprise. Il faut être un Jean Ferrat pour oser encore mêler à ses ricanements rebelles quelques notes d'espoir, bref oser croire au futur. Les autres auteurs-compositeurs-interprètes semblent errer, perdus dans un univers impénétrable.

Pourtant, si l'on examine des périodes plus longues, de grandes tendances se dessinent, de grandes lignes apparaissent, pas toujours nettes, mais suffisamment marquées pour permettre une tentative d'explication.

1.
DES CRIS DANS LA GRISAILLE

Défaite en fanfare

Les années 1940. Une des périodes les plus noires de notre histoire. Le pays ? Coupé en deux. Au Nord, les occupants vert-de-gris sont partout présents ; au Sud, dans la zone dite « libre » (mais qui sera elle aussi occupée, dès 1942), le pouvoir du Maréchal et de ses séides a remplacé la République vaincue par les armes.

C'est le moment des revanches. Tous les personnages que la France avait rejetés parce qu'ils s'accrochaient à un passé révolu refont surface. Ils foisonnent à Vichy où, dans un décor d'opérette démodée, un gouvernement, fort avec les faibles mais faible devant les vainqueurs, mène une farce lugubre, multipliant les parades d'une armée minuscule et sans armes qui s'effondrera en novembre 1942 à la première poussée des Panzerdivisionen du Reich. Faute de bateaux, qui rouillent dans les ports en attente du sabordage ou de la livraison à l'ennemi, les amiraux sont devenus préfets.

Jamais on n'avait vu autant d'uniformes dans les rues et les administrations de la France méridionale ; jamais on n'avait assisté à tant de parades militaires. Les troupes françaises ont pratiquement cessé d'exister, mais leurs fanfares résonnent sur les places publiques, occupent les jardins et les parcs. Les guerriers sans emploi et les stratèges sans envergure font retentir partout leurs martiales sonneries. Le son des clairons et le « ra » des tambours dominent les rues d'une métropole encore étourdie par le choc de la défaite.

Bien entendu, cela se perçoit peu à la radio (on dit encore la TSF, la télégraphie sans fil). Peut-être parce que les hymnes guerriers pourraient indisposer l'occupant, présent au nord et très voisin au sud. Plus encore, parce qu'il n'est pas sûr que les auditeurs le tolèrent. Ils avaient, durant l'an 39, fait un succès aux chants glorifiant les alliés ou nos propres troupes. Ils s'étaient laissé aller à fredonner des chansons aussi délicates que *Victoire, c'est la fille à Madelon* ou, emprunté à l'ami britannique, ce refrain : « On ira pendre notre linge sur la ligne Siegfried. » Ils avaient, grâce à Maurice Chevalier, repris en chœur les couplets unitaires et patriotiques comme « Et tout ça, ça fait d'excellents Français ». Ils y avaient cru.

Voilà que tout s'est effondré. La « meilleure infanterie du monde » a fui devant les chars. L'allié anglais, replié sur ses îles, est devenu presque un ennemi, surtout depuis les combats de Mers-el-Kébir et de Dakar qui ont vu s'affronter des flottes hier unies. Qui oserait, à la fin de l'an 40, se rappeler les vers de *Bonjour Tommy,* grand succès de l'année précédente ? La France est vaincue, ne cesse-t-on de répéter aussi bien sur les ondes de Radio-Paris, poste aux mains des occupants – « Radio-Paris ment, Radio-Paris ment, Radio-Paris est allemand », le leitmotiv de Pierre Dac sera bientôt un succès clandestin mais populaire –, que sur les antennes de la Radiodiffusion française tenue par Vichy.

Avec Pétain, l'ordre moral a repris le pouvoir. On retrouve, comme le feront plus tard les « babas cool » et les écolos, la nature, les racines, le folklore, et l'on diffuse des chansons paysannes à longueur de journée. Les nôtres et celles des autres : *C'est si simple d'aimer,* refrain patriotique romand relativement récent, se transforme en vieux chant français : « Aimons nos montagnes / Nos Alpes de neige / Aimons nos campagnes / Et que Dieu les protège... » On exalte le travail, surtout manuel et rural, celui qui fait apparaître les cals aux mains et la sueur au front. Jamais en retard d'une révolution, Maurice Chevalier est dans l'air du temps quand il chante, avec *La Chanson du maçon,* une synthèse, à la fois bienvenue et acceptable, de l'esprit vichyssois. « Si tout le monde apportait son moellon / Nous rebâtirions notre maison / Qui deviendrait, grand Dieu, / La maison du bon Dieu. »

La danse interdite

Car le bon Dieu est là, toujours présent, pour veiller à la pureté de la race, au respect des traditions, à la pudeur des filles et à l'honnêteté des mœurs. La France a perdu la guerre parce qu'elle s'était laissé gagner par l'esprit de jouissance. Il faut maintenant qu'elle expie, qu'elle fasse pénitence. Une des premières mesures adoptées par Vichy : l'interdiction des bals publics et privés. On ne danse pas dans un pays vaincu, dont deux millions de soldats sont prisonniers en Allemagne.

On ne danse pas, surtout parce que les bals sont malsains, parce que les corps s'y abandonnent, parce que les mains s'y frôlent : du bal à la luxure il n'y a qu'un pas... de java ! L'Église redevenue toute puissante vitupère le péché originel. Les bals possèdent, semble-t-il, une tare supplémentaire : on s'y réunit et, entre valses et tangos, c'est aussi l'occasion de parler. Or, le pouvoir vichyssois n'apprécie que les réunions disciplinées, celles qu'il contrôle et qui ne peuvent dégénérer. Pour un peu, on se croirait revenu un siècle en arrière, à l'époque où le polémiste Paul-Louis Courier lançait sa fameuse « Pétition pour les villageois qu'on empêche de danser ».

Curieusement, malgré la défaite et le silence des fanfares vaincues, on continue toutefois de fredonner. Des chansons anciennes redeviennent d'actualité : ainsi *J'attendrai,* créée en 1938, interprétée par Rina Ketty, Tino Rossi et Jean Sablon, que l'éloignement des prisonniers remet en vogue. De nouvelles sont construites autour de la même idée, *Ça sent si bon la France* ou *Quand tu reverras ton village,* par exemple. Et d'autres, sans doute conçues pour une période de victoire, mais auxquelles la déroute donne un autre sens : *Au bar de l'escadrille,* etc.

Sur le nouveau régime, sur l'État corporatiste qui se met en place, on écrit des couplets par dizaines, d'une médiocrité affligeante ; leurs auteurs n'ont visiblement pas le souffle épique de Paul Claudel qui offre à Philippe Pétain sa fameuse *Ode au Maréchal* (assez proche de celle qu'il présentera quatre ans plus tard à la gloire du général de Gaulle). De l'ensemble de ces œuvres – si l'on peut dire ! –

une seule émerge : *Maréchal, nous voilà!*, dont quelques-uns essaient de faire un nouvel hymne national.

André Dassary, *tenorino* basque à la voix de chanteur d'opérette – il fut l'inoubliable interprète de *Ramuntcho* –, lance le refrain sur les ondes. On s'extasie devant la richesse de son inspiration : « Devant toi, ô Sauveur de la France / Nous voulons, nous les gars, nous grouper et poursuivre tes pas. » Dans les petites classes, les maîtres l'enseignent à leurs élèves, et les foules enfantines, à chacun des déplacements du vieux chef, le saluent de ces couplets. Mais, aussi vite qu'il est monté, le souffle retombe. Parce que l'époque où la France compte, selon Henri Amouroux, « quarante millions de pétainistes » dure peu. Et surtout parce que les écoliers, iconoclastes comme on l'est à cet âge, ont commencé à remplacer les vers originaux par leurs propres versions, grivoises et détournées.

Tristesse de Saint-Louis

En fait, l'occupant, tout comme le régime de Vichy, utilise assez peu la chanson dans sa propagande quotidienne : elle n'existe que pour meubler les ondes entre les bulletins d'information. N'empêche : l'occasion est bonne pour quelques oubliés du succès d'accéder enfin à la gloire. Dès la réouverture de Radio-Paris sous le contrôle direct des autorités allemandes, André Claveau met en place une émission destinée aux femmes, *Cette heure est à vous*, et en profite pour imposer et rendre populaire un répertoire à juste titre ignoré jusque-là. Il deviendra le charmeur de l'Occupation et disparaîtra presque totalement dès la Libération. De ce qu'il a chanté, ne reste guère dans les esprits qu'une rengaine de circonstance consacrée aux « semelles de bois » des souliers féminins. Le cuir, comme la plupart des produits d'usage quotidien, manque.

Hormis l'exemple d'André Claveau – un cas un peu à part – une continuité est assurée entre la chanson d'avant-guerre et celle de l'Occupation. Les vedettes d'hier, qu'elles soient restées ou retournées à Paris, ou qu'elles vivent en Zone libre, poursuivent leur carrière (sauf celles trop marquées politiquement !). Édith Piaf est toujours présente et, si Ray Ventura et ses Collégiens se sont expatriés, Raymond Legrand en a repris, avec son orchestre, et la tradition et le style : une pointe d'humour, un zeste de jazz et la chanson traitée sous forme de sketch.

Le jazz est, en théorie, banni des ondes : « une musique barbare qui témoigne de la dégénérescence des mœurs ». En fait, il s'impose. Hugues Panassié, un des pionniers du genre en France, raconte que pour échapper aux foudres de la toute-puissante censure qui contrôlait le contenu de chaque disque avant son passage à l'antenne, il avait dû convertir *Saint-Louis Blues* en *Tristesse de Saint-Louis.* Possible. Encore que, né juste avant guerre, le quintette du Hot Club de France connaisse le succès grâce aux œuvres du génial gitan Django Reinhardt. Qui ne vibre alors à l'écoute de ses grands succès, comme *Nuages* ou *Swing 39* !

Pour le reste, les grands noms d'avant 1939 demeurent. Jean Tranchant, qui fut un temps le concurrent (plus mélancolique et fécond, mais tout aussi délicat) de Charles Trenet, s'impose : on avait aimé *Ici l'on pêche,* ou *Chérie, les jardins nous attendent* ; on fait un triomphe à *Comme une chanson.* Jean Sablon, lui aussi un rescapé de l'avant-guerre, risque une version jazzy de *Sur le pont d'Avignon* et lance un mélancolique *Je tire ma révérence* qu'on entendra beaucoup... avant qu'il ne tire sa révérence pour de bon et qu'il mette l'Atlantique entre les occupants et lui.

La nostalgie se porte bien. *Je suis seul ce soir, On s'aimera quelques jours, Mon amant de Saint-Jean* font la gloire de Pierre Dudan, Annette Lajon ou Léo Marjane. *Lily Marlene,* la Madelon de l'armée allemande, prend pied sur le sol national, portée par l'étrange Suzy Solidor, voix rauque et inspiration maritime, qui accueille dans son cabaret le gratin du moment, trafiquants du marché noir et uniformes vert-de-gris confondus.

Peu de chanteurs allemands au « box-office » de l'époque. Des femmes, cependant, telle la pétulante Marika Rokk, vedette du music-hall et du cinéma – qui dans *Fille d'Ève* fait rêver toute une génération d'adolescents boutonneux (dont les activités de plein air n'ont pas calmé les ardeurs...) –, Eva Busch et surtout la troublante Zarah Leander, une Suédoise dont les intonations sensuelles font chavirer les cœurs. Il faut réentendre des chansons comme

Yes Sir ou *le Vent m'a dit une chanson* pour comprendre que la pruderie officielle demeure sans effet sur les pulsions réelles du public.

Ni fou ni Juif

Bizarrement, davantage qu'à la mélancolie, l'heure est plutôt au rire. La chanson comique, la «fantaisie» se portent bien. De l'*Hôtel des Trois-Canards* qu'interprète, entre autres, la joyeuse Marie Bizet, à *Avec mon ukulélé*, de Jacques Pills (mieux inspiré autrefois, du temps du duo Pills et Tabet), nombreux sont les couplets destinés à ramener quelque peu le sourire aux lèvres attristées des Français. Georgius, surtout, est un grand homme. Il continue de délirer et de faire rire, grassement, des malheurs du temps *(Pour un peu d'tabac)*. Il s'était, au début des hostilités, engagé dans la chanson patriotique en proposant une version de sa *Plus bath des javas* mettant en boîte Adolf et Benito. Les temps ont changé, et lui aussi. Au point qu'il connaîtra quelques ennuis à la Libération.

L'homme qui personnifie le mieux la joie de vivre à la française reste toutefois Charles Trenet. Il a connu des déconvenues au lendemain de la défaite. A ce poète si typiquement français et si ouvertement soucieux de sa liberté, certains «collabos» découvrent, on ne sait comment, des ascendants hébraïques. On l'agresse dans la presse, on lui réclame, pour lui et ses ancêtres, des certificats de baptême. Jusqu'au jour où, excédé, le Fou chantant déclare vigoureusement: «Je ne suis ni fou ni Juif.»

Trenet tient le choc. Mais la manière dont il est perçu par des admirateurs toujours aussi nombreux change. Sans le savoir et sans le vouloir, il avait été le porte-parole d'une génération qui, avec le Front populaire et les premiers congés payés, a découvert la campagne, la mer, la montagne, le plaisir d'errer sur *la Route enchantée*. Il représentait la joie de vivre, l'absence de contraintes, l'espérance. Tout s'est écroulé, mais il demeure semblable à lui-même. Aussi apprécié. Toutefois, le sens de ses paroles s'est modifié. Il lance *Un rien me fait chanter* et *la Romance de*

Paris... Tout ça c'est pour nous et *Que reste-t-il de nos amours... Bonsoir jolie Madame* et *l'Héritage infernal...* Des chansons gaies, pour la plupart, ou mélancoliques, mais toutes hors du temps. On l'écoute et on apprécie, comme si on voulait à travers lui retrouver l'époque de l'insouciance.

Parfois, l'actualité l'inspire. Quand il évoque les *Oiseaux de Paris,* tous ceux qui ont dû fuir la capitale où les Allemands font la loi retrouvent un peu de leur mélancolie d'exilés. Farfelu dans ses films, il l'est aussi dans ses chansons... Mais sa sensibilité à l'air du temps paraît s'être émoussée. Impossible d'ailleurs de traduire celle-ci ouvertement sans connaître aussitôt de grandes difficultés. La seule chanson dans laquelle il évoque le sentiment profond des Français, *Espoir,* sera écartée des ondes. De cet apparent détachement, personne ne lui tiendra grief. Le langage est, sous l'oppression, devenu codé ; on comprend à demi-mots, par l'évocation d'un passé heureux, d'une joie disparue, de bonheurs effacés, que Charles Trenet annonce l'avenir. A sa manière, discrète, de poète. Sans les envolées lyriques que l'époque interdit et que, de toute façon, il n'a jamais particulièrement prisées. Homme d'hier, Trenet est aussi l'homme de demain. Son public l'a compris. Il lui restera fidèle. Comme lui-même est resté fidèle à l'imagerie qu'il avait fait naître dans l'âme et le cœur de ses admirateurs.

Trenet reste bien sûr un cas à part. Avant guerre, il avait su introduire dans la chanson l'esprit du moment. Durant l'Occupation, il sait, en s'extrayant de l'actualité, créer le climat de rêve nécessaire à la population française pour oublier la cruelle réalité. Mais celle-ci est omniprésente. Les exactions nazies, les restrictions, les lendemains qui ne chantent pas, sont le lot quotidien des Français. Ils n'en parlent guère, les mouchards sont partout. Le chantent encore moins. Mais ils connaissent par cœur les chansons presque terre à terre qui évoquent les difficultés du temps.

Combattants et attentistes

Radio-Londres... Pierre Dac y mène chaque soir un époustouflant numéro de chansonnier, inventant, sur des airs connus, de nouveaux textes combatifs et virulents, qui tournent en ridicule les faits et gestes des dictateurs, de leurs valets et de leurs armées. Ses couplets sur la « défense élastique », la manière voilée par laquelle les troupes allemandes annoncent leur recul, apparaissent encore, un demi-siècle après, comme un modèle du genre.

De Londres viennent également, diffusées par la BBC et captées malgré le brouillage qui sévit sur les ondes, les premières chansons de la Résistance, les seules en tout cas qui connaîtront une résonance nationale : *Ceux du maquis,* et surtout *le Chant des partisans,* musique d'Anna Marly, paroles de Maurice Druon et Joseph Kessel. Un chant qui connaîtra une immense vogue bien qu'il ne soit alors pas possible pour ceux, très nombreux, qui en ont les paroles en mémoire de l'entonner en public.

On chante *les Partisans* dans les maquis qui se forment un peu partout en montagne et qui accueillent les réfractaires au STO, le Service du Travail Obligatoire en Allemagne... On y chante aussi, accrochés à des airs populaires, de multiples chansons inventées localement. Paul Arma, folkloriste et militant, recueille des centaines de couplets qui, en 1943 et 1944, auront marqué le quotidien de quelques dizaines de maquisards isolés dans la forêt et qui, dès la Libération, disparaîtront tout naturellement. Ils avaient eu un rôle à jouer ; ils n'étaient plus désormais nécessaires.

Encore plus confidentielles, les chansons exaltant la collaboration. Elles existent, c'est certain. Chaque groupuscule collaborationniste s'est inventé des hymnes, souvent accolés à des musiques d'origine germanique. Aucun ne sort du cercle étroit des adeptes. Même le chant de la Milice, cet organisme paramilitaire qui se mettra lamentablement au service des nazis, passe totalement inaperçu. En définitive, les nazis français préfèrent pour la plupart emprunter au répertoire allemand : *Alli allo alla,* et surtout *J'avais un camarade.*

Dans son ensemble, la chanson française reste, sinon

vraiment neutre, du moins apparemment indifférente au conflit qui ébranle le monde. Peu ou guère de «collabos» parmi ses vedettes, ni de véritables résistants. Plutôt que d'oser aborder un avenir incertain, la chanson française évoque le passé, *le Paradis perdu* et *le Premier Rendez-vous* – leitmotive de deux films du moment –, ou *le Petit Vin blanc* «qu'on boit sous les tonnelles». Même un personnage aussi engagé que l'était avant-guerre Jacques Prévert – il animait le groupe théâtral Octobre, marqué à l'extrême gauche – limite son inspiration aux «démons et merveilles / Vents et marées». La chanson-barricade ne l'attire pas.

Pas plus qu'elle n'attire dans l'autre camp. On essaie de survivre, de poursuivre sa carrière, quitte à se laisser entraîner, pour éviter les ennuis, dans quelques initiatives douteuses: un gala pour Radio-Paris, une séance au profit du Secours national vichyssois. Quelques-uns finiront, à l'invitation pressante des occupants, par accepter un voyage en Allemagne que les nazis sauront utiliser dans leur propagande. Mais pour se donner bonne conscience, ils obtiendront en échange la libération de quelques prisonniers de guerre. Bref, l'attitude d'un Yves Montand, alors débutant, qui chante *Dans les plaines du Far West,* fausse chanson de cow-boy, ne manque pas de panache, bien qu'il soit dans son cas difficile de parler de résistance. Montand, d'ailleurs, ne se prétendra jamais résistant.

Le cas Chevalier

Typique est le comportement de Maurice Chevalier. Il ne prend pas parti, se laisse porter par le vent. Il est pétainiste lorsque la majorité crie «Vive Pétain!», participe aux voyages des artistes français en Allemagne, chante indifféremment à Paris et dans le Sud. Sans trop se poser de problèmes. Qu'on libère, grâce à lui, quelques prisonniers parisiens de «Menilmuche» lui suffit. En même temps, il protège sa femme d'origine juive et vit dans l'angoisse. Il louvoie tant, que Radio-Londres finit par le menacer de mort pour trahison. Il s'en tirera à la Libération grâce à une nouvelle pirouette: le couple Elsa Triolet-Aragon le prendra sous sa protection et il deviendra un des plus prestigieux compagnons de route du parti communiste.

Maurice Chevalier entretient avec le public français des rapports très particuliers. D'une certaine manière, il en a suivi toutes les évolutions. Il est, avant la Première Guerre mondiale, un artiste certes connu, mais à l'influence limitée. Il se singularise davantage par ses amours tumultueuses avec Mistinguett que par son talent de fantaisiste, équivalent à celui de ses concurrents, fort nombreux, du moment.

La guerre de 1914-1918 va considérablement modifier le cours de sa carrière. Moins du fait de son attitude personnelle – combattant, blessé, prisonnier, il connaît le sort de centaines de milliers d'hommes de sa génération – qu'en raison du fantastique brassage social qu'elle entraîne. Dans les tranchées, nobles, bourgeois et ouvriers vivent dans la même promiscuité, souffrent des mêmes parasites. A l'arrière, des fortunes s'effondrent tandis que d'autres surgissent ; aux rentiers démonétisés d'hier succèdent trafiquants et combinards enrichis, presque tous issus du peuple.

Consciemment ou non, mais avec un génie certain, Maurice Chevalier va assumer la mutation profonde de la société. Par sa gouaille, son accent parigot, ses intentions canailles, il reste l'homme du peuple, du « populo » dont il est issu. Mais il porte l'habit ou le smoking avec l'élégance d'un dandy, paraît tout à fait à l'aise avec un plastron immaculé, un nœud papillon, et son maintien est celui d'un « gars de la haute ». Un détail supplémentaire : le fameux canotier un peu voyou qui confirme la dualité du personnage.

Pratiquement à lui seul, il prend en charge le besoin de fête et d'oubli des Années folles. C'est lui qui, dans l'opérette *Dédé,* lance à la cantonade cette profession de foi, adoptée par beaucoup : « Dans la vie faut pas s'en faire / Moi je ne m'en fais pas. » On aimait bien le Chevalier fantaisiste d'avant 1914. On s'enthousiasme pour le nouveau Chevalier, « titi » en smoking.

Une séduction qui va jouer longtemps. Même le séjour à Hollywood où il personnifie, l'espace de quelques années, le petit Français séduisant et séducteur ajoute à sa popularité. D'instinct, Chevalier colle à son époque. Fêtard en 1925, il se redécouvre prolo et chante en 1936 pour le Front populaire, en 1939 pour l'Union sacrée, et sous l'Occupation pour Pétain.

Contradiction ? Pas vraiment. Ce qu'il pense et ce qu'il dit, c'est aussi ce que pense et dit la majorité de ses contemporains. On vit mal sous l'Occupation, mais on essaie de s'en tirer. On n'aime guère les uniformes allemands que l'on croise dans les rues, mais on tente de s'en accommoder. On a plutôt de la sympathie pour la Résistance, mais ses actes inquiètent d'autant plus qu'on risque à chaque instant de devenir victime de représailles allemandes. Il y a toujours une balle perdue menaçant le passant, et les occupants ne font guère preuve de discernement dans le choix des otages. Mais, sans oser ouvertement en parler, on rêve de libération, de bonheur, d'abondance. Quand Maurice Chevalier chante *Notre espoir*, sa chanson plaît parce que, hormis le refrain consacré à l'espoir, elle ne signifie rien. Ses couplets sont uniquement écrits... en onomatopées.

C'est probablement cette concordance de sentiments avec la majorité silencieuse qui poussera, à la Libération, le parti communiste à récupérer Chevalier, à le dédouaner des accusations de trahison qui pèsent sur lui, et à en faire une manière de drapeau. En « blanchissant » le chanteur, le PC élargit son propre public. Parti de la Résistance, parti « des 75 000 fusillés », il tente, grâce à des personnages tels que lui, de devenir le parti de millions d'attentistes, peu courageux mais si bons électeurs. Ainsi naît sans doute la légende d'une France « entièrement résistante ».

Les zazous et leur Johnny

Face à l'inertie des aînés, le phénomène zazou apparaît comme une manifestation incontestable de courage. En vérité, l'insouciance et l'inconscience le dominent, même si ceux qui s'en réclament ont tendance à défier la société, le régime, l'occupant et l'ordre moral. Non pour des raisons politiques, mais simplement pour conquérir le droit à l'amusement.

Au départ, c'est une manière d'interpréter la musique de jazz, de la faire « swinguer », c'est-à-dire balancer. Le swing apparaît d'abord, avant que n'éclate la guerre, chez les jazzmen français. Quelques chanteurs, dont Johnny Hess – ex-partenaire de Trenet dans le couple de duettistes farfelus Charles et Johnny –, prennent le relais. Le mot « swing » est à la mode. Mais il ne qualifie encore qu'une forme musicale.

C'est en 1941 que le phénomène commence à s'étendre. Musical toujours. Il suffit de glisser le mot « swing » dans le refrain d'une chanson pour que celle-ci connaisse le succès. Tous s'y mettent : les musiciens de jazz, bien sûr (Django Reinhardt fera un classique de sa composition *Swing 41*), mais aussi les comiques tel Georgius *(Mon heure de swing)*, les fantaisistes tel Jacques Pills *(Elle était swing)*, les chanteurs de charme tel Reda Caire *(Swing swing madame)*...

Bientôt, le mouvement quitte les ondes et les estrades, pour descendre dans la rue. A Paris d'abord, puis dans les grandes villes de province, on voit se former de petits groupes de jeunes, « les zazous », à l'allure choquante. Leur nom, ils l'on choisi eux-mêmes en reprenant les onomatopées qui ponctuent les vers d'une chanson de Johnny Hess, très vite devenu leur idole : « Je suis swing, je suis swing, Zazou zazouzé... » Leur tenue, ils l'ont trouvée dans les derniers films de jazz diffusés au début de la guerre. Cab Calloway est sans doute le père vestimentaire des zazous [1].

Cette tenue a de quoi choquer : le zazou, c'est un peu le négatif du jeune aryen exemplaire des affiches qui couvrent les murs des cités. Celui-ci porte les cheveux courts, la chemise stricte d'allure militaire, il a le regard droit, le geste sportif et donne l'impression qu'il est paré au combat. Le zazou, lui, a choisi de ressembler au personnage de dégénéré tel que l'imaginent les tenants de l'« ordre nouveau ». Chez l'homme, la chevelure se porte longue sur la

---

1. Certains attribuent l'origine du mot « zazou » à ce même Cab Calloway, auteur de *Zah, zuh, zah*. Telles en effet étaient les onomatopées prononcées par les musiciens de son orchestre dans ce titre (disque RCA de 1933).

nuque, gonflée à l'avant, bouclée si possible. La veste, large, aux épaules tombantes, descend jusqu'à mi-cuisse. Le col de chemise, monstrueusement haut, s'orne d'un minuscule nœud de cravate. Le pantalon, très étroit et court, laisse voir des chaussettes colorées et les pieds sont chaussés de souliers à triple semelle débordante. Comme le précise un refrain en vogue : « Les cheveux tout frisottés / Le col haut de dix-huit pieds / Oh ! ils sont zazous. »

La compagne du zazou lui ressemble : coiffure haute et compliquée, veste longue et épaulée, jupe au-dessus du genou, donc très courte pour l'époque, souliers à semelle compensée – en bois généralement –, sac en bandoulière descendant très bas. Tout, dans cette tenue, est fait pour provoquer : la triple semelle des chaussures, alors que le cuir manque, la longueur inaccoutumée des vestes, alors qu'il faut des points textiles pour acquérir le moindre morceau de tissu. Par leurs vêtements, les zazous nient l'austérité officielle et le sentiment de culpabilité qui l'accompagne.

La musique reste évidemment leur signe de ralliement. Ils aiment le jazz, faux ou vrai, bon ou mauvais, et ont pris l'habitude d'en marquer le rythme, l'index en l'air, en accompagnant les mélodies d'onomatopées. Ils aiment la danse, surtout les pas à la mode outre-Atlantique, et, faute de bals publics, interdits, organisent entre eux les premières surprises-parties ; ils font tourner sur leurs phonographes les disques 78 tours rares, américains de préférence. Ces fêtes mémorables, Boris Vian les racontera plus tard dans son roman *Vercoquin et le plancton*.

L'Amérique les fascine. Elle représente pour eux le symbole de la modernité, du progrès, du futur. Snobs, ils achètent au marché noir, quand ils le peuvent, des cigarettes blondes au goût « américain » ; ils mêlent à leur conversation des expressions d'origine anglo-saxonne. Un langage que, comme l'ensemble des Français, ils ne connaissent pas. Des raisons supplémentaires pour se voir clouer au pilori. Et même pour se faire agresser physiquement. Certains jours, des groupes de jeunes pro-nazis organisent des expéditions punitives, des chasses aux zazous durant lesquelles ils molestent et tondent ceux qui leur tombent sous la main. Ceux qui se défendent se retrouvent en prison, quelques-uns même connaîtront la déportation en Allemagne.

Du côté du pouvoir, que ce soit à Vichy ou à Paris, on les juge « enjuivés », corrompus et décadents ; on les déteste. Acharnés à leur perte, les journaux bien-pensants du moment les stigmatisent, portant en dérision leurs vêtements, tics et rites... C'est grâce à ces mêmes articles que, sans jamais avoir croisé un spécimen du genre, de jeunes provinciaux se découvrent un jour zazous. Leur apprentissage, ils l'ont fait à la lecture de la presse. La tenue idoine, ils l'ont obtenue en copiant les caricatures, fort nombreuses, illustrant les articles qui leur sont consacrés.

Après coup, on a voulu faire des zazous des résistants ou, à l'inverse, des trafiquants du marché noir. Ils n'étaient ni l'un ni l'autre, mais tenaient un peu des deux. Pas vraiment résistants, mais opposants passifs : on en vit peu dans les réseaux, peu dans les maquis... Pas vraiment trafiquants non plus, mais, comme presque tous les Français, usagers et petits revendeurs du marché noir. En fait, leur démarche se résumait au refrain d'une chanson extraite de *Mademoiselle Swing*, leur film-culte : ils poussaient « le cri d'une jeunesse qui veut vivre ». Ils firent de son interprète, Irène de Trébert, comédienne, chanteuse et danseuse – son numéro de claquettes provoqua l'enthousiasme –, une star ultra-populaire mais éphémère.

S'amuser, vivre, acheter des disques rarissimes, se procurer des boissons et des cigarettes, s'habiller pour suivre la mode, cela exige pour l'époque des sommes considérables. Ce qui, fatalement, limite le nombre des zazous. On ne peut parler dans leur cas de raz de marée. Les jeunes ouvriers, les jeunes employés, même s'ils sympathisent, sont exclus de fait du mouvement zazou. Quelques-uns, à la limite de la délinquance (il est si facile de piquer un vélo !), parviennent cependant à s'y intégrer.

Mais, pour la plupart, les zazous appartiennent à la même catégorie sociale. Ils sont enfants de bourgeois, étudiants ou pseudo-étudiants. Oisifs aussi, bien qu'il ne soit pas simple, par ces temps de Service du Travail Obligatoire, de rester sans emploi et sans certificat correspondant. L'important, c'est le plaisir interdit, l'argent qu'on peut extorquer aux parents ou obtenir par divers subterfuges.

C'est aussi l'impression de vivre sa petite aventure personnelle dans la grande aventure qu'est la guerre.

La folie zazou dure peu, trois ans à peine. En 1944, à la Libération, arrivent les vrais Américains, avec leurs films, leurs disques, leurs Camel et leurs Philip Morris. Avec le vrai jazz. Le succédané zazou n'est plus nécessaire. Tout naturellement, il disparaît. On en retrouvera quelques survivants dans les caves de Saint-Germain-des-Prés. Et quand, en 1945, dans les défilés populaires très fréquents à cette époque, des ouvriers communistes scandent le slogan : « Les zazous au boulot ! », ils s'attaquent en fait à une espèce quasi éteinte.

2.

HÉROS TYPES ET TYPES D'ÉPOQUE

La manne américaine

La Libération. Enfin. La chape de plomb qui recouvrait le pays vient de sauter. La population respire mieux. Les angoisses s'estompent, on retrouve le goût de vivre. Les hommes en uniforme croisés dans les rues ne sont plus hostiles ni menaçants. Au contraire, ils ont le sourire aux lèvres et le geste généreux. Bien nourris, luxueusement équipés, ils distribuent paquets de cigarettes et tablettes de chewing-gum... Ils offrent aussi – ou vendent pour améliorer l'ordinaire – des vêtements, des pièces d'uniforme : pantalons qu'il suffit de teindre pour les rendre « civils », blousons de toile beige, *battle-dress* vert olive. La France est encore en guerre, mais ce n'est pas la raison de la présence de tant de tenues guerrières dans les rues. C'est simplement parce que les textiles manquent et que l'armée américaine a su doter ses personnels de vêtements confortables.

Leur pouvoir d'attraction, les GIs le doivent à bien d'autres atouts encore. La musique, en premier lieu : les disques « V », disques de la victoire à la cire teintée de couleurs vives, qui se distinguent des galettes noires du commerce, ont été distribués à des soldats prêts à en faire profiter ceux qui, nombreux en France, fraternisent avec eux. Les amateurs de jazz et de musique moderne, sevrés depuis quatre longues années, se les disputent âprement. De quoi renouveler le répertoire des surprises-parties dont la mode perdure, au grand jour à présent. Les bals publics sont à nouveau tolérés, et les galas de bienfaisance suivis de bals foisonnent.

Le grand chic de ces années 1944-1946, où la TSF est pourtant redevenue libre, est d'écouter la radio des GIs, U.S. Forces Network, dont l'animateur, Sim Copans, ultra-populaire, présente les succès du moment : *In The Mood* par Glenn Miller et son orchestre, *Caravan* par Duke Ellington... Et aussi les vieux airs de Fred Astaire, les chansons de Bing Crosby ou de Judy Garland... Autant d'œuvrettes que l'on écoute dans les salles de jeux – kermesses où des machines à disques, ancêtres du juke-box, permettent à des auditeurs munis d'écouteurs de goûter, contre une pièce de monnaie, aux plus suaves des musiques américaines.

Non que la chanson française se porte mal. Elle poursuit son petit bonhomme de chemin, moins cahotique que l'on aurait pu penser suite au départ subit des envahisseurs. On règle ses comptes entre vedettes dans le royaume du show-business : ceux ou celles qui ont trop parlé ou trop chanté, en de mauvais lieux, devant de mauvais micros, voient brusquement leur carrière mise entre parenthèses, tandis que les proscrits des années noires retrouvent tout aussi soudainement leur droit à l'expression. Et devant des tribunaux protégés par des résistants de la onzième heure – les autres sont au front – on épure à tour de bras. Souvent à bon escient, parfois injustement. Les vedettes tel Maurice Chevalier, on l'a vu, s'en tirent mieux que les besogneux et les sans-grades. Des premiers, dont la gloire rejaillit sur ceux qui les utilisent, on peut avoir besoin. Pas des seconds.

On épure donc, parfois on emprisonne quelques interprètes, mais, dans l'ensemble, la chanson française ne change guère. Pas ou peu de différence entre ce qu'on entendait au début de l'an 1944, sous le joug nazi, et ce que l'on entend neuf ou dix mois plus tard. La fausse naïve Lisette Jambel (*le Petit Chaperon rouge*), la tendre et populaire Jacqueline François (*Ce n'était pas original*) assurent la continuité du répertoire. A peine remarque-t-on l'émergence d'une jeune parolière appelée à devenir célèbre, Françoise Giroud.

Un ton pour l'époque

On aurait pu s'attendre, avec le retour à la liberté, à la renaissance de la chanson patriotique, si prolifique au début de la guerre. Mais non ! Les années d'occupation ont laminé la ferveur des Français. Ils s'enthousiasment moins. Tout juste font-ils un succès à *Fleur de Paris* et *Paris, mais c'est la tour Eiffel*, rengaines vaguement cocardières. Mais le même succès attend *le Petit Vin blanc* (né en 1943) ou *On chante dans mon quartier*, œuvrettes totalement apolitiques. Au reste, des orchestres comme celui de Jacques Hélian (qui a remplacé Raymond Legrand, trop entendu auparavant) interprètent indistinctement les unes et les autres.

En fait, des mois durant, on va se contenter de digérer la liberté retrouvée, de la déguster sans chercher plus loin. Avec, toutefois, quelques incursions sous d'autres cieux. Vers l'Amérique des pionniers, telle qu'elle se dessine dans l'imaginaire hexagonal. Lily Fayol chante *Rythme américain, la Guitare à Chiquita*, et surtout *le Gros Bill*, version western de la fable *le Lièvre et la Tortue*. Danois d'origine, mais très parisien d'esprit, Georges Ulmer entame une carrière qui le mènera au succès. Il « quitte sa voiture pour une jeep », chante *Bing, vieux cheval de gaucho* et interroge *Quand allons-nous nous marier mon cow-boy adoré ?*, reprenant ainsi, mais sans risque, la tradition instaurée par Yves Montand avec *Dans les plaines du Far West*.

Ce dernier va bientôt donner son ton à l'époque. Il existe toujours un certain décalage entre l'évolution des esprits et sa traduction dans le domaine des arts, et *a fortiori* celui de la chanson... En 1946, la guerre est finie. Commencent à se dessiner les silhouettes qui vont donner son image à la nouvelle après-guerre. L'ouvrier est à la mode : on l'aime, on l'admire. Dans l'inconscient collectif (qui ne correspond pas forcément à la réalité), il est le seul à être resté pur, à ne point s'être compromis avec l'occupant. Les élites ont trahi, sont devenues vichyssoises ou collabos ; la police, malgré un sursaut tardif visant à redorer son blason, a assumé les basses œuvres des Allemands. Les juges, audacieux quand rien ne les menace, ont, tous sauf un, prêté serment à Pétain ; et l'Église a trouvé dans l'État français, personnifié par le maréchal, le régime auquel depuis longtemps elle aspirait.

De ce déballage de linge sale, le prolétaire est à peu près le seul à sortir intact. On le méprisait avant-guerre, on l'avait en 1940 rendu responsable, sous prétexte de la semaine de quarante heures et des congés payés, de l'étrange défaite subie par la France. Après la Libération, on l'encense, on se déclare même prêt à améliorer son sort. Le programme du Conseil National de la Résistance prévoit des réformes en ce sens. D'un bord à l'autre de l'échiquier politique, chacun revêt son masque social ou socialiste. Le MRP (Mouvement Républicain Populaire), parti chrétien regroupant les plus modérés des gaullistes et les plus nostalgiques des pétainistes, annonce « la Révolution par la loi », tandis que *Combat*, quotidien du monde intellectuel, porte en manchette le slogan : « De la Résistance à la Révolution. »

Personnage éminemment populaire, l'ouvrier devient héros de films. *La Bataille du rail* exalte le rôle courageux joué par les cheminots dans la défense de la patrie ; *le Point du jour* glorifie les efforts déployés par les mineurs pour relancer la production industrielle et éviter que dans les villes les enfants aient froid l'hiver. Sur les murs des cités, de grandes affiches proclament : « Cela va mieux. Retroussons nos manches et ça ira encore mieux. » Les mineurs ont su retrousser leurs manches. On leur en sait gré... sur l'écran.

Le prolo de la chanson

Pourquoi pas sur scène ? Et si, d'un ouvrier on faisait un chanteur ? A vrai dire, personne n'y pense, rien n'est concerté. Mais arrive justement au music-hall un garçon qui serait parfaitement à l'aise dans ce rôle : il est costaud, sympathique, populaire sans être populacier... Il possède une allure ouverte qui fait naître l'amitié, une force calme, tranquille, une intelligence sans complication, celle que justement on prête au peuple, une voix très belle, modulable, aussi à l'aise dans l'émotion que dans l'ironie. Il y a en lui la tendresse du bon copain, le sérieux du militant, l'ardeur du rebelle, le goût pour l'utopie romantique. Enfin, et cela n'est pas indifférent, ouvrier il l'a vraiment été, à la fin de son enfance et durant son adolescence. Ce personnage totalement sincère, totalement désintéressé, se nomme bien sûr Yves Montand.

Il ne pense pas : « L'ouvrier est à la mode, voilà un bon filon à exploiter », mais bien plutôt : « Puisque j'ai la chance de pouvoir m'exprimer sur une scène, je dois raconter ce qui me tient à cœur. » La chanson permettant de prendre quelque distance avec la réalité, il va assumer l'une après l'autre toutes les images nées de la mythologie de l'ouvrier roi. Simplement parce que celles-ci correspondent à son sentiment du moment.

Au départ, il se présente comme un bon garçon narquois qui ne se sent heureux que lorsqu'il quitte l'usine où, « trois cent soixante-cinq jours de long, il serre le sacré même petit boulon » (sur un texte de Jean Guigo et une musique de Loulou Gasté). Libre pour un jour ou deux, il se fabrique un univers de loisirs bon marché, de fête simple et saine. Il rôde du côté de Luna-Park, vaste parc d'attractions et de baraques foraines situé alors à la Porte Maillot (et que les âmes pieuses feront bientôt fermer pour protéger la jeunesse de la débauche). Il musarde sur les « Grands boulevards », où il fait si bon se promener. On le devine sans cesse en éveil, prêt à s'émerveiller devant « deux yeux angéliques que l'on suit jusqu'à République », capable de ressentir la chaleur fraternelle de la foule dans laquelle il se meut. Autour de lui, le climat ressemble à celui qui baignait les films de René Clair première période, *Quatorze juillet* ou *Sous les toits de Paris.* Montand au music-hall représente un peu l'équivalent de Jean Gabin dans le cinéma d'avant-guerre, l'homme du peuple mis en scène et projeté comme vedette.

C'est d'ailleurs en remplaçant Gabin que Montand se lie avec celui qui lui donnera son deuxième visage, Jacques Prévert. Marcel Carné et Prévert préparent *les Portes de la nuit.* Ils ont prévu d'en donner les premiers rôles à Marlène Dietrich et Jean Gabin. Cela ne peut se faire. Ils tentent alors l'expérience avec un couple de débutants, Nathalie Nattier et Yves Montand. A Montand, on offre un rôle de bourlingueur issu du peuple, à la fois aventurier rebelle et militant révolutionnaire. Dans un décor réaliste et poétique reconstitué par Alexandre Trauner, Montand erre le long du métro aérien, entre Barbès-Rochechouart et Porte de la Chapelle. Il y croise « la plus belle fille du monde » et en tombe éperdument amoureux. Leur aventure finira aussi mal qu'est gris, pluvieux, luisant, lugubre, le Paris ouvrier dans lequel elle se déroule.

Le film est un échec. Avec le recul, Montand s'y juge mauvais acteur. Sans indulgence pour lui-même, il considère qu'il y joue faux, qu'il y est en permanence à côté de son rôle. N'importe ! Des *Portes de la nuit*, il retient deux chansons qu'il n'y interprète pas. Deux grandes chansons de Jacques Prévert et Joseph Kosma, *les Enfants qui s'aiment* et *les Feuilles mortes*, qui, bien que d'autres les aient créées, deviennent un peu ses cartes de visite. Il lui reste, en outre, l'amitié de Prévert qui ne se démentira jamais.

Un public politisé

Ce même Jacques Prévert lui envoie un jeune auteur-compositeur, Francis Lemarque, lui-même excellent interprète... Celui-ci va ajouter quelques touches au personnage Montand. Du brave « prolo » tendre et rêveur, on passe au militant dur et revendicatif. L'engagé de tous les combats pour la paix : « Partir c'est mourir un peu, à la guerre, à la guerre. » Autour de Montand et de Lemarque, le public se politise. On n'écoute pas seulement leurs chansons parce qu'elles sont belles, mais aussi parce qu'elles traitent de problèmes de société. Ferrat, plus tard, connaîtra cette forme de rapports avec le public.

Bien entendu, Montand, même à ses débuts, n'est pas ce personnage un peu monolithique qui vient d'être décrit. Il chante parfaitement, a appris à occuper une scène, choisit soigneusement les œuvres qu'il interprète, et se prépare, sans le savoir, à devenir un acteur de premier plan. On connaît le soutien que lui a apporté Piaf, la silhouette – chemise à col ouvert et pantalon brun – qu'il s'est dessinée. On sait son perfectionnisme, la minutie avec laquelle il se prépare. On n'ignore pas que, bien que proche des communistes, le militant qu'il incarne sur scène n'a jamais adhéré au parti. Enfin, sans jamais vouloir renier ses origines, Montand lui-même précisera maintes fois que, s'il a été ouvrier, il ne l'est plus et ne peut donc incarner cette figure au music-hall.

N'importe, l'image qu'il véhicule à ses débuts impressionne le public et lui colle à la peau. Pendant très longtemps, qu'il s'exprime ou non sur ce sujet, Montand sera jugé selon des critères politiques. Jusqu'à ce qu'il passe de l'admiration sans bornes pour l'URSS au rejet du communisme, ceux qui l'admirent seront considérés comme progressistes, ceux qui le honnissent comme réactionnaires. Dans les années 80, un renversement s'opère : le PC français le détestera au point que son frère, Julien Livi, communiste et dirigeant de la CGT, rompra avec lui tandis qu'une bonne partie de l'opinion se ralliera au « bon sens » qu'il semble incarner.

Ce lien direct entre politique et chanson, très marqué à ses débuts, n'aura guère d'incidence sur sa carrière. Chanteur, il joue sur tous les registres avant de s'éclipser, puis de revenir en 1981 et 1982 pour une ultime série de tours de chant à l'Olympia, suivie d'une tournée à travers la France. Sa disparition en 1991, à quelques mois d'un retour sur scène à Bercy, est vécue comme un deuil national.

Entre-temps, au cinéma, il est devenu l'un des comédiens les plus populaires. Serveur de bistro dans *Garçon* de Claude Sautet, il joue son propre rôle dans *Trois Places pour le 21* de Jacques Demy, et compose une victime du communisme dans *l'Aveu* de Costa-Gavras ; Ruy Blas pour Gérard Oury, il est aussi *le Milliardaire* amoureux de Marilyn Monroe ; camionneur tragique du *Salaire de la peur*, il émeut sous les traits vieillis du « Papet » de l'œuvre de Pagnol que Claude Berri réalise magistralement. « Drivé » par Simone Signoret, il côtoie intellectuels et politiques, devient, sinon un maître à penser, du moins un de ceux dont l'avis compte. Les émissions qu'il anime à la télévision abordant notamment des thèmes économiques fort éloignés de ses préoccupations de jadis, le rendent si populaire que certains pensent qu'il pourrait même, à l'instar de Ronald Reagan, faire un candidat plausible à la présidence. Tout s'écroule le jour où l'on découvre qu'il s'est fait payer et largement pour une prestation sur Antenne 2.

En un presque demi-siècle de carrière, le personnage Montand n'a cessé de bouger, de se transformer, d'évoluer. Mais, pour une bonne partie de ses admirateurs, l'image qui demeure est celle du prolétaire. Comme s'il était, pour la conscience collective, impossible d'échapper à sa classe sociale d'origine. On écoute Montand et on pense à Bernard Tapie, personnage fort différent, mais qui, pour le public, symbolise « l'homme du peuple », en dépit de sa fortune. On pense, encore et toujours, au Jean Gabin d'avant les années 50. Et pourtant, Gabin avait abandonné depuis longtemps les rôles d'ouvrier pour devenir policier, gangster, P.-D.G., patriarche,... à l'écran. Et, dans la vie, un propriétaire terrien des plus conservateurs. Quand, durant les années 60, les jeunes agriculteurs envahissent sa propriété, le populo parisien se rebiffe. Comme si les paysans voulaient empêcher un « travailleur » d'acheter un bout de terrain ! Les mythes ont la vie dure. Celui du prolo Yves Montand reste vivace.

Un folklore regretté

De l'exemple d'Yves Montand, de ceux, déjà évoqués, de Charles Trenet et Maurice Chevalier, on peut tirer quelques clés pour comprendre la chanson, ses variations, ses mouvements. *A posteriori* évidemment. Il est aussi difficile de découvrir à la première écoute celui qui tiendra parmi les nouveaux interprètes que de déceler, parmi les mille riens du quotidien, ceux qui constituent ce que le sociologue Edgar Morin appelle « l'esprit du temps », et l'artiste qui, par son répertoire, va l'incarner.

Car c'est là que se pose le problème. Pendant des siècles, la chanson a joué de multiples rôles. Poétique, distractive, elle était amenée par les ménestrels, troubadours ou trouvères, dans la salle de réception des châteaux et des palais ; par les colporteurs, pèlerins, soldats errants, dans les fermes où elle constituait la principale attraction de la veillée paysanne. Elle était savante, c'est-à-dire écrite, paroles et musique, par un auteur connu... Ou folklorique, c'est-à-dire transmise oralement et modifiée à chacune de ses étapes, parfois totalement transformée. Guy Béart, aujourd'hui, avoue qu'il aimerait être cet « anonyme du XXe siècle » dont les œuvres survivront de génération en génération. « Longtemps longtemps longtemps / Après que les poètes ont disparu / Leurs chansons courent encore dans les rues », a écrit Charles Trenet.

Qu'il y ait dans cette chanson folklorisée des chefs-d'œuvre, personne n'en doute. Gérard de Nerval s'extasiait avec raison sur l'étrange beauté de *le Roi Renaud de guerre revient* et, parmi nos grands interprètes, nombreux ceux qui, de Montand à Béart, se sont efforcés de lui donner un public. Impossible pourtant de la faire renaître, les tentatives pétainistes se sont effondrées dans le ridicule et leur échec s'explique. Il fallait, pour que naisse et se développe le folklore, à la fois l'isolement, la création collective et le lent cheminement d'une contrée à l'autre. D'une certaine manière, le Concorde, le TGV, les autoroutes ont tué le folklore. Et, plus encore, le disque, la radio, la télévision, tous ces moyens de diffusion rapide, voire instantanée, qui livrent la chanson prête à consommer, qui en interdisent la transformation et l'évolution... Ce qui n'empêche pas les écoliers de parodier certains refrains. « Elle a les yeux revolver / Elle a le regard qui tue » devient, par leur volonté iconoclaste, « Elle a les yeux camembert / Elle a le regard qui pue... » Mais ce n'est là que plaisanterie. En général, une fois enregistrée, la chanson prend sa forme définitive et devient immuable.

Exit le folklore, donc, ce qui n'empêche qu'on le chantera toujours ; les mouvements de jeunesse et les colonies de vacances sont là pour en maintenir la tradition. On ne l'inventera plus et les tentatives menées, dans les années 70, pour créer une sorte de *folksong* à la française tourneront court. Un nouveau style de chansons en émergera. Pas un nouveau folklore.

Restituer l'esprit du temps

Complexe, l'actualité marque de son empreinte toutes les manifestations de la vie. Par son texte ou son absence de message intelligible, la chanson actuelle la reflète à sa manière, sans jamais ou presque la narrer, en faire le récit...

Comment restituer l'esprit du temps ? En mettant en scène, en situation, des héros, des porte-parole, des femmes et des hommes capables de le mettre à la portée de tous. On l'a vu avec Montand et Chevalier... Avec Trenet surtout, fils spirituel de Mireille et de Jean Nohain. Ces derniers ont sorti la variété française de ses ornières : ils ont inventé une chanson à la fois farfelue et quotidienne, capable de commenter l'événement et, par exemple, d'écrire, lorsque la semaine anglaise (fermeture des bureaux du samedi à midi au lundi matin) est instituée : « On a mis sur la porte / Avis, avis / Aux raseurs de toute sorte / Fermé jusqu'à lundi. »

Mireille et Jean Nohain traitent l'événement, Trenet non. Pourtant, lorsqu'on se réfère à l'époque, Trenet la traduit beaucoup plus fidèlement que Mireille (quel que soit le talent – qui est grand – de cette dernière). Avec les premiers congés payés, les billets de chemin de fer à prix réduit, les tandems, les jeunes citadins découvrent, après 1936, la mer, la montagne, la campagne, cette sensation étrange que l'on éprouve en mâchonnant un brin d'herbe. Léon Blum, l'homme du Front populaire, dira plus tard : « On ne les avait pas seulement arrachés à la tristesse et au cabaret. On avait ouvert dans leur existence, jusque-là grise et terne, une embellie. »

Ce qu'ils découvrent surtout, c'est la liberté. Durant les quinze jours de loisirs que leur accorde la loi, ils apprennent à vivre sans patron, sans surveillant, sans chef... Sous leur propre responsabilité. Sans autre contrainte que celles qu'ils s'imposent à eux-mêmes. Un esprit libertaire imprègne leurs fêtes, les auberges de jeunesse qu'ils fréquentent, les villages de toile où ils se rassemblent. Ils vont, comme ils le chantent, « au-devant de la vie ».

Et voilà qu'un garçon, libre comme eux, jeune comme eux, leur lance des couplets où il clame : « Pars, oublie la terre / Pars, viens avec nous, tu verras / Les joyeux matins / Et les grands chemins / Où l'on marche à l'aventure... » Nul besoin pour lui d'en dire davantage, de déclarer qu'il partage leurs opinions (la politique lui est indifférente) ; ils se sentent immédiatement sur sa longueur d'onde. Il a su dire haut et fort ce qu'eux-mêmes ressentaient d'instinct, parfois sans savoir l'exprimer. Il est devenu leur héros, le symbole d'une époque. Ceux qui l'ont découvert à cette période lui resteront fidèles.

Les héros types de ce genre jalonnent l'histoire de la chanson de ce siècle. Il s'agit parfois d'individus : Chevalier, Trenet, Montand, plus tard Maxime Le Forestier, Alain Souchon... Parfois aussi, des groupes : les zazous, les existentialistes, les yé-yé ; les rappeurs peut-être. Leur influence ne s'arrête d'ailleurs pas à la rengaine : Maurice Chevalier et le boxeur Georges Carpentier sont un peu frères par leur origine, leur comportement et leur popularité. Plus tard, au temps des yé-yé, Marielle Goitschel, la championne de ski, s'exprimera et se vêtira comme Sheila, idole des « teenagers » de l'époque.

Ainsi peut-on à grands traits esquisser le cheminement de la chanson à travers le temps, expliquer son évolution par les modifications qui se produisent dans l'esprit de la collectivité, montrer que les usages, les mœurs et les idées suivent des voies parallèles, bref, situer avec précision chaque chanson. En fait, si séduisant soit-il, ce raisonnement ne suffit pas. Les exceptions sont trop nombreuses ; appliquer un schéma simple, voire simpliste, à tous les cas de figure conduirait à de sérieux mécomptes. Car la chanson peut traduire l'époque ou la fuir, refléter la réalité ou le rêve. Tout dépend de l'instant, du milieu. Comme toutes les formes artistiques, la chanson n'a pas *un* public, mais *des* publics.

3.

LES CHEMINS DE SAINT-GERMAIN

Les charmeurs, les charmantes...

On l'a dit, à l'exception de Montand, cas à part dont on ne mesurera l'importance que plus tard, la chanson des années qui suivent la Libération semble se cantonner dans ses domaines traditionnels. Pas de rupture, pas de mutation : une continuité parfaite. Piaf, qui a retrouvé son prénom, Édith, chantait avant la guerre. Elle poursuit sa carrière sans que son répertoire ne se modifie. Tout au plus la voit-on se livrer à quelques expériences nouvelles, avec les Compagnons de la Chanson notamment...

Les charmeurs continuent de charmer. Tino Rossi, qui en reste le roi, et qui, mieux que personne, incarne le séducteur exotique, ajoute une nouvelle touche à sa palette. Du film *Destins*, il ramène quelques couplets, bêtifiants et sentimentaux à souhait *(Petit papa Noël)*... Succès garanti pour un demi-siècle.

La concurrence menace pourtant Papa Tino. Les postulants à la gloire se pressent de plus en plus nombreux sur son « créneau ». André Dassary, le Basque langoureux auquel on a vite pardonné son interprétation par trop enthousiaste de *Maréchal, nous voilà !*; Georges Guétary, débutant doué qu'une carrière honorable mènera de l'opérette au film musical et qui sera le partenaire de Gene Kelly dans *Un Américain à Paris.*

Mais le rival numéro 1 de Tino est Luis Mariano, le Basque charmeur à la voix de miel et de velours, qui, à travers une série d'opérettes dues pour la plupart à son ami et mentor Francis Lopez, entraînera ses admiratrices sur des terres où règnent le rêve, le soleil, l'aventure et l'amour. Mariano sera en France l'un des premiers à posséder de véritables « fans », à voir s'évanouir les spectatrices des salles où il passe. Plus qu'un Montand, qui essaie de maintenir avec son public des rapports d'égal à égal, Mariano devient une star comparable en France à ce qu'avait été aux États-Unis le Rudolph Valentino des années 30. Après sa mort, en 1970, ses admiratrices continueront, et jusqu'à ce jour, de déposer des fleurs sur sa tombe.

Sa carrière débute en 1946, avec l'opérette *la Belle de Cadix* qui, durant plus de vingt ans, sera régulièrement reprise, toujours avec le même accueil. Un premier succès qui décide de toute sa carrière. Les chansons de Mariano plairont, certes, mais son nom restera toujours associé à l'opérette, qu'elle soit interprétée sur scène ou sur grand écran. Curieusement, Mariano se présentant seul face à un public de music-hall séduira moins. Son passage durant les années 60 à l'Olympia ne connaîtra qu'un demi-succès ; nombre de spectateurs ne cacheront pas leur déception. Tout se passe comme si, pour que son charme opère, « le Chanteur de Mexico » avait besoin d'un écrin, d'un décor et d'une figuration nombreuse et attractive.

S'il est beaucoup de charmeurs, les charmeuses, elles, sont rares. Rina Ketty, l'interprète de *Sombreros et mantilles*, semble avoir été engloutie par la tourmente ; quant à ses descendantes, Gloria Lasso et Dalida, elles n'ont pas encore émergé. La femme qui pointe alors, c'est la grande fille toute simple, saine, ironique, un brin provocante : une héroïne de comédie plutôt que la victime d'un mélodrame ou que la vamp hollywoodienne.

Elle emprunte maintes silhouettes, chacune avec ses particularités. Elle s'appelle Jacqueline François et rendra bientôt hommage à *Mademoiselle de Paris*, humble cousette des grands couturiers (lesquels découvriront bientôt la révolution « new look » de Christian Dior). Elle s'appelle Yvette Giraud, mène à la gloire *Ma guêpière et mes longs jupons*, adaptation légèrement égrillarde d'une chanson américaine, et *la Danseuse est créole*, glorification du jeu corporel amoureux. Elle s'appelle aussi Suzy Delair, héroïne joyeuse et énervante des films de Clouzot qui,

Avec son tralala, reprend l'idée et la tradition d'Yvette Guilbert et de son «Je ne sais quoi» *(Madame Arthur)*.

... *et les joyeux*

Détonnant avec l'humour léger qui est l'apanage de ces jeunes femmes, on voit apparaître ou réapparaître quelques personnages qui ne font pas dans le détail pour provoquer le rire. Rellys d'abord, qui a connu un certain succès avant guerre grâce au film *Narcisse*, où il se posait en rival de Fernandel ; il reprend pied sans pour autant retrouver sa popularité d'antan. Henri Genès, rondouillard, sympathique et méridional, amuse déjà avec de grosses plaisanteries qui lui permettront de tenir longtemps. Roger Nicolas ne lésine pas non plus sur les moyens de déclencher l'hilarité. Un de ses titres, *Swing mou*, suffit à le définir.

Bien plus intéressante est l'arrivée sur les scènes d'un personnage comme Bourvil, bientôt repéré par Jean-Jacques Vital, producteur et animateur populaire de Radio-Luxembourg. Lors de ses premiers passages sur scène, celui qui deviendra plus tard un acteur hors de pair apparaît comme l'incarnation du niais rural, voire de l'idiot du village. Dans les sketches et les chansons qu'il interprète, il est naïf, incapable de s'exprimer, toujours ébahi. Il comprend mal ce que les autres lui disent et à peine ce que lui-même leur répond. Il a l'air perdu, avec les étonnements, les chocs que ressent un paysan ayant quitté son hameau et débarquant dans la grande ville.

On pense en le voyant à ces comiques troupiers qui, depuis les débuts de la Troisième République, font les beaux jours du café-concert et du music-hall. Le comique troupier personnifie au départ le laboureur arraché à sa terre par le service militaire obligatoire, engoncé dans un uniforme mal coupé, mal adapté au mouvement et condamné, lors de ses rares permissions, à errer dans des villes de garnison où rien, sinon le bordel, n'a été prévu pour l'accueillir. Au travers de personnages tel Ouvrard, la France urbaine se moquait sans risque de la France rurale.

Les comiques troupiers ont perduré jusqu'au début de la

Seconde Guerre mondiale : parmi eux, Fernandel (« Ignace ») et Rellys (« Narcisse »). Là encore, la grande tourmente a fait le ménage. Mais un autre phénomène apparaît, celui de l'exode rural. Il se distingue des migrations saisonnières que connaissait la France du XIXe siècle : maçons de la Creuse ou ramoneurs de Savoie venus en ville pour y travailler quelques mois. Désormais, quand on quitte la terre, c'est irrévocable.

N'empêche ! La ville continue de surprendre les nouveaux venus. Autant qu'elle choquait les laboureurs en uniforme. Endossant la défroque du paysan exilé en ville, Bourvil annonce le nouveau phénomène social. Et en se montrant surpris et simplet, il devient frère de *l'Ami Bidasse*, par exemple. Celui-ci venait « d'Arras, chef-lieu du Pas-de-Calais », alors que Bourvil vient de Bourville, Normandie. La capitale les étourdit autant l'un que l'autre.

C'est la grande période où, par ses chansons et ses monologues, Bourvil déploie sa naïveté avec une bonne santé qui fait sourire. Il tord le cou au mélodrame (« Elle vendait des cartes postales... et aussi des crayons »), au gros bon sens agricole (*Pour sûr* ou *A bicyclette*) et à la maréchaussée *(la Tactique du gendarme)*, raconte des histoires sans queue ni tête, comme celle des fameuses *Castagnettes* achetées en Espagne mais marquées « *Made in France* ».

Mais, très vite, le personnage s'enrichit. Le terrien s'adapte à la cité, en découvre les pièges, invente les moyens d'y échapper. Il était naïf, le voilà faux naïf. De ses défauts, il se sert comme d'une arme et finit par rendre ridicules ceux qui avaient l'intention de le ridiculiser. C'est désormais le rôle qu'on lui assigne à la radio, où il participe à de nombreuses émissions, et au cinéma. Il tourne ainsi toute une série de films, pour la plupart médiocres, dans lesquels on assiste à la mutation du personnage. Simplet au début du scénario, il devient à la fin plus malin que les malins. Significatif est le titre *Pas si bête*, donné à l'un de ces films.

Toutes ces expériences vont amener Bourvil à aller de plus en plus loin. Cela lui est d'ailleurs nécessaire : le public commence à se lasser des produits tournés à la va-vite, avec des histoires sans consistance et des gags languissants. Or, il a fait la démonstration de ses qualités de comédien, il sait qu'il n'est plus obligé de prendre ce qui se présente, qu'il peut désormais choisir. Comique populaire il demeure, mais on commence à le voir dans des réalisations plus soignées, des films à grand spectacle; en attendant bien sûr le moment où il pourra enfin aborder des rôles tragiques, émouvants, qui, aux yeux d'une certaine élite méprisant quelque peu le genre comique, le rendront définitivement respectable. Sa prestation dans *la Traversée de Paris* de Claude Autant-Lara préfigure cette mutation.

Entre sagesse et folie

La même évolution s'observe aussi dans ses rapports avec la chanson. Aux grosses farces des débuts succèdent des couples plus élaborés, plus fins... Bientôt, avec *le Petit Bal perdu (C'était bien)* et *la Ballade irlandaise,* il se laisse gagner par l'émotion. Il s'essaiera même au pastiche en enregistrant en 1970, avec Jacqueline Maillan, une version parodique du duo scandaleux Birkin-Gainsbourg, *Je t'aime... moi non plus.* On peut aussi, à la réflexion, garder une tendresse pour une chanson de ses débuts, éloge à la gloire d'un végétal ami du genre humain: *les Haricots.* Bourvil était un sage.

Autant le personnage de Bourvil débutant est caractéristique d'un groupe social en pleine évolution, autant celui d'Henri Salvador, son concurrent dans le rire dès la fin des années 40, est totalement atypique. Immédiatement identifiable, Salvador sait faire naître par son ton, son ironie permanente, sa verve délirante une forme de quiétude qui met l'auditeur dans un état de joie un peu hébétée.

Difficile de le faire entrer dans une des catégories préétablies dans lesquelles nos compatriotes classent volontiers les gens de la chanson. Qu'on aille vers le charme, le gros rire, le délire surréaliste ou la mélancolie, on le croise toujours. Avec des constantes pourtant. Par exemple, son goût affirmé pour la musique de jazz. Né en Guyane en 1917, musicien, il se fait connaître en tant que chanteur comique au moment où l'orchestre de Ray Ventura, après avoir passé en Amérique latine les années d'occupation, regagne Paris.

Ray Ventura et ses Collégiens ont été, durant les années d'avant-guerre, une formation d'un prestige inégalé depuis. Après avoir défendu le vrai jazz, presque de façon sectaire, ils sont de ceux qui inventent la chanson sketch avec interventions parlées, dialogues, gags sonores, etc. C'est à eux que l'on doit les couplets de *Tout va très bien, Madame la Marquise,* ou l'art, sur un ton joyeux, d'annoncer un cataclysme. Retour difficile : en cinq ans, une réputation s'effondre. D'autant que la concurrence est vive. Le style Ray Ventura appartient désormais au domaine public.

Il faut à Ray reconstituer un orchestre, un répertoire, un style... Il a perdu son premier comique, Coco Aslan. Salvador sera choisi pour le remplacer. A ses qualités de guitariste, Henri Salvador ajoute d'autres talents. Il chante. D'abord des chansons empruntées au folklore créole : *Ma Doudou* ou *Ela diz que tem,* puis des airs pseudo-folkloriques qui pourraient s'apparenter aux comptines enfantines : *le Loup, la Biche et le Chevalier ; l'Abeille et le Papillon.* Sans compter quelques couplets détournés (*la Mélodie d'amour* créole devient une *Maladie d'amour*).

Bientôt, il se déchaîne dans des sketches complètement fous : *Tout est tranquille, le Distrait, la Télévision américaine, Eisenbach téléphone...* Il fait même rire avec des rires : *Ah ! Ah ! Ah !* Avec Boris Vian, il crée un personnage de « Noir des îles » flemmard, désinvolte et philosophe. Il enregistre : *Je n'peux pas travailler, Robert, Si y avait pas ton père, Mathilda...*

Il anticipe alors la mode calypso (lancée par Harry Belafonte) qui va déferler sur la France, comme il précède bientôt toutes les modes (charleston, rock, twist), mais en les poussant jusqu'à l'absurde, en les rendant risibles. Avec Vian toujours, il enregistre sous le nom d'Henry Cording les premiers rock'n' rolls français : *Rock'n' roll-mops, Va te faire cuire un œuf, man.* Quand la mode rétro remet à l'honneur les années 20, le voilà en trait d'exalter *le Cinglé de la grosse caisse, le Taxi, le Fêtard...*

Il ne respecte rien, pas même les classiques. Il ose faire rire avec *le Cid-Rock, Athalie-Rock, Cinna-Rock, Horace-Rock,* ce qui ne l'empêche pas d'offrir à ses admirateurs soufflés un *Twist-SNCF*, un *Papa Liszt-Twist*, et de leur balancer quelques mélodies jazz comme *Trompette d'occasion* ou *Mon ange gardien*. Sans oublier une parodie de blues, aussi authentique que l'original : *le Blouse du dentiste*.

Il bouge sans cesse, passant de la mélancolie – *le Gars de Rochechouard* ou *Syracuse* – au charme : *Un petit souper aux chandelles* et *Quand je monte chez toi* (dont il créera plus tard une version « hard », d'une obscénité totale). Mais, chez lui, le rire domine. Il fera d'une chanson américaine passée inaperçue un succès : *Zorro est arrivé*. Enfin, il quittera la scène, sur laquelle il excelle, pour la télévision, où ses *Salves d'or* éclateront pendant des années. Quelques retours remarqués sur scène, de bonnes chansons que, périodiquement, il enregistre... la carrière d'Henri Salvador ne semble pas devoir s'achever. Ne parle-t-on pas d'un prochain retour ?

Entre la norme et l'anormal

Alors même que domine la mystique de l'ouvrier roi, la chanson continue d'évoluer dans bien d'autres directions. Certaines explicables : les espagnolades de Luis Mariano traduisent probablement un besoin de plages chaudes et de paysages colorés chez certains qui ne connaissent que la grisaille des cités... D'ailleurs, et c'est frappant, le développement du tourisme méditerranéen fera peu à peu disparaître la notion d'exotisme liée à cette partie du monde. Mais, au succès de Salvador, impossible de trouver, en dehors de son talent bien sûr, d'autre explication logique. Ce qui laisse supposer que les schémas et les modes ne sont pas infaillibles.

Le phénomène Salvador nous mène aux ruelles de la rive gauche parisienne, où notre errance doit se poursuivre un temps. Une véritable légende de Saint-Germain-des-Prés va apparaître au fil des ans. Avec sa faune bizarre, à la fois jeune et blasée, errant sur les trottoirs ou attendant à la terrasse des bistrots le copain grâce auquel on pourra payer son café. Avec des manifestations insolentes et provocatrices, telles les élections successives dans la cave du Tabou, une boîte à la mode, de Miss Vice, Miss Poubelle, et de la Muse de Saint-Germain. Avec les conversations nocturnes et véhémentes de couche-tard qui empêchent les habitants du quartier de dormir. Avec les touristes venus en procession, attirés par l'odeur du scandale. Avec les snobs de plus en plus nombreux. Avec, enfin, l'influence de Jean-Paul Sartre, régnant sur ceux que Jacques Robert, qui rédige pour l'hebdomadaire populaire *Samedi soir* la chronique des indiscrétions, qualifie d'« existentialistes ». Un nom qui leur restera.

Mais, à cette légende, il faut mettre en contrepoint l'histoire réelle du quartier, tout aussi passionnante en vérité. Les grands cataclysmes sont toujours suivis d'une période de folie. En 1945, la guerre s'achève, la crainte permanente s'estompe et fait place à une furieuse envie de vivre, de profiter de chaque instant. Les jeunes, surtout, désirent s'émanciper. Des « valeurs morales » qu'on leur avait inculquées, que reste-t-il ? Après la défaite, la collaboration, les multiples compromissions, ceux qui les professaient ont perdu leur crédibilité. D'où le rejet des idées comme des hommes que l'on assimile au passé. Phénomène courant, c'est d'abord par l'apparence physique que s'exprime la révolte. Mot d'ordre : cheveux longs pour les garçons, comme pour les filles. Mais, au contraire des coquets zazous, les « existentialistes » laissent leur chevelure sans soins, touffue, à peine coiffée. Quel que soit le sexe, la tenue est la même : pantalon et pull noir, chemise à carreaux parfois... Quelques jupettes aussi, mais plutôt rares. Les vêtements « germanopratins » préfigurent la mode unisexe.

Le pessimisme de façade des existentialistes – dont beaucoup n'ont jamais lu Sartre – s'allie à une avidité optimiste. Ils se ruent sur la nouveauté : les films américains (de plus en plus nombreux à occuper les écrans), les écrivains interdits pendant l'occupation, les Français non conformistes (Camus ou Malraux), les Américains de l'entre-deux-guerres (Steinbeck, Hemingway, Faulkner, Caldwell...). Maurice Nadeau, « patron » des pages littéraires de *Combat*, guide leurs choix, leur fait découvrir le surréalisme, soigneusement camouflé pendant cinq ans, leur apprend les années de la Grande Crise, et bientôt les mettra en contact avec le sulfureux Henry Miller, interdit à l'affichage mais dont les œuvres circulent sous le manteau.

Les naïfs au grand cœur

Cyniques pour la galerie, désespérés par principe – le noir de leurs vêtements en témoigne –, ils gardent au fond du cœur une fraîcheur, une naïveté et un romantisme inguérissables. Ils s'enthousiasment facilement, trouvent, dans les bandes de copains où ils s'agglomèrent la chaleur, l'amitié nécessaires pour se protéger du monde extérieur. Ils vivent, souvent à plusieurs, dans de minuscules chambres de bonne du quartier, trouvent chaque jour un nouveau bistrot ou une nouvelle cave où se rassembler, entraînant derrière eux leurs cortèges de snobs et de touristes.

Comme les zazous auparavant, le jazz est leur musique de ralliement. Ils adorent le style New Orleans, se passionnent pour le be-bop, plus récent. Ils vont en écouter les interprètes au Tabou ou au Club Saint-Germain où, parmi les musiciens, officie à la « trompinette » une de leurs futures gloires, un certain Boris Vian. Avec ardeur, ils assistent à la querelle entre Hugues Panassié, tenant du vieux jazz, et Charles Delaunay, qui table sur le moderne, prenant parti pour le second tout en continuant d'aimer les œuvres défendues par le premier.

Comme tous les Français du moment, ils croient que les choses vont changer, que le monde va devenir meilleur, que vont disparaître l'hypocrisie, la tricherie et le profit. Ils sont pauvres, l'univers leur inspire, disent-ils, du dégoût, mais ils attendent beaucoup de l'avenir. D'ailleurs, certains s'engagent, jouent aux révolutionnaires, adhèrent au parti communiste ou militent dans les petites organisations trotskistes. Mais, aux discussions idéologiques ils préfèrent la musique et exultent lorsque, de 1946 à 1948, le 14 Juillet, les rues de Paris dansent comme elles n'ont jamais dansé depuis.

Ils chantent peu, sinon les standards américains et quelques rengaines populaires du moment. Le quartier ne s'est pas encore inventé un style. Pourtant, Jacques Prévert, homme de lettres et auteur de chansons, a donné aux écrivains l'envie d'écrire des textes de chansons. Raymond Queneau s'y est mis, ainsi que François Mauriac et Pierre Mac Orlan. Même Jean-Paul Sartre : « Dans la rue des Blancs-Manteaux / Le bourreau s'est levé tôt. »

Une jeune femme, notamment, s'est mise à chanter. Elle est grande, séduisante, avec une voix suave qui, par instants, devient rauque. Elle a connu une adolescence rude et marginale, la faim et, quelques semaines, la prison. C'est une enfant du quartier. Sartre le lui a conseillé : « Chantez, Juliette. » Et la voilà sur scène avec une chanson de Queneau mise en musique par Joseph Kosma : « Si tu t'imagines, fillette, fillette / Qu'ça va qu'ça va qu'ça / Va durer toujours / La saison des za / Saison des amours / Ce que tu te goures... » Juliette Gréco ne le sait pas encore, mais, avec elle, la chanson rive gauche vient de naître.

A vrai dire, elle existait déjà, mais en pointillé. Ce n'était pas seulement la rive gauche qu'elle avait investie, mais certains cabarets situés un peu partout, et dont le public se voulait la fleur de l'intellect. Elle avait poussé à la révolte les duettistes Gilles et Julien, permis à Agnès Capri d'interpréter des refrains poétiques et à Marianne Oswald, étrange personnage porté aux nues par Jacques Prévert et Jean Cocteau, de déclencher scandales et bagarres entre spectateurs. Mais elle n'apparaissait alors que comme un mets fin, un divertissement pour une élite.

Avec Gréco, son influence prend une tout autre dimension : la chanson pour lettrés devient chanson populaire. Une fois encore, les temps ont changé. Comme les lampions, les illusions se sont éteintes. On avait cru les anciens compromis et les compromissions définitivement bannis ; les hommes politiques de la IIIe reviennent, occupent les meilleures places. Le monde nouveau auquel on rêvait ne s'est pas créé. Les hivers sont toujours aussi froids, les tables aussi mal garnies. Le mythe de l'ouvrier roi s'effondre avec quelques grandes grèves aussi désespérantes qu'inutiles. Autant de raisons qui confortent les jeunes dans leur refus du monde, leur rejet de la société.

Un isolement peuplé

C'est alors qu'ils s'aperçoivent que le spectacle et la chanson peuvent être des armes, des moyens efficaces de contestation. Ainsi naît le style « rive gauche », suffisamment complexe et travaillé pour que le gros du public ne puisse suivre. Il faut, pour l'apprécier vraiment, être initié, connaître les astuces, la forme d'humour, de dérision qui réjouissent Saint-Germain-des-Prés. Et, comme les médecins se fabriquent un jargon, les *louchebems* un argot, les germanopratins inventent un langage, précieux, allusif, qui les isole de la foule. Dans les caves et cabarets où ils se rassemblent, naissent de nouveaux couplets, inhabituels, surprenants, qui, visiblement, échappent aux modèles et contraintes admises du show-business : des textes dérangeants, rageurs, vengeurs, et des parodies insolentes, insolites et narquoises. Or, démentant toutes les prévisions, le grand public va rapidement s'attacher aux bardes du faux folklore de Saint-Germain. Les comédiens et les chanteurs « rive gauche » seront bientôt, à leur manière, aussi populaires que les Mariano et autres Bourvil.

Ce succès ne doit cependant pas étonner. Loin des quais de la Seine il existe un public ouvert, plus vaste, plus varié que celui des habitués des caves, aux chansons des germanopratins. Ce type de spectacles, ce public le connaît déjà. Avant guerre, certains avaient assisté aux séances d'« agit-prop » que conduisaient les troupes de la Fédération du Théâtre ouvrier, proche du parti communiste. Parmi elles, le groupe Octobre, animé par Jacques Prévert, qui en écrivait les spectacles. Sa spécialité : le commentaire satirique de l'actualité que la troupe allait présenter devant les ouvriers en grève.

Prédisposés également, les anciens des Auberges de jeunesse (A.J.), conçues pour offrir aux randonneurs des hébergements bon marché. Très vite étaient nés une pratique et un esprit « ajistes » : mixité (rarissime à l'époque), tenues quelque peu débraillées, non-conformisme, refus de la discipline, anarchisme et pacifisme affirmés. Autodidactes ouverts, curieux de toutes choses, ils étaient prêts à toutes les expériences insolites et, dans les spectacles qu'ils montaient eux-mêmes loin du « métier » traditionnel, ils utilisaient volontiers des techniques comme le chœur parlé, le mime et les marionnettes, que plus tard les germanopratins adoptèrent.

Aux rescapés du théâtre ouvrier, aux nostalgiques des A.J. s'ajoutent, dans le public potentiel de la rive gauche, les participants à l'expérience des « éducateurs nationaux ». Aussi conservateur et rétrograde que le fut le « royaume » du maréchal, il laissa se dérouler quelques tentatives positives qui devaient enrichir la culture populaire. Notamment sur le plan du spectacle : un film, *les Gueux au paradis*, donne quelque indication sur les méthodes des « éducateurs nationaux » ; la parodie, les chansons drôlatiques (que reprirent par la suite les Quatre Barbus) et l'improvisation.

A la Libération, on retrouve des ingrédients similaires dans les montages présentés par la compagnie Grenier-Hussenot : *Liliom, Orion le tueur* qui attire la foule à la Gaîté-Montparnasse. En première partie d'*Orion* passe la Parade pour rire et pour pleurer, un ensemble délirant qu'anime notamment un quatuor encore inconnu, les Frères Jacques.

Ainsi se prépare un nouveau style dans les variétés, très éloigné de ce qui a existé jusqu'alors. Jeunes intellos, jeunes anars et jeunes qui refusent le tout-venant, vont pouvoir enfin trouver un répertoire à leur image, qui va devenir, sinon universel, du moins admis par le plus grand nombre.

La rencontre entre le grand public et le style rive gauche date du début des années 50. Il existe alors rue de Rennes, à mi-chemin entre Saint-Germain et la gare Montparnasse, un grand immeuble pseudo-moderne où sont installés des bureaux d'Électricité-Gaz de France. Sous l'immeuble, une cave longue et étroite dispose d'une petite scène : le Club de la Rose Rouge.

Un lieu petit, mais un endroit clé, animé par un patron hors pair, Nico Papadakis, et occupé presque en permanence par la troupe d'Yves Robert qui y monte quelques spectacles de légende : *Exercices de style*, d'après Raymond Queneau, *Ciné-massacre* de Boris Vian, *la Complainte de Fantomas,* d'après le texte de Robert Desnos... On y croise également Yves Joly avec ses marionnettes, des chanteurs tels les Frères Jacques et, à partir de 1953, Picolette et Nicole Louvier.

La Rose Rouge est avec la Fontaine des Quatre-Saisons, fief de Pierre Prévert, l'un des vaisseaux amiraux de la flotille des cabarets rive gauche qui, durant une décennie, ne va cesser de s'étendre. On chante et on joue à la Colombe où débutera Guy Béart, à l'Écluse où officie « la chanteuse de minuit », Barbara, à l'Échelle de Jacob où s'essaient Jacques Brel et Jean Ferrat, au Port du Salut, au Cheval d'Or qui deviendra le fief de Boby Lapointe, au Quod Libet où Léo Ferré fourbit ses premiers accords. Et encore chez Moineau, à la Contrescarpe, à la Galerie 55, au Petit Pont... Le mouvement passe la Seine, s'installe sur la rive droite, chez Gilles, le luxueux cabaret de l'avenue de l'Opéra, et, près du Palais Royal, au Milord l'Arsouille dont l'animateur popularise les œuvres nées sur la rive opposée. Francis Claude possède en effet une tribune : il produit et anime des émissions de variétés sur Paris-Inter, ancêtre de France-Inter. Par rapport à la production habituelle, ses émissions tranchent. De par le ton absurde, provocateur qu'il adopte avec ses complices François Billetdoux et Maurice Biraud ; de par les personnages et les œuvres qu'il y présente. Dans l'une de ses émissions, *les Vertiges de Monsieur Flûte,* il accueille successivement Michèle Arnaud, Juliette Gréco, Catherine Sauvage, Léo Ferré, Georges Brassens, Henri Salvador, Francis Lemarque, les Frères Jacques, Stéphane Golmann...: une véritable anthologie du style « rive gauche ».

Quatre frères pour un style

C'est aussi grâce à Francis Claude que le grand public découvre les Frères Jacques qui, depuis des années, font la loi à Saint-Germain-des-Prés. Bien sûr, la radio n'est pas la TV. Il manque à l'auditeur le petit ballet qui accompagne chacune de leurs chansons. Mais leur seule interprétation vocale est déjà une œuvre d'art. Au chant proprement dit, ils ajoutent la comédie, voire la farce. Le reste, il est toujours possible de l'imaginer, et la presse n'est pas chiche en photos et en critiques.

Edgar Morin, sous le pseudonyme d'Edmond Beressi, abandonne un moment la sociologie et la philosophie pour le spectacle. Il écrit en 1958 dans *France-Observateur* : « Ce quatuor, mi-poète, mi-grotesque, a atteint sa perfection. A chaque chanson, il opère l'interprétation parfaite des divers éléments de son style : les corps moulés dans un maillot bicolore dessinent des figures géométriques animées tandis que les mains gantées de blanc jouent leur propre ballet. Cette danse abstraite perpétuelle et multiforme du corps et des mains est pour ainsi dire un accompagnement visuel qui non seulement s'ajoute à l'accompagnement sonore du piano, mais le domine et dévore pratiquement le spectacle. On peut dire que les Frères Jacques ont inventé un mode d'orchestration visuel de la chanson... Leur génie est de combiner, avec cette orchestration abstraite formelle, un élément de socialisation qui est le chapeau : c'est par le chapeau que les Frères Jacques concrétisent dans le temps et dans l'espace leur ballet imaginaire : canotier dans la chanson 1925 (*Dolly*), chapeau de cow-boy pour la chanson western (*Buffalo Bar*), turban bouffon pour le *Shah Shah Persan*. Et quand les Frères Jacques chantent une chanson non comique ou non parodique, ils s'immobilisent tête nue, délivrés de leur grotesque moustache, d'où une impression de dépouillement extraordinaire (*le Poinçonneur des Lilas*). »

Au moment où Morin-Beressi écrit ce texte, il y a déjà près d'une quinzaine d'années que le groupe a entamé sa carrière. Mais, si le tour s'est affiné, si le style s'est épuré, rien n'a fondamentalement changé. A l'époque même où ils travaillent avec la compagnie Grenier-Hussenot, ils ont marqué leurs limites. Ils forment un groupe impossible à dissocier – on dit : le grand, le petit, le fou, le sage – qu'accompagne un pianiste-metteur en scène. Très longtemps, Pierre Philippe jouera ce rôle.

Leur répertoire lui aussi est fixe, passant de la chanson sketch, comme *le Trapéziste*, au poème *(Rappelle-toi, Barbara)* et à la pure parodie *(l'Entrecôte*, charge délirante contre la chanson réaliste 1900).

Ils jouent sur tous les registres : l'image (le ballet de parapluies aux couleurs tendres de *la Saint-Médard*), le geste (qui les transforme en bateau à la dérive dans *la*

Marie-Joseph), l'émotion tendre (*les Vieux Messieurs du Luxembourg*), le clin d'œil au quotidien (*la Confiture*), l'antimilitarisme narquois, sur un texte de Francis Blanche (*Général à vendre*)... En fait, ils synthétisent tous les éléments qui donnent à la rive gauche son style et son bagou particuliers.

Ils tiendront ainsi, quatre décennies durant, amenant à leurs admirateurs tradition et perpétuel renouvellement. Plusieurs groupes d'aujourd'hui – T.S.F., Chanson Plus bifluorée – se réclament d'eux. Preuve que la grande époque de Saint-Germain-des-Prés n'a pas laissé que de la nostalgie. Que la forme de spectacle qu'elle a fait naître a toujours sa place, son public. « Les athlètes complets de la chanson », comme ils se faisaient appeler, ont des héritiers.

4.

LE QUARTIER DES « INTELLOS »

Être ou ne pas être... intellectuel ?

Avec le phénomène « rive-gauche », la chanson s'intellectualise. Ce qui lui sera reproché plus tard, lors du phénomène de rejet qui suit toute période d'enthousiasme. José Artur, animateur de radio et ardent défenseur des tenants de ce style, parlera alors de chanteurs « intelli-chiants ».

Dès l'abord, la chanson « intellectuelle » ou « littéraire » dérange. Parce qu'on ne sait pas très bien ce que recouvre ce terme. Elle prend Trenet pour porte-drapeau, admet Léo Ferré et Juliette Gréco, puis Georges Brassens et Jacques Brel, plus tard Serge Gainsbourg et Guy Béart... Mais elle refuse Charles Aznavour qui, du temps où il formait avec Pierre Roche un couple de duettistes, écrivait des textes farfelus dans la manière de Charles et Johnny et qui, depuis, s'attache à défendre des textes bien écrits... Et elle rejette Gilbert Bécaud dont certains couplets, dus notamment à Louis Amade – celui de *Croquemitoufle*, par exemple – s'inscrivent dans la lignée du surréalisme. Parmi les manieurs de notes, adeptes de l'à-peu-près et du coq-à-l'âne, certains, comme Boby Lapointe, sont accueillis avec joie, d'autres, tels Nino Ferrer, repoussés avec mépris.

Qu'est-ce qui confère à un interprète le label de chanteur « intellectuel » ? Certainement pas la qualité de l'écriture. Un Aznavour, par exemple, soigne davantage ses textes que certains adeptes du couplet engagé (dont, bien plus tard, Coluche se moquera dans sa parodie *Misère*). Ni même la fréquentation des « boîtes » de Saint-Germain-des-Prés. Nino Ferrer y a fourbi ses premières armes. Pas

Georges Brassens, que Patachou propulsa sur scène dans son cabaret montmartrois. Marc Ogeret, chanteur populaire par excellence – il a remis Bruant dans l'époque –, a d'abord conquis la rive gauche avant de séduire les syndicalistes ; et si Monique Morelli la puissante s'est installée, pour défendre les poètes et l'accordéon, sur les hauts de Montmartre, elle y défend une tradition très proche de celle de Saint-Germain.

Peut-être un certain puritanisme dans le jeu et les moyens mis en œuvre. Le texte est privilégié par rapport à la musique, qui souvent se réduit à quelques simples accords de guitare. L'arrangement, l'orchestration, toutes les astuces et tous les trucs qui donnent du relief à la mélodie sont impitoyablement balayés. Sans doute est-il impossible d'en faire usage lorsqu'on chante dans une minuscule salle, en général d'une cinquantaine de places, et sur une scène étroite. Mais les jeunes ACI (auteurs-compositeurs-interprètes), qui errent d'un cabaret à l'autre pour tout juste parvenir à survivre, font de la contrainte qui leur est imposée une vertu. Malheur à celui qui laisse enjoliver sa musique pour la rendre plus aisément accessible. Il risque d'être considéré comme un traître, un homme capable de tous les compromis pour parvenir au succès.

Brassens, avec sa guitare, son jeu scénique réduit à l'essentiel et la contrebasse de Pierre Nicolas, reste un modèle unanimement respecté. Mais Gainsbourg sera détesté par les puristes, pour avoir emprunté tous les styles, et Anne Sylvestre huée par ces mêmes rigoristes qui iront jusqu'à la traiter – injure suprême ! – de « Sylvie Vartan » le jour où elle aura l'idée de se faire accompagner par un orchestre de jazz.

Ce repli sur des positions sectaires, cette volonté d'isolement orgueilleux s'expliquent aisément : la chanson littéraire ou intellectuelle est un bien précieux, menacé de toutes parts par la facilité paresseuse. Même les plus populaires des interprètes rêvent de se voir approprier le qualificatif : Édith Piaf a chanté du Prévert, André Claveau des poèmes d'Aragon, Gloria Lasso a demandé des textes à Brel et Gainsbourg, et Dalida a donné une étonnante et plutôt attachante interprétation de la grande chanson de Léo Ferré, *Avec le temps*. Bref, le pré carré sur lequel broutent les « littéraires » purs et durs a tendance à se rétrécir. Raison de plus pour l'entourer et le protéger de barbelés.

Il reste que certains sont toutefois admis durant les années 50 dans la mouvance « rive-gauche », même si leur réussite les éloigne de plus en plus des cabarets de leurs débuts. Ils ont progressé, sont parvenus à la reconnaissance et honorent le quartier dont ils restent des enfants auxquels on pardonne tout.

Personnages du quartier

Ainsi Juliette Gréco. A ses débuts, chevelure longue, vêtements sombres, pessimisme affirmé et liberté de mœurs apparente, elle personnalise, selon la presse conservatrice de l'époque, la génerescence du quartier. Avec Anne-Marie Cazalis (plus tard journaliste et romancière), elle confère à Saint-Germain son parfum de soufre, grande prêtresse d'un culte satanique dont les caveaux sont les églises.

C'est peu dire que ses premiers essais vocaux furent accueillis avec circonspection : ils étaient féroces et grinçants, tout à l'opposé des fadaises dont les auditeurs d'alors se régalaient. On lui reprochera *Si tu t'imagines* de Queneau, en oubliant que Ronsard avait déjà traité le sujet de la déchéance physique. Et, plus encore, *Je hais les dimanches*, curieusement dû à Charles Aznavour et à Florence Véran. Le crime de lèse-dimanche, à une époque où le jour du Seigneur était pour la plupart des salariés le seul jour de repos hebdomadaire, est de ceux qui ne se pardonnent pas.

Elle s'entête, négligeant la presse qui continue à répandre son fiel sur les intellectuels à cheveux longs et à idées dérangeantes. Hautaine et détachée, avec une nuance narquoise dans le regard et le sourire, elle joue de la chanson comme d'un défi, marquant bien la distance qu'elle prend tant avec les textes qu'elle interprète – ceux des grands, de Jacques Prévert notamment – qu'avec les spectateurs. Le jeu est inégal. Le public n'a pas la force de résister. Il faiblit et s'habitue. L'audace a payé. On adopte Juliette.

Sa carrière est exemplaire. Sans qu'elle ait cherché à plaire, le public lui reste fidèle. Elle chante du Brassens et elle chante avec Brassens. Elle fait un succès à *Accordéon* du débutant Gainsbourg. Elle chante Béart et Ferré, Bernard Dimey et Robert Desnos. Elle reste fidèle à son répertoire « intellectuel » tout en n'hésitant pas à interpréter des chansons plus « populaires », mais de bonne qualité : *la Cuisine,* de Jean Dréjac, ou le *Bal perdu* de Robert Nyel, que chante aussi un Bourvil devenu romantique. Elle était un symbole, elle le demeure. Mais ce n'est plus le même. Après avoir personnifié le désordre d'un quartier en mutation, elle représente désormais la bonne chanson française. « Une grande dame », comme dirait avec ironie David Mc Neil.

Gréco a peu chanté l'autre grand personnage du quartier : Boris Vian. Un hasard. Les quelque cinq cents chansons que Boris a écrites ont quasiment, de Salvador à Reggiani, toutes trouvé des interprètes. Il y eut même un temps où Jacques Canetti, découvreur génial de vedettes entre 1950 et 1970, faisait systématiquement débuter ses poulains par un disque de chansons de Vian.

Talent protéiforme, Boris Vian, « bricoleur de génie » comme le nomme une de ses biographes, excelle en tout. Meneur de jeu, il invente et anime les fêtes du Saint-Germain-des-Prés renaissant de la Libération. Il en est même une des principales attractions lorsque, sa « trompinette » aux lèvres, il se lance dans des improvisations déchaînées. Passionné de jazz, il tient chronique dans les magazines spécialisés, participe à la grande querelle des anciens et des modernes, et se range résolument dans le camp de ces derniers. Pour lui, le jazz doit évoluer, c'est la seule façon de se montrer fidèle à sa tradition. Boris tient également une insolente « Chronique du menteur » dans *les Temps modernes,* la revue de Jean-Paul Sartre ; un bon moyen de poser son regard sur le monde et d'en mettre en évidence le ridicule.

Écrivain – avec le temps, son principal titre de gloire –, un canular littéraire le rend populaire. Il s'agit d'un faux roman américain, attribué à un certain Vernon Sullivan, *J'irai cracher sur vos tombes.* La violence et l'érotisme du roman, assez véniels si l'on se réfère aux normes actuelles, l'enverront cependant devant les tribunaux sur requête de la ligue d'action morale du pasteur Parker. La presse ayant emboîté le pas, on prétendra même que *J'irai cracher...*, facteur de perversion sociale, est à l'origine de maints crimes et délits. Cela n'empêche pas Boris Vian de persévérer, et de faire signer d'autres textes par Vernon Sullivan dont, par exemple, *Et on tuera tous les affreux.* Au pasteur Parker, il rend la monnaie de sa pièce. Il fait d'un certain Dan Parker le héros criminel, refoulé et névropathe, d'une de ses œuvres.

Les facettes de Vian

Il écrit aussi, sous son vrai nom, des textes authentiquement littéraires. Des pochades d'abord, comme *Vercoquin et le plancton* où, ancien ingénieur ayant travaillé quelques années à l'Afnor (Association française de normalisation), il entreprend d'établir une norme des surprises-parties. Puis des ouvrages étranges. *L'Écume des jours, l'Arrache-cœur, l'Herbe rouge, l'Automne à Pékin, les Fourmis...* Autant d'œuvres qui passeront inaperçues durant sa trop courte existence, pour se vendre par la suite à des millions d'exemplaires. Non conformiste, adepte du bizarre, passionné de mots et d'idées étranges, il est aussi un des principaux membres du Collège de Pataphysique, institution imaginée par Alfred Jarry, où il retrouve des hommes comme Raymond Queneau. Homme de théâtre, il écrit une demi-douzaine de pièces agressives : *le Goûter des généraux, l'Équarissage pour tous, les Bâtisseurs d'empires...*

Dans le show-business, il s'essaie à tous les rôles. Il est l'adjoint de Jacques Canetti chez Philips, le directeur artistique des disques Fontana... Il est auteur de chansons, signe, on l'a vu, avec Henri Salvador les premiers rocks français, canulardesques comme il se doit. Par moments – il faut bien vivre – il fabrique même des rengaines populaires en série... Un peu comme il fit la traduction de « Séries noires » ou des *Mémoires* du général Omar Bradley. Mais il écrit aussi des poèmes ironiques et poignants, comme son *Je voudrais pas crever* que reprendra Serge Reggiani. Enfin, dans *En avant la zizique*, on le voit dénoncer ce milieu auquel il appartient.

Pourtant, celui qui marque ainsi les esprits est aussi un interprète que l'on verra – assez peu – dans les caves de la rive gauche ou aux Trois-Baudets, la salle animée par Jacques Canetti. Dire qu'il connaît le succès serait exagéré. En revanche, il provoque le scandale. Par son attitude. Dandy flegmatique et narquois, il refuse de faire la moindre concession au public, le moindre geste vers les spectateurs. Sa timidité, son angoisse permanentes, il les transforme en distance, presque en agressivité. On écoute attentivement Boris Vian. On ne communie pas avec lui.

Évidemment, ses textes choquent. Quelques-uns, rares, ironisent sans prêter à conséquence. On sourit, sans plus, à l'audition de *Cinématographe* ou de *On n'est pas là pour se faire engueuler*, mais on grince beaucoup plus lorsqu'il se met en tête de décrire les travers du moment. Il prédit les méfaits de la société de consommation dans sa *Complainte des arts ménagers*, fustige, avec une ironie féroce, les armes et l'armée dans *Faut qu'ça saigne* et dans *la Java des bombes atomiques*.

Une chanson, *le Déserteur*, lui est particulièrement reprochée. Elle s'inscrit pourtant dans la tradition antimilitariste française, et est moins précise que, par exemple, le vieux chant *Déserteur par amour*. Parce qu'il est non-violent, il cherche à l'adoucir, en en modifiant la conclusion. Il avait écrit : « Prévenez vos gendarmes / Que je serais en armes / Et que je sais tirer... » Il chante : « Que je serai sans armes / Et qu'ils pourront tirer... » N'importe ! La chanson passe mal. Depuis la fin du conflit mondial, l'armée française mène en Indochine une « sale guerre » qui l'oppose aux combattants du Viêt-minh : une des dernières guerres coloniales ou l'une des premières guerres entre l'Est et l'Ouest, on ne sait. Boris Vian, dans ses couplets, ne parle pas de l'Indochine. Qu'il fasse l'éloge de la désertion suffit. Pendant ses tournées, il est suivi à la trace par des groupes d'anciens combattants ou d'anciens parachutistes qui s'évertuent à l'empêcher de chanter. Impassible, il fait front. Bien qu'il sache combien sont dangereux les derniers défenseurs de l'Empire français.

Boris Vian ne fera pas école. Quoique son amie Béatrice Moulin propose, notamment grâce aux chansons de Jean-Pierre Moulin, son frère, une version féminine du personnage. Mais Vian aura de nombreux descendants. Des dandies qui, comme lui, trimballent avec une apparente indifférence leur difficulté de vivre. Des ironiques qui, à la dénonciation ouverte et à l'indignation, préfèrent le sarcasme. Des dilettantes qui s'essaient à tous les genres sans se préoccuper de l'éternité. Amateur de toutes choses et amateur en toutes choses, Boris Vian se retrouve ainsi père et frère de Serge Gainsbourg, Alain Bashung, Pierre Desproges... Il ne se préoccupait pas de laisser sa marque sur l'époque. Celle-ci est devenue indélébile.

Le premier métèque

Rien de commun entre Boris Vian et Marcel Mouloudji, sinon le quartier, bien sûr : ils l'ont fréquenté tous deux, mais pas dans les mêmes conditions. Boris était de toutes les fêtes. « Moulou » se souvient : « Pour moi, Saint-Germain-des-Prés, c'était la longue attente aux terrasses des bistrots en espérant que quelqu'un vienne régler les consommations. »

La chanson *le Déserteur* les réunit cependant. Vian l'avait chantée lors de la guerre d'Indochine, Mouloudji la reprend durant la guerre d'Algérie. Boris l'avait modifiée, Moulou suit son exemple. Fils d'un ouvrier berbère et d'une Bretonne, il ne se sent pas assez français pour s'adresser, ainsi que l'avait fait Vian, à une personnalité désignée. Boris Vian commençait sa chanson par « Monsieur le Président / Je vous fais une lettre / Que vous lirez peut-être / Si vous avez le temps... » Chez Mouloudji, « Monsieur le Président » est remplacé par « Messieurs qu'on nomme grands ». Ce qui lui sera beaucoup reproché par certains admirateurs de Vian. Mais cela n'empêche toutefois pas la chanson de continuer à provoquer scandale et indignation.

Plus que tout autre, Marcel Mouloudji personnifie à la fois l'intellectuel de la chanson et l'esprit Saint-Germain-des-Prés. Il est pourtant un pur prolétaire, un gamin des quartiers ouvriers parisiens, ayant connu la dèche, les Noëls des enfants de chômeurs et les établissements de « douches municipales » où, comme nombre de jeunes garçons de son milieu, il allait chaque semaine se débarrasser de ses « crasses ouvrières ».

Prolo, certes, mais artiste aussi. Le hasard, la chance. Il raconte dans un livre de souvenirs, *le Petit Invité,* comment, rêvant de théâtre, il a débarqué un soir dans une grande salle glacée, où, en slip, Jean-Louis Barrault faisait le cheval, et comment il s'est retrouvé dans le groupe Octobre aux côtés de Jacques Prévert. Il narre également comment un ami de celui-ci, Marcel Duhamel, futur fondateur de la célèbre « Série noire » chez Gallimard, est devenu en quelque sorte son père adoptif.

Ses origines le destinaient à un emploi de manœuvre ou d'O.S. dans quelque atelier ou usine. Enfant, il devint pourtant acteur, interprétant de petits rôles dans *la Guerre des gosses* ou dans *les Disparus de Saint-Agil.* Adolescent, il est le malheureux jeune assassin des *Inconnus dans la maison,* un film tourné sous l'Occupation. Faciès oblige : métis à une époque où l'on exalte la race aryenne, il tranche et représente le métèque. Un crime a été commis dans un collège. Le criminel ne peut être un de ses condisciples, tous français de mise et de souche. Eux ont peut-être commis des imprudences, voire des délits. Le vrai coupable, c'est lui : cela se voit sur son visage.

Le visage est pourtant avenant : des cheveux frisés, bruns, en désordre... Des traits irréguliers, méridionaux, peu classiques, avec un nez trop long et une bouche trop large... Mais un sourire chaleureux, des yeux brillants, intelligents... et un charme, une séduction immédiats. On a envie d'être de ses amis.

Autodidacte, désinvolte, dilettante, il suit cette carrière en zig zag que favorise le quartier. Comédien, il écrit. Son premier roman, *Enrico,* obtient en 1945 le prix de la Pléiade. On le retrouve dans l'équipe des *Temps Modernes,* la revue de Jean-Paul Sartre. En 1947, le théâtre de la Renaissance monte sa pièce *Quatre Femmes.* Il s'essaie à la poésie, à la peinture. Sans jamais se fixer.

Au détour d'un film, *la Maison Donnadieu,* la chanson le happe. Il y interprète *la Complainte des infidèles,* un standard qui, périodiquement, réapparaît sur les ondes. Sa voix chevrotante, flâneuse, sans apprêt, surprend et séduit. Une voix quelque peu faubourienne et populaire, mais sans vulgarité. Il « colle » au Paris de la tradition, celui des photos de Robert Doisneau. On le voit traîner, blouson sur l'épaule, à Belleville, sur le boulevard Richard-Lenoir, à Montmartre ou rue Saint-Benoît, tout près de l'église Saint-Germain. Il est à la fois un « paroissien » et un « titi parisien ». Dans *J'ai le mal de Paris*, il avoue avoir partout posé ses marques : « J'aime à me promener / Dans tous les beaux quartiers / Voir au Palais Royal / Les filles à marier / Flâner à Montparnasse / De café en café / Et monter à Belleville / Tout en haut de la ville / Pour la voir en entier. »

« Prolo », il aime Tino Rossi, Jean Lumière et Jean Kiepura, ténor rendu célèbre par les opérettes viennoises. « Intello », il chante Cocteau, Prévert et Crolla, Roger Riffard, Lemarque, Trenet, Ferré ou Jean-Pierre Moulin, donnant à l'auditeur l'impression que tous ces auteurs ont travaillé pour lui tant il unifie les couplets qu'il interprète. En 1953, Moulou chanteur devient célèbre grâce à une chanson écrite pour lui par Raymond Asso et Marguerite Monnot, auteur et compositeur attitrés de Piaf. *Comme un p'tit Coquelicot*, chanson d'amour mélo, devient un classique : « Et sur son corsage blanc / Là où battait son cœur / Le soleil en se jouant / Mettait comme une fleur / Comme un p'tit coquelicot, mon âme... »

Énorme succès. Qui touche tous les publics : les midinettes sensibles au drame qu'il conte, tout comme les lettrés, qui sentent à travers lui vibrer l'âme populaire. Un succès tel que Brassens juge, un peu plus tard, nécessaire de préciser : « Parmi toutes les fleurs que voici / Je devine celle que tu préfères / C'n'est pas l'coquelicot dieu merci / Ni l'coucou, mais la primevère. »

Encore un film et un succès, une chanson qu'il offre à la belle Françoise Arnoul. « Un jour tu verras / On se rencontrera / Quelque part n'importe où / Guidés par le hasard. » Puis Mouloudji disparaît, redevient acteur, joue dans *la Tête des autres*. Il peint aussi des tableaux, écrit quelques pages, revient le temps d'un succès, *Auto-portrait*, où il se raconte : « Catholique par ma mère / Musulman par mon père / Un peu Juif par hasard... / Athée, oui, grâce à Dieu. » En dépit de ses diverses activités, il reste toujours prêt à chanter. Quand on le retrouve, on a l'impression de ne jamais l'avoir quitté.

Le poète des cabarets

Quarante ans après ses débuts de chanteur, Moulou s'estompe sans pour autant se faire oublier. D'autres, après une sortie fulgurante, disparaissent. Ainsi Nicole Louvier. Elle a 19 ans en 1953 lorsqu'elle éclate brusquement. Délicate, charmante, fragile, elle personnifie la poésie, avec des vers émouvants et d'une grande fraîcheur sur des musiques plutôt élaborées. Elle est également écrivain, publiant un premier roman, *Qui qu'en grogne*, suivi par la suite d'un second, *les Marchands.*

Elle chante d'une voix sans mièvrerie, savante et recherchée, avec cette déformation qu'on cherchera à imiter plus tard. Elle esquisse des descriptions somptueuses, conte des aventures brillantes et amères, comme celle de *Mon p'tit copain perdu*, et connaît un succès aussi fulgurant qu'éphémère. Nicole Louvier remporte en 1954 le Grand Prix de la Chanson et, dans les lycées, filles et garçons apprennent ses couplets par cœur.

Certains la comparent à Brassens, bien que le bon Georges ne lui ressemble nullement. Points communs : la guitare, le goût de l'archaïsme, la fraîcheur d'âme. Mais il y a plus que des différences entre la fragilité de Nicole et la simplicité robuste de Brassens. Tous deux viennent d'un Moyen Âge mythique. Lui est chanteur de veillée pour des paysans auxquels le verbe vigoureux ne fait pas peur. Elle est une interprète pour galants romantiques. Il est puissant, elle est vulnérable.

Et surtout, lui est capable de tenir. Il a la volonté, la force nécessaire pour combattre. Elle se bat avec difficulté. Lorsque, peu après, une maison de disques concurrente « sort » Marie-José Neuville, auteur-compositeur-interprète de son âge, mais plus facile d'accès et plus ambiguë, Nicole Louvier s'efface. On regrette son *Hélène* ou *Rien n'arrive par hasard.* On ne l'entendra plus guère. La « collégienne de la chanson », elle non plus, ne tiendra pas longtemps. Le show-business n'a pas de tendresse pour les petits copains perdus. Ceux qui se perdent, il les abandonne. Les détruit. Les dévore.

Il est étrange de voir comment Saint-Germain-des-Prés, qui se veut à la pointe du progrès et cultive le modernisme, a tendance à exalter le passé. Étrange mais guère étonnant. Née d'une série de déceptions, la chanson « rive-gauche » se réfugie dans la nostalgie d'âges d'or mythiques. Futur : les choses iront mieux demain, le monde changera, les hommes deviendront meilleurs. Et passé : combien l'univers était aimable du temps où la pseudo-civilisation ne l'avait pas corrompu. Contradictions ? A peine : l'essentiel n'est-il pas de nier un présent que l'on juge abject ?

De là naît un genre qui, périodiquement, refait son apparition et que, dans les années 50 et 60, Jacques Douai, « le troubadour du XXe siècle », personnifie. Il puise son inspiration dans les airs et textes anciens qu'il transcrit ou transforme. Son public : les garçons et filles des mouvements de jeunesse qui fourniront les spectateurs nécessaires lorsque plus tard, au Théâtre du Jardin d'Acclimatation de Paris, il offrira tous les étés un spectacle de chants et danses traditionnels. Son mérite : remettre à l'honneur des musiques et des textes rares, presque oubliés, mais dont les qualités restent évidentes.

Jacques Douai ne se limite d'ailleurs pas à la chanson ancienne. Il popularise aussi des œuvres poétiques plus récentes mais restées fidèles à la tradition, comme *File la laine*, de Robert Marcy. Léo Ferré, Yves Montand, Serge Gainsbourg, Jean Ferrat et Charles Trenet ont déjà chanté Prévert, Aragon, Baudelaire, Verlaine et Apollinaire. A leur tour, Pierre Seghers, Luc Bérimont, Paul Éluard, parfois malgré eux, deviennent auteurs de chansons. Le « Défense de déposer de la musique le long de mes vers » de Victor Hugo a fait long feu. Ce que Trenet, Brassens ou Gainsbourg se permettent de temps à autre, prendre un poème et le transformer en chanson (Paul Fort pour Brassens ou Musset pour Gainsbourg), Jacques Douai le systématise, comme le fera plus tard Ferrat avec Aragon. Nombre de textes poétiques parviennent ainsi à gagner un public élargi, grâce à la musique qui les accompagne.

Jacques Douai ne mène pas ce combat en solitaire. Une véritable école de la chanson poétique s'est créée, animée par des personnages tels que Luc Bérimont, poète et producteur à France-Culture. Son émission Jam session Chanson et poésie permettra aux adeptes du genre de se maintenir lors de la vague yé-yé qui, à l'exception des plus

« grands », emportera les tenants de la chanson traditionnelle.

Quelques noms suffisent pour situer un genre qui, bien que totalement hors des modes, perdure : Béatrice Arnac, Marc Ogeret, Marie-Claire Pichaud... Et surtout Hélène Martin. Elle avait tous les atouts en main pour devenir une chanteuse populaire : une voix étonnante, douce et forte, tendre et réconfortante, une diction parfaite (nécessaire pour faire passer les beaux textes), une présence incontestable... Elle a choisi la difficulté : populariser des poèmes d'Éluard et de Max Jacob, mettre en musique *le Condamné à mort* de Jean Genet. Bref, elle a fait siennes les remarques de Paul Éluard : « Quel dommage que la poésie ait un nom particulier et que les poètes forment une classe spéciale ! Elle n'est pas chose anormale. »

Grâce à un public limité, mais singulièrement fidèle, Hélène Martin tient toujours. Comme tiennent ceux qui, depuis, se sont lancés dans la voie exigeante de la poésie, en accroissant encore leur handicap puisque, plutôt que de s'appuyer sur des poètes connus voire populaires, ils interprètent leurs propres œuvres. Ainsi Jean Vasca, coléreux, rebelle, imprécateur, ou Jacques Bertin dont les vers précis, recherchés, délicats, émeuvent des auditeurs plus attachés au rythme des mots qu'à celui de la batterie ou à ceux des boîtes à rythmes.

La chanson « brechtienne »

Dernier avatar de la chanson « intello », celle qui, depuis une soixantaine d'années, apparaît comme un phénomène, à éclipses certes, mais toujours récurrente : la chanson brechtienne... Pas de décennie où l'on n'assiste à son renouveau.

Les *songs* de Brecht/Weill refont surface en ce début des années 90... On les entend dans de grandes salles, interprétées par Ute Lemper, diva allemande révélée par Jérôme Savary dans sa version de la comédie musicale *Cabaret*... Dans de petits lieux également, où la chanteuse-comédienne Mireille Rivat en donne une image très théâtralisée... Sur disque enfin, où l'Allemande Renata, très convaincante, leur donne une large place.

Bertold Brecht a travaillé avec plusieurs compositeurs : Paul Dessau, Hans Eisler... Mais le seul qui pour le grand public compte vraiment est Kurt Weill. C'est durant la décennie 1930 que le public français les découvre. Grâce, surtout, au film de Pabst, *l'Opéra de quat'sous.* Une version bien vite reniée par Brecht : Pabst aurait, dit-il, trahi sa pensée. Quoi qu'il en soit, tandis que *la Complainte de Mackie (Mack the Knife)* devient une rengaine populaire et un standard pour les musiciens de jazz, les autres chansons du couple Brecht/Weill s'installent dans les cabarets littéraires et y rivalisent avec les textes de Cocteau et les premières tentatives de Jacques Prévert et Joseph Kosma.

Les années « rive gauche » seront leur grande période, parce que leur remise à l'honneur coïncide avec une redécouverte du théâtre de Brecht. Le TNP de Jean Vilar joue *Mère Courage,* avec l'inoubliable Germaine Montero. Au Théâtre des Nations, *le Cercle de craie caucasien* est interprété et mis en scène par Helen Weigel, la compagne de Brecht, et son Berliner Ensemble. On joue *Homme pour homme, Maître Puntila et son valet Matti...* Bientôt, Roger Planchon donnera sa version de *Schweig pendant la Seconde Guerre mondiale,* et Guy Rétoré la sienne de *l'Opéra de quat'sous.*

A la suite de Florelle et Marianne Oswald, Gréco reprend le flambeau Brecht/Weill avec la *Chanson de Barbara* et *la Fiancée du pirate.* Catherine Sauvage, chanteuse et comédienne des plus attachantes, s'y essaie également. Elle s'est lancée en s'appuyant sur les chansons de Jacques Prévert et de Jean Broussolle, des Compagnons. Son interprétation de *l'Homme* de Léo Ferré reste un monument... Elle sort un disque consacré aux musiques de Kurt Weill, où elle révèle entre autres œuvres rares *Nana's Lied* : « Au rayon des amours à vendre / On m'a mise à dix-sept ans. » Suivent la Québécoise Pauline Julien et la Française Pia Colombo qui joua Mme Patocka dans *Schweig,* et qui donnera un spectacle Brecht novateur ; aux adaptations connues signées Boris Vian elle substitue de nouvelles traductions. La ronde brechtienne continue : durant les années 70 et 80, nombre d'interprètes, surtout des femmes, continuent à populariser Brecht. Parmi les dernières en date, Sapho. Toutes personnes de talent et de grande sensibilité. Et toutes condamnées de ce fait à trahir leur auteur.

Car Brecht, dramaturge et parolier génial, est également théoricien. Il n'a pas écrit de chansons, explique-t-il, mais des *songs*, c'est-à-dire des explications sonores, les commentaires de l'action qui se joue sur scène... Des textes liés au théâtre et sûrement pas destinés à exister seuls, par eux-mêmes... Il oppose l'opéra « épique », celui qu'il souhaite réaliser, à l'opéra traditionnel.

Dans l'opéra épique, explique-t-il, « la musique communique, elle explique le texte, elle indique une façon d'agir, alors que, dans l'opéra wagnérien, elle stimule, elle rehausse le texte, elle dépeint un état psychique. » Et il écrit : « Un homme à l'agonie est quelque chose de réel, mais s'il se met à chanter, le spectateur est transporté dans l'irréel, et il jouit d'autant plus du spectacle que le degré d'irréalité est plus grand. »

Distanciation

Les formules s'inscrivent dans la fameuse – et peut-être fumeuse – thèse de la distanciation, que Brecht n'a cessé de défendre. Le théâtre traditionnel, classique, fait participer le spectateur à l'action, le fait s'identifier au héros... Le spectateur perd, vis-à-vis de ce dernier, toute faculté de jugement ; il vit les actions que joue le comédien et ne les regarde pas. Or, pour Brecht, il est indispensable que le spectateur reste extérieur, qu'il conserve sa pleine lucidité... De là, l'emploi de techniques qui accroissent la distance entre la scène et la salle.

De là, notamment, les *songs*. La distanciation est en fait une forme inversée de la chanson. A celle-ci, l'auditeur demande qu'elle lui fasse perdre sa lucidité, qu'elle l'oblige à admettre d'emblée ce que lui livrent l'interprète, l'auteur et le compositeur. Il faut, en écoutant une chanson, se laisser aller, porté par l'émotion. Un chanteur marquant provoque toujours chez les adolescents de son époque un véritable phénomène d'identification collective.

Par sa théorie, Brecht refuse l'identification. Mais, quoi qu'il fasse et quels que soient les conflits qui l'opposent à ses adaptateurs, Brecht ne parvient jamais à imposer totalement ses thèses dans les faits. Ce n'est pas un hasard si, à la grande période « distanciée » (ou soi-disant telle) du théâtre brechtien des années 50 et 60, succèdent immédiatement l'ère de la « participation », la naissance du « happening », la tentative de transformation du spectateur en acteur. A peine Brecht s'est-il estompé que ceux qui, dans l'esprit du public, prennent sa relève, se battent pour faire disparaître la barrière séparant salle et scène. Au jugement lucide et lointain, ils veulent substituer l'intégration du spectateur au spectacle.

Au théâtre, certains essaient, tant bien que mal, de faire passer les théories de Bertold Brecht dans les pièces qu'ils montent. Ils n'y parviennent que rarement. Impossible en revanche d'appliquer ces mêmes théories à la chanson. En effet, qu'on l'appelle *song* ou non, la chanson exige de son interprète un minimum de sensibilité, d'implication. Or, toutes celles et tous ceux qui, attirés par la qualité des textes, ont mis Brecht à leur répertoire appartiennent à cette catégorie d'artistes imprimant leur marque à toutes les œuvres qu'ils défendent, les faisant leurs, les intégrant à leur univers et à leur personnage. Lorsque Juliette Gréco, Catherine Sauvage ou Pia Colombo chantent Brecht, elles rendent hommage à l'auteur, mais ce sont elles qui s'expriment. *La Fiancée du pirate* vue par Margo Lion est différente de celle proposée par Ute Lemper.

Mais il y a plus, et là réside l'ambiguïté de Brecht. Il prône la distance et écrit des couplets qui la réduisent, parce qu'ils sont plus émouvants que didactiques. Alors que l'on devrait juger sans aménité l'héroïne de *Surabaya Johnny*, on s'apitoie sur son sort, on prend parti en sa faveur. Alors qu'elle est conçue pour laisser indifférent, la nostalgie sournoise qui émane de *Bilbao Song* prend aux tripes, trouble l'auditeur et entraîne l'adhésion. On devrait porter un regard sévère sur une société qui condamne la fille de *Nana's Lied* à devenir une « pute ». Or on oublie la société, tant l'histoire qui nous est contée est attachante. Ainsi, sans le vouloir bien sûr, Brecht devient le principal adversaire de la théorie qu'il défend.

Il multiplie du reste les pièges à son encontre, en s'appuyant, notamment, sur des compositeurs de grande classe. Certains – Dessau, Eisler – essaient pourtant de se plier aux règles qu'il a édictées... avec plus ou moins de succès. Kurt Weill, lui, ne relève même pas le pari. Il invente une musique nouvelle, faite de dissonances, de ruptures de ton. Il brise les mélodies, les rend inattendues, surprenantes, choquantes presque. Insensiblement, il crée une nouvelle école. Sans se référer directement à lui, nombre d'auteurs vont, durant les décennies suivantes, beaucoup lui emprunter.

Parmi ceux qui ne cachent pas ce qu'ils lui doivent sont Lewis Furey, Jean-Claude Vannier, Jean Guidoni, Arthur H., qui vont méditer ses innovations pour développer leur style propre. Soixante ou soixante-dix ans après avoir écrit ses premières œuvres marquantes, Kurt Weill demeure un compositeur d'avant-garde.

5.

BRUITS ET LAMES DE FOND

Sur un air de cithare

Ce n'est pas une chanson, mais un air prenant, entêtant, lancinant qui berce les foules dans les années 50 naissantes. Joué à la cithare par le musicien hongrois Anton Karas, il servait de fond sonore au film de Carol Reed, dans lequel jouait Orson Welles, *le Troisième Homme.* Après avoir connu un énorme succès, le film a depuis longtemps quitté l'affiche, mais l'air demeure, envoûtant. Impossible de s'en défaire. Les humoristes ironisent : « Tiendra-t-il jusqu'en l'an 2000 ? »

Un phénomène, bien sûr, que l'omniprésence de cet air conçu pour un film. Mais moins rare qu'il n'y paraît. Le solo de guitare de Narcisso Yepes dans *Jeux interdits,* la marche militaire *Colonel Bogey* sifflée dans *le Pont de la rivière Kwaï* connaissent ou connaîtront des sorts similaires : une popularité très forte, puis, subitement, le déclin, rapide : a-t-on oublié une musique qui a, durant des mois ou des années, occupé les esprits ? Pas vraiment. Il suffit de l'entonner à nouveau pour qu'instantanément renaisse l'obsession.

Le thème du *Troisième Homme* occupe donc les esprits. La cote de Saint-Germain-des-Prés grimpe pour bientôt atteindre son apogée. Il y a cependant place pour une autre musique, pour d'autres chansons. Aussi variées que possible. Rarement le terme « variétés » semble avoir été aussi justifié qu'en cette période. Tous les genres, intellectuel, populaire, petit bourgeois, réaliste, chanson de charme, coexistent, aucun n'empiétant sur l'autre. Chose curieuse, on peut monter des spectacles œcuméniques dans lesquels on présente la chanson sous toutes ses formes sans que le public proteste. L'intolérance surgira plus tard.

Ainsi, au moment même où Gréco impose ses couplets superbement écrits, une jeune femme beaucoup plus sage s'installe sur scène pour une longue carrière. Guidée par son mari et mentor Louis Gasté, Line Renaud propose un répertoire bon enfant, simple et gentillet qui la rend vite populaire. Elle ne proteste pas, n'agresse pas, met en place un univers fade, reposant, suffisamment irréel pour que certains y trouvent le réconfort. Rien de violent, rien de grandiose dans ce qu'elle décrit, mais une sorte de douceur qui berce et endort. Sa *Cabane au Canada* ressemble à un pavillon de banlieue, son *Étoile des neiges* n'éblouit pas et, quand elle se laisse aller à une *Petite folie,* elle ne va pas jusqu'au délire. Bien difficile alors d'imaginer qu'emplumée, empanachée et pétéradante, elle mènera, telle Joséphine Baker, la revue au Casino de Paris, puis dans une salle de Las Vegas. On la retrouvera également comédienne, au théâtre et au cinéma.

D'une façon feutrée, Line Renaud est en train d'inventer, entre populisme et cérébralité, un nouveau genre : la chanson « petit bourgeois ». Un créneau neuf, sur lequel d'autres viendront prendre place : Robert Lamoureux par exemple. Il raconte sa *Chasse au canard*, chante *Papa, maman, la bonne et moi* en attendant de devenir auteur de boulevard et réalisateur de vaudevilles militaires filmés.

Même s'ils représentent, eux aussi, une forme de chanson « petit bourgeois », les Compagnons de la Chanson sont d'une tout autre trempe. Ces neuf garçons venus à la chanson par le biais des Compagnons de France, un mouvement de jeunesse de Vichy (moins docile qu'on n'aurait pu le penser), se sont d'abord distingués en interprétant des airs folkloriques qu'ils ont remis en vogue, *Perrine était servante* notamment.

La rencontre de Piaf les amène à modifier leur répertoire. Avec elle, ils chantent une chanson du Suisse Gilles (Jean Villard), *les Trois Cloches,* puis, sans elle, adaptent des œuvres de Trenet telles *Mes jeunes années, l'Ours* ou l'inoubliable, méconnue et surprenante chanson, *Les gen-*

darmes s'endorment sous la pluie. Musiciens accomplis autant que bons chanteurs, ils pratiquent la chanson sketch qui accentue les situations, l'ironie, l'humour ou le côté farce. Très peu de ratages en trente-cinq années de carrière dont on retiendra, entre autres, *l'Objet* et *le Prisonnier de la tour*, ou celle qui conte l'étonnante aventure advenue au jeune acquéreur d'un violon tzigane ensorcelé. Le groupe s'est dissous. Un des compagnons, Fred Mella, continue parfois de chanter en solitaire. De leur grande époque, quelques chansons demeurent, devenues à leur manière des classiques.

Milady l'Arsouille

Classique aussi, le personnage que Zizi Jeanmaire se prépare à incarner. Pas petit bourgeois pour deux sous. Plutôt populo, à la façon d'une Mistinguett, mais aussi aristo. Il faut insister sur le côté argotique de ces deux termes. Zizi n'est ni une aristocrate telle qu'on l'imagine, ni une fille du peuple comme le public les voit. Elle est les deux à la fois et l'argot lui sied. Il y a en elle de l'insolence, de la gouaille, et aussi une sorte de distinction, de délicatesse dans le jeu et l'attitude. Milord l'Arsouille au féminin.

Danseuse classique, elle débute dans une comédie-ballet de Roland Petit à laquelle a collaboré Raymond Queneau, *la Croqueuse de diamants*. Elle y campe à la fois une vamp brisant les cœurs et une désopilante petite Parisienne. Très marquée par l'esprit « rive gauche », *la Croqueuse* connaît un grand succès. Une de ses chansons, *la Rue Montorgueil*, populiste et moqueuse, accroche le public. Renée (de son vrai prénom) Jeanmaire, et son personnage Zizi, sont lancés. Dès lors, elle pourra passer de Paris à Hollywood, du théâtre et du music-hall au cinéma, en faisant fi du temps qui passe. A preuve, l'accueil fait à la série de spectacles qu'elle donne début 1992 à l'Opéra Garnier. Des années durant, le public sera attentif aux transformations de son *Truc en plumes*, inventé par Bernard Dimey et Jean Constantin, qu'elle présente à chacune de ses apparitions.

Elle sait, il est vrai, garder intacts sa jeunesse, sa souplesse et son charme. Choisir avec soin les auteurs-compositeurs, de Jean Ferrat à Serge Gainsbourg. En fait, durant toute sa carrière, elle n'a connu qu'un seul échec. Avec son mari Roland Petit, elle reprend le Casino de Paris et essaie de renouveler le genre de la revue à grand spectacle : moins de stress, moins de tableaux figés faussement luxueux ; en revanche, davantage de danses, d'humour et d'émotion, plus d'acidité. Les fidèles du genre ne le lui pardonnent pas. Pour eux, la revue est immuable, ses lois intangibles : les dosages sont précis, l'alternance des tableaux répond à des règles strictes et rien ne doit voiler leur éclat, si factice soit-il. Pour avoir voulu passer outre à ce rituel, Roland Petit et Zizi Jeanmaire connaîtront des difficultés financières : ils auront déçu les fidèles du « grand spectacle » sans entraîner au Casino un nouveau public. Dommage, leur idée était bonne.

Avec Zizi, on pénètre de plain-pied dans l'univers populaire alors en vogue. Souriant, aimable, attendrissant, faisant preuve d'une rare bonne volonté, le « peuple » est résolument entré dans la chanson. Le peuple, et non la foule. Cette dernière, comme le chante Piaf, est cruelle, sans pitié... Foncièrement injuste. Elle sépare les amants, colporte les rumeurs, détruit les réputations. Les colères de la foule sont terribles, les révoltes du peuple justifiées et généreuses. On dénonce la foule, on admire le peuple. Surtout lorsqu'il est personnifié par Gavroche, le titi parisien, le gosse inventé par le dessinateur Poulbot, *le Gamin de Paris* chanté par Mick Micheyl, une charmante Lyonnaise débarquée dans la capitale avec sa « petite valise ». Pendant des années, elle tentera de défendre une chanson poétique quotidienne de bon aloi, y parviendra, s'essaiera, au Casino de Paris, au jeu de la meneuse de revue, mais dans la tradition, puis, en plein succès, abandonnera le music-hall et la rengaine pour se consacrer à la sculpture.

A Paris

Les exemples de Zizi et Mick Micheyl sont probants. Le peuple vu par la chanson est, pour l'essentiel, parisien. Le temps de l'avant-guerre où, grâce à un genre particulier, la

« comédie marseillaise » avec accent occupait une large place, n'est plus. Alibert, « comique marseillais », héros de *Un de la Canebière*, a pris sa retraite et on ne rêve plus guère au « petit cabanon » perdu dans les calanques. On chante encore Marseille, mais les couplets qui décrivent – dans les années 50-60 avec Colette Renard (*Tais-toi Marseille*), et autour de 1985 avec Jean Guidoni – la vieille cité phocéenne ont pris des accents plus âpres. La ville qu'ils dépeignent est dramatique, oppressante, alors qu'elle paraissait jadis souriante et sans soucis.

Certes, les auteurs mettent en scène d'autres cités. Léo Ferré sourit aux *Amoureux du Havre*, Jacques Brel et, plus tard, Dick Annegarn, trouvent sur leur chemin un Bruxelles qu'ils évoquent avec tendresse ou ironie, Claude Nougaro raconte Toulouse dans une de ses meilleures chansons, et Georges Ulmer, après Pigalle à qui il doit une part de sa réputation internationale, parcourt, à travers ses couplets, *les Rues de Copenhague* et « Casablanca, ville étrange et troublante ». Mais, tant par le nombre des œuvres qui lui sont consacrées que par leur qualité, Paris domine.

Francis Lemarque y est pour beaucoup. On l'avait croisé au moment où, auteur et compositeur, il venait proposer ses textes à Yves Montand, on le retrouve à son tour interprète. Fils d'immigrants juifs venus d'Europe de l'Est, il a passé son enfance dans la rue de Lappe, le rendez-vous des voyous des années 30. Il a connu la misère, monté avec son frère un couple de duettistes, les Frères Marc, qui s'en allait chanter dans les fêtes du parti communiste, participé, au sein de la Fédération du Théâtre ouvrier de France, au groupe théâtral Mars, amical concurrent du groupe Octobre animé par Jacques Prévert. Il a même, à l'occasion, servi de musicien aux petits orchestres qui conféraient tout leur charme aux brasseries de la place de la Bastille.

Dès qu'il prend la plume, Paris l'inspire. Il dédie à la capitale une fantastique chanson, *A Paris*, s'arrête un instant dans sa vieille *Rue de Lappe*, évoque les bons moments de la Ville lumière, le *Bal, petit bal* où l'on se retrouve en amoureux, ainsi que le *Cornet de frites* que l'on achète au marchand en plein air... C'est encore à Paris qu'il dédiera son œuvre maîtresse, mi-opéra, mi-comédie chantée, *Paris populi*. Souriant, aimable, gouailleur, souvent engagé, parfois militant, Francis Lemarque apparaît comme le parigot type.

On peut se demander pourquoi, hormis Chevalier et Mistinguett, les chanteurs à avoir chanté la capitale sont rarement des Parisiens de longue date. Mouloudji (*le Mal de Paris*) a un père kabyle ; quant à Lemarque, il ne cache pas ses origines. On l'interroge. Il explique : « Peut-être est-ce parce que les vieilles familles parisiennes se sont habituées depuis trop longtemps aux richesses de leur ville et qu'elles ne les remarquent plus. Tandis que des gens comme moi, venus d'ailleurs, imprégnés d'une culture qui décrivait Paris comme la capitale de la liberté, ne pouvaient que s'émerveiller devant la beauté, le charme et l'harmonie de la ville, et devant la désinvolture de ses habitants. » Un paradoxe qui s'applique également aux Italiens Yvo Livi (dit Yves Montand) et Serge Reggiani, au Monégasque d'origine italienne Léo Ferré, ou au Gréco-Égyptien Georges Moustaki, tous grands amoureux de Paris.

Il ne s'agit pas là d'une règle absolue. On peut évidemment être Parisien d'origine et chanter la capitale, ou sa banlieue, avec bonheur. Roger Pierre et Jean-Marc Thibault, les célèbres duettistes, amorcent leur très longue carrière en rendant hommage à Joinville-le-Pont. Philippe Clay, qui accède au rang de vedette en 1954 – grâce autant à son jeu de scène efficace (notamment dans le *Noyé assassiné*) qu'à ses couplets – se fait plaisir et fait plaisir à ses auditeurs en parodiant avec ironie un certain *Festival d'Aubervilliers*.

Étrange destin que celui de Philippe Clay. Il débute en interprétant de grandes chansons (dont *le Danseur de Charleston* de Jean-Pierre Moulin). Puis, tête d'affiche à l'Olympia, il se fait voler la vedette par un certain Jacques Brel, qui passe en fin de première partie. Alors, il bifurque, piétine, recherchant sans cesse un nouveau départ, sans y parvenir. Il rumine ses regrets d'une gloire passée. Lorsque arrive 1968, il laisse libre cours à ses sentiments. Les jeunes l'ont déçu, leur révolte le hérisse. Contre elle, il dresse *Mes universités*, puis *la Quarantaine*... On croit un moment qu'il va devenir le porte-parole d'une certaine « majorité silencieuse ». Mais le propre de cette majorité est son indifférence. Elle écoute poliment le chanteur qui s'exprime en son nom, lui fait un succès d'estime... puis l'oublie. On n'entendra plus guère, dès lors, le personnage longiligne qui, par ses gestes et ses mimiques, séduisit un temps le public.

Les pianos brisés

Ainsi un chanteur peut-il monter en flèche, atteindre les sommets, puis basculer et chuter inexorablement. D'autres savent plus habilement se maintenir et durer. Probablement parce que, parfois sans le savoir, ils représentent un groupe social ou humain, parce qu'ils trouvent des spectateurs et des auditeurs qui s'identifient à eux. Clay est un amuseur doué. On va le voir avec plaisir : il offre un show où jamais on ne s'ennuie. Mais il ne suscite ni passion enthousiaste ni rejet violent. Il est tous publics, ce qui fait qu'aucun public particulier ne s'attache à lui. Il ne connaît, du moins lors de sa longue première période, pas d'ennemis véritables. Donc pas de fans non plus. On a aimé les chansons qu'il interprétait comme on a aimé le personnage, sans tellement établir de liens entre chanteur et chanson. Au point de retenir l'œuvre et d'oublier celui qui l'a menée au succès.

Une situation inimaginable avec Gilbert Bécaud qui, justement, grimpe les premiers échelons vers la gloire en même temps que Philippe Clay. Si Clay ne possède pas de public particulier, Bécaud, lui, s'en trouve un presque instantanément : les adolescents, dès ses premiers refrains, l'adoptent et s'identifient à lui. Si Clay n'a pas d'ennemis, Bécaud, lui, les compte par centaines de milliers : ce sont les anciens, les nostalgiques d'une chanson plus mélodieuse, plus signifiante, plus poétique. Comme toujours, la haine des « vieux » avive la ferveur des fidèles. Pour Bécaud, on est disposé à se battre.

On le fera d'ailleurs bientôt. Pianiste, compositeur, Bécaud insuffle à la chanson un son neuf. Il est si nerveux et spontané qu'on le surnomme « Monsieur 100 000 volts ». Mais ni ses rythmes, ni ses cris, ni sa violence verbale ou physique – il se forge la réputation de faire rendre l'âme chaque soir à un piano – ne suffisent à expliquer le déchaînement hystérique qu'il provoque.

Il y a en lui autre chose. L'un des premiers, il sait parler à ses jeunes fans le langage de l'adolescence. Tous les thèmes autour desquels ses chansons gravitent rencontrent un écho chez les jeunes : la sensualité d'abord, chaude et frénétique avec *Mes mains* ou *Quand tu danses* ; le mysticisme ensuite, plus agressif qu'intérieur, avec *les Croix* ou *Je crois en toi* ; les rêveries incertaines, dans l'esprit du Grand Meaulnes (*Marianne de ma jeunesse, le Pays d'où je viens, la Ballade des baladins*) ; l'amitié virile (*C'était mon copain* et *l'Absence*)... Et surtout, ce curieux mélange de timidité et de grivoiserie qui caractérise le garçon qui devient homme (*Alors, raconte..., C'était moi*).

Bécaud saisit sa chance au bon moment. Bruno Coquatrix vient de racheter l'Olympia et le rend à sa vocation première, le music-hall. Il est du premier spectacle, en 1954, en vedette américaine (fin de première partie). Dès le premier soir, la salle est remplie d'adolescents peu captivés par Lucienne Delyle, mais déchaînés lors du passage de Bécaud. Ils répondent à ses cris, ses gestes et ses accès de violence. A tel point qu'il faut, chaque jour, remplacer les sièges cassés. La presse et la radio s'emparent du phénomène, l'amplifient. En moins d'une semaine, l'Olympia est lancé ; Gilbert Bécaud aussi.

Dès lors, c'est à une allure folle que se propage sa popularité. En quelques semaines, on sait tout de lui. Les costumes droits bleu marine et les cravates à pois qu'il a coutume de porter sur scène font florès ; on commente sa manie de porter sa main en conque près de l'oreille, comme s'il voulait retenir en lui les sons ; la vigueur avec laquelle il martèle les touches de son piano...

Un Pierrot qui danse

On se passionne évidemment bien plus pour ses chansons, qu'apprennent par cœur les adolescents nés à la veille de la guerre. Pour résumer son répertoire, Boris Vian avait inventé une astucieuse formule : « Il fait des bonds [*le*

Pierrot qui danse, Quand tu danses] et des mauvais [*la Corrida, le Pianiste de Varsovie*]. » Formule passablement injuste. En fait, Vian préfère le Bécaud frénétique, presque toujours excellent, au Bécaud sentimental ou descriptif, moins à l'abri de quelques facilités.

En fait, dès le départ, le répertoire de Bécaud est remarquablement homogène. Musicien, compositeur de talent, il s'adresse à des auteurs dont il se sent proche et qui vont, à travers leurs couplets, dessiner sa silhouette. Pierre Delanoë d'abord, parolier protéiforme capable de s'adapter à n'importe quel interprète : « Je suis, dit-il, un tailleur sur mesures pour bossus. » Louis Amade, le « préfet poète » disparu début octobre 1992, Albert Vidalie, Maurice Vidalin, etc.: tous comprennent que le chanteur n'est pas leur porte-parole et qu'ils doivent, au contraire, se mouler au personnage.

De là, quelques échecs vite oubliés, et une série de succès : *le Rideau rouge, la Grosse Noce, Marie-Marie, Si j'avais des sous* ; sans compter cette œuvrette dans laquelle Louis Amade invente un langage, *Croquemitoufle* : « Et je m'éfiléfiloche / Comme fond de poche / Quand tu n'es pas là... » Des chansons marquées aussi par la foi (*Galilée, Qu'est-ce que t'as aux mains ?*) ou la politique (*Tu le regretteras*, que Bécaud et Delanoë dédient au général de Gaulle).

Le temps passe, Bécaud demeure. Malgré le goût qu'il manifeste pour ses chansons anciennes, il lui faut évoluer. Difficile de continuer à jouer les pré adolescents lorsque l'on frôle la quarantaine ou que l'on dépasse la cinquantaine... Il enrichit son répertoire, jouant sur tout son registre, passant du constat poignant – *La Solitude, ça n'existe pas* – à la gigue québécoise délirante : *la Vente aux enchères*. Avec, par-ci par-là, une onde de volupté (*le Bain de minuit*) et quelques regrets...

Audacieux, il est l'un des premiers à chanter Gilles Vigneault (*Natashquan*), et tente même, chose rare dans l'hexagone, d'associer musique classique et variétés en une grande composition, *l'Opéra d'Aran*... Une aventure sans lendemain. Les États-Unis peuvent, avec Gershwin ou Bernstein, passer de la chansonnette à l'œuvre symphonique ou lyrique (*Porgy and Bess, West Side Story*)... La France, quant à elle, déteste le mélange des genres. Qui, chez nous, change de catégorie est d'emblée montré du doigt.

N'empêche. Bécaud subit échecs et blessures d'amour-propre. Mais il tient. Il séduit moins les adolescents que par le passé, mais conserve un public fidèle. Des anciens, certes, qui avec lui tentent de retrouver leurs 20 ans. Et de plus jeunes dont l'existence a été jalonnée par ses refrains.

A leurs débuts, Charles Aznavour et Gilbert Bécaud peuvent sembler comme des frères. Ils ont écrit ensemble quelques chansons, interprété parfois les mêmes couplets. Mais, très vite, leurs différences deviennent sensibles. A tel point qu'une œuvre, *la Ville*, à laquelle l'un et l'autre ont contribué – Aznavour pour le texte, Bécaud pour la musique – change totalement de sens selon celui qui l'interprète.

Le petit homme meurtri

De *la Ville*, Bécaud fait un étonnant ballet verbal. Insouciant, léger, le jeune homme arrive dans la cité : la foule, le rythme, le bruit, le choquent et l'effraient. Secoué, ballotté tel un ludion, il s'en va. Hors de la ville, il retrouvera la maison, les amis, la nature, la liberté, le bonheur... On voit Bécaud et l'on pense à un autre ballet, presque semblable par son argument, celui, aérien, que mène Gene Kelly dans *Chantons sous la pluie*. Bécaud quitte la ville sans avoir été vaincu par elle. L'expérience semble n'avoir laissé en lui aucune marque indélébile.

Avec Aznavour, la rencontre avec la ville devient beaucoup plus âpre. On y suffoque, on y meurt d'étouffement. Le héros de la chanson n'est plus ce jeune rural qui débarque en conquérant et repart quelque peu affolé ; mais un être écrasé, broyé, incapable de réagir. L'espoir, il croit le trouver chez cette « fille au teint de plâtre » qui lui dit « Viens ». Mais, dès qu'il approche, elle rit. La compassion n'est pas de ce monde. L'escapade en ville s'apparente à une descente aux enfers qui s'achève par la fuite. Kafka rôde dans la ville d'Aznavour.

Tout, dans le personnage d'Aznavour, contribue à cette sensation. Il est petit, chétif, effacé, gris dans son comportement comme dans son costume. Malheureux, promis aux coups, il donne l'impression de vouloir se fondre dans une foule qui le rejette. Sa voix même, cette étonnante voix enrouée que personne n'entendrait sans micro, est celle d'un malade, d'un être en sursis... La voix d'un émigrant qui a pris l'habitude de parler bas pour ne pas se faire remarquer.

Émigrant, il l'est sans nul doute. Ses parents, Arméniens, ont dû fuir leur terre pour échapper au génocide turc. N'a-t-il pas porté sur ses papiers d'identité la mention « apatride » ? Il joue évidemment sur d'autres registres, mais il existe plus que des similitudes entre son personnage et celui rendu célèbre par Charlie Chaplin. D'ailleurs, lorsqu'il deviendra à son tour acteur de cinéma – excellent de surcroît –, les héros auxquels il prêtera sa silhouette ressembleront tous, plus ou moins, au vagabond de légende : même vulnérabilité, même maladresse, même souffrance, même familiarité avec le malheur et avec la mort. La mort qui, périodiquement, apparaît au détour d'une chanson ou d'une autre : « AÏe, mourir pour toi », laisse-t-il échapper.

Fils d'immigrants, Charles Aznavour est aussi enfant de la balle. Ses parents ont goûté à la scène avant de se tourner, pour survivre, vers d'autres occupations. Lui-même dès son jeune âge est monté sur les planches : comédien au Théâtre du Petit-Monde, spécialisé dans les spectacles pour l'enfance et très populaire avant guerre... Il joue aussi dans des pièces pour adultes avant de former avec Pierre Roche un duo aux couplets originaux et farfelus : *le Feutre taupé* deviendra la chanson culte des fanatiques de la première période aznavourienne.

Bref, lorsque vers 1955 il prend dans la chanson la place importante qu'il ne quittera jamais, il a déjà une longue carrière derrière lui. C'est aussi un auteur dépourvu d'indulgence, pour les autres comme pour lui-même : *Tu t'laisses aller, Tu n'as plus, J'me voyais déjà*... Un auteur sensuel : *Après l'amour,* et plus tard *Trousse-chemise*... Un homme sans illusions aussi : *Mes emmerdes.*

Un malheur salvateur

Capable pourtant de se laisser porter par l'espoir, de jouer à fond le bonheur, il proclame : « Il faut boire jusqu'à l'ivresse / Sa jeunesse... » ; heureux, du moins en apparence, lorsqu'il se retrouve dans les vapeurs d'alcool des bars enfumés. Sa joie, pour s'épanouir, a besoin de bruit, des cris, de la chaleur des corps qui transpirent avant de s'abandonner. Ils lui sont proches, ces musiciens qui « s'éclatent » *Pour faire une jam.* Il lui faut au moins ces explosions pour qu'il puisse s'arracher à sa condition première, celle de vaincu permanent, de bouc émissaire, de personnage pour qui le bonheur est un état anormal.

C'est cependant cet excès de douleur qui sauve Aznavour. Il a souffert, il souffre encore et cela se voit. On parle évidemment de l'homme public. Dans sa vie privée, qu'il préserve avec soin, sans doute est-il heureux : les seules « emmerdes » qu'on lui connaît sont partagés avec nombre d'artistes, et dus au fisc. Mais, sur scène ou sur disque, il semble incarner une sorte de malheur diffus qui s'exprime aussi bien dans l'intonation que dans le comportement. De là l'émotion qu'il fait naître. Ce n'est pas de la pitié. Plutôt une compréhension exacerbée. On voudrait l'aider, le soutenir... Presque le protéger. Les femmes, même les plus jeunes, les adolescentes, éprouvent un sentiment maternel à son égard. Donner à cet homme, d'allure fragile, aux rides tôt venues et aux yeux fatigués, un semblant de sécurité leur semble nécessaire. Ce n'est pas un hasard si les premiers « fans » d'Aznavour appartiennent au beau sexe.

Les années passent, le succès d'Aznavour s'amplifie. Sans que se modifie profondément son personnage. Tout au plus sent-on naître en lui une certaine sagesse. Il n'a rompu ni avec le malheur ni avec la sensualité... L'expérience lui a simplement permis de prendre du recul, de juger avec philosophie des événements et des drames qui l'environnent. Il a beaucoup vécu, beaucoup trinqué, il connaît ses limites et refuse de se plaindre.

Il a beaucoup écrit aussi. Un répertoire certes de valeur inégale, mais dont l'ensemble résiste bien au temps. Des décennies après leur création, les couplets restent non seulement audibles, mais attachants...

On lui doit ainsi une chanson, écrite par Jacques Plante, qui ressuscite la légende des artistes fauchés mais heureux, *la Bohème* ; un texte, le premier en France probablement, mettant en scène la vie des homos, mais avec pudeur et sans les sarcasmes alors de rigueur, *Comme ils disent.* Il chante l'Arménie, « sa » terre, lorsqu'elle souffre, trouve dans *Camarades* des accents justes pour exalter la révolte. Une fausse note, disent certains : raconter, quand on a réussi, les malheurs et les espoirs de l'artiste raté (*J'me voyais déjà*). Encore que – spectateurs et auditeurs s'en rendent bien compte –, cette situation, Aznavour l'a frôlée. Il ne ment pas, mais imagine ce qu'aurait pu être son sort si la chance avait été moins généreuse avec lui.

On le voit moins souvent et c'est normal... Mais chacun de ses retours est un événement. Même quand on atteint son niveau de notoriété, il faut un courage certain pour oser organiser, comme il l'a fait en 1991, un spectacle commun avec Liza Minelli, et du talent pour le réussir. Aznavour, tout en restant fidèle à lui-même, continue d'étonner.

L'ère du scoubidou

Au fil des ans, le passage de l'état de chanteur à celui de vedette paraît s'accélérer. Corollaire : l'époque de la star demeurant au pinacle durant toute une génération est révolue. Nulle vedette n'est éliminée, mais la souveraineté absolue n'est plus de mise. Un artiste survit, souvent même multiplie ses succès, mais sur leur ultime crête voit un autre venir prendre sa place, place qui sera à son tour cédée... 1954-1956 auront été les années Bécaud, 1956-1958 les années Aznavour. En 1958 naît un nouveau personnage qui, durant une année ou deux, va dominer la scène et les ondes : Sacha Distel.

Un garçon sympathique, mais un peu fade. Neveu de Ray Ventura, il a été un guitariste de jazz fort doué et aurait pu mener une bonne carrière de musicien. Il s'essaie à la chanson en reprenant quelques refrains popularisés autrefois par Jean Sablon, et paraît devoir succéder à celui qui fut le premier *crooner* français. Lorsqu'il se constitue son propre répertoire, les textes qu'il interprète sont bien écrits, attachants, en même temps tendres et émouvants. Certains se souviennent encore de *Quand on s'est connu.*

Le tournant vient avec *Scoubidou.* L'idée première : faire une chanson drôle, sans prétention, dont le refrain serait constitué par un *scat,* une de ces onomatopées dont les jazzmen ponctuent les musiques qu'ils interprètent : « Scoubi-dou-bi-dou-ah ! » Le succès, considérable, est encore accentué par les aventures sentimentales du garçon dont la presse rend abondamment compte.

Distel n'a nul message à délivrer et ne se prend pas au sérieux. Il connaît son charme et en joue. Puisque succès et grandes ventes lui sont venus grâce à une chanson sans prétention aucune, pourquoi ne pas poursuivre dans cette voie ? Quitte, pour se faire plaisir, à abandonner périodiquement son rôle de chanteur et faire un « bœuf » avec une petite formation de jazz.

Continuant sur sa lancée, il ne chante pratiquement plus que des adaptations de succès américains : *Quelle nuit !, Personnalités,* et se frotte à l'univers de Salvador (*Ouah ! ouah ! ouah !*), mais sans atteindre le délire créatif de ce dernier. Il lui arrive même, pour satisfaire son public, de transformer le classique *When the Saints go marchin' in* en *Mon beau chapeau,* une chanson aussi proche par le rythme que lointaine de l'original par l'inspiration. Il a pour lui un charme, une élégance naturels et le goût du jazz. Contre lui, un besoin irrépressible de séduire. Chanteur « familial » par excellence, il doit assumer les rôles contradictoires de gendre idéal et de play-boy, nimbé de l'aura de Saint-Tropez. La silhouette d'un Don Juan des Plages, la désinvolture de l'homme à qui tout réussit, un certain dandysme dans l'attitude sont autant d'armes qu'il utilise cependant à la perfection.

Bien sûr, l'effet du *Scoubidou* finit par s'estomper et, deux ou trois ans après avoir gagné les esprits et les cœurs grâce à cette formule magique, il commence à basculer dans l'oubli. Mais l'homme possède de la souplesse et du ressort. A peine la scène l'abandonne-t-elle qu'il se tourne vers la télévision, alors naissante, pour y animer des émissions de variétés vite populaires, les Sacha-Shows. Lorsque la TV française se lassera, il émigrera vers la BBC londonienne, toujours avec le même brio. Périodiquement, on le voit resurgir en France. Il n'est plus une vedette et n'a pas laissé de marque profonde dans la chanson, mais il est encore capable, après trente-cinq années de métier, de sortir un « tube » qui tiendra trois mois... ou quinze jours.

6.

L'EMPREINTE DES GÉANTS

Une époque foisonnante

La place accordée dans ce récit à la décennie 50 peut sembler disproportionnée, voire démesurée. A la réflexion, elle s'explique. C'est durant ces années que tout se déclenche, que les grandes tendances qui, quelque quarante ans plus tard, dominent encore la chanson française, commencent à se dessiner. Les « fifties » naissent dans la tradition et s'achèvent dans le rock'n roll, voyant apparaître, dès leur naissance, Léo Ferré, Georges Brassens et Jacques Brel ; enfin Serge Gainsbourg.

Ces années s'inscrivent dans la continuité et sont pourtant le théâtre de véritables révolutions. Elles voient la naissance de nouveaux publics et de nouvelles manières d'appréhender la chanson. Ouvertes à tous les styles, elles divisent l'opinion. La rupture est nette entre les admirateurs de telle vedette et les « fans » de telle autre. Elles sont aussi extrêmement tolérantes : toutes les formes de sensibilité peuvent s'y épanouir... Et extrêmement sectaires : point de salut hors du camp que l'on s'est choisi.

En fait, elles partent dans tous les sens. Inventent toutes sortes de styles. Explosent et éblouissent. Mise sous les boisseaux durant le long hiver de l'Occupation, désorientée par l'afflux consécutif à la Libération des productions d'outre-Atlantique, la chanson française donne enfin libre cours à sa créativité ; les expériences redeviennent possibles, sauf, peut-être, l'érotisme : l'ordre moral est encore bien vivant (encore qu'il y ait de multiples moyens de tromper la vigilance des censeurs, officiels ou improvisés). Bref, aucune voie n'est vraiment interdite. La chanson s'essaie à tous les genres, erre sur tous les chemins et, partout, va plus loin qu'elle ne fut jamais.

La tradition, évidemment, est encore très présente. On reste fidèle aux grands modèles. Charles Trenet demeure un maître ; il l'est encore aujourd'hui. Nul en France n'ignore qu'il a libéré l'inspiration, aboli les contraintes et les règles tacitement admises, et donné à toutes les idées originales la possibilité de s'exprimer. Aucun auteur-compositeur-interprète n'aura eu et n'aura plus une telle influence sur les générations à venir.

Trenet, le premier, incite les auditeurs à établir une différence entre auteurs-compositeurs-interprètes et « simples » interprètes. Il s'invente un personnage original, à part entière. Certains – de Bécaud à Julien Clerc – essaieront de tout miser sur leur personnage, d'amener leurs paroliers et leurs musiciens à renforcer leur image... D'autres, au contraire, se considéreront comme les serviteurs de la chanson, choisiront les œuvres de leur répertoire, non en fonction de la silhouette qu'ils souhaitent dessiner, mais pour leurs qualités propres. Le texte, la musique seront jugés en tant que tels et non pour leur cohérence d'ensemble.

Ainsi, l'interprète qui joue un tel jeu peut proposer un répertoire éclaté, diversifié, mais que d'autres peuvent chanter à leur tour différemment. Autour de Juliette Gréco, les chansons apparaissent comme les ornements supplémentaires d'une silhouette unique. Celles que chante Cora Vaucaire sont d'abord mises en avant pour leurs qualités intrinsèques ; la chanteuse s'efface derrière elles. Cora possède pourtant tous les atouts pour se mettre en avant : une voix étonnamment pure, qu'elle sait moduler à sa guise ; une diction parfaite où affleure aussi bien l'ironie que la tendresse... Sur scène, elle est comédienne, se met dans la peau des héroïnes qu'elle met en scène. Chacun sait que l'on distingue deux sortes d'acteurs : ceux qui, comme Jouvet ou Raimu, marquent le rôle de leur empreinte : Jouvet-Don Juan ou Jouvet-Mosca, c'est d'abord Jouvet... Et ceux qui se fondent totalement dans leur rôle, qui savent faire oublier leur personnalité propre.

De Cora à Irma

Cora Vaucaire appartient d'emblée à la seconde catégorie. On reconnaît sa voix, parfaitement originale. On en aime le velouté, le charme, la richesse. Mais, quand elle chante, on pense moins à elle qu'à la chanson elle-même. C'est si vrai que son premier énorme succès public, *la Complainte de la Butte*, est, un moment, imputé à une autre. Cette chanson, Jean Renoir l'a introduite dans *French Cancan*, l'un de ses chefs-d'œuvre. Cora la chante mais, à l'écran, c'est une autre qui paraît l'interpréter, une actrice quelque peu oubliée aujourd'hui.

C'est en même temps la force et la faiblesse de Cora Vaucaire que de savoir transformer une œuvrette en œuvre d'art, faire d'une romance oubliée un classique. On ne la voit jamais au premier plan. Elle disparaît sans qu'on s'en rende compte, puis réapparaît le temps de faire connaître et aimer une nouvelle chanson. On lui doit notamment une fantastique interprétation de *Comme au théâtre*. Ceux qui sont venus la voir fin 1991 à l'Olympia ou au TLP-Dejazet sont sortis émerveillés. Ils venaient de découvrir une interprète exceptionnelle. Certains, avant de venir, ignoraient jusqu'à son existence.

Les années 50 marquent l'apogée de ces comédiennes-interprètes qui s'effacent derrière leur répertoire. On trouve côte à côte Yvette Giraud et Jacqueline François. Après avoir été *Mademoiselle de Paris*, petite main chez les grands couturiers, cette dernière se retrouve parmi *les Lavandières du Portugal*, une des chansons favorites de l'époque. Il est étrange du reste de constater que le public préfère parfois la copie plus ou moins fidèle à l'œuvre originale. Amalia Rodriguez, authentique reine du « fado », expression de la mélancolie portugaise, connaît le succès, Jacqueline François frôle le triomphe.

Dans la même lignée, mais avec des façons plus « peuple », voici Colette Renard. Elle a été chanteuse d'orchestre, en d'autres termes elle a utilisé sa voix au service d'un groupe sans se mettre particulièrement en avant. Devenue interprète à part entière, elle se situe au confluent entre la chanson réaliste – ruelles sombres et lépreuses des villes, bas quartiers des ports, inspiration mélodramatique et amours impossibles – et la chanson fantaisiste. Longtemps, elle joue indifféremment sur l'un et l'autre registre.

La comédie musicale d'Alexandre Breffort et Marguerite Monnot, *Irma la Douce*, lui donne l'occasion de concilier les deux genres. C'est une histoire hautement fantaisiste, celle d'un souteneur, Nestor le Fripé, amoureux de sa protégée, qui pousse la jalousie jusqu'à devenir, sous un déguisement, son unique client. *Irma la Douce* fera une carrière internationale. Les Américains la transposeront même en film musical, salué dans le monde entier, où se révélera Shirley Mac Laine. Quant à Colette Renard, le rôle la marquera tant auprès du public qu'il lui sera difficile de se glisser dans d'autres peaux.

Patachou, autre grande interprète, n'aura ni la chance ni la malchance de Colette Renard. Elle reste multiple, parfaite dans chacun des genres qu'elle se choisit, mais, en même temps, inclassable. Les amateurs de chansons, même lorsqu'ils affirment le contraire, aiment les classifications. Or, voilà une jeune femme qui joue aussi bien de la gouaille – *les Voyous*, plus tard *la Bague à Jules* – que de la nostalgie : *Bal chez Temporel.* On l'adopte donc, chanson après chanson, sans pour autant adopter son personnage. Sinon celui qu'elle veut bien livrer à la foule. Son nom de scène provient de la pâtisserie dont elle fut un moment le fleuron. Sa réputation lui est venue en coupant les cravates des clients de son restaurant. Elle tient son cabaret, *Chez Patachou*, sur la Butte Montmartre et elle y chante, cédant de temps en temps la place à des invités. Un soir, amené par le chansonnier Jacques Grello, un jeune homme vient lui proposer des textes et des musiques. Elle en adopte immédiatement plusieurs, dont *les Amoureux des bancs publics* et *Brave Margot*, mais se rend vite compte qu'il possède une présence, une personnalité, et qu'il serait stupide de le laisser se contenter d'écrire pour les autres. Elle le propulse donc littéralement sur scène. Immédiatement, il provoque parmi les consommateurs des réactions enthousiastes ou hostiles. Il s'appelle Georges Brassens et, dans la chanson, ouvre une nouvelle voie. « Sa » voie.

L'ours et les poupées

Il faut à Patachou un sixième sens et une sorte de génie prémonitoire pour deviner d'emblée toutes les richesses que Georges Brassens recèle en lui. L'homme est sympathique, mais timide, un peu balourd, presque rustre. Sur scène, il ne sourit pas, maugrée à voix basse entre les chansons, transpire, s'éponge le front et refuse de saluer. Poète, il ne cède à aucun cliché du genre. Il possède la carrure d'un bûcheron et la solidité du terrien, et porte les vêtements qui siéraient volontiers à un ouvrier du bâtiment... La poésie est, par essence, aérienne et fluide; Brassens, lui, paraît pesant.

Tout cela n'est certes qu'illusions, mais par son comportement il les entretient volontiers. Ses premières chansons sont résolument provocantes. Il conte, coup sur coup, l'aventure d'un juge violé par un singe (*le Gorille*), le sort fait à une escouade de gendarmes par une bande de commères déchaînées (*Hécatombe*), l'histoire d'un marginal sur le point d'être pendu pour avoir aidé un voleur (*la Mauvaise Réputation*) et le destin d'un patriote conformiste (*Corne d'Aurochs*)... Toutes chansons dont la chute, loin de rasséréner les auditeurs, accentue encore la férocité : « Car le juge au moment suprême / Criait maman, pleurait beaucoup / Comme l'homme à qui le jour même / Il avait fait couper le cou » (*le Gorille*) ou « Leur auraient même coupé les choses / Par bonheur ils n'en avaient pas » (*Hécatombe*).

Brassens se souvient en effet du temps, très proche, où il écrivait dans *le Libertaire* : il se veut résolument anarchiste. On lui a donné un moyen d'expression, la chanson; il l'utilise afin de ridiculiser ses ennemis, imaginaires ou réels. Que ses œuvres fassent sursauter, qu'on les interdise d'antenne, cela ne le gêne en rien. Il en est même plutôt flatté... Il n'en rajoute pas, certes. Si on retrouve dans ses couplets les personnages et les situations de son unique roman, *la Tour des Miracles*, qui déconcertera plus d'un lecteur, il les a toutefois policés. Quant à sa verve rabelaisienne, il n'estime plus nécessaire de l'accentuer.

On s'aperçoit rapidement que son répertoire ne se limite pas aux vitupérations, et qu'il est capable d'écrire des chansons d'amour délicates et bien ciselées. Un brin érotiques parfois, ce qui lui vaudra quelques remontrances à ses débuts, mais sans excès. Rien à voir avec les grivoiseries de mise au début du siècle. Brassens ne joue pas du sous-entendu, il dit clairement qu'un regard, un sein ou une jambe l'émeuvent ; il donne à ses vers un contenu charnel. Il aime les femmes, sait le faire comprendre, et les femmes l'aiment en retour. Dès le départ, son public est résolument mixte.

Grello et Patachou l'ont découvert, Jacques Canetti, le grand « manitou » de la chanson de l'époque, le fait enregistrer. Ses premiers disques partent en flèche. Bientôt, il deviendra une des valeurs sûres de Philips, sa maison de disques. On connaît ses chansons par cœur, on se presse à ses spectacles, qu'il s'installe à Bobino – le plus souvent, il y reste trois mois –, à l'Olympia ou dans d'autres salles.

Il offre relativement peu de spectacle à ses admirateurs. Ni mise en scène ni éclairages savants. Un environnement austère, un tabouret sur lequel il pose le pied lorsqu'il joue de la guitare. A ses côtés, un contrebassiste, Pierre Nicolas... Plus tard, il aura recours à un guitariste, Joël Favreau, pour les enregistrements. Ses tours de chant se démarquent singulièrement de ce qui est attendu généralement d'une vedette de music-hall. On vient le voir pour ses textes et sa musique, mais surtout pour sa présence. D'un sourire, il fait naître autour de lui une sorte d'amitié fraternelle. Les spectateurs, l'espace de quelques chansons, ont le sentiment d'être davantage que de simples amis. Ils font partie de « la » famille.

La forme et le fond

Poète de la chanson par la volonté du peuple, il lui arrive de sous-estimer ses œuvres. Il écrit bien, dans une facture classique, avec des rimes riches, joue aisément de l'alexandrin, choisit ses mots avec le soin appliqué d'un linguiste, la rigueur de l'artisan, cherche à associer leur mélodie propre à celle de la chanson, fait de chacune de ses strophes un ensemble équilibré, cohérent, complet en quelque sorte.

Il possède le goût des images fortes, des raccourcis audacieux qui peuvent faire sursauter. Mais il aime aussi les formules légères, impalpables, et mêle volontiers sourire et gravité, douceur et violence. Il a mis en musique quelques poèmes de Victor Hugo. Mais ce n'est pas pour autant qu'il faut oser un parallèle entre lui et « le plus grand poète français hélas » (selon la formule d'André Gide). C'est plutôt parce que, comme ses glorieux aînés, il a tenté de rendre la poésie au peuple et que celui-ci lui en est reconnaissant.

Brassens donne davantage. Sa musique est une vraie musique. Ses accords de guitare, dont on lui reproche parfois la simplicité, sont beaucoup plus savants et élaborés qu'on ne l'imagine. De même qu'il cherche le mot exact, il veut trouver la note juste, compatible avec l'esprit de la chanson et avec son propre état d'âme. Il sait manier recherche et simplicité, tradition et innovation.

Très marqué par le jazz, qu'il admire – il lui arrive pour le plaisir de « faire le musicien » dans de petits ensembles –, il introduit cette musique dans ses compositions. Salvador, qui s'y connaît, affirme : « Il y a peu de gens en France qui savent swinguer aussi bien que Brassens. Il y a dans ses chansons un phrasé, un rythme, un balancement rares. » Il y a surtout un ton Brassens. Dès les premières notes de l'intro, on reconnaît une de ses œuvres. Certains de ses fidèles qui, dans leur chanson-hommage, ont essayé de l'imiter – Moustaki ou Ferrat –, se sont rendu compte de la difficulté à y parvenir. Même les textes inédits que son ami Jean Bertola a mis en musique après sa mort rendent, malgré leur souci d'authenticité, un son différent de celui de Brassens.

Ce style, cette sonorité correspondent parfaitement à l'univers dans lequel se meut Georges. A la fois moderne et hors du temps. Hors du XXe siècle surtout, Brassens n'aime pas l'époque, il la trouve froide et cruelle. Pour s'en évader, il s'en est imaginé une autre, plus accueillante et plus chaleureuse, située quelque part entre le Moyen Age et le XVIIIe siècle. Ses bergères portent sabots, ses gendarmes sont coiffés de bicornes. Il se dit lui-même « moyenâgeux ». Quand il lui arrive de jurer, comme dans *la Ronde des jurons*, les mots qu'il emploie, venus du fond des âges, ont pour les trois quarts des auditeurs perdu toute signification précise et, à vrai dire, tout pouvoir corrosif. Crier « Vive le Roi » ou « Vive la ligue », c'est refuser toute référence aux conflits réels qui se déroulent au moment où il chante. Rares sont dans son répertoire les allusions à l'actualité.

Les quelques chansons où il aborde les événements des décennies précédentes lui occasionneront d'ailleurs des ennuis. On lui reprochera *la Tondue*, qui conte l'histoire d'une pauvre fille « châtiée » à la Libération. En fait, il s'y attaque surtout à la lâcheté des hommes, capables, pour faire oublier leurs faiblesses passées, de s'en prendre à une femme. Il s'y reproche aussi sa propre lâcheté. Il n'a pas eu le courage de la défendre.

On lui reproche surtout *les Deux Oncles*, où il renvoie dos à dos l'oncle « ami des Teutons » et l'oncle « ami des Tommies », mettant sur le même plan résistants et collabos. De même qu'on lui fait grief de ces paroles : « Mourir pour des idées, d'accord, mais de mort lente »... Reproches justifiés, mais jusqu'à un certain point seulement. Il est furieusement antimilitariste. Faut-il qu'on se massacre joyeusement, la fleur au fusil, pour que, une fois les carnages terminés, on se congratule ? Dans la chanson, les ennemis héréditaires deviennent des amis de toujours, et ceux qui avaient cru aux grands mots se retrouvent les cocus de l'histoire.

Anachronismes

Brassens n'aime pas les gradés, les patriotes, les va-t-en-guerre, « les imbéciles heureux qui sont nés quelque part », même quand, fidélité à sa ville natale oblige, il écrit une *Supplique pour être enterré sur la plage de Sète*. La cocarde tricolore le hérisse autant que le son du tambour. Mais, « chanteur engagé » comme il l'affirme un jour, ou « non engagé » comme il le prétend parfois, il se tient soigneusement à l'écart des conflits qui se déroulent autour de lui. Il est contre la guerre, mais ne proteste ni n'intervient quand on se massacre en Indochine ou en Algérie. Non qu'il approuve, mais il ignore. Il se veut anar, mais quand, menée ou plutôt personnifiée par Daniel Cohn-Bendit, un anar comme lui, la révolte étudiante de 68 submerge la France, on n'entend pas sa voix. Il se tait. Les événements quotidiens du moment lui sont indifférents. Il n'est pas présent. Il est ailleurs, loin dans le temps.

Cet anachronisme rend ambiguë l'admiration qu'on lui porte. Peut-on, comme lui, s'affirmer libertaire dans les salles où il chante et se retrouver homme d'ordre dès la fin du spectacle ? Pleurer aux malheurs des putains qu'il chante : « C'est pas tous les jours qu'elles rigolent, parole », et ignorer les filles qui font le trottoir aux alentours de Bobino ou de l'Olympia ? Applaudir aux exploits des voyous et au massacre des argousins, ses ennemis de toujours, et chercher la protection des seconds lorsqu'on croise les premiers dans la rue ? A ses admirateurs, Brassens donne la possibilité de s'encanailler sans risque.

De ce dévoiement de sa pensée, il n'est certes pas responsable. Sa sincérité est évidente, totale... Il n'appartient pas à l'époque, il la refuse. Pourquoi donc s'engagerait-il dans ses combats ? Pourquoi dénoncerait-il ses injustices et ses abus ? On n'est même pas sûr qu'il les voie. Il est à ce point fixé dans le passé que même les enterrements qu'il regrette sont ceux de jadis. Il n'y a dans son attitude ni indifférence ni manque de sensibilité. Plus simplement, pour vivre, il lui faut absolument échapper à son siècle, notre siècle.

Échapper à notre monde aussi. Pour s'en isoler, il s'est construit un cocon protecteur : l'univers des copains. Certains, Onteniente, René Fallet, Louis Nucéra, Jean Bertola, René Bourdier, José Artur et quelques autres sont bien réels. Il a imaginé les autres, mais tous se ressemblent. Un peu paumés, un peu ivrognes, bon cœur et grosse voix, ils forment une confrérie qu'on ne quitte jamais, même quand la Faucheuse passe. Dans cette bande qui n'en est pas une – il y a beaucoup de groupes dispersés parmi les « amis de Georges » –, la chaleur, la fidélité, l'indulgence importent bien plus que le clinquant ou les qualités intellectuelles.

Ici, une remarque. Parmi les reproches adressés à Brassens, sa supposée misogynie. Ses femmes sont soit des

« garces » devant lesquelles on se « fait tout petit » et qui « vous mènent par le bout du cœur » ; soit de compatissantes bonnes filles qui versent du baume sur les blessures cachées ou visibles ; soit des consolatrices telle *la Jeanne*, prête à accueillir tous les chiens perdus. Aucune ne brille, aucune n'est intelligente : « Pour l'amour, on ne demande pas aux filles d'avoir inventé la poudre… » D'où la réaction de quelques féministes qui, un temps, se sont déchaînées contre l'image de la femme proposée par Brassens. En oubliant que chez lui, les hommes ne sont pas mieux traités. Ils sont simples, sinon simplets, ni très lucides, ni rusés… L'intelligence, pour Brassens, n'a pas vraiment d'importance. Ce qui compte, en revanche, c'est le degré d'humanité de ceux qu'il chante. Hommes et femmes sont capables d'émotion, de pitié, de tendresse, de passion. Un regard, un sourire, un geste à peine esquissé suffisent pour que se noue une intrigue, s'amorce une aventure, se dessine une sorte de communion. Certains des personnages croqués par Brassens ont vraiment existé, la Jeanne notamment (il s'était réfugié chez elle au début de la guerre), et l'Auvergnat, son mari. Mais sont-ils si différents des êtres imaginaires qui peuplent d'autres chansons ? Elle est bien la sœur de Jeanne, « la pauvre vieille de somme » qui « va chercher du bois mort / Pour chauffer bonhomme / Bonhomme qui va mourir / De mort naturelle »… Sœur aussi, *la Femme d'Hector*. Comme est frère de l'Auvergnat *le Fossoyeur* qui enterre les morts à contrecœur : « Mais si l'on ne mourait plus/ J'crèverais de faim sur mon talus. »

Deux anars dos à dos

Ainsi se constitue une chaîne humaine, chaleureuse et fraternelle, et non manichéenne comme certains l'ont prétendu. Les méchants finissent toujours par faire un geste, par laisser percer le remords, perler la larme qui va les racheter. les bons ont des faiblesses auxquelles parfois ils se laissent aller. Rien en eux de parfait, d'exceptionnel. Les surhommes n'intéressent pas Brassens.

Dès lors, qu'importe l'époque, aujourd'hui ou voilà cinq

siècles, où se déroulent ces aventures ? Ce sont des fables. Et rien d'étonnant si la mort à laquelle sans cesse Brassens fait référence a l'apparence des dessins médiévaux : squelette, suaire et longue « faux d'agronome »... Si le dieu auquel les héros des chansons croient, ou ne croient pas, et avec lequel ils dialoguent, se montre débonnaire, compatissant, tolérant pour tout dire. On est loin des préceptes implacables qu'arborent les intégristes de tout poil qui prolifèrent en cette fin de siècle.

Brassens a disparu en octobre 1981. Il reste, pour beaucoup, aussi présent aujourd'hui qu'il le fut pendant ses années de gloire. A cause de la beauté, de la musicalité de ses vers et de ses mélodies. Et plus encore à cause du petit univers auquel il a donné vie.

« Mettez deux anarchistes côte à côte, ils s'engueulent. Mettez-en trois, ils s'étripent. » Une phrase de Léo Ferré qui fait peut-être mieux comprendre les différences entre les deux grands « anars » de la chanson française. Hormis la profession de foi anarchiste, rien de commun en effet entre les deux hommes qui vont longtemps se partager les faveurs des amoureux de la grande chanson française (Brel viendra plus tard, après une période de maturation).

Tous deux se veulent rebelles, mais il y a de la patience, de la placidité, une sorte de sérénité dans la révolte de Georges. Alors que celle de Léo éclate, crie, hurle, jusqu'à l'extinction de voix. Au sourire narquois, indulgent, du premier s'opposent la colère, la hargne, le sarcasme du second. Le premier ignore son époque, le second s'y plonge avec fureur pour en dénoncer les injustices et les tares. Du dieu débonnaire que côtoie Brassens, Ferré ne connaît que les représentants sur terre : pape, cardinaux, évêques, etc. Les jugeant insupportables, il leur assène dès qu'il le peut des volées de bois vert. Si Georges a croisé sur sa route un « bon petit diable à la fleur de l'âge », Léo clame « *Thank you Satan* » pour remercier l'initiateur de la première rébellion contre l'ordre établi pour l'esprit d'insoumission qu'il a insufflé aux hommes.

La vie d'artiste

Dès le début, Léo Ferré établit ses marques, délimite les thèmes qui marqueront l'ensemble de sa carrière : la poésie et ses chimères, un regard lucide sur l'existence, les amitiés et les amours ; le refus de l'autorité... « Ni Dieu ni maître », slogan des anarchistes, reste une de ses formules favorites ; enfin un constat très pessimiste sur l'état du monde et de la société... Variées, ses premières chansons évoquent à la file tous ces thèmes. L'anarchie : « Mais la société / Faut pas s'en mêler / J'suis un type à part / Une graine d'ananar » (*Graine d'ananar*). La rêverie poétique : « Mes plus beaux souvenirs fleurissent sur l'étang / Dans le lointain château d'une lointaine Espagne » (*l'Étang chimérique*). Le scepticisme et la désillusion : « Quand je sombrerai dans la gloire / En un appartement cossu / Des tas d'amis inattendus / Viendront piquer à ma mangeoire » (*le Parvenu*).

Ses couplets parlent de chambres glaciales réchauffées par l'imagination (*la Chambre*), de voyages féeriques sans départs ni arrivées (*l'Ile Saint-Louis*), de couples qui se défont, vaincus par la misère (*la Vie d'artiste*)... Une misère qu'il connaît par expérience. Il vit, durant ses premières années de chanteur, l'existence d'un poète maudit : respecté par un petit nombre de fidèles, mais voué aux cabarets qui rémunèrent fort mal leurs « vedettes » : « Regardez-les tous ces voyous / Tous ces poètes de deux sous / Et leur teint blême... / Ils sont riches à crever / D'ailleurs ils crèvent. » (*A Saint-Germain-des-Prés*). Il passe aux Assassins, au Quod Libet, fait la tournée des boîtes à chansons, toujours en quête des quelques sous qui lui permettront de subsister.

Une vie d'artiste dont les interprètes vont l'aider à se tirer. Mais elle aura duré longtemps. Il débarque à Paris en 1946, traîne jusqu'en 1951 où Francis Claude le fait venir au cabaret Milord l'Arsouille. Ensemble, Francis et Léo écrivent quelques chansons. Cela ne suffit pas. Quelques fidèles achètent ses disques, suivent ses rares tours de chant, mais le grand public l'ignore.

Celui-ci va bientôt découvrir ses chansons. Grâce à

Catherine Sauvage. Un personnage elle aussi. Comédienne et chanteuse, elle s'est construit un répertoire résolument offensif, alliant la poésie à la révolte. Sa voix, peu banale, n'est pas à proprement parler belle. Elle est mieux que cela : un peu rauque, précise, elle martèle les syllabes comme si elle voulait les faire entrer dans le crâne des auditeurs. Parfois, elle s'adoucit, devient plus suave : le repos de la guerrière. Mais c'est pour retrouver bien vite sa « sauvagerie ».

Catherine Sauvage et Léo Ferré sont faits pour s'entendre. La même véhémence, la même colère, la même indignation les habitent. On ne s'étonne donc pas quand Catherine Sauvage décide de consacrer un album à Léo Ferré. La chanson qui lui donne son titre, *l'Homme,* est typique de la manière Ferré d'alors : une description à la fois cruelle et sensible du genre humain. Le texte décape, bien qu'une certaine forme de pitié se glisse dans sa conclusion : « L'inconnu qui salue bien bas / Les longs et douloureux cortèges / Et qui ne se rappelle pas / Qu'il a soixante-quinze berges / C'est l'homme. »

Suit une série de chansons toutes dignes de figurer dans une anthologie. *Vitrines,* esquisse tracée au scalpel de la société de préconsommation avec, en prime, un coup de griffe à Jacques Prévert ; *le Piano du pauvre,* hommage à l'accordéon, que Piaf n'a pas voulu intégrer dans son répertoire ; *Paris Canaille,* une splendide chanson sur la capitale que Montand a refusée. Quoi qu'il en soit, Catherine Sauvage conduit l'album au succès, obtient pour lui le Grand Prix du Disque et fait de quelques-unes des œuvres qu'il contient de véritables « tubes ». Gréco agira de même en transformant *Jolie Môme* en classique de la chanson.

Curieusement, le succès de l'auteur et de ses interprètes donne une nouvelle popularité à Léo Ferré chanteur et étend considérablement son public. Il passe, en mai 54, dans un spectacle dont la vedette est Joséphine Baker. Paulette Coquatrix, l'épouse de Bruno, le patron du music-hall, raconte : « Il avait beaucoup de handicaps à surmonter. Son allure bohème d'abord. Son costume était correct, mais ses gros souliers ne l'avantageaient pas. Et surtout, il portait les cheveux longs... » Sur ces fameux souliers, il s'expliquera plus tard : « C'était des chaussures de montagne, les seules correctes que je possédais. Et puis je les trouvais belles... »

Léo l'insoumis

N'importe ! Le premier passage à l'Olympia marque un tournant. On y admet encore difficilement Ferré, mais on s'aperçoit qu'il est fait pour la scène, pour dialoguer avec le public, un dialogue houleux parfois, mais sans concession. Dès lors, on le revoit à l'Olympia, mais aussi à Bobino, au Vieux Colombier, à l'Alhambra... A chacun de ses passages, la foule devient plus dense, plus enthousiaste.

En 1962, après un passage, selon lui inégal, à l'ABC, un critique écrit dans *France-Observateur* : « Triste, décevant, le récital de Ferré le serait si, au moment où l'intérêt se dérobe, où l'attention se relâche, une chanson ne venait éclater, provocante, violente et lucide. Cinq fois, six fois, il décrit et dénonce l'époque, le régime, la bêtise, l'hypocrisie, la lâcheté et l'optimisme béat. Dépouillant l'actualité, il stigmatise la grande presse, démystifie la gloire et la réussite liées à l'argent, pulvérise quelques grands de notre temps et ridiculise le Concile. Avec une vigueur inconnue jusqu'ici, il attaque la position adoptée par l'Église après le procès de Liège : " Mais a-t-on déjà vu un pape sans bras ? " questionne-t-il, ironique, dans les féroces *Temps difficiles* [1]. »

« Du travail de chansonnier, diront certains. Peut-être, quoiqu'il soit difficile de rencontrer aujourd'hui un chansonnier aussi audacieux. Ce type d'artiste cherche d'abord à faire rire, et le rire efface, fait disparaître la provocation. Tandis que Ferré, lui, ne rit pas. Son époque n'est pas drôle, et même parfois lugubre. Aussi est-ce avec colère, avec hargne que Ferré lance ses dénonciations. Il veut

1. L'Église vient en effet d'interdire l'avortement des femmes qui, traitées avec un médicament dangereux, vont donner naissance à des enfants infirmes.

bousculer, troubler la quiète digestion des repus et des bien-pensants, et il y parvient. Il se venge et nous venge de la bonne conscience, des bons sentiments et des mesquines hypocrisies d'une société dominée par l'argent.

Il décrit les désillusions du combattant qui crut jadis à un homme (*Mon général*) ; il déchire à belles dents, à travers les couplets magistraux de *la Langue française*, le snobisme très répandu du " franglais "... Et c'est dans un cri de révolte – *T'es rock coco* – que s'achève son récital. Le spectateur se sent mieux. Soulagé, il respire. Quelqu'un a osé dire ce qu'il avait sur le cœur, ce que, paralysé par le conformisme ambiant, personne n'osait dire. »

Ferré n'a alors pas encore écrit ses plus importantes chansons. Il est loin d'avoir achevé cette anthologie musicale où il entend rassembler les poètes qu'il aime, mais déjà, sur le personnage, tout est dit. Sauf les reproches qu'on n'a cessé et qu'on ne cessera de lui faire. Qu'il écrive ou qu'il publie deux ou trois chansons douces, poétiques à la file, et on prétend qu'il s'embourgeoise. Qu'il utilise l'argot, les mots âpres et durs du quotidien pour donner plus de force à ses couplets, et on affirme qu'il s'encanaille. Il prend parti pour les soixante-huitards en mai, et le voilà taxé de démagogue, comme si la jeunesse insurgée ne reprenait pas les thèmes que, depuis toujours, il popularise. Lorsqu'un peu plus tard des incidents violents marquent ses concerts, on le juge complice des policiers obligés d'intervenir. Il aime la musique, s'y rattache, s'y réfère sans cesse lorsqu'il écrit ses propres œuvres, poussant l'audace jusqu'à diriger lui-même un orchestre symphonique. Succès public, mais les critiques se déchaînent. Un homme de « variétés » n'a pas le droit de toucher au classique !

Des calomnies courent sur lui, au sujet de ses supposés châteaux en Espagne et de ses prétendues Rolls. On parle beaucoup sans qu'il daigne répondre. Aucune riposte cinglante contre ceux qui l'agressent. Il s'attendait à leurs attaques, celles-ci lui paraissent logiques, presque normales. Il se sait trop gênant pour passer inaperçu, trop imprécateur pour ne point susciter l'imprécation. « *I am*, dit-il, *an immense* provocateur. »

Une exception cependant. Un homme seul échappe à son indifférence : sans doute parce qu'en théorie il se réclame de l'esprit libertaire qui anime Léo. Plus encore parce qu'il se conduit dans son journal comme un véritable pousse-au-crime. Gauchiste et richissime, Jean-Edern Hallier publie dans son journal des articles d'une violence extrême contre Ferré. Cela remonte au début des années 70. La campagne d'Hallier coïncide avec une tournée de Léo, qui raconte : « Il incitait pratiquement ses lecteurs à me lyncher. Ce qu'ils ont fait. Ils lançaient des boulons, des morceaux de ferraille sur la scène. L'un d'entre eux est passé à quelques centimètres de la tête de Popaul Castanier, mon pianiste aveugle. Un soir, durant un concert, une bande de jeunes s'est installée devant la scène et a craché sur moi jusqu'à la fin. Mon chemin de croix a duré deux heures. » C'était en effet l'époque où de bouillants révolutionnaires entendaient offrir l'art gratuit au peuple et envahissaient systématiquement les lieux où se déroulait un spectacle.

Le lion et ses enfants

Castanier, le pianiste visé par les trublions, est probablement le musicien qui a suivi Léo de plus près pendant sa longue carrière. Ferré a essayé sur scène toutes les formes d'accompagnement : seul, à son piano, avec un orchestre symphonique, avec une bande magnétique pré-enregistrée, avec un groupe pop, les Zoo... Preuve supplémentaire que la musique compte beaucoup, autant que le texte, pour lui. Mais c'est sans doute avec Castanier qu'il a formé le couple qui lui convenait le mieux : un chanteur, un pianiste.

Les années passent. Chacune amène sa moisson d'œuvres rares. Des cris d'indignation, comme au sujet de *Franco la Muerte*, écrit au moment où le dictateur vieillissant envoie à la mort Julian Grimau, leader du parti communiste espagnol clandestin, mais aussi des chansons plus universelles, parce que touchant au plus profond de l'homme et non de l'enragé politique : *Vingt ans ; la The nana*, qui dépasse l'esprit du temps semblant, à première vue, l'avoir inspiré ; *C'est extra*, un hymne à la beauté et à la sensualité du monde... Et *Avec le temps*, un chef-d'œuvre absolu, une méditation angoissée sur l'éphémère de la vie et sur l'usure des sentiments et des êtres : « Avec le temps, va, tout s'en va... » Tout s'en va. Même Ferré qui vient de partir, en laissant un vide immense. Et des œuvres qu'on n'oubliera pas.

Des chansons qui jalonnent le parcours de Léo Ferré, quelques-unes sont dues à Jean-Roger Caussimon : *le Temps du tango*, par exemple, ou *Comme à Ostende*. Ferré avait rencontré Caussimon à son arrivée à Paris. Les deux hommes ne se ressemblaient pas. A la fougue, à la véhémence du premier s'opposaient la tendresse, l'indulgence, la sérénité du second. L'un protestait, mettait à nu les plaies du monde et de la société ; l'autre essayait de comprendre, trouvait des excuses et, le plus souvent, des raisons d'espérer. Ils étaient contradictoires et complémentaires. Caussimon introduisait dans le répertoire de Léo une sorte de confiance supplémentaire en l'homme.

Caussimon écrivait pour les autres. Pierre Barouh le persuada de chanter. Ce qu'il fit, excellemment... Accentuant, en particulier dans *les Cœurs purs*, l'optimisme tempéré qu'il avait réussi à insuffler, par instants, à Léo. L'un et l'autre restèrent des amis. Lorsque l'on décida de consacrer un volume de la collection « Poésie et chansons » (éditions Seghers) à Jean-Roger Caussimon, Léo Ferré s'offrit pour l'écrire, alors que, hors de la chanson, il écrivait peu.

Castanier a disparu, Caussimon l'a précédé... Pepée, la guenon que Ferré aimait comme une fille, s'est éteinte à la veille de mai 68. Richard Marsan, le secrétaire, le directeur artistique, l'ami de toujours – « Un dernier verre, Richard... » – s'est réfugié à la campagne, loin du stress parisien... De l'Italie où, père de famille, il s'est installé, Léo le Lion (comme l'appelait Maurice Fanon) tient toujours, prépare ses chansons comme un dynamiteur ses explosifs, quitte à passer du baume sur les blessures qu'il a lui-même causées. Il sait que son cri reste nécessaire. Sa voix a profondément marqué le siècle.

Elle aura aussi marqué les gens de la chanson. Coléreux, violent, talentueux, Maurice Fanon s'inscrit dans la lignée de Ferré. On retrouve le parfum de *la Mafia* de Ferré dans *Avec Fanon*, une indignation proche de *Franco la muerte* dans *la Petite Juive*, un charme voisin de celui de *la Chambre* dans *Jean-Marie de Pantin*. Dans la ligne Ferré également Jacques Debronckart, avec toute une série de fantastiques chansons : *Mutins de 1917*, *Notre chambre*, *Adélaïde* ou *Je suis comédien*... Et Henri Tachan, manieur de mots, tendre et provocateur... Les deux premies sont morts, le troisième continue de se battre en solitaire, aucun n'a fait la carrière qu'il méritait. L'époque est dure aux « Compagnons des mauvais jours » que chantaient Prévert et Montand... Enfant de Léo également, Serge Gainsbourg qui, un jour, confia : « C'est à cause de Vian et de Ferré que j'ai compris qu'on pouvait dire des choses en quelques couplets. » Et Jacques Brel qui, pourtant...

Au temps de l'abbé Brel

Pourtant, Brel débutant ne s'inscrit pas vraiment dans la chanson de révolte. Ses premières interprétations sont, sinon sages, du moins beaucoup moins âpres que celles qu'on a retenues de lui. Il arrive de Belgique, bourgeois flamand francophone en révolte contre sa famille, se retrouve un moment pensionnaire d'un cabaret rive-gauche, en l'occurrence l'Échelle de Jacob, et conquiert assez vite un public limité mais fidèle. Même si une partie des spectateurs ordinaires des cabarets lui reproche, comme cela se faisait encore beaucoup à l'époque, son comportement et son physique : attitude gauche, maladroite, visage jugé ingrat, une dentition qui, dit-on, « le fait ressembler à Fernandel. » Un courant de sympathie, un courant occulte pourrait-on dire, se dessine cependant en sa faveur. Comme ils apprécieront, plus tard, le Père Duval, le « Jésuite chantant » qui leur donnera des couplets, religieux sans être saint-sulpiciens, les jeunes chrétiens connaissent et adoptent Jacques Brel. Ses disques ne sont pas encore diffusés que déjà un public s'est créé, prêt à les recevoir.

Brel possède, il est vrai, beaucoup d'atouts pour le séduire ; il paraît même n'exister qu'en fonction de ce public. Il se pose des problèmes sociaux ou moraux, comme ses admirateurs, et s'affirme proche du syndicalisme. Il est généreux, sensible, possède un indéniable pouvoir de séduction tout en étant très moderne de style. Ses musiques rythmées, ses textes, parfois simples et souvent denses, sont accrochés à la sensibilité de l'époque. La foi les imprègne, qu'il chante à la manière d'un chrétien de gauche, révolté par l'injustice et l'hypocrisie. Il veut la paix, la justice, l'amour entre les hommes, refuse la violence et la bêtise ; et il sait le dire avec des mots qui portent.

Le voilà, pastichant l'opéra, qui s'invente un « Grand air de la bêtise » dénonçant les ignominies et les turpitudes du monde, les attribuant d'instinct à Satan *(Ça va [le diable])* ; qui recense et admire les créations divines (*J'en appelle, Il nous faut regarder*) ; qui propose sa version du pari de Pascal (*Dites, si c'était vrai*) ; qui exalte le retour des prêtres à l'usine : « Voici / Qu'en nos faubourgs délavés / Des prêtres en litanies / Sont devenus ouvriers... »

Pas de propagande insistante dans ce qu'il raconte, mais la manifestation d'une vraie foi, encore que par moments le doute affleure. On lui prête, ce qui est faux, un conseiller religieux. Brassens, qui l'apprécie beaucoup, le surnomme « l'Abbé Brel », et sa silhouette paraît définitivement esquissée. Pourtant, dès le début, il détonne, tant ses couplets cadrent peu à l'imagerie chrétienne traditionnelle.

En témoigne une curieuse chanson, *Sur la place*, qui mêle allègrement religion et sensualité. Dans les couplets, la description d'une danseuse qu'on imagine presque nue, et désirable : « Sur la place chauffée au soleil / Une fille s'est mise à danser... » Bref, un tableau chargé d'érotisme. Vient le refrain : « Ainsi certains jours paraît / Une flamme à nos yeux / A l'église où j'allais / On l'appelait le Bon Dieu... » De quoi épouvanter les bons pères chez qui Brel a fait son éducation.

Le Grand Jacques s'en soucie peu. A ceux qui l'interpellent sur sa prétendue religiosité, il déclare : « En France, on me traite de curé, en Belgique, on m'accuse d'être anarchiste ou communiste, et les Canadiens trouvent mes chansons pornographiques. » Et, pour couper court à sa réputation naissante, il prend ses distances avec les prêtres, l'Église et Dieu. On les verra pourtant réapparaître au fil des années, notamment dans des œuvres comme *le Moribond*, mais traités différemment : « Adieu, l'abbé, je t'aimais bien / On n'était pas du même bord / Mais on suivait le même chemin. »

Premier moyen de se distancier : les chansons d'amour, présentes dès ses débuts. Elles sont belles, poignantes, souvent empreintes d'une profonde mélancolie : *Je ne sais pas, Ne me quitte pas, le Prochain Amour.* Brel jamais n'y apparaît en conquérant faraud, mais, le plus souvent, en vaincu suppliant et amer qui sait que l'« on n'oublie rien de rien, on s'habitue, c'est tout… »

De là cette misogynie qui le suivra tout au long de sa vie. Les femmes sont inconstantes, cruelles, volages. Face à elles, même s'il combat, l'homme doit se résigner à devenir une victime consentante : « Je sais, je sais que ce prochain amour / Sera pour moi la prochaine des guerres. » Mais allez donc résister… Il suffit que se manifeste l'infidèle pour qu'aussitôt les défenses tombent : « Mon cœur mon cœur ne t'emballe pas / Fais comme si tu ne savais pas / Que la Mathilde est revenue. » Il a beau multiplier les portraits au vitriol (*les Biches, les Femmes et les Chiens*, et plus tard *le Lion* ou *les Remparts de Varsovie*) ; il a beau se fabriquer des modèles ridicules de femmes idéales (*Knokke-le-Zoute*), ces revanches chantées ne le soulagent guère. Vaincu il était, vaincu il demeure.

De la dérision à la tendresse

Sa revanche, il la prend sur celles qui ne peuvent le séduire : *les Bigotes*, confites en dévotions incapables d'un regard indulgent sur le monde qui les entoure ; *la Dame patronnesse* pour laquelle la charité n'est qu'un moyen d'affirmer son rang dans la société ; *les Flamandes* qui traversent l'existence avec une indifférente bonne consciente. Jean Clouzet, qui fut le premier à consacrer un livre à Brel, a beau jeu de démontrer que ses chansons ne sont qu'images, archétypes et stéréotypes dépourvus d'assise. *Les Flamandes* ne sont pas des femmes que l'on croise dans les villages de Flandre, *la Dame patronnesse* n'est guère un modèle de charité. Pas plus d'ailleurs que *les*

Bourgeois (« Plus ça devient vieux, plus ça devient con »), fort éloignés de la véritable bourgeoisie belge.

Encore que... Clouzet affirme que Brel mettait un nom sur le « maître Jojo » des Bourgeois, comme il mettait un nom sur le « Jef » qu'un chagrin d'amour avait rendu ivrogne, et comme il le fera sur son « Jojo », son chauffeur et ami disparu avant lui. Il y a toujours, dans l'œuvre du grand Jacques, un curieux mélange d'imagination délirante et de réalité.

Quoi qu'il en soit, ces chansons caricaturales marquent une première évolution dans le répertoire de Brel. Il était l'homme de bonne volonté un peu naïf qui n'aspirait qu'à croire en des jours meilleurs, en une fraternité retrouvée... Le voilà qui discerne les obstacles, qui s'aperçoit que la nature humaine n'est pas si humaine qu'il le voudrait, et qu'au contraire c'est dans l'esprit de l'homme que se dressent les murailles.

Moyens pour les abattre : l'humour et la dérision. Brel s'attaque d'abord à ceux qu'il connaît le mieux, les Belges, les Belgiens, les Flamands flamingants... Et les idiots satisfaits d'eux-mêmes, quelle que soit leur origine ethnique. Par exemple, le héros des *Bonbons*, niais, triomphant et vaincu. Chose remarquable, Brel ne peut se défendre d'éprouver, envers ces personnages qu'il n'aime pas, une sorte de tendresse et même, d'une certaine manière, de pitié. Il se sent proche des gens de *Bruxelles*, fats, suffisants et ridicules ; il se sait capable d'apporter « des bonbons / Parce que les fleurs c'est périssable », et il a parfois les réactions du personnage de *Madeleine* – où le grotesque, le dérisoire et le désespoir font bon ménage –, peut-être parce que lui aussi a attendu sans illusion une Madeleine qui ne venait pas. Il n'y a pas une once de cruauté vraie dans la façon dont Brel dessine ce genre de personnages.

Chaleureux et humain jusque dans la caricature, Brel, devient d'une bonté extrême, d'une intelligence totale lorsqu'il s'agit de décrire des êtres fragiles et vulnérables. Dans *les Vieux*, sa délicatesse de ton, sa finesse d'expression, sa richesse de sentiments sont telles que ses « vieux » deviennent les nôtres. Il peut bien clamer « Quand je serai vieux / Je serai insupportable », cela reste pour lui une façon de conjurer le mauvais sort. Il sait que « la vieillesse, ce naufrage », comme dit le général de Gaulle, l'attend et qu'il sera, devant elle, aussi faible que les personnages dont, à touches légères, il a tracé la silhouette.

De même, il est moins témoin que participant dans *la Chanson des vieux amants*, l'aventure d'un couple où la tendresse et la complicité ont remplacé la passion. On s'aime, on se pardonne, chacun comprend et admet les faiblesses de l'autre. Solitaire, il rêve d'un havre où faire relâche, d'une épaule sur laquelle poser sa tête, d'une oreille à laquelle se confier sans risquer d'être jugé.

Il convient évidemment de distinguer l'homme du chanteur : l'un et l'autre ne sont pas forcément à l'unisson. Mais Brel interprète est en même temps auteur et compositeur. Il lance ses couplets comme autant de messages : à travers eux, c'est sa propre pensée qu'il désire transmettre, même si l'art lui permet parfois de la déguiser, d'en atténuer la netteté.

Brel se protège d'ailleurs bien davantage lorsqu'il veut livrer sa tendresse profonde ou ses sentiments intimes que lorsqu'il dénonce ou qu'il caricature. Se montrer sans fard serait en quelque sorte affirmer sa vulnérabilité. Alors qu'il peut, sans trop de risques, brosser des tableaux à la Breughel : hommes frustes et rustres, beuveries triomphantes, sensualité presque brutale. C'est la description d'*Amsterdam* avec ses marins qui pissent et qui courent les putes, celle de *Ces gens-là*, archétypes de conformisme parmi lesquels se glisse le portrait d'un marginal, mal admis et mal à l'aise, qui a probablement quelques traits communs avec Brel lui-même.

Brel l'éternel

Il arrive que des coups de colère le saisissent. Quand il relate, dans *Au suivant*, un dépucelage obligatoire : « J'avais juste vingt ans / Et je me déniaisais / Au bordel ambulant / D'une armée en campagne », la hargne le saisit devant la gueulante rythmée que pousse l'adjudant : « Au suivant ! Cette voix qui sentait l'ail et le mauvais alcool, c'est la voix des nations et c'est la voix du sang. » On est bien loin alors de la joyeuse gaudriole, des « maisons accueillantes » de la mythologie gauloise. L'amour discipliné, militarisé, industrialisé est ici la règle.

Dans les années 60, Jacques Brel domine la scène. Malgré son changement de cap, ses doutes croissants, la vigueur et la verdeur de son langage, il a conservé ses premiers admirateurs, et peut-être les a-t-il fait évoluer en même temps que lui. Mais aussi, il en a gagné d'autres. La scène le paralysait. Il s'y rendait comme à l'abattoir. Il posait son pied sur un tabouret, sa guitare sur son genou, et égrenait ses refrains avec une conviction réelle, mais en faisant tout pour qu'on oublie son corps qu'il jugeait ingrat, son visage qu'il n'aimait guère... Sa voix, ses mots étaient présents. Pas son physique. Il a pris le tournant, est devenu un grand *showman*. Désormais, il « brûle les planches », évolue de la cour au jardin, joue comme un comédien, comme un tragédien même.

Les salles où il se produit sont combles, ses disques s'arrachent, son inspiration paraît sans limites. Il parle de tout. Avec fureur : « Les taureaux s'ennuient le dimanche / Quand il s'agit de mourir pour nous. » Avec virtuosité, comme dans *la Valse à mille temps.* Il prend un exercice de latin, « *Rosa*, la rose », et en fait une adorable chanson d'amour (*Rosa*). Bref, il accumule les succès et n'a plus rien à prouver. Après quinze ans de carrière à peine, il juge le moment venu pour lui de se retirer. Après tout, il a même écrit et interprété une chanson destinée à durer des siècles, une chanson dans laquelle il livre ses clés : *le Plat Pays,* description saisissante d'une Flandre qu'il a aimée.

Il s'en va donc en 1966, après un triomphal tour de chant à l'Olympia, et se tourne vers d'autres voies. Puis il réapparaît sur scène lors d'une série, trop courte, de représentations de *l'Homme de la Mancha.* Avant de bifurquer vers le cinéma : acteur d'abord dans *les Risques du métier, les Assassins de l'ordre, l'Aventure c'est l'aventure, l'Emmerdeur* notamment ; metteur en scène ensuite avec *Franz* puis *le Far West.* Il découvre l'aviation et devient un pilote chevronné, la voile et s'embarque pour un tour du monde avec sa compagne Maddly qui le mène aux îles Marquises. Le temps où Mort Shuman pouvait lui rendre hommage « off Broadway » dans une comédie musicale, *Jacques Brel is alive and well and living in Paris,* n'est plus. Jacques

Brel s'est estompé. Le personnage et ses multiples facettes semblent s'être évaporés.

Erreur ! Dans *l'Homme de la Mancha,* qu'il a librement adapté du livret de Dale Wassermann, il interprète deux rôles, celui de Don Quichotte le naïf, le mythomane poussant jusqu'au ridicule son inébranlable idéalisme, et celui de Cervantès, le rebelle, l'emprisonné, hostile à tous les pouvoirs et à toutes les contraintes... Les deux se rejoignant d'ailleurs dans une chanson, *la Quête,* qui sera le grand succès de la comédie musicale : Brel/Quichotte et Brel/Cervantès ont en commun la recherche passionnée de l'inaccessible.

C'est vrai également à l'écran. Des films où il intervient comme acteur, au service d'autres metteurs en scène, il dit volontiers : « Je ne me mets jamais dans la peau du personnage que j'interprète. » Mais tous les héros auxquels il offre sa silhouette ont des points communs avec lui. Il est victime d'une femme, d'une toute jeune fille, dans *les Risques du métier* ; victime de la société dans *la Bande à Bonnot* ; victime d'une femme et de sa pitoyable bonne volonté dans *l'Emmerdeur*... On lui offre rarement des rôles de vainqueur. Sinon, peut-être, celui de *Mon oncle Benjamin,* proche par l'esprit d'un Don Quichotte réaliste qui, renonçant aux moulins à vent, s'attaquerait à des injustices concrètes et finirait par en triompher.

Dans ses propres films, ceux qu'il a mis en scène, le thème de la quête de l'inaccessible revient en force. Amours impossibles qui laissent un goût amer (dans *Franz,* où Barbara est sa partenaire), mélange de rêves de paumés et d'âpre réalité dans le *Far West,* où il cherche à illustrer l'incapacité pour l'homme de rejoindre les idéaux de son enfance. L'échec de ces deux films le touche ; il sera pour beaucoup dans son désir de fuir l'Europe et la civilisation. Une fois de plus, on se rend compte que le public français supporte difficilement le mélange des genres. On a aimé et on aime Brel auteur-compositeur-interprète ; on ne peut l'accepter metteur en scène de cinéma.

Il fuit l'Europe, mais ne se libère pas pour autant de ses obsessions. Dans le dernier disque qu'il enregistre – et qui sera lancé par Eddie Barclay avec tapage –, *les Marquises* ne sont évoquées que par une unique chanson. Pour le reste, on retrouve son impitoyable misogynie, sa haine tenace pour les flamingants, « nazis durant les guerres et catholiques entre elles » (*Les F...*), son désespoir latent (*Orly*). On y retrouve même le Brel « social » des débuts, révolté par l'injustice : *Jaurès*.

Il ne lui reste alors que peu de temps à vivre. On le sait malade, épuisé... Sa mort qu'il a maintes fois évoquée – *J'arrive*, lui disait-il – provoque un choc considérable parmi le public. Il n'est plus. Mais pas un jour où ne revienne en mémoire une de ses chansons, tragique comme *la Fanette*, ou drolatique comme *Vesoul*.

7.

UNE GUERRE OUBLIÉE

Furieusement hexagonal

Premier novembre 1954. A l'Olympia, c'est l'avant-dernière représentation du spectacle qu'anime Eddie Constantine. Avec sa belle gueule cassée et sa voix exotique, l'Américain de Paris est alors au faîte de sa gloire. Héros de films policiers dans lesquels il interprète le rôle de Lemmy Caution, l'agent spécial du FBI imaginé par le romancier britannique Peter Cheney, il est en peu de temps devenu une vedette de la chanson. Son « tube » de l'année, *Ah ! les femmes*, est une rengaine ironique et joyeuse qui est sur toutes les lèvres et que, fréquemment, il est obligé de bisser, tant elle plaît au public... Dans quelques jours, Eddie cèdera la place à Mick Micheyl, gamine de Paris venu de Lyon, et au duo de Roger Pierre et Jean-Marc Thibault, pour un spectacle aussi enlevé, aussi décontracté que le sien.

L'heure est en effet à la détente. Ce n'est pas parce que quelques dizaines, sinon quelques centaines de hors-la-loi algériens sortis de leurs maquis déclenchent à la Toussaint une série d'opérations violentes et spectaculaires, qu'il faut renoncer à ses habitudes. On sait bien, même sans l'admettre encore tout à fait, que la décolonisation est en marche et que bientôt, de l'Empire français peu subsistera.

La guerre d'Indochine s'est achevée sur un compromis. Le pays est coupé en deux : au Nord-Viêt-nam, les communistes, au Sud, des nationalistes plus fréquentables. La France abandonne ses possessions d'Asie. En Afrique du Nord, ça bouge aussi : la Tunisie, le Maroc sont en route vers l'indépendance. En attendant que se libère également l'Afrique noire.

A vrai dire, hormis quelques progressistes qui encouragent la lutte des peuples coloniaux, et les nostalgiques de l'époque où, sur les atlas, de vastes taches roses permettaient de mesurer l'emprise de la France sur le monde, les Français pour la plupart se désintéressent de ce qui se passe outre-mer. La France se sent furieusement hexagonale. On s'y préoccupe surtout de la hausse des prix, des augmentations de salaires et, avec espoir, on commence à ressentir les premiers frémissements de cette expansion, encore limitée, qui va se poursuivre pendant vingt années. Les « Trente glorieuses » commencent.

La chanson est le reflet de cette insouciance. La France sourit souvent et rigole beaucoup. Annie Cordy (*Fleur de papillon*) et Henri Genès (*le Facteur de Santa-Cruz*) sont les vedettes du moment. Par instants, bien sûr, perce la nostalgie. Philippe Clay et l'auteur-compositeur Jean-Pierre Moulin regrettent *le Danseur de Charleston* qui avait « trente ans à Cannes au Carlton ».

Quant à Ferré, Brassens, Aznavour et Brel, ils sont déjà là, mais au purgatoire. On les supporte à peine. Ferré est trop « anar », Brel trop « véhément », Brassens trop « grossier », Aznavour trop « sensuel »... La société, hypocrite et encore très policée, n'admet pas les personnages dérangeants.

Trente-six chandelles

1955. Malgré les renforts – policiers, gendarmes, militaires de carrière –, la rébellion s'étend en Algérie dans l'indifférence générale, comme si on ne croyait pas en métropole à la réalité de cette guerre baptisée pudiquement « pacification ». Les Français sont depuis plus d'un siècle installés en Algérie ; ils sont un million pour une population globale de dix millions de personnes. Parmi eux, de riches colons et de modestes exploitants agricoles, des fonctionnaires assurés de leur avenir et des épiciers de quartier. Des puissants dont les fêtes fastueuses rivalisent avec celles qu'organisent certains chefs traditionnels, et des petits Blancs presque aussi pauvres que leurs voisins arabes. Certes, dans l'ensemble, il est plus confortable d'être Européen qu'indigène.

Mais là n'est pas le vrai problème. Qu'un nationalisme algérien naisse dépasse l'entendement, à droite comme à gauche ! La République est venue apporter la civilisation dans ces contrées. Qu'on la refuse est inimaginable, plus encore qu'il faille se battre pour la maintenir, et que la métropole soit obligée d'intervenir pour faire respecter un semblant d'ordre. L'opinion est en réalité plus stupéfaite qu'indignée, et, dans son ensemble elle n'a qu'une aspiration : penser à autre chose. Elle s'intéresse surtout à « Trente-six chandelles », l'émission de Jean Nohain. La télévision est alors débutante. Un récepteur trop onéreux pour la plupart des foyers. Elle n'a encore qu'une chaîne, ne se préoccupe pas d'Audimat, et c'est souvent dans les cafés que le bon public va la regarder. Ce qui lui permet certaines audaces. Oh ! pas politiques évidemment : elle dit ce que les gouvernements veulent faire entendre. Mais il lui arrive de diffuser, à de bonnes heures d'écoute, des émissions poétiques, celle de Jean-Marc Tennberg par exemple.

Le paysage audiovisuel est d'ailleurs en train de changer. Une radio périphérique vient de voir le jour : Europe n° 1, qui vise délibérément la jeunesse et invente un style et un ton neufs. La TSF familiale qui trônait au centre de la salle à manger laisse peu à peu la place aux postes portables, les « transistors ». Europe n° 1, qui recherche l'originalité et peut-être un peu le scandale, diffuse des œuvres qu'on ne peut entendre sur les autres stations : *le Déserteur* de Boris Vian dans l'interprétation de Mouloudji, *Quand un soldat* de Francis Lemarque et *le Dormeur du Val* de Rimbaud, interprétés par Yves Montand. Des chansons contre la guerre, mais une guerre imprécise, presque abstraite. On y parle du refus de porter les armes, sans jamais y évoquer l'Algérie.

Cela suffit cependant à provoquer l'indignation. A-t-on ainsi le droit d'attenter au moral des armées ? La polémique, pourtant, n'ira pas très loin. On discute beaucoup plus, par exemple, de la voix d'Aznavour. On lui reconnaît du talent, une écriture, des textes originaux, mais on aimerait le voir se cantonner à son rôle d'auteur-compositeur... On ne monte pas sur scène, on n'enregistre pas de disque quand on est atteint d'un enrouement permanent ! Cela tient de la provocation, sinon du défi !

Pourtant, Aznavour multiplie les succès. Il réussit à imposer une nouvelle forme de chanson de charme, plus charnelle, plus sensuelle que ne l'admet la tradition. Plus méditerranéenne aussi, à sa façon. Or, la Méditerranée est à l'honneur. Tino Rossi l'a installée au Châtelet tandis que Naples occupe le théâtre Mogador. On chante *Arrivederci Roma*, Dalida entonne, avec *Bambino*, *Ciao ciao bambina* et *Come prima*, sa très belle carrière. On écoute Domenico Modugno, et un groupe italien, les Marino Marini, grimpe très haut dans les hit-parades.

Mais cette Méditerranée-là est italienne, pas algérienne. Là-bas, la guerre se poursuit, et commence à préoccuper l'opinion, d'autant plus que les effectifs de l'armée de métier n'y suffisent plus. On est contraint de rappeler les « disponibles ». Ces premiers rappels sont douloureux, et font trembler le pouvoir. Les soldats manifestent, empêchent le départ des trains. Certains d'entre eux occupent l'église Saint-Séverin pour y célébrer une messe contre la guerre. Une proportion de plus en plus importante de la population manifeste son opposition au conflit. C'est à ses promesses relatives à la fin de la guerre que le Front républicain doit sa victoire aux élections, début 1956.

Faut rigoler !

De tous ces remous, aucune trace dans la chanson. Bien sûr, la censure aurait interdit la diffusion d'un refrain subversif sur les ondes. Mais il est d'autres moyens de populariser une œuvre. Bien des chansons nées des maquis pendant l'Occupation semblent avoir connu une résonance nationale. Les mouvements de jeunesse sont encore puissants dans les années 50 et, pour la plupart, hostiles à la guerre. Les communistes de l'Union de la Jeunesse Républicaine de France, les chrétiens de la J.E.C. et de la J.O.C., les militants des Auberges de Jeunesse sont en grande partie engagés dans la lutte anticoloniale. Tous ces mouvements ont leur propre répertoire. On y reprend les chants de la guerre d'Espagne et ceux de la Révolution russe, qui n'ont pratiquement jamais été diffusés sur les radios. Or, malgré le refus de la guerre, aucune chanson ne paraît en avoir été l'hymne. Cela frappe d'autant plus que les communistes comme les chrétiens auraient pu éditer et diffuser les couplets contestataires par l'intermédiaire des maisons de disques qu'ils contrôlaient.

1956. La France s'installe dans la guerre. Guy Mollet, chef du gouvernement de Front républicain, cède, le 6 février, devant l'émeute des Européens « ultras » d'Algérie. Après les « disponibles », ce sont les soldats du contingent, ceux qui effectuent leur service militaire, qui sont envoyés en Algérie.

Faut rigoler !, s'exclame en écho Henri Salvador, tandis que, toujours optimiste, Annie Cordy confirme : *Hello, le soleil brille !* Sur les écrans, on peut voir *Et Dieu créa la femme*, le film par lequel Roger Vadim fait de Brigitte Bardot une star, et surtout la comédie musicale *West Side Story* qui raconte, transposée dans les quartiers populaires de New York, l'aventure de Roméo et Juliette... Une guerre quotidienne entre deux populations immigrées, et la preuve que les Américains savent transposer, au cinéma et en musique, les problèmes de tous les jours, contrairement aux Français.

Même Boris Vian, connu pour ses chansons et ses écrits antimilitaristes (outre *le Déserteur*, on lui doit plusieurs œuvres féroces : *Faut qu'ça saigne, la Java des bombes atomiques*...), préfère railler le rock'n roll. Trenet revient à l'Olympia pour ses vingt ans de carrière, découvre *le Jardin extraordinaire* et regrette *le Piano de la plage.* Au Théâtre Gramont, Colette Renard joue *Irma la Douce*, la comédie musicale de Marguerite Monnot et Alexandre Breffort, une des plumes vedettes du *Canard enchaîné*, un hebdomadaire hostile à la guerre. C'est cependant une joyeuse histoire de voyous et de prostituées de pacotille que Breffort a imaginée.

Plutôt Rio qu'Alger

1957. En janvier s'ouvre la Bataille d'Alger. La ville est livrée à l'armée. On arrête, on brutalise, et la torture devient une « méthode » pour obtenir des renseignements.

Polémiques, lettres ouvertes... les journaux protestataires sont saisis. La chanson découvre Marie-José Neuville, collégienne au charme ambigu, René-Louis Lafforgue, prolo bon enfant, et sa *Julie-la-Rousse.*

La grande révélation de l'année, Guy Béart, ingénieur et mélomane, ne craint pas de s'attaquer aux problèmes de l'heure : la décolonisation dans *Chandernagor*, chanson par ailleurs érotique ou l'expédition contre l'Égypte (1956) dans *Suez.* Mais son sens de la dérision, son ironie prêtent souvent à confusion, ou passent inaperçus. Béart, nouveau venu, devient un personnage à la mode. Il écrit la musique du film *l'Eau vive*, dont la chanson-thème est aussitôt un grand succès. Nombre de vedettes du moment interprètent ses œuvres : Gréco, Michèle Arnaud, Zizi Jeanmaire (*Qu'on est bien*), Patachou (*Bal chez Temporel*, sur un texte d'André Hardellet)... Comme avant lui Brassens et Brel, il a été révélé au public par Jacques Canetti, le grand « découvreur » du moment – quoique Michel Valette l'ait débusqué le premier, à la Colombe. Il a – c'est une coutume – fait ses premiers pas aux Trois-Baudets, la salle de Canetti, et dans les cabarets de la rive gauche, dont le déclin s'amorcera bientôt.

1958. La IVe République agonise. Le raid aérien mené sur la petite ville tunisienne de Sakhiet-Sidi-Youssef ne lui suffit pas à retrouver la faveur des Européens ultras d'Algérie. La tension monte. En mai, à Alger, la foule, appuyée par l'armée, occupe le palais du Gouvernement. A Paris, les politiques affolés confient le pouvoir au général de Gaulle, qui met en route une réforme de la Constitution, fondement de la Ve République. Aux Algériens, le général lance son fameux : « Je vous ai compris. »

Paris vit alors à l'heure de l'exotisme. Le phénomène Dario Moreno étonne chaque jour davantage. Rondouillard, vêtu de couleurs excentriques, bondissant malgré son embonpoint, il chante *Si tu vas à Rio*, entraînant dans son sillage les multiples interprètes de cha-cha-cha, boléro et samba. Aznavour et Bécaud sont devenus de grandes vedettes. Jacques Brel amorce son ascension. Sacha Distel, ex-guitariste de jazz, connaît une vogue sans précédent.

Venu des États-Unis, le rock'n roll se crée une place en France. De petits groupes de jeunes se rassemblent au Golf

Drouot, un ancien golf miniature transformé en « boîte » pour adolescents, et dans les quelques cinémas où sont projetés les films du « King », Elvis Presley. Pour l'heure, c'est un rocker « calme », Paul Anka, jeune Canadien anglais, multimillionnaire depuis le succès de sa chanson *Diana*, qui vient porter la bonne parole en France. En même temps apparaissent les premiers adeptes français de cette musique, jusque-là, sinon ignorée – un chanteur « classique », Georges Ulmer, avait proposé sa version d'un succès de Presley – *Sois pas cruelle* – du moins encore peu répandue. Les pionniers ont noms Danyel Gérard, surnommé « le chanteur suffocant », et Richard Anthony, « le père tranquille du rock », dont la chanson *Nouvelle Vague* est sur toutes les lèvres.

Mais la grande majorité du public ne suit pas. Europe n° 1 organise un grand concours sondage sur ses préférences : c'est le Coq d'or de la chanson. En tête, malgré le jeune âge des auditeurs de la station, un chanteur à voix, Juan Calatano (*les Gitans*), suivi de l'exotique Dalida... En fait, c'est autour de Jacques Canetti que s'amorce le renouvellement de la chanson française. Il propose cette année-là un fantaisiste marqué par la *country* américaine, Ricet-Barrier, et un jeune homme étrange et détaché qui suscite plus d'hostilité que d'enthousiasme, Serge Gainsbourg. Ce dernier possède déjà le style et les qualités qui le feront bientôt remarquer. Son album *Du chant à la Une*, présenté par Marcel Aymé et salué par Boris Vian, est un curieux mélange de provocation, de cynisme, de tendresse déçue, d'ironie, de désespoir et de détachement. Le disque est couronné par l'Académie Charles Cros, mais la vente est relativement réduite : les jeunes ne l'aiment guère. Il leur semble appartenir aux derniers tenants du style rive gauche ; les anciens lui reprochent son pessimisme lucide et son nihilisme. Seuls les Frères Jacques croient en lui, qui feront, de son *Poinçonneur des Lilas*, un succès populaire.

Porteurs de valises et bula-boops

1959-1960. La France s'est enfoncée dans la guerre. Classe après classe, les jeunes partent accomplir leur service militaire de l'autre côté de la Méditerranée. Plus tard, dans son spectacle *Ginette Lacaze 1960*, Coluche racontera l'aventure d'une bande qui rêve de faire du rock, mais dont l'Algérie fait avorter les projets. Pour l'heure, chacun se tait. Un certain fatalisme est de rigueur, même si les réseaux d'aide au FLN, les « porteurs de valises », commencent à agir, et si les manifestations pour la paix reprennent. Avec des slogans, mais sans chansons.

Seuls les pieds-noirs, Français d'Algérie ultras, ajoutent à leur leitmotiv « Algérie française » (scandé ti-ti-ti-ta-ta par les klaxons de leurs voitures) une marche adoptée à la Libération par les soldats venus d'Afrique du Nord : *C'est nous les Africains.* L'hostilité à la guerre grandit, mais on parle moins des victimes que des petits accidents provoqués par la pratique du hula-hoop, une danse qui consiste à faire tourner un cerceau autour de ses hanches.

Il faut être jeune et insouciant pour se livrer à de tels amusements. Or, la jeunesse change. L'adolescence – on parlait alors de « l'âge bête » ou de « l'âge ingrat » – amorce un changement de statut. Elle est en passe de se transformer en un véritable groupe social, avec ses rites, sa tenue vestimentaire, sa coiffure, ses héros. Et, bien entendu, sa musique. C'est elle, surtout, qui symbolise la naissance d'une véritable autonomie adolescente. Les ados, les *teenagers* comme disent les Américains, ou les « décagénaires » comme les appelle Edgar Morin – un des rares à s'être penché sur cette évolution –, possèdent un pouvoir d'achat non négligeable : les études de l'époque en font foi. De l'argent presque uniquement employé pour financer leurs loisirs. On achète la « mob » ou la Vespa. On se procure des disques en priorité.

Ces ados qui accèdent à la consommation réclament une musique qui les distingue aussi bien des enfants, qui possèdent leur répertoire propre, que des adultes contre lesquels ils se prétendent en révolte : ce sera le rock. Ils réclament aussi des vedettes, si possible des garçons et des filles de leur âge, qui leur ressemblent et auxquels il s'efforcent de ressembler. C'est le début de la carrière d'un jeune homme promis à un grand avenir. Il se nomme Jean-Philippe Smet, se fait appeler Johnny Hallyday et sort coup sur coup deux tubes : *Souvenirs, souvenirs* et *T'aimer follement.*

Hallyday et ses compagnons séduisent d'abord une part marginale des adolescents : les « blousons noirs ». Les premiers concerts s'accompagnent de bagarres et d'actes de vandalisme. Mais, très vite, le mouvement, pris en main par des adultes qui ont compris où se trouve leur intérêt financier, va changer de voie. Si les « jeunes rebelles » constituent un réservoir de clientèle, son importance numérique est dérisoire à côté de l'immense foule des « enfants sages », eux aussi désireux de se différencier, mais soucieux d'éviter les heurts et les conflits majeurs avec les générations précédentes.

Au-dessus de la ceinture

Le rock'n roll se présente comme une musique âpre, sans règles établies, que certains jugent indécente, voire obscène. Aux États-Unis, on a même interdit aux cameramen de la télévision de braquer leurs objectifs au-dessous de la ceinture du King Elvis, surnommé « Elvis the Pelvis »... Quand le twist, sa version affadie, succède au rock, les animateurs d'émissions n'ont plus de souci à se faire. La nouvelle danse, aussi enlevée que la précédente, rappelle surtout la gymnastique rythmique ! Aux révoltés du rock on a rogné les ergots. Peu importe ! Leur influence s'étend. Bientôt, devenus les yé-yés, ils balaieront tout sur leur passage, renvoyant les chanteurs plus âgés au purgatoire, sinon aux oubliettes. En 1960, on n'en est pas encore là, mais le monde des variétés vient pourtant de se scinder : la chanson pour adultes et la chanson pour ados.

1961-1962. Guérilla, attentats, ratissages et ratonnades... l'Algérie est à feu et à sang. En France même, la guerre gagne, opposant d'abord les Algériens du FLN à leurs rivaux du MNA, puis le FLN à la police française. Putsch des généraux d'Alger, naissance de l'OAS, massacres en tous genres... La guerre d'Algérie s'achève dans un climat d'apocalypse : les accords d'Évian seront signés le 19 mars 1962. Mais l'hostilité de la métropole au conflit s'accroît. Les manifestations se multiplient, rassemblant des foules de plus en plus denses, et sont durement réprimées, depuis la première, organisée fin 1960 par l'Union Nationale des

Étudiants de France (UNEF) et les syndicats, jusqu'à celle de Charonne où sept jeunes protestataires communistes ou communisants sont tués. Mais la répression la plus féroce s'exerce contre les Algériens de Paris protestant contre le couvre-feu qui leur est imposé : ils seront abattus par centaines et arrêtés par milliers.

La guerre – à laquelle des classes entières de jeunes Français (près de trois millions au total) ont participé – et la variété ne semblent pas appartenir au même monde. Pas de chansons protestataires, ni de chansons d'apologie. Les refrains patriotiques fleurissent souvent lorsque la jeunesse est envoyée au front. En ce début des années 60, il sont inexistants. Peu de gens se dérobent à la guerre, personne ne s'en glorifie. Comme si l'on avait un peu honte de s'engager dans un combat perdu d'avance, un combat que les jeunes gens de retour d'Algérie ont envie avant tout d'oublier.

On oublie, en effet. On se délecte des sautillements de la frénétique *Bamba* que Dario Moreno a mise à la mode et des jeux de mots farfelus d'un débutant très doué, Boby Lapointe. On chante *Brigitte Bardot* et *Daniela* (d'un certain Claude Moine, qui deviendra Eddy Mitchell). On découvre avec Hugues Aufray les grands espaces et les vastes océans (*Santiano*). Hugues et Richard – Anthony, bien sûr – entendent *Siffler le train*, et Zizi Jeanmaire promène son *Truc en plumes* sur toutes les scènes d'Europe.

Quelques *happy few* goûtent déjà aux joies intellectuelles du *free jazz*, une musique qui refuse à la fois les rythmiques et les règles mélodiques du jazz traditionnel. Les autres, pour la plupart, se contentent du rock assagi, dompté, qui désormais monopolise les ondes. Bientôt, avec Petula Clark, dans son *Chariot*, on suivra les pistes d'un Ouest américain mythique, et on goûtera, avec Pierre Perrin, la douceur d'un *Clair de lune à Maubeuge*.

Mars 1962. La guerre s'achève et Yves Montand fait un retour en force avec *la Chansonnette*. Six ans de conflit n'ont pas bouleversé la chanson. Seule une rengaine grotesque fait scandale, *Mustapha* des groupes Mustapha et Bob Azzam (« Chérie je t'aime / Chérie je t'adore... ») : la rumeur court qu'elle est déjà populaire parmi les combattants du F.L.N. On parle même d'une pochette de disque censurée qui reproduit le drapeau algérien toujours proscrit.

Quelques couplets signés Michèle Senlis et Claude Delécluse, interprétés par Hugues Aufray (« Il y avait Fanny qui chantait... »), rappellent aux soldats l'atmosphère de mélancolie, d'ennui, de tristesse et de rêverie qu'ils ont ressentie les nuits de garde dans les djebels. Fanny était la femme lointaine et inaccessible, la consolatrice, la présence chaleureuse. Elle avait les couleurs de la Madelon des poilus de la Grande Guerre, sans atteindre la popularité de sa glorieuse aînée. D'une guerre que l'on fait sans gloriole ni enthousiasme ne peut naître une chanson qui enflamme les esprits.

Trente mois de service militaire accomplis dans de plus ou moins bonnes conditions, peu de faits d'armes, une population hostile ou, au mieux, indifférente : tel apparaît le paradoxe de cette guerre. Des contacts rares et distants avec les Européens qu'on était censé défendre, sauf pour des troupes spéciales comme les paras. Le sentiment d'être inutile. Les copains morts ou blessés par ceux qu'on appelait les *fellaghas* et les exactions contre la population dont on avait entendu parler, quand on n'en avait pas été soi-même le témoin, sinon l'acteur.

Enrico le généreux

Si les soldats chantent, ils reprennent d'instinct les refrains que tout le monde entonne en métropole : de drôles pour les soirs de beuveries, de tendres quand la nostalgie gagne. Que chanter d'autre, d'ailleurs ? On chercherait en vain la moindre œuvre « militaro-colonialiste » type *Mon légionnaire* (Marie Dubas) ou *le Fanion de la légion* (Piaf), immenses succès d'avant 1939.

Quelques films ont été consacrés à l'Algérie, tel *Avoir vingt ans dans les Aurès.* Les chansons, elles, sont rarissimes : une poignée tout au plus. Maurice Fanon a consacré quelques couplets aux morts de *Charonne,* des jeunes gens qui voulaient manifester contre la guerre et l'OAS. Pierre Tisserand a écrit deux chansons antimilitaristes. Serge Lama a évoqué sans emphase, dans *l'Algérie,* le grand voyage de l'autre côté de la Méditerranée auquel étaient contraints les jeunes du contingent. Enfin, très récemment, Eddy Mitchell a rappelé, dans *60-62*, l'amertume des conscrits de cette guerre sans grandeur.

Le seul à évoquer avec émotion l'Algérie est Enrico Macias. Rapatrié, Français, il a souffert du terrorisme FLN dans sa famille, mais demeure partisan farouche de la réconciliation. Ses chansons de style méditerranéen, c'est-à-dire trop langoureuses pour le goût nordique, content l'odyssée d'une population condamnée à l'exode et à l'exil.

Il y a beaucoup de chaleur et de sincérité dans sa manière d'évoquer le départ (« J'ai quitté mon pays / Ma patrie où le ciel et la mer se rejoignent ») puis l'accueil, certes embelli, par la métropole, qui n'a guère fait preuve de générosité envers ses parents contraints au retour (*Paris tu m'a pris dans tes bras*), et la découverte d'une nouvelle fraternité (*les Gens du Nord*). Enfin, dans *l'Île du Rhône*, il décrit la quête d'un nouvel enracinement : « On avait tant, tant besoin de racines/Que c'est surtout nos vies qu'on a plantées. »

Très vite, les rapatriés, qui reconnaissent dans ses couplets leur amertume et leurs espoirs, forment autour de lui un public fervent, enthousiaste. Et, curieusement, alors que la vente de ses disques y est interdite – il est pied-noir et Juif, une double tare –, il devient pour longtemps un chanteur populaire en Algérie : la radio officielle ne le diffuse pas, mais, par-delà la mer, il est facile de capter les ondes françaises. Sa musique, sa manière de chanter, la sonorité de sa voix semblent incarner la Méditerranée : la Méditerranée l'adopte. Les jeunes Algériens chantent volontiers *la Femme de mon ami* ou *les Filles de mon pays.* Des refrains qui resteront en vogue jusqu'à l'émergence de l'Islam intégriste.

Le temps passe. Les pieds-noirs s'intègrent, malgré la persistance de quelques particularismes. Quand s'estompe l'effet « famille Hernandez », évocation d'une époque révolue qui fit se précipiter les rapatriés au théâtre pour y rire et pour y pleurer, Enrico Macias comprend qu'il doit changer de registre. Ce qu'il fait sans le faire. Abandonnant son rôle de porte-parole d'une communauté pour devenir un personnage plus universel, il chante la générosité, la fraternité, la paix, rêve d'amitié entre les peuples, de réconciliation entre Arabes et Juifs, se précipite au Caire quand sont signés les accords Sadate-Begin qui mettent fin à la guerre entre Israël et l'Égypte, se bat en France contre un racisme qui frappe principalement les immigrés d'origine maghrébine.

Opportunisme ? Absolument pas. Enrico Macias fait preuve d'une bonne volonté (qui frôle parfois la naïveté) et d'une sincérité totales. Dans chacun de ses gestes, chacun de ses couplets, il s'engage entièrement, se montrant prêt à recevoir et à accepter les coups que cet engagement pourrait lui coûter. Il dit ce qu'il aime et ce qu'il refuse, sans craindre de déplaire.

On ne sait aujourd'hui si Enrico Macias a profondément marqué la chanson française, encore que quelques-uns de ses textes et de ses musiques méritent de rester. On est sûr, en revanche, que, pendant plus d'une décennie, il a incarné certains aspects de la sensibilité nationale. Témoin et acteur de son temps, il a su transformer une saga, celle des rapatriés, en couplets et en refrains. Autant d'éléments à porter à son crédit.

8.
LES ENFANTS DE TEPPAZ

Porte-voix et boîtes à rythme

Impossible de comprendre l'évolution de la chanson, en France comme sur le reste de la planète, si l'on néglige le poids des innovations et des mutations technologiques. L'électrification, l'électronique, l'informatique ont marqué le son de leur empreinte. De la guitare électrique, du synthétiseur, de la boîte à rythmes, de l'ordinateur, de nouvelles musiques sont nées, parfois riches et originales, souvent plates. On peut aujourd'hui programmer une mélodie sur disquette informatique et l'orchestrer soi-même. On peut même, par la technique du *sampling*, réutiliser les sonorités, les rythmes, les inventions et les interprétations des autres (y compris leur propre voix), en les conservant sur des supports magnétiques. Tout est possible, y compris les prédictions avancées par Boris Vian : inventer la musique qu'aurait composée Mozart s'il avait entendu les standards de Cole Porter... Ou mieux, fabriquer à la demande des succès assurés, en couplant les données statistiques connues sur les goûts du public avec les moyens techniques du moment.

Par chance, rien n'est si simple. Le hasard et, quoi qu'on en dise, le talent, demeurent les raisons essentielles du succès. Les techniques ne valent que par l'utilisation qu'on en fait. Sont-elles progrès ou recul ? Les deux sans doute. Encore qu'on puisse se demander si ceux dont les œuvres doivent tout à l'informatique auraient eu, sans elle, autant d'idées. La nouvelle machinerie a donné des moyens aux créateurs, mais non la faculté de créer.

Certes, il est loin le temps où les intrépides chantaient

sans micro et se faisaient entendre malgré le fracas de l'orchestre grâce à un porte-voix. Cette époque ne revit plus que dans les vieilles comédies musicales américaines. Déjà, l'apparition du micro avait entraîné celle d'un style : celui du *crooner*, capable, sans forcer sa voix, de toucher le public en murmurant des confidences. Les *crooners* perdurent et se multiplient : pas de génération qui n'en produise une cohorte.

Ce qui est vrai pour la « production » l'est encore plus pour la « réception ». La majestueuse et familiale TSF des débuts de la radio avait « unifié » les goûts. Le transistor, appareil portable et bon marché, les avait au contraire diversifiés. Le baladeur (ou Walkman, pour employer le nom de marque le plus répandu) accentue encore l'autonomie – et la solitude – de l'auditeur. La télévision, encore familiale, réduit les goûts au plus petit dénominateur commun. Mais, en même temps, elle favorise l'image au détriment du son. Le vidéo-clip prend une importance considérable. Le triomphe d'un Michael Jackson lui doit autant qu'à ses qualités vocales et à sa frénésie. La minicassette et le magnétoscope, quant à eux, ont favorisé la copie privée et la piraterie industrielle. Ils contribuent à la crise du disque. L'invention du compact disc a inversé le mouvement en fidélisant une clientèle adulte, désireuse de conserver, grâce à cette nouvelle technique, les chansons qu'elle avait aimées et qui, en vinyle, semblent désormais fragiles et imparfaites. Les « intégrales » et les *best of* de chanteurs de tous styles et toutes époques se multiplient.

Entre unanimité et solitude

Chaque technique rend caduque celle qui la précédait. Déjà, dans les années 30, la popularisation du phonographe et la multiplication des postes de TSF avaient porté un coup fatal à la vente des petits formats et aux orchestres de rue qui se chargeaient de leur diffusion. Mais les disques étaient fragiles, cassants, difficiles à transporter. Ils exigeaient, pour être entendus, un stock d'aiguilles sans cesse renouvelé. Des progrès, pourtant, sont faits. On invente l'aiguille longue durée, le combiné radio-phono (on parle alors de « pick-up ») ; le son s'améliore, mais les défauts principaux demeurent, fragilité du support et trop courte durée de l'enregistrement : trois minutes par face.

Quand, au début des années 50, Nicole et Eddie Barclay décident d'importer le système du microsillon récemment inventé aux États-Unis, le risque qu'ils prennent est considérable. Certes, ce système rend d'un coup obsolètes tous les enregistrements diffusés jusque-là. Le microsillon est solide, plus fidèle et d'une durée d'écoute bien plus importante : jusqu'à trente minutes par face. Mais le public acceptera-t-il de renouveler entièrement son matériel d'écoute ? Les premiers microsillons, en effet, sont coûteux ; les électrophones et les combinés capables de les « lire » davantage encore. Mais les qualités des nouveaux produits sont telles (on commence à parler de haute fidélité) qu'ils emportent l'adhésion. Le succès redouble avec la décision des grandes firmes discographiques de cesser peu à peu la fabrication des « vieux » disques – les 78 tours. En 1952-53, on peut encore acheter les premières chansons de Brassens sous deux présentations : support ancien ou support vinyle. Un ou deux ans plus tard, les vieilles galettes cassantes ont totalement disparu. Ne survit que le microsillon. Celui-ci se présente sous deux formes : le 45 tours de 14 cm de diamètre, comptant d'abord quatre titres (le « EP », *extended play*), puis deux titres (le « simple »), et le 33 tours de 25 cm de diamètre (il s'élargira bientôt pour atteindre 30 cm), comptant huit à douze titres. Le matériel d'écoute s'adapte. En quelques années, il sera totalement renouvelé.

Les nouveaux disques bouleversent le marché. Les 78 tours se vendaient relativement peu : rares étaient ceux qui dépassaient quelques dizaines de milliers d'exemplaires. Le passage au microsillon décuple les ventes. On voit apparaître les premiers disques d'or : 100 000 exemplaires vendus... Bécaud, Aznavour font figure de pionniers dans cette course aux grands tirages.

Il faut, pour poursuivre cette progression, trouver sans cesse de nouveaux produits. L'invention du transistor a permis d'individualiser l'écoute au sein de la famille. Mais l'électrophone familial continue de privilégier le choix des parents. Il faut attendre l'invention d'un appareil portable, robuste et bon marché, c'est-à-dire à la portée d'un budget d'adolescent – le Teppaz en sera la version la plus connue – pour voir les goûts se diversifier.

La révolution rock – puis yé-yé – doit presque autant au 45 tours, au transistor et au Teppaz, qu'aux États-Unis, à Elvis Presley et à Johnny Hallyday. Avec les mange-disques apparaît une clientèle enfantine autonome... Elle fera bientôt le succès de Chantal Goya, puis de Dorothée.

Ces constatations établies, si les progrès techniques expliquent l'émergence d'une mode et son développement rapide, ils ne permettent pas de comprendre comment une simple vogue s'est transformée en phénomène social. Le Teppaz a permis d'écouter Presley, mais ce n'est pas à cause du Teppaz que Presley est devenu l'idole de dizaines de millions de jeunes du monde entier.

Jeunesse-repoussoir ou jeunesse-modèle ?

Les causes profondes de ce bouleversement, nous les avons déjà évoquées : reconnaissance de l'adolescence en tant que groupe social, pouvoir d'achat accru de la jeunesse, mythologie née des westerns, violence latente. On ne parle pas encore du « mal des banlieues », mais déjà de la « sarcellite », du nom de Sarcelles, le premier « grand ensemble » de la région parisienne.

Pas de quartier de grandes villes ou de périphérie où l'on ne rencontre de bandes de J.V. (jeunes voyous, selon le jargon policier). La France, qui longtemps a semblé territoire protégé – nos voyous, par tradition, préféraient au rock la vieille java apache et la valse musette –, est gagnée à son tour ; les « blousons noirs » sont la version hexagonale des Teddy Boys britanniques, des hooligans polonais, des « demi-sels » berlinois et des *stiliaju* moscovites. La contagion de la « crise de la jeunesse », née aux États-Unis, atteint même les pays en voie de développement. En Indonésie, la police pourchasse les rockers locaux, reconnaissables à leur coiffure en banane – celle qu'avait adoptée le King –, pour les tondre.

Cette période « dure » est marquée par le conflit des générations. De nombreux parents honnissent d'instinct les héros de leurs enfants. Quand, dans un spectacle, les deux genres sont réunis, l'orchestre applaudit avec enthousiasme... tandis que les balcons huent ! Colette Renard, qui partage un show avec Paul Anka, rocker canadien pourtant « doux », est sifflée par les gamins tandis que les adultes quittent bruyamment la salle lorsque débute le tour de chant de son partenaire et rival.

Le passage des rockers aux yé-yés, des « jeunes voyous » aux enfants sages, va renverser le problème. On méprisait un peu les adolescents, on les refusait rebelles et on les tolérait soumis. Les voilà devenus modèles à leur tour : être jeune est devenu un état d'esprit. La règle voulait que les enfants obéissent à leurs parents. Désormais, parce qu'ils représentent la jeunesse en activité, ils mènent le jeu, imposent leur image et leur rituel. La mode traverse les générations dans un sens inhabituel. La mère s'habille et se coiffe comme sa fille, elle porte les mêmes vêtements, adopte les mêmes comportements. Toute la famille se retrouve à l'Olympia ou à l'Alhambra pour applaudir les mêmes jeunes vedettes. Un consensus s'établit autour de valeurs adolescentes. Dans *le Figaro Littéraire*, Jean Cau consacre de grands articles à la génération yé-yé. Edgar Morin l'avait décrite et étudiée en sociologue bienveillant et compréhensif, mais en prenant le recul et la distance nécessaires à l'analyse, sans porter de jugement. Jean Cau, lui, s'enthousiasme. « Jamais, explique-t-il, il n'y a eu tant de jeunes en aussi parfait accord avec leur époque. » Il devra hélas déchanter...

Cette exaltation de la jeunesse par le monde adulte influe sur la chanson. Les goûts s'uniformisent. Bien sûr, les anciens restent fidèles aux auteurs et aux interprètes qui ont marqué leur adolescence. Brassens et Brel, Ferré et Aznavour conservent toute leur aura. Mais les nouveaux venus qui s'inscrivent dans la même veine n'ont pas cette chance. Hors du rock et de ses dérivés, point de salut. Ils sont pour la plupart éliminés. Parce que la radio ne les diffuse pas ? Sans doute. Et plus encore parce qu'aucune pression ne s'exerce pour les faire écouter. Des garçons et des filles qui pouvaient se targuer de quelques succès, insuffisants cependant pour se constituer un public, cessent totalement d'exister. Un auteur-compositeur-interprète,

Joël Holmès, qui paraissait promis à une belle carrière et dont les chansons possédaient charme et épaisseur, est tombé dans les oubliettes.

Les plus touchés sont ceux qui tentent de perpétuer le style rive gauche. Hormis Guy Béart et Jean Ferrat, peu en réchapperont. Même Boby Lapointe traîne difficilement ses guêtres devant le public désormais réduit des petits cabarets. Les rockers puis les yé-yés marient des musiques simplettes à des textes simplistes : seule compte l'alliance du rythme enlevé de la chanson et de la jeunesse. Que les mots donnent à penser et que les mélodies s'élaborent, et c'est le rejet. « Si, moi, j'en étais resté à des histoires sophistiquées plaquées sur des mélodies recherchées, j'étais cuit », conviendra plus tard Serge Gainsbourg.

Deux groupes se distinguent dans la jeune génération. D'un côté, les anciens du Golf Drouot, héritiers du rêve américain, adulateurs du King, dévots du mythe James Dean... De l'autre les néophytes, sans doute amoureux de la chanson, mais soucieux surtout de faire carrière, qui sont venus au rock par mode. Les premiers vibraient d'une rage intérieure. Les seconds ont le charme d'une jeunesse fraîche et aimable, mais parfois sans projet. Il est assurément des médiocres dans la première vague et des talents dans la seconde ; on peut même constater que la seconde vague a, pendant quelques années, totalement englouti la première. Les pionniers du genre, en France, furent Danyel Gérard et Richard Anthony. L'un et l'autre feront une fort jolie carrière, mais ni leur personnage ni leur style ne pourront susciter l'enthousiasme débordant d'une foule de fans. On les aime bien, mais on ne se ferait pas tuer pour eux.

Manière de vivre

Johnny, adolescent mince et blond, est d'une autre trempe : une machine à déclencher les passions, à enflammer le public, et dont le charisme emporte tout. Il n'est sans doute pas le plus fidèle à l'essence du rock'n roll. Certains puristes du genre le lui reprocheront longtemps, lui préférant par exemple Eddy Mitchell, héritier consciencieux du modèle américain... Mais, plus que tous, Johnny incarne l'esprit du rock. La révolte, la bagarre, les grosses motos, l'audace, le risque, tout ce qui distingue un rocker du commun des mortels, il l'a fait sien. Le premier, il comprend que le rock, loin de n'être qu'une musique, est une manière de vivre.

Aujourd'hui, alors qu'il atteint la cinquantaine avec, derrière lui, plus de trois décennies de spectacle, il faut se rendre à l'évidence : Johnny Hallyday est un grand, l'une des rares stars vivantes de la chanson française. A preuve, il conserve intacts son pouvoir de séduction et son don d'irriter. On se gaussait à ses débuts de l'enfant de la rue dépourvu, disait-on, de tout bagage intellectuel. On se moque aujourd'hui de ses prétendus tics de langage. Il n'aurait pas tant de détracteurs s'il ne plaisait autant.

A l'origine de son odyssée est le rock'n roll, une musique née aux États-Unis dans les années 50. Hybride, elle mêle le *rythm and blues* des Noirs à la *country music* rurale des Blancs. Tonitruante, elle utilise systématiquement les instruments électriques, bientôt électroniques et informatiques, amplifiés par des « sonos » poussées au maximum. Violente, ses couplets sont hachés, souvent hurlés ; les rythmiques incantatoires se veulent envoûtantes. Que les premiers textes soient, pour la plupart, anodins, importe peu : la puissance sonore, la frénésie rythmique, l'outrance gestuelle (les manches des guitares électriques, comme des mitraillettes, sont braqués sur le public) comptent davantage.

Dans cette atmosphère s'épanouit la bande du Golf Drouot, et notamment un jeune garçon, un enfant de la rue ou presque. Jean-Philippe Smet est né en pleine guerre, le 15 juin 1943. Léon Smet, son père, de nationalité belge, est un artiste raté qui court les emplois et les cachets. Un peu paumé, passablement ivrogne, très inconstant, il abandonne sa femme un an après la naissance du garçon. La mère, acculée par les difficultés financières, confie l'éducation de Jean-Philippe à sa belle-sœur, Hélène Mar.

Enfant de la rue, donc, mais aussi enfant de la balle. Hélène Mar a deux filles, Desta et Menen, toutes deux danseuses. En 1946, Desta rencontre un danseur américain,

Lee Halliday (avec un « i »), l'épouse et monte avec lui un numéro de danse qui les mène un peu partout à travers le monde. Bientôt, le garçon les accompagne. Il connaît ainsi, avant l'âge de raison, les chambres d'hôtel et les coulisses des music-halls. A neuf ans, il est déjà monté sur scène. A quatorze ans, de retour à Paris, il envisage une carrière artistique, suit des cours de théâtre et de chant...

Une montée fulgurante

La chanson l'attire. Il s'est constitué un petit répertoire : des œuvres de Brassens (auquel il restera toujours fidèle), des chansons de Henri Salvador... Rien qui lui permette de se distinguer. Mais la découverte d'Elvis Presley le révèle à lui-même : il sera chanteur de rock'n roll. La suite, le journaliste Jean Macabiès la raconte dans un livre paru en 1962, le premier consacré à Johnny Hallyday. Quatre dates symboliques marquent son ascension.

« Septembre 1959, le Moulin Rouge. En chemise de cowboy et blue jeans délavés, un gamin blond [...] gratte des chansons du Far-West sur une vieille guitare. Il a seize ans, personne ne l'écoute [...]. Cachet : 600 (anciens) francs par soirée. Septembre 1960, l'Alhambra. Il a dix-sept ans, un blouson doré garni de dentelles, un étroit pantalon noir, une guitare électrique. Quatre chansons au programme. Il n'ira pas au-delà de la troisième. Cachet : 5 000 francs par soirée.

Septembre 1961, l'Olympia. En vedette, Johnny Hallyday. En smoking bleu nuit et chemise à jabot. Cinq musiciens, deux millions de disques vendus. Philips, Barclay et Vogue se disputent sa signature. Cachet : 500 000 francs par soirée.

Septembre 1962. Johnny Hallyday est la vedette de music-hall la mieux payée de France, de 700 000 à 1 000 000 de francs par gala [...] Quatre millions d'enregistrements vendus [...] »

Le talent, la présence, l'originalité, la prestance, le pouvoir de conviction de Johnny n'expliquent qu'en partie sa fulgurante montée. Le mépris des adultes va considérablement l'aider. La presse l'assassine. Lucien Morisse, directeur des programmes d'Europe 1, qui deviendra plus tard la station favorite des rockers et des yé-yés, casse son premier disque au micro en s'exclamant : « C'est trop mauvais, voilà un garçon que vous n'entendrez plus jamais. » Déclaration qui a pour effet de renforcer le sentiment de solidarité des adolescents à son égard.

Bientôt, les blousons noirs se ruent à ses concerts et transforment les sorties en mini-émeutes. Les hommes politiques s'émeuvent, des maires refusent les salles municipales et des parlementaires proposent purement et simplement d'interdire toutes les manifestations de rock'n roll. Pire : c'est au nom de Johnny qu'on échange des horions, en son nom qu'on assomme les passants. La jeune révolte pense avoir trouvé son maître. Au point qu'on associe à l'idole toute l'inadmissible violence...

Johnny doit réagir. Même rebelle, il n'apprécie pas les excès de ses fans. Il choisit de calmer le jeu, d'autant plus naturellement qu'aux États-Unis, terre modèle, une mutation est déjà en cours. Elvis lui-même s'est assagi : il est devenu plus tendre, plus suave. Johnny s'efforce d'en faire autant. Son répertoire s'adoucit ; il troque l'agression pour la connivence, le rock provocant et obscène pour le twist bon teint. *Exit* les blousons noirs, dont quelques-uns essaieront, sans y parvenir, de transformer les nouveaux venus Vince Taylor ou Moustique en vedettes. La plupart, après s'être calmés, rejoindront la foule grandissante des fans de la jeune idole. Johnny est désormais assuré de rester au sommet pour de longues années.

Un homme, vingt personnages

Johnny Hallyday possède ce rare don de happer les modes au passage, de s'y mouler, de se les approprier et de les imprimer à jamais de son image. Quand, dès l'origine, le rock subit l'influence yé-yé, il devient pour les enfants sages un modèle parfait : soldat discipliné, époux exemplaire de Sylvie Vartan, papa gâteau du petit David, etc.

Quelques grincements, pourtant : quand le rock paraît en recul, menacé à la fois par Adamo, qui remet à la mode une sensualité polie et bon enfant, et par l'insolent Antoine qui, dans ses *Élucubrations*, veut mettre Johnny « en cage au cirque à Medrano », quand le couple de ce dernier bat de l'aile, fragilisé par trop de stress et de rudes soirées entre copains, « l'idole des jeunes » craque. Il frôle la catastrophe, mais finit par se rétablir, répondant du tac au tac à Antoine avec *Idées courtes et cheveux longs*.

Johnny est un combatif, un homme de ressort. A chaque instant, il devine comment rester dans l'air du temps. Il multiplie les apparences : il est, au fil des années, rocker, yé-yé, hippie, héros de science-fiction, Mad Max avant la lettre, personnages auxquels il croit parfois jusqu'à l'outrance. Lorsque, après les avoir dénoncés du temps où Antoine le raillait, il se retrouve proche des hippies, c'est sans concession. Il provoque même un scandale en faisant un succès d'une chanson écrite par Philippe Labro, *Jésus-Christ est un hippie*. Les catholiques traditionalistes s'indignent, parlent de sacrilège. On ne peut s'empêcher de penser, toutes proportions gardées, à l'affaire Rushdie...

Toujours à la page, l'idole des jeunes (titre d'une de ses chansons) ne s'en trouve pas moins, parfois, en porte à faux. Ainsi, lorsqu'après 1968 la variété est devenue militante, à l'aise dans sa peau de « rebelle sans cause », Johnny ne s'est jamais vraiment engagé. D'ailleurs, si on le poussait un peu, l'homme d'ordre et de traditions qu'il est – même s'il les bouscule parfois – se classerait sans doute à droite. Voilà pourquoi un de ses paroliers cherche, sans y parvenir, à transformer Johnny en apôtre du *protest song* de droite.

En fait – et c'est ce qui le sauve toujours – ses admirateurs aiment Johnny davantage pour lui-même que pour ses multiples apparences. D'ailleurs, nombre de ses chansons les plus populaires sont une autobiographie romancée : *l'Idole des jeunes, Excuse-moi partner, Je suis né dans la rue, Que je t'aime, la Musique que j'aime, Ma gueule, le Chanteur abandonné*... Dès lors, qu'importent les paroliers qui travaillent pour lui ! Il y en aura d'excellents : Charles Aznavour, Michel Mallory, Philippe Labro, Jean-Jacques Goldman, Michel Berger, Étienne Roda-Gil... Qu'importent aussi les styles successifs auxquels il soumet son public ! Johnny passe sans complexe de la folie des grandeurs, avec animaux, écrans géants, fumigènes, rayons laser, grosse moto, fracas... à la sobriété et au dépouillement. Il est assuré de ne jamais rebuter ses fidèles. Né d'une mode, il l'a surpassée et s'est imposé en dehors d'elle.

Mieux encore, il remplit des salles de plus en plus vastes, jusqu'au palais omnisports de Paris-Bercy. Il s'offre le luxe de vendre plus d'albums aujourd'hui qu'il n'en vendait en pleine gloire. Multimillionnaire du disque, il a accueilli l'une après l'autre toutes les générations. A l'Olympia, pour les fêtes de Noël 1962, plusieurs centaines de moins de seize ans se pressaient pour le voir. Leurs enfants sont aujourd'hui parmi ses admirateurs, sinon leurs petits-enfants !

Chaussettes et Chats

L'ampleur du phénomène Hallyday, en bonne logique, aurait dû balayer les prétentions de ceux qui, à la fin des années 50, voulaient être ses émules. Or, plus de trois décennies après, deux d'entre eux sont toujours debout, signe qu'ils étaient, eux aussi, de fortes personnalités. Le premier est Dick Rivers, homme de la tradition. Adolescent, il a découvert la musique *country*, le rockabilly et le rock'n roll, s'est immédiatement enthousiasmé pour ces musiques nouvelles et, bien qu'elles aient aujourd'hui vieilli ou perdu de leur charisme, ne les a jamais abandonnées. Trente ans après, il continue de chanter comme si Elvis Presley était encore numéro un. Constant, fidèle, indifférent aux modes, il reste un modèle pour ceux qui considèrent la banane comme la coiffure du siècle et le perfecto zébré de cicatrices métalliques comme un mode de vie.

Eddy Mitchell, fidèle lui aussi du rock authentique, est également un inventeur de mots, un créateur d'images, capable en quelques phrases de créer une atmosphère particulière, de raconter une histoire, de faire naître un personnage. Il ne possède pas d'emblée l'aura de Johnny, mais il a bien d'autres atouts qu'il saura remarquablement utiliser.

Il débute avec un groupe de copains musiciens, les Cinq

Rocks, bientôt rebaptisés Chaussettes Noires, dont il est le soliste. Le nom du groupe est celui de leur partenaire commercial, les chaussettes Stemm (on n'emploie pas encore le terme « sponsoriser »). Hasard, sans doute, mais prémonitoire. Le nom du groupe de Dick Rivers, les Chats Sauvages, lancé justement pour le concurrencer, est hautement symbolique. Dick joue à fond la mythologie des rebelles sans cause, alors qu'Eddy prend immédiatement ses distances avec elle, privilégiant l'ironie, la dérision, la désinvolture. Dick, lui, se prend au sérieux.

Bien sûr, les Chats et les Chaussettes interprètent le même genre de chansons et suivent la mode. Mais dès qu'il s'agit de rompre avec la règle, de prendre un chemin de traverse, les Chaussettes sont les seules à s'y risquer. Leur leader Claude Moine – alias Eddy Mitchell –, enfant de la rue comme Johnny, familier des petits boulots – il a même été garçon de courses – fait montre d'une audace rare pour l'époque. Il est l'un des premiers à mêler l'humour au rock, crime de lèse-majesté pour les rockers purs et durs. Il ose même dialoguer, dans *le Twist du canotier*, avec la plus ancienne des vedettes de la chanson française, Maurice Chevalier ! Il est vrai que « Momo » et Eddy ont en commun la gouaille, l'accent parigot – de Ménilmuche pour Maurice, de Belleville pour Eddy –, et une aimable manière de se moquer de tout. *Le Twist du canotier* est la rencontre de deux « ex-prolos » fous de chansons, l'ancêtre et le débutant.

Les Chaussettes s'useront vite. Le service militaire – fort long par ces temps de guerre d'Algérie finissante – ruine les carrières et brise les vocations. On se veut rocker, on se retrouve biffin, la foi et la voix en moins. Eddy, redevenu Claude Moine, revêt donc l'uniforme. Il n'entretient pas avec l'armée les relations de mutuelle cordialité qui ont été celles de Johnny. Il est moins mignon, moins souple. Il se permet même le luxe de déserter et le plaisir d'être affecté en camp disciplinaire. Vient enfin le retour, puis l'Indépendance. Mais les Chaussettes Noires ont vécu : les copains étaient sympas, mais n'étaient pas des musiciens de génie... Seul, Eddy repart en campagne. Pari risqué...

Un sociologue ironique

Ex-Chaussette Noire, Eddy Mitchell a déjà quelques succès à son actif : *Daniela,* que tout le monde fredonne ; une première version, très personnelle (il en composa d'autres !) du classique *Be bop a Lula* ; une *Leçon de twist* que beaucoup ont appréciée... Mais les fidèles suivront-ils ce « *poor lonesome rocker* », sans ses Chaussettes ? La réponse est oui. La popularité du groupe reposait sur celle du chanteur, sur sa voix tour à tour tendre et mélancolique, vigoureuse et saccadée, et sur sa distance vis-à-vis de ses chansons. Dans la tradition des Chaussettes Noires, il crée des chansons proches de celles qui avaient fait leur succès. Pourtant, cette période transitoire ne lui donne pas entière satisfaction. Il a besoin de faire un pas de plus, de mettre en évidence l'originalité de son propre personnage.

Sa carrière a débuté en 1960 avec les Chaussettes Noires, mais c'est seul qu'il renaît en 1964, imposant des chansons qui ne sont pas celles du répertoire rock habituel : *Fauché, Toujours un coin qui me rappelle...* Ces titres fétiches ne vieilliront pas : ils étaient faits pour durer.

Eddy Mitchell alterne alors les chansons rythmées, les chansons douces et celles qu'on est presque obligé de qualifier de « tranches de vie ». On n'a pas encore l'habitude de voir un rocker poser un regard critique sur son époque. Curieusement, ce garçon qui ne se veut pas un intellectuel écrit des couplets qui sont de véritables analyses sociologiques, l'humour et la nostalgie en plus.

Après avoir répondu aux multiples offensives anti-rock par *Et s'il n'en reste qu'un, je serai celui-là*, Eddy se lance dans l'interprétation de pointes-sèches, ironiques et cruelles, qui, presque toujours, atteignent leur but. *Société anonyme* est la description d'un capitalisme sans âme : « Rien n'est à toi, tu ne vaux pas un seul centime, / Tout appartient à la société anonyme. » *Le Village abandonné* constate avec une amertume non dénuée d'humour la désertification du monde rural. *A crédit et en stéréo* est le reflet amusé du monde de la consommation. *La Dernière Séance* raconte avec émotion la mort d'un vieux cinéma... *Il ne rentre pas ce soir* est le portrait féroce d'un cadre licencié : « Fini le golf et le bridge, les vacances à Saint-

Tropez / L'éducation des enfants dans la grande école privée / Il pleure sur lui et se prend pour un travailleur immigré... »

Mais Eddy n'est ni un agitateur ni un révolté. Simplement, il prend acte, mais avec émotion : un sourire narquois, un clin d'œil complice. Son cadre supérieur au chômage n'a pas perdu les seuls signes extérieurs le situant dans la société, montrant quel homme important il était. L'échec de sa vie n'est pas tant le fait du chômage que celui de la perte d'identité. Il se croyait quelqu'un, il n'est plus rien, il a honte de lui-même.

Ce genre de chansons ne représente qu'une petite part du répertoire d'Eddy. Il chante l'amour avec une extrême délicatesse, rend discrètement hommage aux monstres sacrés – notamment à Gene Vincent –, et dessine à petites touches des portraits ciselés : la séduisante mythomane aux yeux *Couleur menthe à l'eau,* le voyou raté et malchanceux qui revient chez lui en voiture de flic *Sur la route de Memphis...* Autant de couplets qui contrastent avec le personnage farceur et un peu brutal dont, face au public, il endosse la défroque. Parfois, quelque souvenir lui revient. Ainsi la guerre d'Algérie qui, dans *60-62,* lui fait dire, trois décennies plus tard, que vingt ans n'est pas le plus bel âge de la vie.

Trente ans de carrière, de creux et de bosses, comme pour la plupart de ses camarades. Mais ces revirements n'inquiètent pas Eddy outre mesure : il a d'autres cordes à son arc. Jouer au cinéma, par exemple. Après avoir incarné son propre personnage dans plusieurs films, sans grande conviction, il se voit confier par Bertrand Tavernier le rôle d'un pique-assiette cynique dans *Coup de torchon.* Un vrai rôle de composition dans lequel il excelle.

La télé aussi l'attire. On le retrouve bientôt présentant sur FR3 une émission qui porte le titre d'une de ses chansons, *la Dernière Séance.* Il y donne libre cours à sa passion d'enfance pour les séries B américaines. Une occasion de faire redécouvrir les westerns où Gary Cooper défendait la veuve et l'orphelin, les polars où l'on croisait Philip Marlowe... Que son émission soit une des plus populaires du genre n'étonne pas. Avec son parler familier, Eddy sait faire partager ses enthousiasmes.

Ces films qu'il aime lui servent de modèles. Il bâtit ses chansons par courtes séquences, campe les décors à grands traits, les peuple de silhouettes à la Humphrey Bogart, John Wayne ou Ava Gardner... Comme les rues de son vieux quartier, ils font partie de sa culture. Son histoire est celle d'un môme qui n'a jamais voulu choisir entre *Nashville ou Belleville*.

9.

DES VOIX QUI PORTENT

Un public coupé en deux

En ce début des années 60 le fossé se creuse. A chacun son public : d'une part, les adolescents et ceux qui les singent, de l'autre, ceux qui persistent à défendre des couplets conçus pour des adultes, de jeunes adultes évidemment. Cette dichotomie est sans lien avec la qualité ; dans chaque camp, le meilleur (rare !) voisine avec le pire (fréquent !). Elle revient plutôt, pour les adultes, à une alternative : s'accepter tel qu'on est, ou s'imaginer qu'en adoptant les habitudes des ados on s'en rapprochera.

A chaque camp ses propres armes. Les professionnels du disque, après avoir hésité, se jettent résolument dans la nouvelle voie. Il faut évidemment beaucoup d'échecs pour obtenir un succès. Mais un coup bien mené est si rentable qu'il efface instantanément les déboires antérieurs. Jouer le « coup » est plus facile que de bâtir peu à peu une carrière, comme on le faisait auparavant. Les maisons de disques élaguent, rendent leurs contrats aux tenants de l'ancien style qui n'ont pas eu le temps de se constituer un public, mais conservent dans leurs catalogues les vedettes en place. Pourquoi se priver de « produits » toujours rentables ?

La radio se montre bien plus draconienne. La télévision balbutie encore que les radios sont déjà le principal support de la chanson. Quatre stations se partagent alors le grand public : Europe 1, France Inter, Radio Luxembourg et Radio Monte-Carlo. Ici aussi, on atermoie : généralistes, les chaînes veulent continuer à toucher toutes les catégories d'auditeurs, mais la percée d'Europe 1, qui a multiplié les émissions destinées aux « décagénaires », comme les dénomme Edgar Morin, oblige ses concurrentes à réviser leurs positions. D'autant que les publicitaires poussent à la roue. Les enfants « consomment » et font « consommer » leurs parents. Un virage est donc pris : Radio Luxembourg devient RTL, Radio Monte-Carlo RMC, et si les quatre grands continuent de diffuser les standards de Piaf, Tino ou Brassens, ils réservent aux rockers, puis aux yé-yés, la part d'antenne la plus importante.

Sur scène, le « spectacle vivant » voit se produire le phénomène inverse. Il suffit de consulter quatre ou cinq années de programmes de l'Olympia, de Bobino, de l'ABC ou de l'Alhambra, les grands music-halls parisiens. Les spectacles destinés aux moins de vingt ans n'y figurent qu'en minorité : leur public, qui paye encore sa place assez cher, est surtout constitué d'adultes. Les ados n'ont pas encore pris l'habitude d'aller écouter des chanteurs. Pas plus que le théâtre, le music-hall ne fait partie de leur univers.

Les petites salles rive gauche, où les nouveaux venus venaient faire leurs premières gammes, se raréfient. Après avoir joué un rôle créatif considérable dans les années de l'après-guerre, elles entament une lente agonie, non sans jeter leurs derniers feux...

Casseurs de mots, casseurs d'idées

Des couplets originaux. Un ton personnel. Boby Lapointe possède tout ça. Il ne connaîtra la gloire qu'après sa mort, grâce à l'un des patrons de Philips, Jacques Caillart. Lorsqu'il se produit au Cheval d'Or, bien peu se rendent compte qu'en accumulant les calembours, les à-peu-près et les coq-à-l'âne, il est en train de bouleverser non seulement la chanson, mais le langage. Nombre des titres du quotidien *Libération* s'inspireront de ses astuces, jeux de mots et détournements de dictons. On se souvient de quelques-unes de ses formules : « Davantage d'avantages avantagent davantage. »

Il y a du génie dans les inventions de Boby Lapointe. Brassens le comprend ; il le fait passer en première partie à Bobino. François Truffaut aussi le remarque et lui propose d'interpréter, dans *Tirez sur le pianiste*, une version sous-titrée d'une de ses chansons – complexité oblige. Mais, de son vivant, on ne se préoccupe guère de lui. Les radios l'ignorent, la presse l'oublie. Il faudra attendre la publication, après sa mort, d'un coffret de quatre disques pour que, soudainement, l'intelligentsia le découvre, l'adopte, le fasse connaître, et que s'instaure un culte autour de son nom.

Roger Riffard, lui, n'aura pas cette chance posthume. Il invente un personnage auquel, en vérité, il ressemble : un banlieusard ancien style, amoureux de la vie et résigné de voir les « tuiles » s'abattre sur lui. Il rêve de petites fleurs et de grands voyages, chante : « Les gens de mon espèce / Habitent à la porte d'Italie / Une misère épaisse / Les rejette sans cesse / Bien loin de Napoli. » Il s'invente des mariages fastueux, mais se présente sous des dehors miteux et étriqués. Curieusement, il fait parfois preuve d'un cynisme plein d'humour, notamment dans ce petit chef-d'œuvre qu'est *la Margelle*. Sa femme est tombée dans un puits, elle appelle au secours, et lui : « Assis près de la margelle / Je lui chante doucement / Pour apaiser son tourment / Ah ! Si j'possédais un treuil ! / J'éviterais un triste deuil ! » Lapointe, comme Riffard, passe dans un cabaret de la Contrescarpe, le Cheval d'Or. On y croise aussi un couple de duettistes au répertoire insolite, Suc et Serre. Serre se tournera vers le métier d'acteur. Suc connaîtra une fin tragique.

C'est le temps où Jean Yanne chante en s'accompagnant d'un guide-chant, sur une musique quasi liturgique, des couplets d'un anticléricalisme féroce : *Le Soufre et le Bénitier*, *la Complainte du P3*, etc. Il rêve, dit-il, de « réconcilier l'Église et la masse ouvrière », mais, quand il part en tournée dans des régions de tradition catholique, les huées sont si fournies qu'il ne peut achever son tour de chant. La radio le récupère, puis le cinéma. Jamais il ne trahit son goût pour la provocation. Sans doute annonce-t-il, avec son complice Jacques Martin, à quelques années de distance, la percée de Coluche.

Pierre Louki est de la même veine. Moins en prise avec la réalité, il délire davantage, s'essaie à tous les genres, se montrant capable à l'occasion d'un tube comme *la Môme aux boutons*, qui fit de Lucette Raillat une vedette éphémère. Auteur de théâtre, parolier, compositeur, comédien et chanteur, il est de ceux que ses pairs reconnaissent – il obtiendra le Grand Prix de l'Académie Charles Cros – mais dont le grand public ignore l'existence. Personne n'a vraiment fait un effort pour le rendre populaire.

Le gâchis

Ces personnages que les foules méconnaissent ont pourtant des appuis. Georges Brassens soutient certains d'entre eux, reconnaît leur talent, leur offre la possibilité de passer sur scène. Peine perdue. L'époque a changé. Avant, la scène faisait un nom, une réputation, et donnait le droit d'enregistrer un microsillon. Désormais, le disque prime. Matraqué à la radio, il se vend presque à coup sûr. L'interprète peut alors choisir de faire ou non l'effort d'affronter le public. La plupart du temps, du reste, c'est pour promouvoir le disque.

On ne parle pas encore d'Audimat – et pour cause, il n'existe pas ! – mais un réflexe équivalent est né, celui des taux d'écoute. Les stations périphériques ont besoin, publicité oblige, de maintenir leur part de marché ; France Inter aussi. Il ne reste pour les chanteurs « différents » que quelques plages sur des stations comme France Culture et France Musique, de qualité mais à faible taux d'écoute. Encore faut-il les dépister au sein de programmes touffus.

Aussi n'entend-on que rarement les voix de Paul Barrault, qui campe une silhouette de rural naïf et chaleureux ; de Paul Hébert, interprète des *Bouts-rimés* de Jacques Faizant, lequel ignore encore qu'il deviendra bientôt l'un des dessinateurs politiques les plus connus du pays ; de Daniel Laloux, qui fera une belle carrière de second rôle au cinéma et qui, pour l'heure, se coule dans la peau d'un innocent farfelu et longiligne (il mesure près de deux mètres) ; de Roger Marino, créateur d'un petit chef-d'œuvre d'humour dont les frères Jacques feront un succès : *la Confiture* ; de Jacques Serizier, auteur de quelque deux cents chansons et sketches mêlant volontiers humour et émotion. Conteur né, il monte des spectacles poétiques hilarants, telle l'histoire de ce facteur de campagne lisant le courrier avant sa tournée pour ne pas distribuer de mauvaises nouvelles... Serizier aime surprendre, il anime même un temps une émission originale sur RTL, mais sans parvenir, hélas, à passer du succès d'estime au succès public.

Le marasme touche les chanteurs « adultes » ; pourtant, certains parviennent à s'extraire du lot et à rivaliser avec les jeunes vedettes, y compris en termes de vente de disques. Ils ont eu la chance de débuter avant que la vogue rock-yé-yé ne submerge tout. D'aucuns représentent même un courant essentiel de la chanson française.

Guy Béart est de ceux-là. Né au Caire en 1930, cet ex-ingénieur des Ponts et Chaussées tranche d'emblée avec le tout-venant de la chanson. Ses couplets sont d'un humour insolite et ironique, d'une poésie très originale. Chaque chanson de son premier album est typée, sans que cela nuise à la cohésion de l'ensemble. Plus de trente ans après sa parution, quelques-uns de ses titres, devenus des classiques, sont dans toutes les mémoires, de *Qu'on est bien* au *Bal chez Temporel.*

La chanson-chronique

Béart ne fait jamais appel à la sensiblerie. Une curieuse pudeur, étonnante chez un homme plutôt extraverti, l'empêche de mettre ses sentiments à nu. L'amour et la mélancolie, ses thèmes favoris, sont comme voilés, effacés par les jeux de mots et les traits d'esprit. *Laura,* chanson nostalgique sur les passions enfantines, peut passer pour un simple jeu. Et si parfois les regrets s'expriment, réels et prenants (*Dans regrettable* ou *Il y a plus d'un an*), une pirouette finale semble les excuser. En fait, une seule chanson joue ouvertement l'émotion : c'est *Bal chez Temporel,* dont le texte est dû à André Hardellet.

Malgré cette distance et ces précautions, Guy aime passionnément la chanson. Ses auditeurs le sentent et lui en sont reconnaissants. Dès le départ, les œuvres qu'il interprète lui-même, comme celles qu'il confie à d'autres, connaissent le succès. Tout lui est sujet à chansons, la guerre atomique (*Alphabet*) comme la lente et souple glissade des patineurs sur la glace (*les Pas réunis*).

S'il a chanté, comme nombre de ses contemporains, dans les boîtes de la rive gauche, il est l'un des premiers à annoncer la mutation du vieux quartier (*Il n'y a plus d'après*). Auteur de tubes (*l'Eau vive, les Souliers*), il écrit aussi, dans le même mouvement, des chansons abstraites, peu accessibles à la première écoute (*l'Âne, l'Oxygène, l'Obélisque* ou *le Chapeau*). Cette attitude contradictoire décontenance quelque peu ses admirateurs, mais contribue à son charme. Pas plus dans la vie que dans la chanson Béart n'est un personnage simple. Solitaire, il ne se sent bien qu'entouré par une foule protectrice.

Chroniqueur de son époque, il met en chanson la décolonisation (*Chandernagor*) et la crise de Suez (*Suez*), annonce la mort des idéologies (*Qui suis-je?*), appelle à la paix au Proche-Orient (*Liban libre*) et parvient, en quelques strophes, à évoquer l'assassinat du président Kennedy, les scandales du sport et même la Passion du Christ (*la Vérité*). Le refrain de cette chanson est explicite : « Le premier qui dit la vérité / Il doit être exécuté. » Ce n'est pas là le moindre de ses « proverbes d'aujourd'hui ».

Également parmi ses préoccupations, l'empire de la presse (*Dans les journaux, Magazines*) : « Le métro chante sa chanson grise / Je n'ai pas trouvé de place assise / Il me faut pour tenir le coup / Des histoires à dormir debout » ; l'apocalypse nucléaire (*les Temps étranges*). Mais pas de réalisme. Béart joue plutôt de l'abstraction et du symbole. Cette distance imprègne même ses chansons d'amour. Les filles y sont des silhouettes impalpables, évoluant dans un monde imprécis, plutôt que des êtres de chair et de sang : « Je suis fille d'aujourd'hui / Tout va vite et moi je suis... » Les plus tendres de ses couplets, ceux de *Douce* par exemple, s'interrompent avant de succomber à l'émotion, par une pirouette de ce style : « Elle était nue, elle a pris froid. » Et quand il se laisse aller à la grivoiserie, c'est pour retrouver d'instinct ses réflexes estudiantins : « Elle était saute-au-paf, il était main au cul. »

Anonyme du XXe siècle

Malgré tout, Guy Béart ne parvient pas toujours à masquer ses émotions. Douloureuse et tendre, sa *Chanson pour ma vieille* trouble profondément, et une sensualité débordante baigne sa « Fille aux yeux mauves / Qui dans son alcôve / A su tout oser ».

Témoin de son époque, il veut aussi la dépasser. Il se fait moraliste dans des textes comme *les Grands Principes*, réinvente un folklore anachronique de mélodies intemporelles, volontairement archaïques, comme celle de *Frantz*, rêverie sur fond d'opérette viennoise... Il essaie même, avec succès, de remettre à la mode des chants issus du folklore. On recommence à chanter *Ô gué ! Vive la rose* ou *Pauvre soldat revient de guerre*. Il a certes modernisé l'orchestration, mais, explique-t-il, « les chansons du folklore n'ont jamais cessé de se modifier, transmises par voie orale par les pèlerins, vagabonds et mercenaires de toutes espèces. D'une région à l'autre, d'un siècle à l'autre, on changeait d'accompagnement : le folklore n'est pas immuable. »

Le rêve de Béart : que ses chansons demeurent. Qu'elles resurgissent brusquement, un jour ou l'autre, et qu'elles continuent de surprendre. « Mon ambition, c'est, dit-il, de devenir "l'anonyme" du XXe siècle. On oubliera le nom de l'auteur comme on a oublié qui a écrit et composé les comptines que chantent et dansent les enfants des écoles : des anonymes du XVe ou du XVIIe siècle. »

Guy Béart mène une carrière à éclipses. Les interprètes se disputent ses chansons. Lui-même, malgré sa voix peu commune, se crée immédiatement un public. Mais il a le goût du défi. Il ne craint pas, en pleine vague du twist, de remettre à l'honneur le bon vieux tango. Avec d'excellentes justifications : les dérivés du rock popularisent la danse sans partenaire. Il faut revenir à la danse de couple, remède aux désordres amoureux, pense Béart. Dès son premier disque, ne chantait-il pas : « Qu'on est bien / Dans les bras / D'une personne du sexe opposé » (ignorant peut-être que, selon la légende, le tango s'est d'abord dansé... entre hommes) ? Aussitôt, il passe aux yeux des arbitres de la mode pour un ennemi irréductible de la jeunesse. On n'a pas le droit de préférer le tango au twist ! Et dans le guère sérieux mais révélateur *Dictionnaire du rock, du twist et du madison* de Jenny Perrault, Guy Béart a droit à la mention suivante : « Cordialement méprisé par les twisteurs ». C'est oublier que les tangos de Béart sont à la fois drôles et sensuels, et que chacun, un jour ou l'autre, a fredonné : « On ne pleure pas dans les bras d'Antoine. » Il a, pour la rendre plus aimable, dédramatisé cette danse venue d'Argentine. Au début des années 1960, on reconnaîtra même le précurseur qu'il fut. Trop tard...

Mais, très vite, la télévision le remet en selle. Il y crée Bienvenue, une émission de variétés qui mêle, à la succession classique de tours de chant, un *talk-show* avant la lettre. Tous les genres y sont représentés : chanson, musique classique, jazz, mais aussi littérature et théâtre. Un modèle que suivra plus tard Jacques Chancel dans son Grand Échiquier et qui a toujours cours aujourd'hui, à beaucoup de détails près. Guy Béart invite les artistes qui lui paraissent dignes d'intérêt, sans tenir compte de la promotion d'un disque ou d'un spectacle. Totalement indépendant des maisons de disques, il refuse le play-back. Il sait choisir ses invités. Bienvenue, comme le Discorama de Denise Glaser, plus ancien, leur donne un brevet de qualité.

Le ton de Bienvenue la distingue aussi des émissions qui lui succéderont. Un peu désordonné et brouillon, souvent improvisé, il laisse libre cours à la spontanéité, à la vie et, de temps en temps, à des moments rares, presque miraculeux. La réussite de Bienvenue est incontestable. Elle tient à la personnalité de Béart, à sa faconde... et au charme d'une hôtesse, la comédienne-chanteuse Dominique Grange, qui deviendra plus tard la *pasionaria* des maoïstes. Pour l'heure, elle se contente d'écrire et d'interpréter de jolies chansons.

Béart a connu le succès et le purgatoire. Par chance, un public de fidèles emplit les salles où il se produit et connaît par cœur toutes ses chansons. Très souvent, ses concerts se poursuivent bien après l'heure prévue : Béart aime chanter, son public l'accompagne volontiers.

Mais il connaît aussi des moments d'impopularité. Dans la controverse qui l'oppose à Gainsbourg devant les caméras d'Apostrophes sur le thème « La chanson est-elle un art mineur ? », le public lui donne tort. Pourtant, l'argumentation de Gainsbourg, selon laquelle un art est majeur lorsqu'il nécessite une initiation (« La chanson est un art mineur fait pour des mineures »), n'apparaît guère convaincante...

Ennemis intimes

Les rapports entre Béart et Gainsbourg n'ont jamais été fraternels. Appartenant à la même génération, ils sont venus à la chanson presque simultanément. Rien cependant ne les rapproche. Visiblement, les deux hommes ne s'aiment pas ; ils semblent même se comporter en rivaux.

Ils ne chassent pourtant pas sur les mêmes terres. Leur inspiration, leur style diffèrent. Mais ils écrivent pour les autres, et se découvrent des interprètes communs. Gréco chante *la Complainte* de Béart et Queneau, mais aussi *Accordéon* et *Il était une vie* de Gainsbourg. Zizi Jeanmaire mène au succès les tangos de Béart et la nouvelle version d'*Élisa* de Gainsbourg. Plus tard, quand Gainsbourg aura réussi à populariser le personnage de Jane Birkin, la petite Anglaise innocente et perverse, Béart tentera d'en faire autant avec une comédienne pour laquelle il écrit de ravissantes chansons, Anne-Marie B. (Besse). En vain.

Les carrières des deux hommes sont parallèles. Quand s'impose le style Gainsbourg, provocateur et sarcastique, Béart décroche. Il continue de décrire le temps ; il le détaille avec un regard incisif, mais n'a plus le ton qui convient. Aujourd'hui, Gainsbourg disparu est plus grand que jamais. Béart, une fois de plus, connaît le purgatoire. Pourtant, ses carnets regorgent d'excellents inédits. Il faut souhaiter qu'un jour le public les découvre. Sa guitare à la main, Guy Béart a encore beaucoup à dire.

Le démarrage rapide de Guy Béart a fait des envieux. Ses qualités propres d'auteur-compositeur-interprète avaient d'abord été moins mises en valeur que son diplôme d'ingénieur civil des Ponts-et-Chaussées. Une maison de disques concurrente finit par « dégoter » un autre ingénieur, spécialiste en énergie nucléaire celui-là, Paul

Braffort. Mais Braffort est un fantaisiste, membre du Collège de Pataphysique, ami de Vian... Il ne cherche pas à faire carrière, mais plutôt à s'amuser. Comme il était prévisible, *le Petit Atome* connaît un gentil succès. Mais Braffort disparaît, non sans avoir écrit pour Barbara la chanson du moyen métrage ironique que le trio Vian-Suyeux-Gruel a consacré à *la Joconde.* On voit ainsi se renouveler l'expérience Stéphane Golmann. Haut fonctionnaire international, Golmann chante pour le plaisir. Un des premiers A.C.I.G. (auteurs compositeurs interprètes avec guitare), il écrit quelques petites perles telles *l'Abus de confiance* et *Actualités,* puis s'efface avec l'avènement de Brassens.

Anne Sylvestre ne s'est pas effacée, elle, par bonheur. Enfant de la rive gauche, elle a percé juste avant la déferlante yé-yé, offrant aux jeunes un répertoire anticonformiste et intelligent, courageux et sensible, avec des textes parfaitement écrits sur des musiques originales et élaborées. Un répertoire hors du temps. Anne invente des mélodies étranges et fraîches, parfois archaïques, et de délicieux petits poèmes mélancoliques, parfois tragiques, parfois joyeux, toujours pleins de malice. Sa voix claire et modulée, sa diction sans faille, son caractère entier, sa brusquerie emportent l'adhésion.

Adulte, elle s'adresse à des auditeurs sensibles ; adolescente, elle connaît de la jeune fille mélancolique le désespoir secret (*la Chanson de toute seule*), et sait le chanter : « Un caillou bien rond qui roule / L'instant d'après il a coulé / Coule Seine coule coule / Je voudrais tant m'y noyer. »

Une sorcière comme les autres

Mais Anne Sylvestre chante aussi la joie et les bonheurs de l'adolescence. Elle aime les plaisirs et la sensualité de la vie et trouve, pour raconter ses petites histoires, un ton ironique, un peu acidulé, inimitable : « J'ai connu un galopin / Qui maniait la faucille / Dans un champ tout près du mien / Comme il donnait bien la patte / Comme il faisait bien le beau / Je lui fis un peu d'épate / En astiquant mes sabots. » (*Grégoire ou Sébastien*).

Elle a le goût du défi, d'une certaine provocation policée. Elle trouve, pour parler des « punaises » – les bien-pensantes fidèles de la messe –, un ton à la Jacques Brel. A une différence près : noir et âpre, Brel les dénonçait et les fustigeait. Elle, elle les nargue, un petit sourire en coin. Comme si la piqûre du moustique était plus efficace que le coup de gourdin. Sur la messe, occasion de sortie dominicale, elle conclut dans *les Punaises* : « Car moi j'y allais pour de bon balancer mes jupons. » Son style rappelle l'insolence de *la Fiancée du pirate* de Nelly Kaplan.

Débutante, elle s'est fabriqué un petit monde anachronique, une campagne idéale peuplée de bergères en sabots et de coqs de village satisfaits et séduisants. Pas étonnant qu'on la surnomme la « duchesse en sabots » ou « Brassens en jupons » ! On la classe parmi les « bucoliques », bien malgré elle. En effet, Anne voit déjà, au-delà de cet univers clos, la réalité des choses et des êtres. Elle affirme ses propres règles de vie : fierté, refus de se soumettre (« Tiens-toi droit ! / Si tu t'arrondis tu auras l'air d'une arche... »), volonté d'être libre et de se battre : « Je n'veux pas de ponts je veux des rivières / Je veux des torrents où tourbillonner... » (*Tiens-toi droit*).

Anne Sylvestre n'est conforme à aucun des personnages qu'on veut voir en elle. La facture de ses chansons est classique. Elle croit aux rimes riches et aux vers réguliers. Elle s'inscrit, comme Brassens, dans une tradition qu'on a dite médiévale parce que ceux qui l'aiment et qui aiment Brassens ont, adolescents, communié en François Villon.

Sous l'apparent anachronisme de son univers, elle pose les problèmes de son temps. Lorsque, dans *Mon mari est parti*, elle raconte la guerre vue du côté féminin, ce n'est pas une lointaine croisade ni les campagnes de Jeanne-la-Lorraine qu'elle évoque... Dans *Pour qu'on m'apprivoise*, sa sauvageonne est une femme résolument moderne et non une silhouette échappée d'un livre d'heures.

Son répertoire s'enrichit ; pour sa fille Alice, elle compose les premières *Fabulettes*, sur des mélodies et des couplets légers qui ont la beauté furtive et irisée des bulles de savon. Ses chansons pour enfants deviennent des modèles du genre. Ironiques, fines et tendres, d'un style imaginatif et délié, elles ne bêtifient jamais et refusent le simplisme de règle en ce domaine. Anne respecte les enfants. Elle évite de paraître trop ennuyeuse tout en les prenant au sérieux. Tout l'inverse des stars enfantines qui envahiront bientôt le petit écran. Aujourd'hui, un quart de siècle après la parution des premières *Fabulettes*, les compositions d'Anne Sylvestre restent populaires. Ceux qui ont été bercés par sa voix les font entendre à leur tour à leurs enfants.

C'est parce qu'elle se sent femme qu'Anne Sylvestre sait si bien parler aux enfants. Elle n'oublie jamais son sexe, et quand, dans les années 1970, s'engage la grande bataille pour le droit des femmes, elle s'y engage corps et âme. Elle n'est pas féministe au sens militant du terme ; on ne la voit pas ou peu dans les meetings et les manifestations. Mais elle possède ses propres armes et sait les utiliser. L'ironie, d'abord, dont elle use avec une efficacité redoutable. 1975 est décrétée par l'ONU « Année de la Femme » : elle riposte avec *la Vache engagée*, une charge féroce contre les gens de bonne volonté qui veulent se pencher avec bienveillance sur le sort des femmes.

Mais c'est surtout par sa capacité d'émouvoir qu'Anne Sylvestre emporte l'adhésion. Elle écrit *Non, tu n'as pas de nom*, une des rares chansons consacrées à l'avortement qui ne soit pas un tract. Avec une pudeur extrême, elle fait comprendre que le refus de l'enfant est, pour la mère, à la fois une nécessité et un drame. Pas de proclamation dans ses couplets, pas de revendication du style : « Mon ventre est à moi », mais un simple constat, des mots sonnant juste, car refusant l'outrance. A la même époque, elle écrit aussi *Une sorcière comme les autres*, hommage discret et fort à la femme et à la mère. Elle passe outre aux mièvreries et aux fadaises inhérentes au genre. Avec ses mots simples, ses phrases sans emphase, elle vient de composer une des grandes chansons de ce demi-siècle.

10.
DES COPAINS AUX FRIPONS

De si gentils copains

A chaque époque ses mots fétiches. Les dernières décennies ont vu se succéder les babas cool, les punks, les skins, les gagneurs, les potes... Mais chacun de ces termes s'applique à une catégorie précise, bien délimitée, de la population ; et aucun de ces noms génériques ne permet à une génération de s'identifier. C'est cependant ce qui se produisit durant la première moitié des années 60, avec l'apparition du terme « copain », en lieu et place des mots « ami », « camarade », « confrère », « collègue »... Pour les adolescents d'alors, « copain » recouvre différents concepts : l'amitié, la fraternité et la connivence, mais surtout une sorte de conformisme généralisé qui permet de se distinguer des adultes et de reconnaître ses pairs. Un copain détecte un autre copain d'un simple coup d'œil. La coiffure, le vêtement, le comportement et, évidemment, les goûts musicaux, permettent à tous de se reconnaître instantanément.

Le mot est ancien et a déjà connu une certaine vogue. Au début des années 30, la chanson *Avoir un bon copain*, interprétée par Henri Garat et extraite d'un film musical, *le Chemin du paradis,* avait séduit un large public. Toutefois, le renouveau du terme est récent. Sur Europe 1, une émission quotidienne (dont le titre est emprunté à une chanson de Gilbert Bécaud), *Salut les copains,* connaît un succès extraordinaire parmi la très jeune génération. Ses animateurs Daniel Filipacchi et Frank Ténot sont deux passionnés de jazz venus presque par hasard à la chanson post-enfantine. Ils ont constaté sa popularité aux États-

Unis, pays qu'ils connaissent particulièrement bien, et croient que le phénomène américain peut gagner la France.

La raison de leur confiance : l'existence d'un groupe social, « les jeunes », qui entend s'affirmer en tant que tel. En lui destinant leur émission, Ténot et Filipacchi frappent juste. D'où leur triomphe. Ces jeunes, pourquoi ne pas leur proposer une presse spécialisée ? Déjà un journaliste nancéien, Jean-Claude Berthon, est parvenu avec peu de moyens à publier un mensuel, *Disco-Revue*, qui connaît un certain succès. Son contenu : des nouvelles du rock et des vedettes du genre ; son format : le quart d'un quotidien, avec des illustrations abondantes ; son style : la conversation entre copains avec des mots simples, un ton familier, un langage proche de la conversation.

Le modèle existe. Il suffit de l'affiner, de l'approfondir et de le lancer avec le battage adapté. Ainsi naît en juillet 1962 *Salut les copains*, magazine mensuel dérivé de l'émission d'Europe 1, qui amorce la carrière de Daniel Filipacchi. Ce dernier va rapidement devenir un des hommes de presse les plus importants d'alors. Car le succès de *S.L.C.* est foudroyant : le premier tirage, plus de 100 000 exemplaires, est épuisé en quelques heures. De tirage en retirage, la vente de ce premier numéro dépassera finalement le million d'exemplaires !

Dans ce numéro initial, le portrait de Johnny, Sylvie en couleurs, un débat (« Pour ou contre Vince Taylor »), les paroles des chansons préférées des jeunes, et des conseils dans le genre de : « Si vous voulez chanter comme moi », par Brenda Lee... L'impulsion est donnée. *S.L.C.* se classe d'emblée au sommet et y demeurera des années durant. D'autres titres apparaissent, comme *Bonjour les amis* et *Mademoiselle âge tendre*, une référence à *Âge tendre et tête de bois* (encore un titre de chanson de Bécaud !). Les magazines de potins sur le cinéma, tels *Cinémonde* et *Ciné-Revue*, changent de ton et adoptent le style « copain »... Les jeunes communistes s'y mettent à leur tour avec *Nous les garçons et les filles*, suivis par les jeunes catholiques, avec *Hello* et *Rallye Magazine*...

A quelques détails près, il règne sur toute cette presse le même climat : une sorte de gentillesse un peu mièvre, un conformisme de bon aloi et la « copinerie » élevée au rang d'art. Éliminée la distance qui sépare la vedette de ses admirateurs. Les stars, inaccessibles par essence, dont Edgar Morin avait disséqué le statut, s'effacent définitivement. Leur succèdent des artistes bon enfant, semblables à ceux qui les admirent et ayant le même âge qu'eux. Désormais, il est possible de les tutoyer et de les appeler par leur prénom. On parle de Johnny, de Richard et de Sylvie, et même, puisqu'ils jouent avec leur émission le rôle de grands frères, de Daniel et de Frank. Plus tard, dans une chanson remarquable de drôlerie et de finesse, *1964*, Michel Legrand reconstituera exactement l'atmosphère de l'époque.

Les ados au quotidien

L'époque est assez rude malgré les apparences. Autant elle permet à de jeunes chanteurs ou chanteuses de trouver très vite un vaste public, autant elle rejette impitoyablement tous ceux qui cessent de plaire. Chaque journée amène sa moisson de postulants au succès. On a à peine le temps de retenir le prénom d'un nouveau venu que déjà il a disparu. Un 45 tours se vend, on en enregistre un second. Que celui-ci échoue et le chanteur se retrouve aux oubliettes. La course frénétique au succès a saisi toutes les maisons de disques.

Françoise Hardy en donne le départ. Cette charmante jeune fille blonde, gracile et plutôt timide, chante d'une voix fragile les problèmes des filles de son âge. On la voit un soir murmurer sur le petit écran les couplets de sa première chanson : « Oui, mais moi / Je vais seule / Par les rues / L'âme en peine / Oui, mais moi / Je vais seule / Car personne ne m'aime. » Le lendemain, c'est une vedette.

Dès lors, le délire gagne. Le succès des Chaussettes Noires avait fait naître par dizaines des groupes de musiciens avec chanteur. Le même phénomène se produit, mais considérablement amplifié. Un jeune crooner, Lucky Blondo, fait un tube de *Sheila*, une adaptation d'un air américain. Annie Chancel, petite marchande de bonbons, reprend la chanson : elle y gagne un surnom. Succès.

D'autres suivent. Avec des noms qui parfois restent, comme Claude François ou Sylvie Vartan, ou d'autres qui très vite disparaissent, comme les Gam's, Ria Bartok, Tini Yung, Jackie Moulière, Alain Dumas, Sophie... Chez les marchands d'instruments de musique, on installe des miroirs afin que les acheteurs de guitares électriques puissent vérifier que leur acquisition sied bien à leur physique. Une importante firme de disques, Pathé-Marconi, organise un concours sur le thème « Vous savez chanter, devenez une vedette » ; chaque jeudi, alors jour de congé scolaire, une petite foule de jeunes, accompagnés de leurs parents, se presse devant les portes du studio d'enregistrement où doivent avoir lieu les essais.

Beaucoup de points communs dans le répertoire de ces aspirants au vedettariat. Les chansons sont presque totalement centrées sur la vie quotidienne des ados ou préados : *l'École est finie, Sacré Charlemagne* (« Qui a eu cette idée folle / Un jour d'inventer l'école ? »), *Ma première surprise-partie, Mes premières vraies vacances*... Un incident peut tout autant servir de prétexte à des couplets ; ainsi, *Panne d'essence*, chanté par Frankie Jordan, permettra à Sylvie de se faire entendre pour la première fois. Ni sensualité, ni évidemment sexualité, nulle évocation des premiers émois physiques, mais au contraire une chasteté absolue : « Mais ne me demande pas d'aller chez toi », chante Françoise Hardy (*J'suis d'accord*), tandis que tout ce que promet Claude François à ses admiratrices se limite à « des bises de moi pour toi ». La chanson s'est fixé des limites étroites dans lesquelles elle se confine douillettement. De ce que fut le contenu rebelle du rock, rien ne demeure.

Les « enfants sages » dominent désormais le marché. On veut d'ailleurs tellement leur plaire qu'on en arrive à leur fabriquer des « idolettes » sur mesure. Un producteur et une maison de disques conçoivent une fillette-vedette, puis vont la tester dans des classes au lycée. Les lycéens choisissent son répertoire, ses vêtements, sa coiffure, sa façon de chanter, etc. Ensuite, on lance le produit. Un flop ! Le marketing du spectacle n'est pas encore au point.

La surprise est de taille lorsqu'une étude publiée par le magazine féminin *Elle* révèle que la vogue stupéfiante de la guitare électrique a fait disparaître les blousons noirs et entraîné une diminution sensible de la délinquance juvénile. Hélas, il suffira de quelques heures agitées pour rompre cette belle harmonie.

Oh ! Quelle nuit

Salut les copains, le départ du Tour de France, Europe 1 et le premier Musicorama des vacances, une belle soirée (une des rares de cet été pourri) et la présence de Johnny Hallyday, tels sont les éléments qui, réunis, ont permis la fameuse folle « nuit de la Nation ». Raconter cette soirée du 22 juin 1963 paraît impossible, tout comme raconter Marignan ou Waterloo. Place de la Nation, ils sont 200 000 jeunes venus écouter leurs idoles. Des enfants en apparence dociles et juste un peu turbulents. Mais 200 000 ! Alors que les organisateurs avaient prévu un public dix fois moins nombreux. La manifestation entraîne quelques dégâts, des voitures abîmées, des vitres cassées, des arbres brisés. Des filles violées ? Quelques journaux iront même jusqu'à l'annoncer au lendemain des incidents. Mais on oubliera vite ces affirmations hâtives.

Quoi qu'il en soit, la presse se déchaîne. Pierre Charpy, dans *Paris-Presse,* titre ainsi son éditorial : « Salut les voyous. » Dans *Aux écoutes,* un journaliste écrit : « Il est impossible de décrire les conditions parfois hallucinantes dans lesquelles ces crimes ont été commis », tandis que, dans *Candide,* André Frossard s'indigne : « Samedi, place de la Nation, une gamine est violée pour ainsi dire publiquement par une douzaine de blousons noirs. Quand on pense que trois idoles du twist n'ont qu'à paraître pour jeter 200 000 Parisiens de moins de vingt ans dans les transes furibondes d'un invraisemblable culte de la nullité, on commence à se demander si l'écume est aussi différente du bouillon qu'on le croit. »

A vrai dire, ces réactions sans nuance ne s'expliquent que par la peur. Les enfants tranquilles représentent, par leur simple nombre, un danger, une menace. Qu'ils bougent un tant soit peu et l'ensemble de l'édifice social risquerait de s'écrouler. Aucun homme politique, pas même le général de Gaulle, ne peut alors déplacer comme Johnny une foule aussi nombreuse. Durant cette année 1963, il n'y aura à Paris que deux manifestations de masse. Pour les jeunes, en juin, cette « terrible » nuit ; pour les adultes, en octobre, les funérailles d'Édith Piaf, où l'on verra plus de 100 000 personnes s'écraser devant le cimetière et piétiner les tombes du Père-Lachaise. Le comportement des adultes, tout aussi « révoltant », sinon plus, que celui des jeunes, contribuera sans doute à la réconciliation des générations, un instant troublée par cette courte brouille.

Bref, en dehors de cette brutale mais brève éruption, le calme règne. Toutefois, dans ce paysage sans relief qu'est devenue la chanson pour jeunes, des silhouettes se détachent, des personnalités s'affirment. On peut les aimer ou non. Question de goût ! Mais elles existent et s'imposent. Pour leurs fans, elles deviennent des symboles et des modèles.

Cloclo et ses fans

Claude François possède des qualités certaines : beau garçon, bon danseur, une voix agréable et sympathique... Très vite, il se dégage des postulants au succès. Au contraire de ses confrères reclus dans leur petit et mièvre univers, il adopte d'instinct une voie différente. Avant lui, on avait parlé de rock violent et rebelle, puis de rock calibré pour enfants sages. Lui invente le « rock scout », le rock moralisateur... Il est persuadé d'avoir un message à délivrer et le proclame. On l'écoute.

Trini Lopez a fait connaître en France une chanson originalement révoltée, *If I had a hammer*. Les rockeuses italiennes, quant à elles, ont choisi leur version, plutôt insolente, dans le style « Si j'avais un marteau, j'irais donner des coups dans la figure de cette chipie qui pique mes petits amis. » Avec Claude François, c'est autre chose : « Si j'avais un marteau, je bâtirais une maison et j'y mettrais mon père, ma mère, mes frères et mes sœurs... » S'inscrivent aussi dans le répertoire de Claude François première manière les conseils hérités de la sagesse des nations : si tu veux être heureux, n'épouse pas une jolie fille qui te causera des ennuis, mais plutôt une gentille fille qui te fera de la bonne cuisine. Suit une profession de foi comme : « Je voudrais bien me marier mais pas avant trente ans. » Et une conclusion définitive : « Sois fier, sois droit, sois juste avant tout. »

Le conformisme plaît. En quelques mois, Claude François a vendu près de 2 millions de disques et ses galas attirent la grande foule. Mais l'homme est intelligent et sent vite que la veine qu'il a choisie n'est pas inépuisable. Il change alors de style, se confectionne une allure de jeune premier romantique et, perfectionniste dans l'âme, transforme ses prestations en véritables shows. Autour de lui évoluent les Claudettes, à la fois choristes et danseuses. Chacune de ses prestations est parfaitement au point : il se dépense à fond sur scène, donnant l'impression à son public qu'il en a eu pour son argent.

Enfin, l'un des premiers, il mesure l'impact grandissant de la télévision. Tout cela contribue à son succès, certes, mais son principal ressort est ailleurs et se situe dans le domaine de l'irrationnel. Autour de Claude François se crée un véritable culte, qui persiste d'ailleurs des années après sa mort. Le copain des débuts, donneur de bons conseils, a disparu. Une star le remplace, plus familière, mais tout aussi inaccessible que celles du cinéma des années 30. Les salles où Cloclo se produit sont surchauffées. Des fanatiques campent jour et nuit devant chez lui, quémandant un sourire, un regard, une poignée de mains, une tape sur l'épaule. Ce que les États-Unis avaient connu avec Sinatra, et la France, à une échelle plus restreinte, avec Tino et Luis, se reproduit, amplifié par la puissance des médias modernes. Claude François devient le charmeur-dieu, l'homme dont on rêve. Son culte, qu'il cultive par un savoir-faire et un professionnalisme efficaces, atteint surtout les pré-adolescents de milieux modestes. Beaucoup, même vieillis, lui restent encore fidèles aujourd'hui.

Sheila, Sylvie, Françoise...

Dans le même cercle se recrutent les admirateurs de Sheila, qui sera l'une des dernières à rester fidèle à la mythologie des « copains ». La jeune fille, plutôt sympathique, s'enferme volontairement dans l'univers restreint des yé-yés. Elle raconte les petites aventures, les petites joies, les petits chagrins, les petits espoirs et les petites déceptions d'une enfance qui ne croit guère aux grands sentiments. Sa popularité décroît lorsque s'élargit soudain l'univers des jeunes ; elle essaie alors de s'adapter à la période de réaction qui suit mai 68, en se présentant comme une *Petite Fille de Français moyens*.

Or, son état d'esprit cesse de correspondre à celui de la majorité des jeunes. Elle se maintient tant bien que mal, mais perd une bonne part de sa popularité. Elle tente de faire un événement de son mariage avec le chanteur Ringo (oublié depuis), s'essaie aux interprétations en anglais, puis finit par s'effacer, vaincue à la fois par l'indifférence du public à l'égard de ses thèmes et par une méchante rumeur qu'on a fait courir sur son compte : Sheila, laisse-t-on entendre, serait un garçon. Elle chantait : « Vous les copains, je ne vous oublierai jamais. » Mais ce sont eux qui l'oublient. Persévérante, elle tente un retour dans les années 80, avec un look renouvelé et un répertoire plus élaboré, mais sans grand résultat : on n'échappe pas aisément à son personnage, à moins de le faire évoluer progressivement. C'est ce que comprendra Sylvie Vartan.

Chanteuse yé-yé, puis épouse de Johnny, Sylvie possède une silhouette charmante et de réelles qualités de danseuse. Elle s'oriente vers le show à l'américaine, avec chorégraphies, ballets colorés, éclairages savants et chansons destinées à être mémorisées. Dès le début, elle s'adresse pour ses musiques et ses textes aux meilleurs spécialistes. Elle persévérera en ce sens. Cette option permettra à *la Plus Belle pour aller danser* de garder le haut de l'affiche dans des spectacles où l'on danse tout autant que l'on chante.

Françoise Hardy suit une tout autre voie, même si, involontairement, elle est à l'origine de la vogue des « ados chanteurs » et si, l'espace de quelques chansons, elle est restée dans ce mouvement. Mais elle n'entend pas se cantonner dans le rôle d'une jeune fille qui raconte aux autres jeunes filles leurs problèmes de jeunes filles. Elle prend du recul, espace ses concerts et part périodiquement pour l'étranger. Elle choisit des musiques et des textes plus originaux, chez Serge Gainsbourg (*Comment te dire adieu*), Michel Berger (*Message personnel*), Guy Bontempelli (*Ma jeunesse fout le camp*) et même Aragon (*Il n'y a pas d'amour heureux*)... Enfin, elle rompt totalement avec l'univers des copains.

On la découvre distante, lointaine, sophistiquée, refusant la familiarité et le tutoiement, de règle à ses débuts. Plus rare aussi. Elle disparaît parfois, mais revient régulièrement, proposant toujours à ses admirateurs des textes renouvelés et des musiques différentes. A dire vrai, la chanson n'occupe pas sa vie. Elle connaît d'autres passions, comme l'astrologie. Elle aime son public, mais n'entend pas se sacrifier à lui. Ce que ce dernier comprend. Et ce qui lui permet de tenir. Alors que bon nombre de ses rivales de jeunesse ont depuis longtemps disparu, elle demeure bien présente, et chacun de ses disques marque.

Une chance pour Françoise Hardy : elle abandonne le style qui lui donna ses premiers succès juste avant que le public ne s'en désintéresse. La bonne volonté, la gentillesse mielleuse, la sagesse outrancière commencent à lasser. D'autres besoins apparaissent : on réclame de l'acidité et une pointe d'insolence, un zeste de révolte et un brin de violence.

Venus de Grande-Bretagne, quatre garçons dans le vent, les Beatles, élèvent la dérision au rang d'un art. Multipliant les tenues provocatrices et proposant des formes musicales nouvelles, ils mettent à mal le conformisme de la vieille Albion, tout comme les Rolling Stones, plus âpres et plus hargneux, plus directs aussi dans leurs provocations, ou comme les Who, plus radicaux dans leur protestation.

Venue d'Amérique, la vogue des *protest songs* s'est généralisée, s'appuyant sur les mouvements politiques et sociaux qui bouleversent les États-Unis. Les anciens rebelles comme Woody Guthrie ou Pete Seeger se découvrent une éclatante descendance : Joan Baez, la madone des contestataires, l'inclassable et génial Bob Dylan, ainsi que Donovan, Simon & Garfunkel, Léonard Cohen... Ces chanteurs-guitaristes remettent tous en cause le mode de vie américain et s'attaquent aux tares du système : l'injustice raciale, la guerre du Viêt-nam, la croisade anti-communiste... On les écoute dans Greenwich Village, à New York, et dans les *coffee shops* étudiants de la côte Ouest, avant de reprendre en chœur leurs refrains à l'occasion d'énormes rassemblements contestataires.

Les premiers craquements

En France, la contestation demeure encore très feutrée. Depuis la fin de la guerre d'Algérie, le pays vit en paix, connaît un niveau de vie qui progresse régulièrement et semble comme assuré d'un pouvoir éternel, celui du général de Gaulle. « Et toujours... le même président », chantera bientôt, dans son *Inventaire 66*, Michel Delpech. Mais, sous l'apparente tranquillité, quelques grincements, quelques craquements commencent à se faire entendre.

Dans la chanson, d'abord. Peu accrocheurs par leurs thèmes, bien fades, on l'a dit, les « copains » avaient cependant tendance à prendre au sérieux le groupe social qu'ils représentaient. Ils n'acceptaient pas que l'on ironise sur eux. Les premiers iconoclastes qui s'y risquent, Hector, le « Chopin du twist », et Stella, qui ose comparer le folklore auvergnat au folklore U.S., en font la douloureuse expérience.

Antoine sera le premier à lever la malédiction. Faux beatnik (pour la mode venue des États-Unis) et véritable élève ingénieur à l'École Centrale, il se présente un peu comme la caricature de Bob Dylan, cheveux longs, chemise à fleurs, guitare en bandoulière et harmonica maintenu près de la bouche grâce à un appareillage complexe. Mais ses chansons n'ont pas la gravité acerbe de celles de son modèle. Il joue à fond l'humour et élucubre : « Mettez la pilule en vente dans les Monoprix. » Il provoque « Je fais tout ça pour moi, pas pour vous », se moque de tous et de lui-même : « Qu'est-ce qui tourne pas rond chez moi ? Je ne crois en rien, je n'écoute pas ce qu'on me dit... »

Il scandalise pourtant, car il n'est pas habituel alors de s'attaquer aux idées reçues ni aux gloires locales. Il agresse Johnny Hallyday qui, même honni des adultes, restait adulé des jeunes. Qu'un des leurs passe outre tient du crime de lèse-majesté ; on s'empoignera donc vertement entre partisans de Johnny et hérétiques à la sauce Antoine.

Tout en gardant son style de briseur d'idoles, Antoine s'essaiera au surréalisme (*Un éléphant me regarde*), puis prendra quelques distances avec son personnage comme avec la chanson. Pour lui, celle-ci reste un passe-temps, un moyen agréable de gagner de l'argent, et non une raison de vivre. Au music-hall, Antoine préfère la voile. Bientôt, il trouvera l'emploi du temps idéal : quelques semaines à Paris pour enregistrer un disque, publier un livre ou animer des émissions de radio, puis, le reste de l'année, voguer autour des îles du Pacifique, sur son bateau. Ses chansons restent bonnes même si elles ont perdu leur mordant. Pour accompagner Antoine débutant, un groupe de musiciens, les Problèmes... Ils deviendront les Charlots et excelleront dans le pastiche et la parodie.

Presque en même temps apparaît Jacques Dutronc, lui aussi apôtre de la dérision. Il forme avec son parolier, Jacques Lanzmann, un couple corrosif. Ensemble, ils vont sortir toute une série de chansons rigolardes et féroces que Dutronc, l'air détaché et le sourire narquois, interprétera avec une désinvolture saisissante. Une élégance de dandy, une distance affirmée à l'égard de ses couplets comme à l'égard de son public, Dutronc utilise à fond l'ambiguïté de son personnage, offrant aux auditeurs des textes peu sérieux mais souvent plus profonds qu'ils ne paraissent, et provocateurs.

Le provocateur et le traditionnel

Ses coups d'essai sont déjà des coups de maître. « Sept cents millions de Chinois / Et moi et moi et moi / Avec ma vie, mon petit chez-moi... / J'y pense et puis j'oublie / C'est la vie, c'est la vie... » Cette chanson qui raille les habitudes et les idées du petit bourgeois français moyen connaît un énorme succès. *J'aime les filles* réduit à néant l'image du Don Juan séducteur, image déjà malmenée par l'histoire du « truc » qui fait « crac boum hue »... Le cactus des *Cactus* entre dans le langage populaire et sera d'ailleurs repris par le président Pompidou.

Il arrive cependant au couple Lanzmann/Dutronc de jouer d'une certaine gravité. Avec Anne Segalen, ils écrivent *Il est cinq heures, Paris s'éveille*, une des descriptions les plus justes et les plus poétiques jamais faites de la capitale au petit jour. La chanson (qui sera classée première par les quarante critiques participant au *Nouvel Observateur* spécial « 40 ans de 45 tours ») représente pour la fin du XXe siècle ce que fut au début du XIXe la chanson de Desaugiers, *Paris à cinq heures du matin*. Cet aspect du duo Lanzmann/Dutronc transparaît également dans d'autres œuvres comme *le Petit Jardin*, charge violente contre les promoteurs immobiliers et le bétonnage intempestif.

Des années de travail en commun et le couple se sépare. Lanzmann retourne à la littérature, Dutronc se cherche d'autres paroliers. Sans rien perdre de sa virulence. Il chante en « yaourt », langage sans signification à consonance anglo-saxonne, et donne à sa composition un titre provocateur : *Merde in France*. Avec la complicité de l'autre grand provocateur du moment, Serge Gainsbourg, il concocte tout un lot de petits chefs-d'œuvre agressifs et dérisoires : *l'Éthylique*, description amère de leur funeste passion commune pour l'alcool, et surtout *l'Hymne à l'amour... moi-l'nœud*, longue litanie d'injures, pour la plupart à caractère raciste. Bref, Dutronc ne s'assagit guère !

Mais il se fait plus rare, car le cinéma s'intéresse à son personnage détaché, indifférent et sarcastique. Il donne ainsi à *Pierrot mon ami*, héros romanesque de Raymond Queneau, son allure narquoise, son regard lointain et son jeu qui le situe en même temps dans l'histoire et hors de l'histoire. Très vite, on lui confie d'autres rôles et il devient un des acteurs les plus marquants de sa génération : l'inoubliable Van Gogh de Maurice Pialat et l'inquiétant parrain de *Toutes peines confondues*, de Michel Deville.

L'arrivée de personnalités telles qu'Antoine et Dutronc bouleverse les valeurs des copains et des yé-yés, d'autant plus que l'on assiste par ailleurs au retour en faveur parmi les jeunes d'une certaine tradition chantée. Adamo, par exemple, devient si populaire qu'il ravit un temps la première place à Johnny et à Cloclo. Italien venu du Nord – il réside alors en Belgique –, il propose des couplets bien troussés où il laisse une large place à un humour bon enfant, à une sensualité affirmée, très éloignée de la chasteté de rigueur jusqu'alors. Ses héros et ses héroïnes ont un corps, de la chair, redécouvrent le désir, le goût du plaisir. Parfois, Adamo se laisse porter par de grands sujets, comme *Inch'Allah*, une belle chanson sur la paix.

Insolence et contestation

Bref, il n'est plus possible aux nouveaux copains et copines de continuer à suivre le chemin balisé par leurs aînés. Ainsi France Gall, qui démarre avec une chanson convenue, *Sacré Charlemagne*, bifurque très vite. Elle fait preuve d'une vigueur et d'une agressivité dont ni Vartan ni Sheila n'étaient capables (*Bébé requin*) et finit par former, avec Serge Gainsbourg, un étrange couple interprète-auteur.

Le sulfureux Serge imagine très vite le contraste qu'il peut faire naître entre une belle et fraîche adolescente et ses couplets provocateurs. Il joue délibérément l'ambiguïté, commence doucement avec *Attends, ou va-t'en*, chanson avec laquelle France Gall démontre qu'une fillette peut avoir du caractère, puis propulse sa filleule au sommet avec *Poupée de cire, poupée de son*, Grand Prix de l'Eurovision 1965, un texte où il décortique le mythe de l'idole : « Mes disques sont un miroir dans lequel chacun peut me voir... » Il lui fait ensuite chanter, dans *Baby Pop*, les vers les plus sombres qu'on ait proposés à une yé-yé : « Chante danse Baby Pop / Comme si demain Baby Pop / Au petit jour Baby Pop / Tu devais mourir... » Enfin, il l'embarque dans l'aventure d'*Annie aime les sucettes*, chanson qui remet à l'honneur le double sens des mots et les sous-entendus grivois. France Gall restera longtemps au sommet, s'estompera un temps, puis entamera une seconde carrière, tout aussi réussie mais différente, après sa rencontre avec Michel Berger.

Lentement mais sûrement, l'atmosphère change. Longtemps réservée à la tribu du Saint-Germain-des-Prés finissant, la chanson engagée fait un retour en force, mais dans un registre différent. Elle s'inscrivait jusqu'alors dans la tradition de l'antimilitarisme, elle découle désormais directement des révoltes de la jeunesse américaine. Et, tandis que les jeunes révolutionnaires (d'abord trotskistes, puis maoïstes) s'engagent pour soutenir, globalement, Lumumba contre les néo-colonialistes européens, Cuba contre Washington, Che Guevara et les guérilleros sud-américains contre les régimes qui les oppriment, et le Viêtnam, pays symbole de la lutte contre l'hégémonie U.S., c'est dans la chanson née aux USA que ceux qui les appuient trouvent leur inspiration. Ils ont popularisé une œuvre très écoutée sur les campus, *Eve of destruction*, de Barry McGuire. Ils vont faire un sort à ceux capables de rendre compréhensibles Pete Seeger et Bob Dylan aux oreilles françaises, traditionnellement peu douées pour les langues étrangères.

Graeme Allwright, Néo-Zélandais s'exprimant en français, est à la fois un passionné de country-music et de protest-song. Son répertoire emprunte aux deux genres, mais avec une dominante politique. Il existe alors aux États-Unis tout un courant de chansons rebelles, chansons de vagabonds qui trouvent un emploi au hasard des récoltes, chansons de chômeurs, nées pour la plupart durant la grande dépression des années 30, chansons de syndicalistes (très présentes dans les collections Folkways-Chant du monde), etc. Il n'y a pas qu'en France que l'on considère, comme le chante Jacques Higelin, que la guitare est un fusil.

Graeme Allwright traduit ces chansons et fait découvrir aux jeunes Français la révolte adolescente américaine. Son succès le plus marquant, *Jusqu'à la ceinture*, une œuvre écrite par Pete Seeger, démontre la stupidité de la discipline militaire, l'ignorance des chefs, et loue la libre détermination des hommes : « On avait de la flotte jusqu'à la ceinture / Et le vieux con nous dit d'avancer. »

Mais celui qui fait le plus pour cette chanson engagée « new style », c'est Hugues Aufray. Il avait interprété Gainsbourg (*Mes petites odalisques*), remis à la mode quelques vieilles chansons de l'Ouest américain, recréant, en particulier dans *San Miguel*, l'atmosphère du western. Il avait également redécouvert les anciens chants de marins et les avait mis au goût du jour. Il se faisait accompagner par un *skiffle group*, un ensemble de musiciens qui rappellent ceux des westerns.

Avec Pierre Delanoë, il entreprend de traduire Bob Dylan. Une initiative qui leur sera beaucoup reprochée, sous prétexte qu'ils ont modifié la pensée de l'auteur. Or, cela n'est vrai que pour un seul texte, *Mister Tambourine man* : ils font du sujet principal un homme-orchestre, alors qu'il s'agit d'un dealer qui tambourine sur la porte pour annoncer sa venue. Ont-ils tort ou raison ? La drogue, déjà très répandue aux USA, n'est pas encore, par chance, devenue un phénomène de masse en France. L'évoquer, c'eût été s'assurer l'incompréhension de la majorité des auditeurs. Ils ne le font donc pas, au grand dam des puristes.

Mais, pour le reste, ils sont bien fidèles à Dylan. *Les temps changent* représente une sorte d'appel à l'insurrection, bien compris par les jeunes Américains, et qui commence à gagner les jeunes Français. *Cauchemar psychomoteur* apparaît comme une mise en accusation de la majorité silencieuse américaine, très proche en fin de compte de celle qui domine alors en France... Quant aux chansons d'amour de Dylan interprétées par Aufray, elles s'inscrivent dans un mouvement romantique généralisé. Les jeunes, découvrant Dylan grâce à Hugues Aufray, éprouvent l'envie de connaître l'« original » et se mettent à fredonner ses disques, mêmes s'ils ne connaissent pas l'anglais. Nasillard et bouleversant, Bob Dylan devient ainsi très populaire dans l'Hexagone.

Retour à la diversité

Dans tous les domaines, le paysage, qui semblait figé à jamais, subit une profonde mutation. En même temps qu'Adamo, qui a remis le cœur et le corps à l'honneur, arrive un jeune homme bien différent qui donne au romantisme une nouvelle saveur. Leny Escudero écrit et compose des œuvres tendres, légères et passionnées : *Ballade à Sylvie*, *Pour une amourette*, etc. Très vite, sa passion convainc des auditeurs qui, pour la plupart, se recrutent dans le monde des « copains » : à ceux-ci, pourtant, ses musiques hors mode devraient déplaire, mais ils les découvrent, les adoptent et les chantent.

De même qu'ils adoptent Pierre Vassiliu. Au début, ce garçon ironique et goguenard apparaît presque comme un descendant des comiques troupiers du début du siècle, adepte de la grivoiserie et du sous-entendu dont chacun doit deviner le sens. Exemple : *la Femme du sergent*. Mais, très rapidement, il s'éloigne de cette voie et se lance dans diverses directions. Il se situe alors parmi les grands innovateurs de la chanson de ces dernières décennies, faisant intervenir la science-fiction (*Qui c'est celui-là,* adaptation détournée d'un titre du Brésilien Chico Buarque, *Partido Alto*), la tendresse et la chaleur (*Marie en Provence*), la pudeur adolescente (*Amour, amitié*), et même l'émotion pure (*Y-a-t-il quelqu'un ?*) Il lui arrive même de préfigurer, dans la chanson, ce que Jérôme Deschamps fera pour le théâtre. Son *Grand Restaurant* apparaît avec le recul, comme une version chantée de *Lapin-chasseur*. Enfin, la chanson n'étant qu'une de ses activités, il part en Casamance, y ouvre une auberge, et en revient périodiquement avec des chansons marquées par l'Afrique... Il aurait pu faire une carrière, il a préféré réussir sa vie.

Ainsi, à l'uniformisation presque générale des goûts de la jeunesse au début de la décennie succède peu à peu un retour à la diversité. Les jeunes contestent leurs idoles, différentes de celles des adultes ; le moule unique a disparu. Impossible d'envisager, d'imaginer de 1960 à 1962, l'énorme succès que connaîtra, en 1963, *Demain tu te maries*, chanson interprétée par Patricia Carli. Le mélo et l'outrance y sont poussés au maximum et la sensualité y apparaît à fleur de peau. On frôle le ridicule à tout instant, mais durant toute une année, rares sont les adolescents qui ne fredonnent pas : « Arrête, arrête, ne me touche pas / Je t'en prie aie pitié de moi... »

Une nouvelle voie se présente : un garçon s'y précipite avec un enthousiasme évident. Il s'agit de Nino Ferrer, qui a chanté un temps dans les cabarets de la rive gauche et s'aperçoit brutalement qu'en suivant le chemin des yé-yés on peut entraîner le public vers d'autres horizons que ceux qui, jusque-là, limitaient la vue des enfants sages. Il suffit de jouer le jeu en en modifiant la règle. Mieux, en utilisant tous les ingrédients qui constituent l'atmosphère sonore et verbale des teenagers – rythme, guitares électriques, simplisme – et en les transformant, en les rendant dérangeants, subversifs, on amène ces enfants à se dissiper.

Le rigolard mélancolique

La première arme de Nino : la dérision. Les enfants sages avaient connu la gloire en contant gentiment de menus événements de leur vie quotidienne. Lui continue sur leur lancée, mais transforme en brûlots ces récits. *Mirza* narre l'histoire d'un monsieur qui recherche sa chienne. Rien de plus banal en apparence que cette aventure, sinon que la frénésie de l'auteur-interprète va la pousser jusqu'au délire, la transformer en obsession. *Les Cornichons* décrit un pique-nique qui tourne mal en raison de la pluie. Ferrer en dégage une sorte de folie collective proche de l'esprit des films burlesques des années 20.

Nino Ferrer emploie régulièrement le même procédé : l'utilisation d'une litanie lancinante qui démarre doucement pour s'emballer inexorablement. Celle-ci peut porter sur des objets, des personnes, des sentiments, qu'importe ! Elle débouche toujours sur l'explosion, le feu d'artifice. Nino Ferrer écrit et compose dans la même veine que *l'Apprenti sorcier* de Paul Dukas, revu et corrigé par Walt Disney. Il adore effectivement les pantins qui peuplent ses chansons tout comme ceux des dessins animés.

Mais, à chaque fois, il leur apporte un plus, une sorte de morale aussi logique que saugrenue : « Qu'est-ce qu'on peut faire / Quand on ne sait rien faire ? / On devient un homme à tout faire / On n'a jamais le temps de boire un verre... » Il entraîne les auditeurs à se poser des questions auxquelles il ne répond jamais. Le monde étrange et indéfini qui gravite autour de *Madame Robert*, qu'est-il donc exactement ? Un bordel, disent certains. Nino, lui, n'explique pas, il s'amuse.

Il s'amuse à répondre, par exemple, à Jacques Dutronc, qui clame son amour universel des filles : « Moi je les préfère dans le seizième arrondissement / Les petites jeunes filles de bonne famille / Qui rougissent quand on les déshabille / Qui crient maman ! / Au bon moment. » Ou à briser les mots, à les rogner... Une génération entière cessera de parler de téléphone pour clamer : « Gaston y a l'téléphon qui son / Et y a jamais person / Qui y répond ! »

Il se complaît dans sa peau d'amuseur public, y ayant gagné une popularité certaine. Ses chansons sont reprises en chœur dans les fêtes, et il devient, comme le fut jadis Salvador, le symbole de la liesse collective et de la joie de vivre. Mais cela ne lui suffit pas, car la plaisanterie n'est agréable que si l'on peut un jour placer le mot « fin » sur la partition. Or, sans le vouloir et sans doute s'en apercevoir, Nino Ferrer s'est enfermé dans un genre. On parle de lui en ces termes : « Ah oui ! il est marrant. » Or, il a d'autres choses à dire, et même si ça le fait rire, il reste vraiment un rocker. Le rythme, l'invention sonore sont pour lui aussi importants que la virtuosité verbale. Bien davantage que Boby Lapointe, auquel l'apparente le goût des mots rares et distordus, il s'inscrit dans un courant musical. Il l'a d'ailleurs lui-même affirmé avec *Je voudrais être Noir,* chanson dans laquelle il se situe dans la lignée de James Brown...

Il rêve en fait de posséder le même pouvoir d'émotion, la même force d'entraînement que les grands bluesmen et rockers noirs américains. De pouvoir dire aussi des choses importantes autrement que sur le ton de la dérision.

Il bifurque, s'attirant une sorte de semi-défaveur... On l'écoute toujours, mais sans s'attacher vraiment à ses nouveaux disques. On préfère les anciens. Jusqu'au jour où, enfin, au début des années 70, il sort presque coup sur coup deux très grandes chansons, deux petits chefs-d'œuvre qui perdureront. Année après année, elles restent, s'ancrent dans les mémoires, aussi éternelles que *le Temps des cerises* ou *les Feuilles mortes.*

Il s'agit, bien entendu, de *la Maison près de la fontaine* et *le Sud.* Curieusement, alors qu'on les sent faites pour durer, elles sont aussi tout à fait imprégnées de l'esprit du temps : pacifistes et un peu écolos, mais elles dépassent largement le niveau auquel se limite trop souvent la chanson engagée. De ces textes, de leur musique, se dégage une réelle poésie, simple mais immédiatement perceptible. Il existe une grande finesse et une réelle légèreté dans la façon qu'a Nino de décrire par petites touches, sans jamais appuyer, les lieux et les sentiments qui l'inspirent : « C'est un endroit qui ressemble à la Louisiane, à l'Italie » (*le Sud*) ; « On allait à la pêche aux écrevisses / Avec monsieur le Curé / On se baignait tout frais tout nu / Avec les petites filles » (*la Maison près de la fontaine*).

A la suite de ces grands succès, le moment semble venu pour Nino de prendre du recul et de s'éloigner de la capitale, de s'installer dans le Sud-Ouest pour y élever des chevaux. Il continue d'écrire des chansons, de les rassembler dans des albums, de faire des tournées, mais avec une certaine désinvolture. La promotion n'est pas son fort. Ajoutez à cela qu'il a du caractère et qu'il sait pousser loin son goût de la polémique. Résultat : hormis ses anciens succès, les médias se préoccupent de moins en moins de ses compositions. Sauf, exception, pour les démolir. Italien de naissance et de culture, imprégné par l'œuvre de Dante dès son adolescence, il ose mettre en musique des extraits de *l'Enfer*. Une prétention qui paraît invraisemblable pour un rocker ou un chanteur de variétés. On saura le lui faire sentir.

Reste que les chansons qu'il continue d'écrire sont excellentes. Difficile, par exemple, de trouver dans le répertoire d'un auteur-interprète une description aussi exacte et distanciée de la « tournée-galère » que celle de *Rock and roll cow-boy*. Gageons d'ailleurs qu'il garde en réserve une véritable collection de pierres précieuses... Quelque peu éloigné de la chanson, il s'est consacré à la peinture. Son répertoire, d'une grande richesse, reste trop inexploité : Nino Ferrer a encore du talent et de l'énergie à revendre. Il nous réserve sans doute de bonnes surprises.

Fin d'une décennie

Nino Ferrer manie le verbe avec autant de bonheur que la musique. Michel Polnareff, son presque contemporain, se veut, quant à lui, avant tout musicien. Personnalité étrange, aux attitudes imprévisibles, il sait se préserver des modes et des vogues, comme si celles-ci pouvaient porter atteinte à son intégrité. Enfant de la balle, il est le fils de Léo Poll, l'auteur du *Galérien*, succès interprété par Yves Montand. Polnareff débute sa carrière en chantant et en faisant la manche sur les places publiques parisiennes. C'est Lucien Morisse, alors directeur des programmes d'Europe 1, qui découvrira son talent et lui donnera sa chance. Plus tard, après le suicide de son protecteur, Michel lui rendra hommage dans *Qui a tué grand-maman ?*

L'un des premiers en France, Polnareff adopte les sonorités, les orchestrations et les lignes mélodiques de la pop music britannique. Il utilise sa voix en la déformant savamment, à la manière d'un instrument de musique. Il n'écrit généralement pas ses textes, mais les auteurs qui travaillent pour lui, Dabadie, Delanoë et autres, s'adaptent à la fois au personnage et à la diction qu'il a adoptée, quitte, parfois, à donner un certain simplisme aux couplets qu'il interprète. La sonorité des mots l'emporte alors sur leur sens.

Le plus souvent, c'est le personnage qui compte. Polnareff reste avant tout un romantique, capable de créer des atmosphères quelque peu brumeuses, angoissantes ou désespérées, mais aussi de raconter des aventures déraisonnables. De *la Poupée qui fait non* de ses débuts au *Bal des Laze*, on sort parfois avec une impression de malaise, ou plutôt de « mal-être », comme si par ses chansons il entendait démontrer l'impossibilité du bonheur humain. Terrible, notamment, la première phrase du *Bal des Laze* : « Je serai pendu demain matin... »

A cette permanente désespérance, Polnareff ajoute volontiers la provocation. Consciemment ou non, le scandale l'attire. Il ose les phrases que beaucoup souhaitent entendre, mais que la majorité silencieuse accepte encore malaisément. *Je veux simplement faire l'amour avec toi* entraîne une levée de boucliers, avec interdiction de passage sur les ondes des radios d'État et périphériques. Une rumeur ayant couru sur ses capacités viriles (on lui reproche ses cheveux longs, ses tenues ambiguës et ses lunettes noires, qui feront bientôt florès), il réagit avec une chanson agressive, aussi excessive par le ton que par le contenu, *Je suis un homme*. Une audace que certains lui pardonnent difficilement.

Provocateur par le mot, il l'est également dans son comportement. Sur scène, il se montre tantôt froid, voire glacial, tantôt d'une exubérance extrême. A l'occasion d'une série de concerts à l'Olympia, il apparaît sur ses affiches la tête cachée par un immense chapeau, mais les fesses à l'air. Cela lui vaudra un très médiatique procès pour atteinte aux bonnes mœurs, et il sera d'ailleurs condamné.

Il connaîtra d'autres ennuis avec la justice. Grugé par un secrétaire sans scrupules qui néglige de déclarer ses revenus, il voit le fisc le poursuivre. Amende et impôts sont tels qu'il ne peut faire face. Apeuré, il fuit aux États-Unis, d'où il écrira une très belle *Lettre à la France*, un hommage à son pays. Il fait sans doute partie de ceux qui, avec Léo Ferré, pensent que les artistes ne devraient pas payer d'impôts, étant là avant tout pour apporter le bonheur aux gens.

Polnareff a sans doute donné moins que ce que l'on pouvait attendre de lui, mais il laisse quelques belles chansons, sans compter celles qu'il n'a jamais enregistrées. Il s'isole, il se claustre, mais on peut encore espérer beaucoup de cet artiste à part.

Quelques mots encore sur cette période bizarre qui débute sur une sagesse exagérée et s'achève par des débordements en tous genres. Ronnie Bird, rocker psychédélique (la mode étant alors à l'acide, au L.S.D.), n'a pas laissé de souvenir particulier, ni par son style, ni par ses chansons, mais est devenu un personnage mythique : « Ronnie Bird, une espèce de Brummel, série B... », dit de lui Serge Loupien dans *Libération*. Tous l'avaient oublié, excepté quelques inconditionnels, et il revient avec des chansons écrites pour Ray Charles et Dee Dee Bridgewater, et avec des chansons pour lui-même, qu'il interprète désormais en anglais.

Une chanson encore : *Qu'est-ce que je vais faire dimanche ?* Violente, celle-ci dénonce la vacuité des temps libres qu'on ne sait comment occuper. Due à un rocker belge, elle est à la rengaine ce que sera à la presse l'article de Pierre Viansson-Ponté, rédacteur en chef du *Monde*, « La France s'ennuie... » Elle annonce un avenir incertain, des craquements et des bouleversements.

11.
PRÉSENCES FÉMININES

La plébéienne et le poète

11 octobre 1963. Une date funeste où, à quelques heures d'intervalle, disparaissent deux figures considérables de la culture française. Jean Cocteau d'une part, poète, dessinateur, dramaturge, cinéaste, ami des plus grands. De la danse à la littérature, il a été l'homme de toutes les avant-gardes. Il n'a pas écrit spécifiquement pour la chanson (sauf *le Joueur de Monte-Carlo* pour Mouloudji) mais il a permis à des interprètes essentiels de s'affirmer. A Marianne Oswald, qu'il a soutenue à l'époque où chacun de ses tours de chant provoquait des bagarres et qui fut l'une des premières à oser chanter Prévert, il a offert *la Dame de Monte-Carlo*, et *Anna la bonne*, un monologue étrange et prenant, loin des sentiers battus du music-hall. Pour Édith Piaf, il a écrit le très poignant *Bel Indifférent.* Bientôt, Gilbert Bécaud rendra hommage à Jean Cocteau (*Quand il est mort le poète*).

La seconde disparition est celle d'Édith Piaf, une légende vivante, la chanteuse la plus populaire que la France ait connue. Les origines, le style de Piaf et de Cocteau sont on ne peut plus dissemblables. Rien ne semble rapprocher la plébéienne farouche qui tire ses cris de ses entrailles et se met en cause à chacun de ses couplets, de l'esthète mondain, un peu snob mais curieux de tout, dont le génie inventif semble illimité. Ils sont pourtant devenus amis. En Cocteau, Piaf admire l'homme qui abolit les barrières, le dandy à l'aise aussi bien dans les bars douteux que dans les salons, l'être qui, incessamment, cherche à comprendre. Grâce à Piaf, Jean Cocteau découvre le peuple, ses tragédies, ses souffrances et ses espoirs. Dans ce petit bout de femme à la voix trop puissante et trop déchirante pour un corps si fragile semble vibrer une douleur accumulée durant des siècles.

Rien n'indique d'abord que Piaf atteindra cette dimension mythique, elle, la fille des rues et des cours d'immeuble où l'on troque quelques refrains contre des pièces de monnaie jetées des étages soigneusement enveloppées dans du papier journal pour qu'elles ne se perdent pas. La misère l'entoure. Dans son milieu, on ne mange pas à sa faim, et le père, artiste ambulant, est lui aussi un miséreux. Édith mène une existence de semi-clocharde. En somme, elle connaît par expérience l'univers qu'elle va bientôt décrire.

Au hasard des ruelles sombres et bruyantes, on croise des bistrots miteux mais accueillants, des hôtels borgnes où le prix de la chambre s'ajoute à celui de la passe, des petits voyous, Prospers et « macs » de tout style, qui tapent le carton, pendant que leurs « gagneuses » s'occupent du client, quelques « putains » enfin, douloureuses, généreuses, filles perdues, sans espoir, qui gardent pourtant, dans un coin secret de leur âme, une petite lueur de fraîcheur et de naïveté.

Quartiers chauds des ports, Hambourg ou Marseille, bas-fonds des grandes cités où des aventuriers, marins blonds au regard lointain, presque innocents, écrasent sur leur poitrine tatouée des femmes trop fardées, vénales, mais prêtes à tout lâcher pour quelques heures de bonheur vrai.

Lugubre, grouillant d'une humanité pitoyable et sans pitié, le monde de la chanson réaliste impose sa loi. Les hommes le dominent, les femmes l'habitent. Torturées, elles répètent inlassablement leur pauvre aventure, presque toujours la même. Elles vivaient dans la fange. Un homme, un soir, est arrivé : « Il était grand, il était beau / Il sentait bon le sable chaud. » Il leur a dit : « Tu me plais. » Elles ont cru au bonheur. Puis, au matin, « il est parti dans le lointain », pour mourir au combat, comme *Mon Légionnaire*, ou dans le naufrage d'un navire, comme *l'Étranger*.

Une seule histoire, beaucoup de victimes. Qui ont leur nom gravé dans l'inconscient collectif. Qui faisaient pleurer Margot aux mélodrames du boulevard du Crime. Qui apitoyaient Bruant sur les malheurs de la rose du pavé, la fleur de berge.

Les larmes de la môme

Cet univers lugubre est celui de nombre de très grands interprètes, des femmes évidemment, vraies « tragédiennes de la chanson », à l'image de Damia. Les jeunes redécouvrent aujourd'hui cette grande interprète qui, avec Marie Dubas et Fréhel, régna sur la chanson réaliste. Non sans certaines outrances. Damia, silhouette noire et pâle, chantait *la Veuve*, une chanson sur la guillotine, l'instrument de mort en ombre chinoise derrière elle. D'autres, à l'inverse, débordent de sentimentalisme ; *les Roses blanches*, « tube » de Berthe Sylva, faisait instantanément jaillir les larmes de ses auditeurs. On aimait alors à se laisser émouvoir par des destins encore plus misérables que le sien.

C'est donc naturellement qu'Édith Piaf entre dans le domaine de la chanson réaliste, telle qu'elle l'a entendue et chantée enfant, sur le bord des trottoirs, telle aussi qu'elle l'a vécue. C'est, comme il se doit, dans la rue, que Louis Leplée, patron d'une boîte de nuit, la découvre, l'engage et lui trouve même son nom, la Môme Piaf, parce qu'une autre « parigote », la Môme Moineau, défraie la chronique... La petite robe noire, l'assassinat de Leplée, l'inculpation d'Édith pour complicité (elle sera bientôt innocentée) entrent alors dans la légende. Toutes choses vraies, mais si étroitement liées au personnage Piaf qu'elles en paraissent presque imaginaires.

Leplée a remarqué sa voix, son incroyable pouvoir de conviction, la façon déchirante, enfin, dont, face au public, elle sait mettre son cœur à nu. Ces mêmes qualités vont conquérir le public. Sa sincérité, surtout, fait mouche. Elle chante, et ses rengaines, si médiocres soient-elles parfois, deviennent émouvantes et poignantes. Les mondes qu'elle décrit, si imaginaires soient-ils, semblent se dresser devant nous. Son univers n'est pas seulement un ensemble de belles histoires tristes. Il est régi par une morale : la défense du droit à l'amour pour les humbles, les déshérités, les avilis, les coupables et les vaincus. L'amour brise, l'amour épuise, l'amour use, l'amour fait souffrir et hurler. Mais, malgré la douleur et la misère, il faut aimer : c'est la seule chance et l'unique salut.

Frêle, vulnérable, Édith crie la misère. Elle s'arrache le cœur, tire ses cris d'un corps qui semble à tout moment prêt à craquer. Elle tremble de froid, elle a chaud, ses bras se tordent, ses mains se crispent, suppliantes, sa voix étouffe mal ses sanglots... Piaf chante.

Inlassablement, elle évoque les gangsters promis à la mort (*Browning*), les filles livrées à la souffrance (*l'Accordéoniste*), les malheureux sacrifiés (*le Grand Voyage du pauvre nègre*), les amoureux conduits au suicide (*les Amants d'un jour*)... Et les errants, les compagnons de la mauvaise chance, *Marie la Française*, cette fille qui, pour un soir, accorde calme et sécurité à un homme traqué, condamné, auquel tant de sollicitude arrachera demain quelques larmes.

Cocteau a vu juste : Piaf pourrait faire pleurer en chantant l'annuaire du téléphone. Le fait est qu'elle choisit parfaitement ses textes. Elle a commencé par reprendre des chansons réalistes, avant de constituer son propre répertoire, parfaitement adapté à son personnage. Elle possède cette qualité rare : savoir d'instinct ce qui lui convient. Elle s'entoure d'un groupe d'auteurs et de compositeurs qui s'attachent à renforcer encore son emprise sur le public ; ce sont Marguerite Monnot, Raymond Asso, Henri Contet, Georges Moustaki, Charles Dumont, Michel Vaucaire... Pas de faute de goût, sinon pendant les périodes de bonheur : la quiétude conjugale sied mal à son style. Piaf n'est pas faite pour une mer étale.

Parfois, pourtant, une accalmie. Elle chante *Eden Blues* où Moustaki laisse entrevoir les images d'un paradis terrestre, mais sans s'attarder : la souffrance seule l'attire. Jacques Prévert et Henri Crolla peuvent bien lui faire clamer : « J'aime pas l'malheur / J'aime pas l'malheur / Et le malheur me le rend bien / Il dit qu'on est marié ensemble / Même si c'est vrai, je n'en crois rien », elle continue à subir le malheur, à s'en repaître, à l'exprimer avec son âme, son corps et sa voix déchirante. Elle vit avec lui. Elle en vit.

Les rapports de Piaf avec son public relèvent presque du religieux. Elle semble porter sur ses pauvres épaules toute la souffrance du monde. Elle prend sur elle les drames et les angoisses. Elle les soulage, les assume. Elle est la victime expiatoire de la chanson. Lors de ses dernières prestations sur scène, elle est malade ; on le sait et cela se voit. On ne l'en aime que plus. Et c'est lorsqu'à la fin de *la Foule* elle esquisse maladroitement un pas de valse avec ses jambes enflées, que son succès est le plus total.

Générosité et déchirures

On a dit, à tort, que les spectateurs venaient à l'Olympia dans l'espoir qu'elle s'effondrerait sur scène, tel cet Anglais qui suivait le cirque en espérant voir le dompteur dévoré par ses fauves. La réalité est plus complexe. Ce qui fait la grande force de Piaf, outre ses qualités de chanteuse et d'actrice, c'est son évidente sincérité. Aucune différence entre la femme qu'elle est et le personnage qu'elle interprète. Si elle sait si bien traduire la souffrance, c'est qu'elle souffre vraiment et que personne ne l'ignore. Une sorte d'exhibitionnisme la pousse à partager ses malheurs comme ses bonheurs avec le public. A la presse populaire, dont elle fait très souvent la une, elle raconte sans voile ses rencontres, sa vie, ses difficultés.

Bien sûr, elle ne dit pas tout, cachant par exemple son rapport à la drogue. Mais les journalistes ont l'habitude de romancer ses aventures, et les lecteurs celle de lire entre les lignes. Les rumeurs l'entourent.

Ainsi Piaf reste-t-elle « vraie » en toute circonstance, même lorsque, sur la fin, elle se détache de la tradition réaliste. Elle n'en a plus besoin. Elle monte sur scène, chante. N'importe quoi : qui s'en soucie ? Elle souffre, et on la croit. Abandonnant à d'autres les victimes pitoyables et désespérantes d'une mythologie tragique, elle est devenue la victime unique, abstraite, symbolique. Plus de prostituées au grand cœur et à l'existence misérable, plus d'héroïnes à quatre sous : elles masquaient l'essentiel. Les putains sont loin : cette fois la souffrance est toute proche, elle nous appartient, et cette souffrance a nom Édith Piaf.

Bien sûr, le personnage privé diffère souvent du personnage public. Piaf rit, plaisante avec les nombreux copains qui l'entourent. Elle leur fait des farces, parfois cruelles. Souvent autoritaire et intraitable, elle se montre aussi d'une folle générosité : sachant l'Olympia en difficultés financières, ne propose-t-elle pas à Bruno Coquatrix d'aller chanter chez lui alors qu'elle est gravement malade ?

Piaf n'est pas vraiment belle, mais elle séduit son entourage. Formidable femme de spectacle, elle y découvre des talents aussi prometteurs que les Compagnons de la Chanson, Yves Montand, Eddie Constantine, Georges Moustaki, Charles Dumont, etc. Leur carrière, et bien d'autres, s'en trouvent facilitées. Mais, derrière cette prodigalité, presque excessive (Piaf mourra endettée), on devine la peur de la solitude, le besoin de s'étourdir, d'oublier à la fois sa jeunesse déchirée et son amertume présente. Si l'image de Piaf reste tragique, c'est que la tragédie l'a sans cesse accompagnée.

Le personnage de Piaf est irremplaçable. On ne forge pas aisément un mythe de cette dimension. D'autre part, l'heure n'est plus aux déchirements, à la misère physique et morale. Ce style semble condamné. Même un homme aussi profondément ancré dans le spectacle que Bruno Coquatrix – il lui a consacré sa vie – avoue ses incertitudes. A un journaliste du *Monde*, il confie : « Aujourd'hui, une nouvelle Piaf ne tiendrait pas trois mois. » Coquatrix se trompe, évidemment. Comme se trompent tous les gens du métier. Mais en même temps, il dit vrai. « L'histoire se répète, constatait Marx, mais la seconde fois, elle bégaie. » Piaf n'aura pas de successeur, seulement des caricatures. Non que, à la mort de Piaf, les fortes personnalités manquent. Des femmes comme Germaine Montero ou Pia Colombo possèdent les qualités requises pour séduire un public friand d'émotions simples. Mais elles ont fait un autre choix. Elles chantent Prévert et Mac Orlan, Brecht et Francis Carco. Elles ne font que frôler l'univers de la chanson réaliste : après tout, il n'y a que peu de différence entre les bas-fonds décrits par la *Chanson de Margaret* ou la *Complainte de Mackie* et ceux où se meut l'héroïne de *Elle fréquentait la rue Pigalle*. Mais le regard porté est plus critique, plus aigu. Pia refuse de pardonner à *Surabaya Johnny* (Brecht/Weill), une ordure volontaire et sans complexe, ce que Piaf tolère de *Johnny Palmer.* C'est là un défi intellectualiste que la chanson réaliste ne peut relever.

Héritières ?

Aucun risque de ce genre avec celles qui vont devenir les véritables héritières de Piaf. Il faudra deux bonnes années pour qu'elles émergent, mais avec en main tous les atouts nécessaires pour suivre ses traces : une voix, puissante et émouvante ; un passé émouvant, propre à faire vibrer les foules ; enfin, un producteur de savoir-faire et d'entregent disposant de moyens financiers.

Elles sont deux prétendantes à l'héritage : Georgette Lemaire, la Parisienne, et Mireille Mathieu, l'Avignonnaise. Elles ont la voix, l'ampleur, la force indispensables... L'histoire, aussi : Mireille est issue d'une famille nombreuse et défavorisée ; pauvre également Georgette, qui, toute jeune, s'en allait errer dans les allées du cimetière du Père-Lachaise, le seul espace vert du quartier où elle vivait. Reste le mentor, le *deus ex machina* : Johnny Stark a pris en main le destin de Mireille ; on ignore qui s'occupait de Georgette. Télévision, campagnes de presse, appels au public... Mireille emporte le titre. Georgette tentera de surnager, fera moult tentatives pour retrouver la faveur du public, sans jamais vraiment y parvenir. On la retrouvera au Conseil économique et social lors du premier septennat de François Mitterrand.

Mireille, toujours défendue par Stark, est à l'aube d'une grande carrière. Sa popularité, elle l'a gagnée en jouant de celle de Piaf. Mais elle ne saurait tenir longtemps en restant fidèle à son modèle. L'authenticité, les déchirures, le charisme lui font défaut. Mireille est trop pâle, trop mièvre pour rendre crédible une Piaf bis. Qu'à cela ne tienne ! Elle mettra désormais cette mièvrerie et cette fadeur en avant. La référence à la famille d'Avignon demeure bien sûr, mais on insiste maintenant davantage sur ses mérites que sur sa misère : la maman qui a su élever une kyrielle d'enfants, les rendre tous propres, polis et discrets. Quant au répertoire de Mireille, il abandonne définitivement l'univers réaliste, pour façonner un monde plus doux, plus sage, et plus soumis. Aux filles de joie déchirantes et déchirées succède la petite jeune fille que chaque famille française accepterait volontiers pour bru.

L'étonnant est que cette volte-face remporte un vif succès. Un nouveau public est conquis. Ainsi Mireille Mathieu est-elle devenue, depuis un quart de siècle, l'une des chanteuses les plus populaires de notre pays et l'interprète française la plus aimée à l'étranger. La raison de son succès réside essentiellement dans sa voix, que certains ont jugée trop lisse, mais qui, belle et puissante, fait oublier les faiblesses et les imperfections du jeu de scène. Le public apprécie également le personnage, sa gentillesse supposée, sa modestie affirmée et la touche d'insignifiance qui la caractérise. Sans doute n'aurait-on pas autant aimé une Mireille trop intelligente !

Mireille Mathieu, cependant, est un cas. La France, peu friande de belles voix, s'enflamme rarement pour elles. Nana Mouskouri, qui poursuit une fort belle carrière internationale – elle chante notamment avec le grand Harry Belafonte – obtient certes mieux qu'un succès d'estime dans l'hexagone, mais personne ici ne la considère comme une star. Sauf peut-être lorsqu'elle se lance dans des duos avec Michel Legrand, remarquable musicien et excellent interprète, ou quand elle reprend, du même Michel Legrand, les chansons du film *les Parapluies de Cherbourg,* de Jacques Demy.

Nicole Croisille est également une voix, et même plus que cela. Cette ancienne danseuse, formidablement douée pour le jazz, débute en beauté avec des chansons très rythmées. Elle est une des interprètes choisies par Pierre Barouh et Francis Lai pour illustrer les films de Claude Lelouch. Puis, sans raison apparente, elle connaît une période de défaveur, moins auprès du public que des maisons de disques.

Un disque enregistré en anglais sous le nom de Tuesday Jackson lui permet de renouer avec le succès. Dès lors, elle réoriente entièrement son répertoire, donne dans la chanson sentimentale (*Parlez moi de lui*), se permet de faire chanter Emma Bovary et conquiert un nouveau public. Elle est alors très proche de la chanson réaliste, moins par les thèmes que par le ton désespéré de ses couplets. Il ne lui reste plus qu'à fondre en un seul personnage toutes ses différentes facettes : la jazzwoman, la sentimentale et la lettrée, ce qu'elle réussit vers la fin des années 80.

La belle du Sud

Peut-être Dalida a-t-elle le mieux assuré la succession de Piaf. Rien pourtant ne l'y prédisposait. Hormis ce désespoir latent qui a fini par la conduire au suicide, elle n'a aucun point commun avec Édith. L'une est née dans la grisaille des ruelles, l'autre vient du soleil. Édith personnifie la douleur, Dalida semble faite pour la joie. D'ailleurs, ses débuts dans la chanson sont résolument placés sous le signe de l'exotisme : accent chantant, refrains conventionnels, sourire permanent. Elle s'inscrit dans la suite logique de Rina Ketty qui, avec *Sombreros et mantilles,* connut son heure de gloire avant la guerre, et pousse doucement vers la sortie Gloria Lasso qui occupait dignement ce « créneau » depuis des années. La volcanique Gloria s'envole vers le Mexique, y devient une star et y gagne une légende, celle d'une dévoreuse de maris, sitôt jetés après usage...

Dalida se retrouve seule, à peine concurrencée par Petula Clark dont l'exotisme britannique ne lui fait guère d'ombre... Et puis, Dalida possède d'autres atouts : l'humour, l'ironie... Elle fait écrire ses chansons par de bons faiseurs, tandis que Petula s'appuie sur des auteurs : Boris Vian (*Java pour Petula*), Serge Gainsbourg (*Vilaines filles et mauvais garçons, Ô sheriff ô*)... L'une et l'autre ne jouent pas dans la même catégorie.

Rika Zaraï est l'autre soleil de l'exotisme méditerranéen. Israélienne, elle a servi, au grade de sergent, dans l'armée de son pays. Sa joie bon enfant, sa gaieté ne sont pas exemptes de démagogie. Certaines de ses chansons, comme *Tout nu et tout bronzé,* connaîtront un succès aussi important qu'inattendu. Elle abandonnera la scène dans les années 80 pour se consacrer à la phytothérapie.

Dalida voit sans inquiétude se développer le phénomène Rika. C'est qu'elle change. Physiquement d'abord : de brune, elle devient blonde, apparemment plus grave et plus soucieuse. Moralement ensuite : les certitudes qu'elle affirmait, concernant l'amour, le bonheur et l'avenir, s'effritent. Elle doute, tâte de l'ésotérisme, allie panache (elle conduit ses spectacles comme une meneuse de revue) et fragilité. Parallèlement, elle découvre les grands auteurs, chante *Avec le temps*, l'immense succès de Léo Ferré, prend conscience de son âge (*Il venait d'avoir dix-huit ans*) et donne à ses tours de chant une épaisseur qui leur manquait.

En outre, elle retrouve le cinéma, abandonnant cette fois les rôles de fades héroïnes pour affirmer de véritables talents de comédienne dans un beau film du réalisateur égyptien Youssef Chahine. En somme, la vedette qu'elle est devenue a enterré la starlette débutante qu'elle fut. C'est peut-être là son drame. Avec le temps, elle se sent de moins en moins sûre d'elle. Après plusieurs tentatives de suicide, elle trouve finalement la mort en 1987.

Chacune des émissions commémoratives que la télévision lui consacre atteint des taux d'écoute considérables. Elle est devenue depuis sa mort une des championnes de l'audimat, et une sorte de culte païen s'est instauré autour d'elle. Aux amateurs d'exotisme bon marché de ses débuts – des petites gens pour la plupart – sont venus se joindre d'autres fidèles, plus cultivés, plus sensibles à la Dalida qui sut marier l'humanité et la sophistication... Une frange d'intellectuels s'est même ralliée à elle. Disparue, elle possède un public plus vaste, plus divers que de son vivant. A la revoir et à la réentendre, nombre de téléspectateurs ont la gorge nouée. Elle amusait, elle émeut. De plus en plus.

La chanteuse de minuit

Changement de décor. Sur la rive gauche parisienne, au bord de la Seine, tout près de la place Saint-Michel, un cabaret, l'Écluse. Ancien rendez-vous de mariniers, il a gardé de cette époque quelques bouées accrochées au mur. Dans la salle longue et étroite, quelques dizaines de personnes s'entassent, installées sur d'inconfortables tabourets, les genoux coincés sous les tables de bistrot. Des artistes, Marc et André, Brigitte Sabouraud, Léo Noël, assurent la direction de la petite salle. Ils ont bon goût. On vient à l'Écluse en confiance, sans se donner la peine de consulter le programme. Rares sont les attractions qui déçoivent.

Peu de place sur la minuscule scène : à peine assez pour caser le piano droit qui accompagne les prestations et meuble les silences. Au début des années 50, une jeune femme s'installe derrière le piano, joue et chante. Sans micro, instrument banni de ce lieu où l'on ne fait confiance qu'à la voix nue. On l'a surnommée « la chanteuse de minuit ». Elle s'appelle Barbara.

Un personnage, une personnalité à coup sûr. Elle interprète avec une ironie narquoise des couplets Belle Époque, de vraies caricatures à la Daumier. Pas de jeu de scène, seulement quelques mimiques pour accentuer les effets et quelques gestes, vastes et souples, de la main qui abandonne un instant les touches du piano.

Il lui arrive aussi de puiser son répertoire chez des contemporains, Brassens et Brel notamment. Elle rend encore plus féroces les descriptions sans indulgence des *Flamandes* du grand Jacques et donne une pointe d'humanité supplémentaire à la *Pénélope* du bon Georges. Les passionnés, ceux qui régulièrement viennent voir Barbara, lui trouvent un lien de parenté avec la grande Yvette Guilbert.

Déjà, elle compose et elle écrit des textes. Mais une sorte de crainte, de timidité, l'empêche de les chanter, alors que ceux des autres, déjà rodés et sur lesquels elle peut broder à loisir, la rassurent. Parmi ses admirateurs, déjà nombreux, beaucoup pensent qu'elle deviendra une très grande interprète, à la manière de Catherine Sauvage et de Cora Vaucaire. Qu'on lui donne de bonnes chansons, disent-ils, et elle saura les défendre. Ces belles chansons, elle les possède : ce sont les siennes. Reste à les imposer.

C'est en 1964 qu'elle saute le pas. Elle change de maison de disques, passe en vedette américaine de Brassens à Bobino en décembre : elle est célèbre du jour au lendemain, et sort un 33 tours dans lequel elle enregistre – enfin ! – ses propres œuvres. Une perfection. En outre, l'album révèle une Barbara transformée. La fille piquante, insolente, jouant sans complexe de la pointe sèche et de l'humour décapant, est devenue une femme amoureuse, tendre, inquiète, qui raconte des histoires comme des confidences et livre ses états d'âme au public, non sans une certaine impudeur.

Dans *Pierre*, une chanson sensible et délicate sur l'attente de l'autre, de l'homme, elle emploie les phrases du quotidien, les formules de la conversation courante, qu'elle remplit d'un contenu poétique inattendu. *Nantes*, récit poignant et discret, raconte la mort d'un père qu'elle n'a pas eu le temps de retrouver. Sans grandiloquence, sans larme à l'œil, elle trouve le moyen de faire naître l'émotion, de partager un drame personnel.

La longue dame brune

Parfois cynique – elle se dit *Ni belle ni bonne* –, elle sait rompre avec la confidence pour retrouver l'humour dans des chansons de pure imagination : « Si la photo est bonne / Qu'on m'amène ce jeune homme... / Cette crapule au doux sourire... / Je sens que je vais le conduire / Sur le chemin du repentir. » Mais gravité et tristesse prédominent ; l'espoir aussi, comme dans *Göttingen*, qui repose sur l'innocence des enfants. Un autre thème sous-jacent nourrit cet album : « Depuis elle me fait des nuits blanches / Elle s'est pendue à mon cou... » (*la Solitude*.)

Dès ce premier 33 tours accompagné d'une première scène, tous les sujets qu'évoquera Barbara, ou presque, sont là. Le coup d'essai est un coup de maître. A preuve, la quasi-totalité des chansons qu'elle interprète alors deviendront des classiques et troublent encore les jeunes de 1992 comme elles ont séduit ceux de 1964. A chacun de ses récitals, des spectateurs qui n'étaient pas nés au moment où elle les créait les réclament. Elles font partie de leur patrimoine.

On comparait Barbara à Yvette Guilbert du temps de l'Écluse. On la compare bientôt à Juliette Gréco. En raison de sa distance à l'égard du public, distance qu'elle abolira bientôt, en raison aussi de la beauté classique de ses musiques, de l'intelligence de ses textes, de sa diction parfaite... Pour sa tenue de scène enfin : elle est déjà *la Longue Dame brune* que Moustaki décrira et qui, dès sa première apparition, soulève les passions. Certains voient en elle une autre Piaf. Bien sûr, les différences sont évidentes. Pas de putains chez Barbara, mais des femmes libres et lucides. Pas de déboutonnage sur scène, pas de cris, mais des murmures... Sa confession est plus discrète, moins perceptible. Elle est également plus intelligente, moins simpliste. L'essentiel est ailleurs. Pour Barbara comme pour Piaf, la chanson est avant tout un sacrifice. L'une et l'autre sont généreuses.

Il faudra peu de temps cependant pour comprendre que Barbara ne ressemble à personne. Très vite, elle établit avec son public une relation d'une rare ferveur. Aussi grande soit la salle où elle se produit, elle l'emplit d'intimité, de proximité et donne à chacun l'impression – vraie sans doute – qu'elle s'adresse personnellement à lui. Son spectacle n'est pas le monologue habituel de la star s'adressant au public. Il est une amorce de dialogue.

Elle a pourtant largement accru son auditoire, passant en trente ans de l'Écluse à Bobino, au théâtre des Variétés, au chapiteau de Pantin ou à Mogador, mais le climat de complicité qu'elle fait naître ne varie pas. C'est pourquoi son aveu au public (*Ma plus belle histoire d'amour, c'est vous*), passe si bien la rampe. D'une autre, il apparaîtrait peut-être démagogique. Mais la sincérité de Barbara ne peut faire de doute. Elle aime son public, cela se sait et cela se voit. Et le public le lui rend avec ferveur. Les soirées de Pantin en témoignent. Rappels enthousiastes, ovations debout, spectateurs accrochés aux rideaux, claquements de pieds... Alors que le spectacle est terminé depuis une demi-heure, et que les lumières se sont rallumées, personne ne sort et les spectateurs chantent : « Dis, quand reviendras-tu ? »

Le mal de vivre

Il y a une magie, un mystère Barbara. Elle s'adresse aux spectateurs comme à ses semblables, mais en même temps, elle les envoûte. Sorcière tendre et bien aimée, fée indulgente et malicieuse, elle subjugue son public par sa musique, ses mots prenants, de sa voix étrangement persuasive.

Il arrive cependant que le charme cesse d'agir. Dans ses films notamment. Quand elle tourne *Franz* de et avec

Jacques Brel, on apprécie sa performance, aux dépens de son charme. Quand elle joue *Madame,* pièce de Rémo Forlani, elle n'est plus qu'une excellente actrice qui a perdu sa dimension mythique. De même *Lily Passion,* le spectacle écrit en compagnie de Luc Plamondon, qu'elle monte avec Gérard Depardieu, n'obtient pas le succès attendu. Le public de Barbara est exclusif, c'est avec lui et lui seul qu'elle doit, symboliquement, faire l'amour. Pas avec Depardieu. Pas avec un intrus.

Ces brouilles heureusement ne durent guère. Qu'elle revienne seule face au public et, miraculeusement, tout est oublié, tout est pardonné, le lien se rétablit. Dans cette liaison passionnée qu'elle entretient avec chacun de ses admirateurs, pas de place pour la tiédeur : on se sépare, on se hait ; on se retrouve, on s'idolâtre. On n'échappe pas à cette fascination. On ne rompt pas avec Barbara.

Cette admiration n'est pas qu'irrationnelle. Ses musiques séduisent, ses mots portent par eux-mêmes : ils plairaient dans la bouche d'une autre. Barbara n'emploie pas les mots d'argot en vogue, mais son langage est actuel, sensible sans sensiblerie, chargé de sentiment sans sentimentalisme. Elle se livre sans s'étaler, trouve même, pour voiler le désespoir que lui inspire le sida, un ton narquois, presque détaché. Comme si elle craignait, en le dramatisant, d'ajouter à la puissance du fléau.

Bien avant le MLF, Barbara est une rebelle. Ce n'est pas un hasard si Nelly Kaplan la choisit pour illustrer d'une chanson (*Moi, j'me balance*) son film *la Fiancée du pirate.* Pas un hasard non plus si elle récidive en s'inspirant d'une autre fiancée de pirate, l'héroïne de *l'Opéra de quat'sous* de Bertolt Brecht et Kurt Weill. Mais sa manière de se révolter n'est pas exempte de légèreté, de frivolité, d'insolence. Elle refuse le sérieux pontifiant du militantisme et lance comme un défi sa chanson *Hop là.*

Il lui arrive pourtant d'être saisie par l'angoisse. Si elle a pris l'habitude d'habiter près des salles où elle se produit, si des heures durant elle s'imprègne de leur atmosphère, si elle y campe, pourrait-on dire, ce n'est pas seulement pour se mettre au diapason et trouver le ton juste : c'est aussi pour conjurer la peur de retrouver l'autre. Si elle ironise sur ses *Insomnies,* c'est qu'elles sont là, terriblement présentes et oppressantes... Cette dame de la nuit sait que la nuit peut être à la fois complice et ennemie.

Tel est le lien le plus fort qui l'unit à ses admirateurs. Qu'ils aient quinze, trente ou cinquante ans, comme elle ils doutent, s'inquiètent, souffrent de l'isolement et de la solitude. Un sentiment ancien, éternel peut-être, mais que les contraintes actuelles rendent plus vif. Les vieilles communautés étaient les garantes de la solidarité. Aujourd'hui est venu le temps des « foules solitaires ». Les sociologues le constatent. Barbara, elle, chante plus simplement *le Mal de vivre.*

12.

LE PEUPLE NU

L'âge du chanteur

Un spectacle de Brassens avait fait d'une chanteuse quasi inconnue, Barbara, une vedette de premier plan. Un spectacle de Barbara va, pour le grand public, transformer un acteur en chanteur. Serge Reggiani n'est certes pas un inconnu au moment où la gloire « chansonnière » le happe. Comédien depuis l'adolescence, il a multiplié les rôles importants au cinéma. Sa prestation dans *Casque d'or*, où il est le partenaire de Simone Signoret, est dans toutes les mémoires. Au théâtre, il a été le héros d'une très belle pièce de Jean-Paul Sartre, *les Séquestrés d'Altona*. En somme, il est alors un des personnages les plus célèbres et les plus populaires de la scène et de l'écran français.

A un détail près : à cause de quelques ratés de carrière – des projets non aboutis – on commence à murmurer qu'il porte la « scoumoune ». On lui impute, alors qu'il n'y est pour rien, l'échec de *l'Île des enfants perdus* que devait réaliser Marcel Carné sur un scénario de Jacques Prévert, film interrompu en cours de tournage, faute de crédits. L'affaire est ancienne, puisqu'elle date des lendemains de la Libération, mais elle refait périodiquement surface. Reggiani vit donc au hasard des rumeurs. Un semi-échec, elles enflent ; un succès, elles s'effacent. Or, le milieu du spectacle est superstitieux, et les bruits qui courent nuisent au comédien.

C'est alors qu'entre en scène Jacques Canetti, le grand « découvreur » de vedettes de l'époque. Il persuade Serge Reggiani de chanter, et lui fait enregistrer un album consacré à Boris Vian – ainsi qu'il procède avec tous les débutants. Vite fait, à peine réussi, le disque séduit quelques auditeurs, mais n'accroche pas vraiment le public. Les textes et les musiques sont assurément remarquables. Mais l'ombre de Vian cache Reggiani. Reggiani, lui, a pris goût à la chanson, et se rend parfaitement compte des insuffisances de ce premier album.

Aussi, dès le deuxième, prend-il de nouvelles dispositions, avant d'abandonner Canetti pour le troisième. Il se cherche et se trouve un style personnel. Désormais, il travaillera avec des compositeurs attitrés, qui tiennent compte de sa voix, de son jeu de scène, de sa silhouette (Reggiani se tient arc-bouté sur le sol), de son visage marqué et de son âge, qu'il ne cache pas. Ainsi *Sarah* chante la beauté des amours vieillissantes : « La femme qui est dans mon lit / N'a plus vingt ans depuis longtemps » ; *le Petit Garçon perdu*, c'est la douleur de l'homme adulte ; *les Loups sont entrés dans Paris* un regard désolé sur un monde qui se déchire... Dues à des auteurs exceptionnels, tels Moustaki, Vidalie, Dabadie, ces chansons conviennent à son tempérament d'acteur et à son expérience. Il va très vite les transformer en classiques.

La chance de cet homme qui, selon la rumeur, n'en a aucune, fut de parvenir à la chanson à un moment favorable. Les années 1966-1967 coïncident en effet avec un changement de mentalité du public, qui de nouveau fait cas des chanteurs adultes. Mieux : ceux-ci commencent à plaire aux jeunes.

Plus que d'une évolution, il s'agit d'une mutation radicale. On a pratiqué, durant la période yé-yé, une féroce chasse aux anciens. Qualifiés de « croulants », de P.P.H. (passera pas l'hiver), ils s'efforçaient, indulgents, de comprendre ce mouvement. Vieillir à cette époque était le moins pardonnable des maux : on pouvait parfois passer pour croulant... avant la trentaine !

A l'apparition de Reggiani chanteur, la situation commence à changer. On redécouvre le pouvoir de séduction des tempes argentées. Reggiani, « le chanteur de quarante ans », comme l'ont surnommé quelques journalistes, accélère le mouvement. L'idée s'estompe selon laquelle les vieux, autoritaires et donneurs de leçons, barrent la voie aux *Jeunes Loups,* selon le titre d'une chanson de Jean-Claude Annoux, à ceux qui, dès l'âge ingrat, sont disposés à dévorer le monde entier.

Ouvrons ici une parenthèse. Jean-Claude Annoux, auteur-compositeur-interprète, avait de la présence, du talent, un esprit inventif et original... Une ou deux chansons ne suffiront pas à lui valoir plus qu'un succès d'estime. Il en va de même de Jean-Claude Darnal (*Toi qui disais, le Soudard, le Tour du Monde*), de Guy Bontempelli (*Quand je vois passer un bateau*), qui finira par écrire pour les autres, de François Deguelt qui avait essayé, sans y parvenir, de renouveler le genre de la chanson de charme (*le Ciel, le Soleil et la Mer*). Parenthèse fermée.

Un adulte aimé des jeunes

Reggiani survient donc, et l'image de l'adulte en est fondamentalement modifiée. On le croyait sec, sans cœur, routinier, presque gâteux. Il se révèle intelligent, vulnérable, mélancolique, aussi sentimental qu'un adolescent, aussi fragile qu'un enfant. Il a souffert, cela se voit, mais il ne geint pas. Des coups qu'il a reçus, les marques sont restées. Des cicatrices sur son corps et sur son cœur. Il a appris. Il sait qu'il ne revivra plus jamais ce qu'il a vécu, que, pour lui, l'amour flirte avec le ridicule. Comme il le chantera plus tard : « Il suffirait de presque rien / Peut-être dix années de moins / Pour que je te dise je t'aime... »

Il a « trinqué », il « trinque » encore, l'avoue parfois, mais conserve intact son sens de l'humour. Il rit volontiers de ses défauts et de ses insuffisances, pratique l'auto-dérision avec une délectation joyeuse (*le Barbier de Belleville*) et, s'il lui arrive encore de donner les leçons qu'on lui reprochait (dans *l'Homme fossile*, par exemple), c'est sur le mode comique, en refusant de se prendre au sérieux. Il a débuté en interprétant *Arthur, où t'as mis le corps ?* une chanson-sketch de Boris Vian. Il poursuit son chemin en défendant *Maxim's*, une charge incisive de Serge Gainsbourg : « Ah ! baiser la main d'une femme du monde / Et m'écorcher la lèvre à ses diamants / Et puis dans la Jaguar / Brûler son léopard / Avec une cigarette / Anglaise... »

Par moments, pourtant, l'ironie se teinte de mélancolie.

Ainsi, dans *la Putain,* qui raconte les premiers émois d'un groupe de garçons qui, d'une fenêtre, épient les manèges d'une fille de joie : « Passionnément nous y pensions / A la P. points de suspension / Qu'elle était bien ! La putain... » Une lumière crue baigne alors ce « vert paradis des amours enfantines ». Et, les sens en éveil, les adolescents se reconnaissent davantage en cet homme mûr qui parle si bien d'eux que dans les trop chastes yé-yés.

Reggiani gagne les jeunes, séduit les adultes, donne à ses chansons un ton, une humanité authentiques, qui mêlent force et faiblesse, volonté et fatalisme. Il est aussi un homme engagé. Le mot « passeport » est le premier que cet enfant immigré ait entendu en français : comment se désintéresserait-il de l'actualité ? Pourtant, quelques grandes causes mises à part, ses couplets se refusent à prendre parti.

Il a adopté, dès le départ, le principe de réunir dans ses albums, comme dans ses concerts, poésie et chanson. Il fait précéder *Sarah* de quelques vers de Baudelaire, récite du Verlaine (*la Ballade du pauvre Lélian*) avant de retrouver Vian dans le plus poignant des textes que celui-ci ait écrit : *Je voudrais pas crever.* Reggiani retrouve alors son propre personnage. On pourrait affirmer, par ces temps où les anciens comme les jeunes ne connaissent que la poésie scolaire, rébarbative, que Reggiani a redonné vie à des poèmes oubliés. Comme Trenet l'avait fait avant lui. Peut-être même mieux que Trenet. Reggiani est aussi bon récitant que chanteur.

Personne depuis ne s'est réclamé de lui. Le personnage et le style qu'il a adoptés sont ceux d'un solitaire, preuve qu'il constitue dans le monde du spectacle un cas très original. Autour de lui, la chanson règne. Sa fille participe à l'expérience du Big Bazar, son fils Stephan devient auteur-compositeur-interprète, écrit de bonnes chansons, très différentes de celles que son père choisit, mais qui souffrent d'une telle comparaison. Il en perdra la vie. Serge, lui, poursuit sa route, s'appuyant toujours sur des compositeurs et des auteurs (Sylvain Lebel, Claude Lemesle) de valeur. Un quart de siècle après ses débuts dans la chanson, un demi-siècle après ses premiers pas d'acteur, Serge Reggiani est toujours là. Une bonne chose.

Témoin et reporter

L'arrivée dans la chanson d'un personnage adulte, voire mûr, n'a certes pas fait oublier les jeunes. Certes, les yé-yés reculent, mais d'autres prennent la relève. Ainsi Michel Delpech. Il apparaît adolescent avec une chanson qui décrit les rapports d'amitié-amour liant une patronne de bistrot et une bande d'adolescents rêveurs. Le ton est juste, l'atmosphère délicatement reconstituée, un charme évident s'en dégage. Succès énorme et mérité. Toute la génération post-yé-yé reprend : « A sa façon de nous appeler ses gosses / On voyait bien qu'elle nous aimait beaucoup... », et pour des centaines de milliers de moins de vingt ans, *Chez Laurette* représente ce qu'avait été *la Madelon* pour les poilus de la Grande Guerre.

Michel Delpech est propulsé au sommet. Durant plusieurs décennies, il n'en descendra pas. Il possède, c'est vrai, l'instinct de saisir l'essentiel de l'air du temps, et de le restituer avec une exactitude pointilleuse. On dira de lui qu'il est, à sa façon, « le journaliste de l'instant ». Très caractéristique, un autre de ses succès, *Inventaire 66,* recense, à la manière de Jacques Prévert, tous les événements qui ont marqué l'année, tels que les ont ressentis ceux qui les ont vécus. Pas de hiatus, donc, entre le public et lui.

Delpech comprend parfaitement son époque. Il n'a pas besoin d'être présent pour être précis. Du climat et du décor de *Chez Laurette,* rien n'est authentique : plusieurs Laurette se reconnaîtront pourtant dans ses couplets et, parce qu'il est plutôt gentil, il n'osera pas les détromper. De même, sans y avoir assisté, il fait de *Wight is Wight* un reportage presque parfait sur ce festival qui, avec celui de Woodstock, constitua en 1969 un des événements musicaux et sociaux les plus marquants de la période. Il reconstitue l'atmosphère, décrit le public et montre, bien mieux que ne le ferait un reporter, pourquoi toute une génération s'est sentie concernée par cette manifestation.

Ce qu'il décrit paraît si vraisemblable que chacun finit par le tenir pour authentique. Sa chanson *les Divorcés* n'est absolument pas autobiographique, il y peint sans mélo l'histoire d'une séparation douloureuse : les mots sont pudiques, mesurés, plus concrets que sentimentaux, mais ils sonnent juste. A tel point que le public est persuadé que le chanteur raconte un drame personnel. C'est le début d'une abondante correspondance...

A vrai dire, ces tranches de vie et ces moments d'histoire ne sont pas tout à fait imaginaires. Il se documente, essaie de comprendre, se met dans la peau des personnages qu'il incarnera sur scène ou sur disque. Delpech possède ce talent particulier de pouvoir se mettre à la place des autres et de réagir comme ils réagiraient. De là l'impression d'authenticité que donnent ses couplets. *Le Loir-et-Cher* ou *le Chasseur* sont-ils la mise en chansons de ses propres souvenirs ou de pures inventions ? Mystère...

Il lui arrive même, parfois, de brouiller volontairement les cartes, d'endosser par exemple la défroque d'un vieillard pour, enfin, parler de lui (*Quand j'étais chanteur*). Chanteur, Delpech l'est toujours. Il a connu des moments d'éclipse, a su remonter à la surface. Vingt-cinq ans après ses débuts, il demeure suffisamment populaire pour tenter de nouveau le pari de l'Olympia. La durée lui a donné raison. *Chez Laurette* n'était pas un feu de paille.

Au bord des chemins

La décennie 1960-1970, que beaucoup négligent, soit parce qu'ils la considèrent comme une période spécifiquement yé-yé, soit parce que, comme Laurent Voulzy dans *Rockcollection*, ils n'en retiennent que l'explosion de la pop music anglo-saxonne, est en réalité riche en révélations, pour la plupart encore vivaces aujourd'hui. Et ce, dans tous les styles, de la chanson traditionnelle à l'interprétation jazzy.

Ainsi voit-on refleurir les couplets religieux. Sœur Sourire, une nonne belge, obtient en 1964 un énorme succès mondial en chantant les gloires de saint Dominique, qui, aidé par Simon de Montfort, contribua à la défaite définitive de l'hérésie cathare (*Dominique*). De ce triomphe discographique, la pauvre religieuse ne profitera guère. Non parce que quelques iconoclastes ironisent sur le sens argotique du « Dominique nique nique » qui ponctue ses couplets, mais parce que les royalties une fois perçues par sa communauté, Sœur Sourire s'en retrouvera exclue, isolée, en proie à d'insurmontables dettes. Elle crie à l'aide, mais les portes du couvent demeurent closes. Ses malheurs ne font que commencer.

Rendue à la vie active, elle découvre la condition féminine, s'indigne et prend parti. Devenue militante, elle se bat pour la liberté de la contraception et de l'avortement, enregistre même sur ces thèmes une chanson qu'on n'entendra pas (*Merci mon Dieu pour la pilule*). Il est trop tôt : la libéralisation des mœurs s'annonce, mais elle n'est pas encore du goût du public. Boycottée par les radios, la chanson, du reste sans relief, tombe totalement à plat. Sœur Sourire, qui a changé de nom – elle n'est plus sœur et n'a plus le sourire –, essaie de survivre, tente d'écrire, puis tombe dans l'oubli. On ne la retrouvera qu'une douzaine d'années plus tard, dans la rubrique des faits divers : elle s'est donné la mort en compagnie de l'amie avec laquelle elle vivait. Il est peu probable que les membres de son ancienne communauté, enrichie grâce à elle, aient prié pour le repos de son âme. Elle a quitté la terre en état de péché.

Ce cas demeure isolé. La rengaine est rarement homicide, et il est probable que la réputation de *Triste Dimanche*, mélodie d'origine hongroise des années 30 qui, dit-on, conduisait au suicide ses auditeurs, appartient au domaine de la légende. La chanson ne tue pas, ou rarement, quoi qu'en pensent les actuels contempteurs de *la Marseillaise*, qui évoquent volontiers le caractère barbare de notre hymne national. Par contre, le succès, lui, peut détruire. Un garçon comme Mike Brant en a fait l'expérience. Ses chansons, quelconques, ne marquent pas les mémoires. Mais il possède ce magnétisme qui éveille les passions. Des nuées d'adolescentes se pressent pour l'applaudir, l'acclamer, le toucher, l'embrasser, déchirer ses vêtements, et emporter de lui un souvenir palpable. De l'idolâtrie qu'il fait naître, il est la principale victime. Il ne supporte pas le culte qu'on lui rend, l'exubérance de ses admiratrices le fait trembler. Un jour, au milieu des années 1970, il ouvre la fenêtre et se précipite dans le vide. Aujourd'hui, quelques-unes de ses groupies d'alors s'emploient encore à célébrer sa mémoire.

Décédé lui aussi et de manière à peu près semblable, Raoul de Godeswarsvelde, homme du Nord, sympathique et jovial, à l'accent très marqué, fait un triomphe avec *Quand la mer monte.* Mais son humour masque une redoutable difficulté d'être.

La chanson ne tue pas, des chanteurs quittent ce monde. Des morts inattendues, injustes. Injustes parce qu'inattendues. Il n'y a pas en France, comme aux États-Unis, de vrais adeptes de l'autodestruction dont toute la vie, celle d'une Janis Joplin par exemple, n'est qu'une course vers la mort. Une Fréhel, une Piaf, un Gainsbourg croyaient, même quand ils abusaient de leurs forces, que le temps ne leur était pas vraiment mesuré. La mort, sur notre sol, frappe brutalement, et surprend autant ses victimes que ceux qui les aimaient. Ainsi Joe Dassin.

Populaire ou populiste

Joe Dassin était un garçon ouvert, robuste, de bonne compagnie, qui réussissait, sans susciter de fanatisme, à transformer en tubes la plupart de ses chansons. Fils de Jules Dassin – metteur en scène américain chassé des États-Unis par le maccarthysme et qui fit une seconde carrière en France grâce à des films aussi populaires que *Touchez pas au grisbi* ou *Jamais le dimanche* –, Joe s'essaie à la chanson pendant ses études d'ethnologie, en interprétant sur les campus des universités américaines des œuvres de Georges Brassens. Il y prend goût et, venu en Europe rejoindre son père, abandonne le métier qu'il s'est choisi pour se consacrer à la rengaine.

Il mène cette nouvelle carrière avec une habileté surprenante. Capable du meilleur, il adapte par exemple une chanson de Bobby Gentry, *Ode to Billy Joe*, et en fait *la Marie-Jeanne*, une histoire tragique d'amour et de mort qu'il raconte par touches légères, avec une grande discrétion, se glissant insidieusement dans la peau d'un héros fragile et meurtri, presque indifférent au drame qui le touche. Mais Dassin joue aussi sur d'autres registres, plus populaires. Pour lui la chanson doit avant tout distraire et se garder de toute autre ambition. Quand on l'interroge, il fait preuve d'un cynisme amusé : « Vous dites que *la Marie-Jeanne* est une bonne chanson et vous méprisez *les Petits Pains au chocolat*. J'ai vendu 50 000 exemplaires de *la Marie-Jeanne*, 500 000 des *Petits Pains*. Pour moi, *la Marie-Jeanne* est dix fois moins bonne que *les Petits Pains* ! »

Quoi qu'il en soit, il possède un flair qui lui permet de détecter instantanément le tube du lendemain. De *Guantanamera* (1966), chanson anticolonialiste sur un texte de José Marti, poète nationaliste cubain, à *l'Été indien* (1975), il sort chaque année un, deux, trois incontestables succès : *la Bande à Bonnot*, *les Daltons* (1967), *Siffler sur la colline* (1968), *les Champs-Élysées* (1969), etc. Sa réussite est telle qu'il se forge parmi les gens du spectacle des inimitiés farouches. On se souvient de la parodie féroce et misérabiliste que Guy Bedos a faite de *l'Été indien*. On lui reproche surtout ce qui, précisément, fait sa force : ses mélodies faciles à retenir, ses textes qui ne prêtent pas à conséquence, sa bonne humeur permanente, son refus de prendre parti, etc. Son père, Jules, était un réalisateur engagé ; Joe, avec désinvolture, ne s'engage qu'à divertir. Une recette qui fonctionne : il est toujours au faîte de sa gloire lorsqu'une crise cardiaque l'emporte, brutalement, en 1980.

Joe Dassin défend le type même de la chanson populaire sans prétention ni importance, mais qu'on ne peut s'empêcher de fredonner. Qu'on matraque à nouveau *les Champs-Élysées* ou *Siffler sur la colline*, il est probable que, plus de vingt années après leur création, ces rengaines remporteront derechef un franc succès.

Il n'est pas certain qu'un tel succès, au-delà des années, puisse être jamais imité. Encore que... Hervé Vilard, qui avait « éclaté » avec *Capri c'est fini* (1965), recommence aujourd'hui une nouvelle carrière, mêlant refrains d'autrefois et créations récentes ; Christophe (*Aline*, 1965) perdure. Il a, il est vrai, défendu des œuvres plus ambitieuses, recherchées et originales, tel *les Mots bleus*. Georges Chelon, lui, a plus de mal à surnager. Original, il avait réussi à créer une atmosphère particulière, entre tragédie et mélodrame, et proposait une poésie simple, directe et accessible. Ses textes et son style réinventaient le réalisme (*Père *prodigue, Sampa*). Il n'a certes pas perdu ses fidèles, mais les médias l'ont bien oublié.

Populaire, on peut l'être sans le vouloir, simplement en proposant au bon moment les refrains qui « accrochent ». Ainsi, lorsque à la fin des années 60 Georgette Plana ressort *Riquita*, une scie en vogue trente ans auparavant, elle redevient aussitôt une vedette – quoique très éphémère. On peut aussi être populaire en devenant populiste, c'est-à-dire en proposant des chansons qui parlent le langage du peuple et présentent ce dernier tel qu'il aimerait se voir. Il ne s'agit pas forcément de démagogie. Beaucoup de chanteurs populistes sont sincères et décrivent un univers qui est véritablement le leur. Après tout, René-Louis Lafforgue qui, à partir de son cabaret l'École buissonnière, régna un moment sur Saint-Germain-des-Prés, font du populisme sans le savoir en proposant des chansons comme *Julie la Rousse* ou les *Poseurs de rails*. Lorsque Daniel Guichard évoque, dans *Mon Vieux*, les démêlés à la fois tendres et rudes d'un fils avec son père, c'est sans tricherie. Cet accent de sincérité le portera même au sommet. Il y restera longtemps avant de s'effacer et de recommencer curieusement une belle carrière en Chine...

Populaire aussi, mais d'un tout autre genre, est Nicoletta. Elle apparaît à la fin des années 60 ; sa musique est marquée par de multiples influences étrangères. Elle est jazz, blues, rock, bossa nova, emprunte à tous les styles, mais parvient à tout fondre pour trouver un ton personnel. Sa voix puissante, déchirée, déchaînée, sa manière aussi de prendre la chanson à bras-le-corps l'imposent rapidement. C'est un caractère, une femme qui s'entête et se bat. Très vite, elle trouve les thèmes qui « accrochent » : *Il est mort le soleil* (1968), repris par Ray Charles, *Mamy Blue* (1971), etc. Depuis, malgré quelques creux dans sa carrière, elle se maintient, alternant oubli momentané et retour en force. Une fois de plus, la longévité est signe de talent. Guy Marchand, qui erre un peu sur les mêmes voies musicales et hésite entre sa double vocation de chanteur et de comédien, finit par adopter la seconde, non sans avoir semé quelques chansons aussi frappantes que *la Passionnata* (1965), hommage quelque peu parodique au flamenco, et *Moi je suis tango tango*, qui, sans doute, révéla au grand public la fascinante musique d'Astor Piazzolla.

Alain Barrière, rendu populaire par *Ma Vie* (1964), connaîtra un énorme succès, à l'image de son tube, *Tu t'en vas* (1965). Il écrit bien, ses mélodies sont entraînantes, mais il n'a que faire de l'admiration qu'on lui porte. Il voudrait être considéré avant tout comme un poète et se heurte au rejet de l'*establishment*. Lui refuser ce titre qu'ont mérité Brassens, Barbara et Ferré, le trouble et le déçoit. Quelques difficultés avec le fisc le conduiront finalement à l'exil...

On ne quitte pas la chanson populaire, sinon populiste, avec Pierre Perret, mais le style et le genre sont tout autres. Natif de Castelsarrazin, dans le Sud-Ouest, il a appris le saxophone au Conservatoire régional et a joué, avec la troupe du Grenier de Toulouse, un rôle dans *les Fourberies de Scapin*. Dès l'adolescence, le monde du spectacle le passionne et il a l'intention d'y faire son trou.

Ce n'est pourtant pas ce qui le pousse, pour la première fois, à « monter à Paris ». Il a entendu à la radio une série d'entretiens avec Paul Léautaud, et le vieil écrivain hargneux, aigri, égoïste, mais dont le jugement sur ses contemporains ne s'est pas émoussé, l'a fasciné. Pierrot rêve de rencontrer cet ermite volontaire qui adore les chats et déteste les hommes. Si fait : dès son arrivée dans la capitale, il se lie à l'écrivain. Il racontera un jour ses visites dans un livre de souvenirs [1]...

Un Parigot du Sud-Ouest

Très vite, Pierre Perret découvre les cabarets de la rive gauche ; son répertoire, proche à la vérité de celui de Brassens, est en général moins sensible et moins fragile. Sa rime est robuste, bien nourrie, son comique efficace. Brassens souriait. Perret rigole franchement. Il cultive l'humour jusqu'à l'absurde, pousse l'ironie jusqu'à la cruauté et la franchise jusqu'au cynisme. Ainsi naissent *la Bérésina*, féroce et narquoise description de la dérive et du naufrage d'un truand, ou *le Bonheur conjugal*, grotesque énumération des répugnantes tares physiques d'un couple, ou

1. *Laissez chanter le petit !*, éd. Lattès, 1989.

encore cette joyeuse évocation de l'amour vu par un don Juan de banlieue : « Moi j'attends Adèle / Pour la bagatelle / Pas b'soin d'lui faire un dessin / Comble de merveille, pas besoin d'oseille.... » (*Moi j'attends Adèle*, 1957).

Succès immédiat, mais éphémère : la maladie éloigne Perret des scènes. Il disparaît. Il reviendra avec un répertoire à peine changé, mais à la fois affiné, apuré, et aiguisé. Il découvre l'actualité, la décrit, mais avec la distance et le sourire en coin nécessaires. La mode étant aux bistrots où se retrouvent les snobs du moment, il écrit *le Tord-boyaux* (1966), description d'un « boui-boui bien crado ». Immense succès. Il récidive avec *les Jolies Colonies de vacances* (1966), tableau tellement outrancier qu'on s'étonne de la colère de certains animateurs d'œuvres sociales, sympathiques au demeurant, mais totalement dénués d'humour. Ne veulent-ils pas, pour, à ce qu'ils disent, « rétablir la vérité », faire interdire purement et simplement la chanson incriminée ? Ils apportent en fait une publicité supplémentaire à une œuvre qui n'en a nul besoin. Même réaction, des bien-pensants cette fois, lorsque Perret sort *le Zizi* (1974), en réponse à l'introduction de l'éducation sexuelle à l'école.

Très vite apparaissent les constantes de ce qu'on peut appeler la « méthode Perret ». En premier lieu, une fantastique bonne humeur. Perret aime s'amuser, goûter les plaisirs de l'existence, et notamment ceux de la table : tout cela se retrouve dans ses couplets. Ensuite, un recours presque systématique à la litanie, à l'inventaire : on le trouve dans *le Zizi* comme en 1992, dans *Bercy Madeleine*, curieuse chanson d'amour composée avec les noms des stations du métro parisien.

Mais sa meilleure arme, c'est l'argot. Pas celui de ses origines : à Castelsarrazin, si on mêle volontiers le français au patois, on ne connaît pas le langage populaire de la capitale. Or, c'est ce dernier qui intéresse Pierre Perret. Il le recueille précieusement, y consacrera même un dictionnaire, et l'enrichit au gré de l'actualité. « Un gros rouge qui tache » devient, dans *le Tord-boyaux*, un « Khrouchtchev maison ». Ses textes regorgent de trouvailles. Ainsi dit-il de *Cuisse de mouche* que « sa taille est plus mince que la retraite des vieux ». Cet enrichissement du langage argotique n'est pas sans rappeler le talent d'un Frédéric Dard, père de *San Antonio.*

Souvent, sa jovialité masque une réelle mélancolie. *A cause du gosse* raconte de façon hilarante l'échec total d'un couple. Plus probante encore, sa chanson *Marcel*, histoire d'un ménage à trois troublé par l'arrivée d'un quatrième larron, hâbleur et aventurier de pacotille. L'humour de ses couplets ne parvient pas à voiler son besoin de partir vers d'autres horizons que ceux de la vie quotidienne, confinés et monotones. On peut dire que *Marcel* annonce *la Cage aux oiseaux*, véritable hymne à la liberté, chanson narquoise et provocatrice sans doute, mais dont l'intention est sans équivoque.

Parfois, plus souvent d'ailleurs qu'il n'y paraît, les vers de Perret sont graves et sérieux. Le clown aimable laisse alors place à un personnage très différent, un homme qui prend parti, que l'injustice révolte et qui le crie. Ainsi *Lili* est-elle l'une des chansons les plus fortes que l'on ait écrites contre le racisme, et *Mon p'tit loup* une dénonciation indignée du viol. De même, sur un mode plus léger, *la Télé en panne*, description de la vie qui renaît lorsque le petit écran s'éteint, apparaît-elle comme une vigoureuse critique de l'abrutissement collectif.

Entre nation et cosmopolitisme

Pierre Perret est également un poète, et ce pas seulement dans ses chansons d'amour, comme *Blanche*, écrites avec une délicatesse, une finesse, une légèreté rares, mais aussi dans des chansons drôles, fourmillant de trouvailles verbales et sonores, d'images insolites... Son langage, réel ou imaginé, est plus inventif encore que celui d'un Jehan Rictus, poète argotique qui connut son heure de gloire au début du siècle.

Dernière précision enfin. Tout est sujet à chanson pour Pierre Perret. Il ne se limite pas, comme la plupart des auteurs-compositeurs-interprètes, aux thèmes convenus. Il ne fixe aucune borne à son inspiration. Qui, sinon lui, oserait mettre en couplets *la Réforme de l'orthographe*, au moment où ce sujet fait les manchettes des journaux ? Ou encore rendre hommage à Bernard Pivot et à Apostrophes, certes pas pour s'y faire inviter, mais simplement parce que l'émission le passionne et que son créateur, amateur de vins et de bonne cuisine, lui ressemble ?

Perret, en somme, est un homme complexe. Amuseur, il invite à la réflexion. Plaisantin volontiers grivois, il instille la poésie en des endroits insolites et cultive un érotisme de bon aloi. Il cache, derrière une bonne bouille et des yeux pétillants, une finesse et une intelligence exceptionnelles. En fait, il est très français. Pas franchouillard, comme le « beauf » de Cabu qui hurle : « On est les meilleurs ! » et fait la démonstration que le pire existe en nous, mais français comme l'imaginent ceux qui ailleurs aiment la France : léger, désinvolte, amoureux fou de liberté, de justice. Et surtout, infiniment tolérant.

Le triomphe du métèque

Autant Perret est « bien de chez nous », autant Georges Moustaki est cosmopolite. Par ses origines, d'abord : mi-grec, mi-égyptien, il rassemble en lui toutes les qualités, tous les défauts, toute la richesse du monde méditerranéen. Flemmard comme les « fainéants de la vallée fertile » ; sensuel comme tous ceux qui savent jouir du soleil et de la mer : à la fois faraud et modeste, macho et prêt à s'incliner devant les femmes ; fidèle aux coutumes et amant de la révolution ; puisant enfin son inspiration dans toutes les cultures croisées sur sa route.

A cet éclectisme, il est prédisposé. Son enfance à Alexandrie, alors la ville la plus ouverte, la plus tolérante d'Égypte, le met en contact avec toutes les nationalités, toutes les religions de la Méditerranée. La grande librairie que tient son père est un lieu de rencontres, de contacts privilégiés où tous se côtoient et s'admettent. Certes, il existe en ville intolérance et racisme, mais leur influence reste feutrée, plus verbale que violente. On se lance des mots, mais on ne se bat pas. Le temps n'est pas encore aux condamnations sans appel des fondamentalistes religieux.

Poussé par l'aventure, il quitte cependant sa cité pour s'installer en France. Après le soleil égyptien, Paris lui semble d'abord gris et triste, mais il y découvre très vite une chaleur intérieure, une hospitalité semblables à celles qu'il a déjà connues. Il exerce des petits métiers, vendeur en librairie, garçon livreur, etc. Il faut bien gagner sa vie. Il caresse cependant d'autres ambitions avec une apparente nonchalance : devenir poète et musicien... Déjà lui viennent en tête des textes et des mélodies qui n'attendent qu'un interprète. Il rencontre Jacques Canetti qui, séduit, l'encourage. Mais, entre ses idées et la manière dont il les exprime, il y a un hiatus. Il ne trouve pas le ton qui convient. Ses premières compositions, qu'il s'est empressé d'oublier, sont assez médiocres. En fait, il lui faut faire son apprentissage.

Certains, pourtant, lui font confiance ; un chanteur rive gauche, notamment, Remy Clary (plus connu sous le pseudonyme de Jacques Doyen). La chanson que Moustaki écrit pour lui, *Paris qui va*, obtient un succès d'estime, ce qui l'encourage à tenter sa chance en tant qu'interprète. Il chante aux terrasses des bistrots, dans les cabarets, découvre Bruxelles, où survit la tradition de Saint-Germain-des-Prés. Henri Salvador lui emprunte un poème, « Il n'y a plus d'amandes / Les écureuils ont tout mangé » : presque un tube. Mais tout cela ne nourrit pas son homme. Moustaki continue donc les petits métiers. Il n'est pas pressé, il a vingt ans et, comme il le chantera plus tard, prend *le Temps de vivre*.

C'est Henri Crolla qui lui fait rencontrer Édith Piaf. Premiers contacts difficiles : l'univers de la chanson réaliste ne l'inspire pas. Il lui faudra un certain temps pour découvrir que Piaf dépasse cet univers, le sublime, et qu'elle est, il le dit lui-même, une véritable « chanteuse de blues à la française ». Il lui propose d'abord *le Gitan et la Fille*. Plus tard, elle chantera *Eden blues* (« En descendant le fleuve argent / Qui roule jusqu'au Nevada ») et surtout *Milord*, un triomphe qui, trente ans après, demeure une chanson universelle.

Avec Piaf, Moustaki abandonne le style Saint-Germain-des-Prés ; il défend toujours une chanson poétique, mais plus simple, moins intellectuelle. Sur ces nouvelles bases, il enregistre un album, *Prélude*, bon dans l'ensemble ; des couplets comme ceux de *Mon Île de France*, par exemple, méritent d'être retenus. Le disque ne se vend pas et Moustaki qui supporte mal l'univers confiné dans lequel Piaf se complaît finit par abandonner la chanteuse et le monde qui l'entoure. Mais il est désormais connu : *Milord* lui sert de carte de visite. Assailli de multiples propositions – musiques de films, etc. –, il n'y donne pas suite. Sa réputation de paresseux, qu'il cultive volontiers, lui fait bientôt perdre les faveurs du métier. Il reprend donc le chemin des cabarets, les tournées en province, retrouve le public rare et sympathique des lieux confidentiels. Pour l'accompagner, un guitariste, comme lui, ami et élève d'Henri Crolla, appelé à devenir célèbre : Jacques Higelin.

Barbara, avec qui il a écrit *la Longue Dame brune*, l'encourage, de même que Serge Reggiani, qui démarre et a besoin d'un répertoire original. Pour Reggiani, il écrira de grandes chansons : *Sarah*, sur laquelle ils travailleront trois mois, *Madame Nostalgie, Ma solitude*... Toutes deviennent des succès. Une fois encore, il paraît abandonner le rôle d'interprète pour se consacrer à celui d'auteur. Jusqu'au *Métèque*, chanson qu'il avait proposée initialement à Pia Colombo. Celle-ci la chante bien, mais sans lui donner sa pleine ampleur. Aussi décide-t-il de l'enregistrer lui-même et de la proposer à plusieurs maisons de disques. L'une d'elles, Polydor, finit par l'accepter. La légende veut qu'après écoute, un des patrons de la firme ait écrit sur l'étiquette de la bande ce jugement définitif : « inintéressant et invendable ». Mais, prudent, il l'aurait rédigé au crayon noir...

Le succès du *Métèque* est foudroyant. C'est la chanson de l'année 1969. Tout le monde fredonne : « Avec ma gueule de métèque / De Juif errant, de pâtre grec / Et mes cheveux aux quatre vents... ». Il est vrai que le cosmopolitisme est dans l'air du temps. A la veille de 1968, l'antiracisme a force de loi. Moins d'un an plus tard, les étudiants défileront en scandant : « Nous sommes tous des Juifs allemands. » Mais, surtout, la chanson est le parfait reflet de son auteur. Moustaki n'interprète pas *le Métèque*, il *est* le Métèque. C'est lui-même qu'il décrit, sans complaisance mais avec chaleur, donnant ainsi une réelle popularité aux métèques de son genre.

Les enfants de la chanteuse

Le style de Moustaki est désormais fixé : des mélodies simples mais accrochées à tous les courants qui traversent la planète. S'il fallait trouver un ancêtre à la *world music* et à la musique métisse qui règnent aujourd'hui, il serait difficile de le passer sous silence. Ses textes simples mais très soignés relèvent d'une véritable poésie populaire, sans prétention mais efficace, et l'émotion qui s'en dégage est furtive, légère, sans emphase. Il chante l'amour sans trémolos ni grandiloquence, le chagrin sans larmes. Il ne force jamais sa voix un peu paresseuse aux octaves mesurées. Et il plaît. Comme si en lui on aimait d'abord sa nonchalance.

Moustaki a d'ailleurs choisi de mettre en évidence ses défauts, son seul grand défaut plutôt : la paresse. Il se révèle ainsi un héritier possible de Paul Lafargue, gendre de Karl Marx et auteur du *Droit à la paresse.* Plus qu'une habitude, c'est une coquetterie. Il n'évoque jamais la méticulosité avec laquelle il fignole ses couplets, le temps qu'il passe à trouver le mot juste. Il préfère inventer des chansons qui entretiennent sa légende : *Dans mon hamac, les Orteils au soleil, Donne du rhum à ton homme.* Friand d'humour, il aime en glisser un zeste dans ses couplets, même les plus sérieux. S'il s'engage, c'est avec désinvolture, comme en se jouant. Après 1968, il est tout aussi capable d'écrire un hymne à la révolution permanente que de lancer sur les ondes une chanson à double sens : *Heureusement qu'il y a de l'herbe.* On croit d'abord entendre un petit poème écologiste ; on se demande, après une seconde écoute, s'il ne parle pas plutôt de haschich ou de marijuana.

Moustaki vieillit, bien sûr, mais ne change pas. Ne se disait-il pas capable, dans *Ma Liberté,* de la sacrifier « pour une prison d'amour et sa belle geôlière » ? Mais la sacrifier au showbiz, il n'en est pas question. Il vagabondait, il vagabonde toujours, semant les chansons au hasard de son inspiration. Écrire sur commande, sortir un disque chaque année, il n'y a jamais vraiment pensé.

Piaf a joué un rôle capital dans la carrière de Moustaki, comme dans celle de nombre de talents qui ont marqué ce demi-siècle : Montand, Aznavour, Constantine, pour ne parler que d'eux. On lui doit notamment la découverte d'un chanteur de charme d'un nouveau style, Charles Dumont. Au départ, Dumont est un musicien dont l'ambition est de devenir trompettiste. La malchance, des problèmes physiques en décident autrement. Ne pouvant jouer de son instrument, il se met à la composition. Pianiste de bar, trieur de pièces dans une usine d'accessoires automobiles, il écrit des musiques qu'il parvient difficilement à placer. Mais il fait des rencontres : Francis Carco, Cora Vaucaire, qui lui prend quelques mélodies et lui présente son mari Michel Vaucaire, auteur de renom. Vaucaire et Dumont vont désormais travailler ensemble. Ils donnent des chansons à Tino Rossi, Marie-José, Luis Mariano... A la fin des années 50, Europe 1 lance un grand concours, le Coq d'Or de la chanson française. Une de leurs œuvres communes, *Lorsque Sophie dansait*, remporte le premier prix et connaît une vente appréciable.

C'est Michel Vaucaire qui le présente à Piaf. Après quelques tentatives infructueuses, une chanson exceptionnelle, dont Dumont a écrit la musique dans un moment de rage, *Non, je ne regrette rien* devient la dernière des très grandes chansons d'Édith. Le 29 décembre 1960, Piaf la chante à l'Olympia. C'est un triomphe.

Avec Piaf, comme il se doit, Dumont réapprend son métier. Elle accepte plusieurs de ses musiques, lui écrit un texte, *les Amants,* et le pousse à l'interpréter avec elle : « Quand les amants entendront / Cette chanson / C'est sûr ma belle / C'est sûr / Qu'ils pleureront... » Encore un succès, le dernier. Piaf meurt le 11 octobre 1963. Dumont se retrouve seul, en une période on ne peut plus défavorable, en pleine vogue yé-yé. Les portes se ferment devant lui, d'autant qu'il n'a pas eu le loisir de faire ses preuves comme interprète.

Il lui faudra plusieurs années pour remonter le courant, le temps de se trouver un style. Un auteur, une femme, va l'aider à reconquérir sa notoriété. Elle s'appelle Sophie Makhno ; tour à tour chanteuse dans les cabarets rive gauche, secrétaire d'artiste, directeur artistique dans une maison de disques, elle a écrit des chansons avec Barbara, mais n'a connu en tant qu'interprète qu'un succès limité, malgré la qualité de ses textes et l'originalité de son personnage. Grâce à elle, Dumont se constitue un nouveau répertoire, de charme, certes, mais moins anodin, moins simpliste qu'auparavant. Sophie y introduit la sensualité (*Ta cigarette après l'amour*), un certain sens critique (*le Fils prodigue*), et écrit avec lui *Une Chanson*, qui sera un des tubes de 1977 : « Une chanson / C'est trois fois rien une chanson / C'est du champagne, un frisson... »

Dès lors, Dumont reprend son ascension, ose, lui aussi, écrire des couplets, entraîne même un public important. Les femmes constituent la majorité de ses admirateurs, parce qu'il sait les chanter et qu'il leur donne ce qu'elles recherchent : du romanesque, de la chaleur et une exaltation permanente de l'amour.

13.

IMPRESSIONS FORTES

Sous les plis du drapeau rouge

De la Libération jusqu'aux années 70, beaucoup d'intellectuels et d'artistes s'affirment proches du parti communiste. C'est plus qu'une mode : « le Parti » (inutile de préciser lequel !) représente alors l'espoir d'un monde meilleur, sans injustices, où l'homme pourrait enfin donner sa pleine mesure. Certes, tout n'est pas rose dans le paradis soviétique ; on sait qu'il y existe des camps dits de rééducation, et que, périodiquement, les chars viennent troubler cet Éden : Berlin-Est en 1953, la Pologne et la Hongrie en 1956, la Tchécoslovaquie en 1968. A Moscou autrefois, à Prague et à Budapest aujourd'hui, ont lieu de véritables procès en sorcellerie... Mais on préfère les ignorer: on parle de calomnies ou de « bavures » aujourd'hui nécessaires pour préparer un avenir radieux. Même le rapport Khrouchtchev, particulièrement sévère à l'égard du système, ne parvient pas à convaincre. C'est une affaire de foi. Et tant pis si, à chaque soubresaut de la politique soviétique, le Parti perd ou abandonne quelques-uns de ses intellectuels en chemin...

La chanson n'échappe pas à la contagion. On l'a vu, un personnage aussi peu engagé que Maurice Chevalier a lui-même flirté un temps avec le communisme. Il craignait de connaître quelques ennuis à la Libération, le PC lui offrait une virginité. Aragon le protégeait. Échange de bons procédés. Tandis que « Momo » est instantanément tiré de ses difficultés, les communistes s'approprient sa popularité. Il ira même – pour plaire à Aragon, selon lui – jusqu'à signer l'Appel de Stockholm contre les armes nucléaires (l'URSS ne possède pas encore la bombe atomique)... ce qui lui vaut quelques déboires lorsqu'il souhaite un jour retourner aux États-Unis !

De tous les grands de la chanson de l'époque, un seul se range résolument du côté des communistes. Ce n'est pas Trenet, indifférent, ni Ferré ou Brassens, qui se veulent anarchistes, ni même Brel, qui bien qu'il s'en défende, est marqué dès ses débuts par l'idéologie chrétienne de gauche... Non, l'unique communisant, c'est Montand. Ce qui s'explique : son père était proche du PC italien, son frère Julien Livi appartient à l'appareil du Parti et de la CGT... Montand rompra plus tard, non sans avoir effectué une tournée en URSS au lendemain de la répression de la révolte hongroise par les chars soviétiques.

Bien de solides artisans de la chanson française se laissent cependant séduire par les sirènes communistes. Ils viennent pour la plupart de milieux populaires, et leur sympathie pour le Parti est presque innée. On est communisant dans les quartiers pauvres des grandes cités comme on l'est dans les usines, par tradition familiale ou sociale. Quand Sartre dit : « Il ne faut pas désespérer Billancourt », il assimile, lui aussi, la classe ouvrière au PC.

C'est tout naturellement que Francis Lemarque se sent proche des communistes. Il a passé son enfance avec eux, fait son apprentissage théâtral et musical dans une troupe, le groupe Mars, étroitement subordonnée au Parti, et a chanté à l'occasion de fêtes ou de kermesses ouvrières. Mais ses couplets en portent-ils trace ? *Quand un soldat* est d'inspiration plus pacifiste que communiste, et si *les Routiers* exaltent le travail humain, c'est par le biais d'un des métiers les plus individualistes, les plus rebelles à l'organisation qui soit... Seuls *Soleil d'acier*, une ode à la gloire du Spoutnik (assez peu populaire d'ailleurs), et *Mon copain de Pékin* (un texte écrit avant la rupture Chine/URSS) pourraient s'inscrire dans la mythologie communiste.

Comme Lemarque, d'autres chanteurs sont séduits par l'utopie communiste. Claude Vinci, militant syndicaliste de toujours, bâtit son répertoire sur de vieilles chansons, révolutionnaires ou non ; Maurice Fanon ne s'engage que pour défendre le droit de l'individu (*Avec Fanon*) ou dénoncer les crimes du nazisme (*la Petite Juive*) ; Jean Arnulf croit plus aux artistes qu'aux politiques – c'est du moins ce que laissent entendre ses couplets ; Francesca Solleville se bat pour que reste vivace la chanson poétique ; et si Pia Colombo chante Brecht, c'est plus par hommage au rebelle sulfureux et inclassable qu'il fut qu'au communiste orthodoxe que la légende a fait de lui. Quant aux membres du Parti qui veulent écrire des textes dans la « juste ligne », ils ne parviennent à fabriquer que des hymnes saint-sulpiciens. On a, voici une dizaine d'années, réédité quelques œuvres écrites à la gloire de Maurice Thorez, alors « fils du peuple » et secrétaire général du Parti. Ce ne sont là que de consternants échantillons de réalisme socialiste et de propagande, aujourd'hui proprement risibles.

Le compagnon de route

Il faudra attendre l'arrivée de Jean Ferrat pour parler sérieusement de chanson « communisante ». Bien qu'il n'ait jamais adhéré au Parti, il lui est arrivé de collaborer avec les communistes, notamment au conseil municipal d'Entraygues. Il admire le courage et le dévouement des militants, les seuls, dit-il, capables de sacrifier leur avenir à l'avenir des hommes ; mais, à maintes reprises, il prend ses distances avec l'orthodoxie. On ne peut lui reprocher aucune ode à Staline, aux dirigeants de l'URSS ou au Parti. On ne peut en dire autant de la production des écrivains et des poètes engagés.

Ferrat a connu une enfance difficile sous l'Occupation, traqué comme beaucoup d'autres par les Nazis et les miliciens. Il a travaillé jeune, notamment comme technicien au laboratoire des Travaux Publics. Après le traditionnel tour des cabarets rive gauche, il arrive au disque grâce à une chanson écrite avec Pierre Frachet, *Ma môme* (1960), rengaine plus populiste que politique : « Ma môme, elle joue pas les starlettes / Elle porte pas des lunettes / De soleil / Elle pose pas pour les magazines / Elle travaille en usine / A Créteil. » La chanson plaît aux programmateurs de radio. On l'entend beaucoup, mais le 45 tours ne se vend pas. Question d'intendance : la maison de disques n'a pas suivi.

Très vite vient le premier tube, une chanson d'amour, une chanson d'été, *Deux enfants au soleil*. Il faut toutefois attendre 1964 pour voir la politique investir les couplets de Ferrat. Encore s'agit-il de *Nuit et Brouillard,* un hommage à la fois puissant et discret à tous les déportés, quel qu'ait été leur engagement : communistes, certes, mais aussi catholiques, protestants, Juifs et incroyants. Ferrat rêve à cette forme d'unité populaire qui s'est, pour lui, réalisée dans la Résistance.

En 1965, *la Montagne* fait figure de première chanson écologiste française. Tout ce qui, aujourd'hui, fait le quotidien d'Antoine Waechter et de Brice Lalonde y est contenu en germe. Ferrat dénonce les fausses valeurs de la consommation, les tables en formica et les poulets aux hormones, il exalte un passé embelli, voire idéalisé : « C'était une horrible piquette / Mais il faisait des centenaires / A ne plus savoir qu'en faire / S'il ne vous tournait pas la tête... » Une chanson réactionnaire, au vrai sens du terme, condamnée comme telle par certains militants attachés aux idées de progrès... Une chanson également futuriste, parce qu'elle résume par avance les arguments actuels des défenseurs de la nature et des tenants de l'agriculture biologique. En proposant un retour en arrière, Ferrat, même s'il ne s'en rend pas totalement compte, innove.

Tout comme il innove en illustrant le film de René Allio, *la Vieille Dame indigne,* avec une chanson traitant de la condition des femmes. Le féminisme militant, si vigoureux dans les années 70, est encore dans les limbes. L'Union des Femmes Françaises, organisation satellite du P.C., suivant l'exemple de Jeannette Vermeersch, la veuve de Maurice Thorez, continue de glorifier, comme en URSS, les « mères de famille héroïques ». Ferrat grogne. La situation des femmes l'indigne. Il écrit : « On se marie tôt à vingt ans / Et on n'attend pas des années / Pour faire trois ou quatre enfants / Qui vous occupent vos journées » (*On ne voit pas le temps passer*). Plus tard, il chantera avec la même conviction *La femme est l'avenir de l'homme.* En attendant, proche du Parti, il en anticipe allègrement les positions.

Ferrat est un visionnaire, toujours en avance d'un combat, défendant une ligne que les politiques n'ont pas encore imaginée. Il lui arrive pourtant de puiser chez les autres des idées qu'il traite différemment. Comme pour leur répondre. Ainsi *Horizontalement* (1963) peut-il passer pour une version optimiste de *Ce mortel ennui* (1958) de Serge Gainsbourg ; et il y a plus qu'une simple parenté entre *les Noctambules* et *les Paumés du petit matin* de Jacques Brel. Mais, aux sarcasmes de Gainsbourg, Ferrat oppose son sourire et, à la désespérance de Brel, son ironie. Quoi qu'il en soit, ce sont là deux chansons secondaires dans son répertoire, qu'il reprendra rarement sur scène.

Jean Ferrat possède une indéniable force de conviction. Sa voix très belle et prenante, dont le charme est immédiat, n'y est pas pour rien : une voix qui aurait pu, s'il l'avait voulu, faire de lui un chanteur de charme. Il est aussi d'une évidente sincérité. Il croit à ce qu'il chante et cela transparaît. Sa musique elle-même est une arme. Rebelle aux modes, elle puise dans la tradition, refuse le plus souvent les apports exotiques et joue plus de la mélodie que du rythme. Il a beau clamer, dans *Nuit et Brouillard* : « Je twisterais les mots s'il fallait les twister / Afin que les enfants sachent qui vous étiez », il ne twiste pas, ne jerke pas et se désintéresse du rock. Il pense qu'un air est fait pour être retenu, fredonné, et pour mettre les textes en valeur. A preuve sa manière de chanter Aragon. Il n'est pas le premier à s'être engagé dans cette voie. Léo Ferré a adapté maints de ses poèmes et Georges Brassens, le modèle de Ferrat, a donné une admirable version de *Il n'y a pas d'amour heureux* – dont, sans doute par ironie, la mélodie a également servi à la *Prière* de Francis Jammes. Comparé à ses prédécesseurs, Ferrat ne démérite pas. Ses essais sont des réussites. Sa mélodie s'efface toujours devant les vers du poète. Simple question de respect.

Oublier la « ligne »

Respectueux, le chanteur communisant l'est beaucoup moins avec la ligne du Parti. Si *Potemkine,* dont il fait un succès en 1966, reprend l'imagerie d'Épinal en vogue au P.C. (et dont Eisenstein fut, dans son film *le Cuirassé Potemkine,* le plus fantastique illustrateur), il prend généralement à l'égard des positions communistes une distance qui hérisse les militants, mais dont la direction ne lui tient pas rigueur. Le temps n'est plus où l'on pouvait se permettre de blâmer Picasso pour son portrait de Staline, jugé trop éloigné des concepts du réalisme socialiste. La frange d'intellectuels et d'artistes qui gravite autour du Parti se réduit comme peau de chagrin et le bureau politique ne peut plus se permettre d'éloigner un homme dont la réputation lui sert, même s'il ne pense pas exactement comme il le faudrait.

Or, Ferrat multiplie les incartades. Il est ulcéré par la répression du Printemps de Prague, et le fait savoir. Il soutient la révolte étudiante de mai 1968, au sujet de laquelle la direction du Parti est plus que réservée : le mouvement s'est déclenché spontanément, et le Parti n'a jamais réussi à le contrôler. Mais, lorsqu'il s'agit de dénoncer les fils de famille qui donnent des leçons de pratique révolutionnaire au prolétariat, Ferrat retrouve le vieux réflexe ouvriériste hérité de son enfance populaire et de ses fréquentations communistes (*Pauvres Petits Cons*). Une position qui réjouit les militants, alors fort occupés à combattre les agressifs tenants de l'idéologie maoïste. C'est là un des rares cas où la pensée de Ferrat et l'idéologie officielle du Parti coïncident.

Cuba et sa révolution lyrique le font rêver un moment : la joie teinte les couplets qu'il consacre à l'île. Jusqu'au jour où le castrisme, lui aussi, déçoit. Ferrat, alors, se tait. Il ne retrouvera une communauté d'idées avec le Parti à l'occasion de la sortie, en 1975, d'une chanson sur le Viêt-nam, *Un air de liberté*. Saigon vient de tomber aux mains des troupes nord-vietnamiennes ; dans *le Figaro*, Jean d'Ormesson déplore : « C'est un air de liberté qui disparaît. » Ferrat s'indigne, accroche vertement d'Ormesson : il est immédiatement boycotté par la télévision... Plus tard, après la tragédie des *boat people*, à la question : « Fallait-il appuyer un régime qui contraint son peuple à la fuite ? », il répondra par une autre question : « Fallait-il laisser les Américains maintenir leur domination sur le Viêt-nam ? »

Mais un tel « alignement » n'est qu'occasionnel. Impossible de ranger Jean Ferrat dans le lot des artistes staliniens ou brejneviens. Bien que son titre, emprunté à Aragon puisse le laisser croire, *Oural Ouralou* n'est pas une chanson engagée... mais l'hommage d'un homme à son chien ! D'ailleurs, à mesure que passent les années, les liens entre Ferrat et le Parti s'estompent. Quand Georges Marchais, à la fin des années 70, évoque le « bilan globalement positif » de l'URSS et des pays de l'Est, Ferrat, ulcéré, réplique en écrivant une chanson d'une extrême violence, *le Bilan,* qui met à nu les tares du régime et de la société soviétiques.

Une utopie nouvelle

Viennent la chute du mur de Berlin, l'effondrement de l'URSS, la libération des « démocraties populaires ». Jean Ferrat les accepte. Il les juge inéluctables. Voici longtemps qu'il ne se fait plus d'illusions sur la nature des régimes que les Soviétiques ont imposés aux États d'Europe centrale. Mais le phénomène de rejet le surprend – il ne le prévoyait pas si radical – et la montée des nationalismes l'inquiète. Il supporte moins encore le triomphalisme des ultra-libéraux et des États-Unis, censés les représenter. Une chanson très virulente naît, *Dans la jungle ou dans le zoo.* Ferrat interroge : n'a-t-on vraiment le choix qu'entre un monde où rien n'est permis, pas même les aspirations les plus élémentaires, et un monde où tout est permis, y compris les coups bas et l'écrasement sans scrupules des plus faibles ?

Souvent près de Ferrat, son amie, sa sœur spirituelle, Isabelle Aubret. Elle a été son interprète, comme elle a été celle de Jacques Brel. Combative et tendre, elle sait marquer de sa couleur les chansons des autres, faire de son répertoire une œuvre unique, unifiée. Depuis trente ans, c'est une grande.

Au terme de son voyage, Jean Ferrat est amer. Chacun de ses albums – il en a publié une quinzaine – s'est vendu à 400 000 ou 500 000 exemplaires. Les idées qu'il a défendues, les sujets qu'il a abordés répondaient à l'attente de millions de personnes. Comme lui, elles ont cru au progrès, à l'espoir, au changement, à un futur meilleur. Elles se retrouvent, comme lui, désarçonnées, sans perspectives ni idéal. Sa fidélité, leur fidélité au Parti n'étaient pas pure allégeance, mais plutôt ralliement à un symbole. Le symbole évaporé, à quoi se raccrocher ? Il ne leur reste plus qu'à rechercher une utopie nouvelle. Ils ont bon espoir : entre jungle et zoo, il y a place pour une troisième voie.

Une chanson définit bien les fidèles de Ferrat, à la fois communisants et en désaccord quasi permanent avec le Parti. Une chanson de Ferrat, bien sûr : *la Matinée.* Ce duo avec son épouse, Christine Sèvres, elle-même excellente interprète disparue cinq jours après Brassens, qui n'a pas eu la carrière qu'elle méritait. Christine y chante le soleil, les travaux quotidiens, les tâches à accomplir... Il répond par le rêve, l'espoir, la paix, le bonheur. Et, en chœur, tous deux concluent : « Le monde sera beau / Je l'affirme et je signe. »

Curieusement, le texte de *la Matinée* n'est pas de Jean Ferrat. C'est un de ses amis, Henri Gougaud, qui l'a écrit. Gougaud n'est pas communiste, mais anarchisant. Il s'inscrit dans la tradition de la gauche rurale française. Il reste attaché à l'école laïque et à l'instituteur, « hussard noir de la République », comme au patois et à l'occitan que les vieux parlent encore dans son Sud-Ouest (Gougaud est né à Carcassonne). Amoureux du progrès, mais conscient de ses méfaits. Du temps où il chantait (lui non plus n'a pas fait la carrière d'interprète qu'il méritait), Gougaud dénonçait, bien avant qu'on ne parle des banlieues, l'inhumanité des grands ensembles : « Sarcelles était un nom d'oiseau », disait-il. Il a beaucoup écrit pour les autres, a donné à Reggiani quelques grandes chansons, dont la très belle *Paris ma rose.* Il écrit toujours : des livres, des romans, des recueils de contes dont le terroir et ses gens sont les vrais héros.

S'inspirant des légendes nées de la terre, semblables à celles des veillées d'autrefois, il est, avec Jean-Pierre Chabrol, de ceux qui ont fait renaître la tradition orale en France. Si l'on raconte à nouveau des histoires pour égayer et pour émouvoir, il en est un des principaux responsables.

Le chanteur a de la voix

Belle, virile, chaleureuse, la voix de Jean Ferrat compte moins que les idées et les mots qu'elle donne à entendre.

Elle n'est pour lui qu'un instrument, rien de plus. A l'inverse, pour certains interprètes, la voix est essentielle.

Serge Lama regrette, dans une chanson, « le temps où les chanteurs avaient de la voix » ; lui-même le perpétue. Une tradition familiale... Chanteur d'opéra, son père a dû se reconvertir dans la musique « légère ». Il joue des opérettes, « barytonne aux Capucines », sans gagner ni gloire ni argent. Les revenus de la famille sont maigres et, souvent, la mère maugrée sur son artiste d'époux qui préfère jouer *la Bohème* plutôt que de s'astreindre à un métier sérieux. Parfois, quand la nécessité se fait trop pressante, le père vaincu cède et se fait représentant de commerce. Il n'y gagne guère plus... « Un jour papa a vendu de la margarine / Pour que maman puisse chanter dans sa cuisine », écrira Serge (*le Temps de la rengaine*).

Les récriminations de sa mère, les échecs de son père ont très fortement marqué l'enfance de Serge Lama. Il comprend tout, enregistre tout, et, en son for intérieur, une volonté farouche se fait jour : il sera artiste, comme son père. Mais au contraire de ce dernier, lui, réussira. La carrière de Serge Lama est une sorte de course obstinée vers le succès, une course qu'aucun obstacle ne pourra entraver.

Le petit Serge a déjà pris sa décision, l'adulte s'y conformera, quelles que soient les circonstances : il sera chanteur ou acteur. Il n'a encore choisi ni son style ni son genre, mais il est déterminé. Bientôt, dans *les Ballons rouges,* sa chanson fétiche écrite avec le musicien Yves Gilbert, il lancera : « Et je n'ai pas vu dans l'histoire / Quelque guerrier ou quelque roi / Assoiffé de règne et de gloire / Qui soit plus orgueilleux que moi. »

Malgré la pression de sa mère qui voudrait faire de lui un ingénieur ou un enseignant, il n'aspire qu'au spectacle. Au lycée, il joue les premiers rôles dans les pièces que monte la troupe de théâtre amateur et, bien avant sa majorité légale (alors à 21 ans), il quitte sa famille et tente l'aventure. Il a déjà écrit des dizaines, voire des centaines de couplets, textes d'adolescence que, pour la plupart, il ne chantera jamais.

Débuts difficiles, mais plus rapides qu'il ne pensait. René-Louis Lafforgue, patron de l'École buissonnière, refuse de l'engager, mais Barbara, alors vedette de l'Écluse, est séduite par ses chansons et obtient son passage régulier dans le cabaret. Il la remerciera plus tard en lui dédiant une chanson, *l'Orgue de Barbara*. Une autre chanteuse très populaire à l'époque, Renée Lebas, l'entend à l'Écluse ; elle lui trouve une maison de disques et l'introduit dans le métier. Enfin, en 1964, Brassens lui offre de passer en première partie de son récital, comme il le fait toujours lorsqu'il souhaite donner leur chance aux gens qu'il aime. Il détecte immédiatement le talent du jeune homme.

Serge Lama paraît bien parti. Un accident de voiture, en 1965, remet tout en question. Hospitalisé, cassé de partout, il a perdu l'usage de ses membres ; sa voix elle-même semble en danger... Peu d'espoir, pensent les médecins, qu'il puisse un jour reprendre sa carrière. Lui seul croit en son avenir. Très fort. Il accepte les contraintes de l'hôpital, où il reste plus d'un an, subissant maintes interventions chirurgicales, puis se soumet à une épuisante rééducation. Quand, un soir d'octobre 1967, il présente son tour de chant appuyé sur des béquilles, c'est en vedette à Bobino, grâce à sa volonté de fer : « J'ai rien demandé / Je n'ai rien eu / J'ai rien donné / J'ai rien reçu. »

Sa carrière est vraiment lancée. Il commence à enchaîner les succès, écrit ses propres chansons, telle *le Temps de la rengaine,* ou les confie à d'autres, à Zizi Jeanmaire par exemple (*D'aventures en aventures*). Trop fier pour s'intéresser vraiment à son époque – sa chanson *les Belles de mai* n'a qu'un très lointain rapport avec mai 68 – il se fabrique un répertoire intemporel mêlant sans complexe ressort comique et dramatique.

Comiques, les couplets de *Charivari*, des *P'tites Femmes de Pigalle*... Il s'y présente sous les traits d'un naïf un peu macho, un faraud qui égrène ses conquêtes féminines comme un don Juan de banlieue. C'est le même personnage qui chante *C'est toujours comme ça*, ou plus encore *Superman* (« Ah ! dites-moi pourquoi / Avec la gueule que j'ai / Les femmes me trouvent beau. ») Parfois, l'humour disparaît : il ne reste que le macho triomphant comme dans *Chez moi,* qui met en scène la conquête d'une adolescente par un adulte.

Misogyne, Serge Lama ? Il s'en défend : « Croyez pas que je sois misogyne / Mais quand je vois tous mes copains /

Sous le regard noir des frangines / Courber l'échine / J'ai du chagrin. » Quand on lui pose la question, il part d'un rire tonitruant à faire vibrer les murs. Mais lorsqu'il en vient, pour dissiper les soupçons, à se faire photographier au milieu de « ses » femmes, on a des doutes. Il ne parvient pas à dissimuler son côté Casanova pour lequel les femmes sont d'abord des proies.

Superman nu

Lama sait aussi jouer de la corde sensible. Son hommage à Piaf, sur une musique de Maxime Le Forestier, est tout d'admiration sincère et sans réserve. Émotion que nourrit encore *la Chanteuse a vingt ans*, portrait d'une artiste vieillissante, encore capable de subjuguer les salles, mais qui, à l'heure du démaquillage dans la pénombre de sa loge, sent de nouveau le poids des années. Lama émeut lorsqu'il évoque ses regrets, ses remords, son amertume, comme dans *les Glycines, le 15 juillet à cinq heures* (la chanson qu'il préfère selon Cécile Barthélemy, auteur d'un livre qui lui est consacré), et, plus encore, dans *Je suis malade*, où Superman se montre nu, fragile et vulnérable. Des chansons qui, semble-t-il, s'inscrivent dans une veine autobiographique. Il a vécu ces histoires un peu lugubres qu'il conte simplement, avec émotion, telle cette rencontre avec *Mon ami, mon maître*, cet homme qui l'a aidé à garder confiance après son accident.

Son succès ne se dément pas. Il fait l'Olympia en vedette en 1974, occupe onze mois plus tard la scène du Palais des Congrès. Chacun de ses albums se vend à des centaines de milliers d'exemplaires. Bref, Lama a atteint son but. Il pourrait s'arrêter là. Voire ! On ne se méfie jamais assez des insatisfaits, des ambitieux, de ceux-là qui estiment avoir toujours quelque chose à prouver. Dès ses débuts, il s'était choisi un modèle, Jacques Brel. Il n'aura de cesse d'enregistrer un disque entier de grandes chansons de lui. Le résultat sera remarquable, aussi puissant, aussi émouvant, quoique différent de l'original.

Dès lors, Lama n'a plus rien à démontrer. Il lui faut donc essayer autre chose. Il pense à une comédie musicale. Son sujet : Napoléon Bonaparte ; un personnage qui le fascine depuis toujours. Dans *Une île,* chanson du début des années 70, il évoquait déjà Sainte-Hélène. Décriée, éreintée par la critique, sa comédie musicale restera néanmoins plus de deux ans à l'affiche. Son public, que cette nouvelle image de Lama aurait pu désorienter, l'a soutenu. Reste pour lui une nouvelle étape à franchir : le théâtre. Fin 1992, il est sous les feux de la rampe.

Solitaire, Lama est en même temps un homme entouré d'artistes. Des musiciens surtout : Yves Gilbert, le compagnon et le compositeur des débuts. Alice Dona aussi. Du temps des yé-yés, elle avait réussi à se faire une place parmi eux. Elle était de leur âge, ses chansons reflétaient leurs états d'âme ; mais elle n'avait pas réussi à percer. Le ressac la laisse sur le sable. Elle se met alors à composer pour d'autres – dont Lama – avant de revenir à la scène, avec cette fois un répertoire de femme. Des chansons réussies, originales, carrées, sensibles sans sensiblerie : elle frôle un moment le vedettariat. Elle ouvre alors une école de la chanson, dont l'activité se poursuit aujourd'hui. Excellente pédagogue, elle sait développer les qualités de ses élèves. Elle est de ceux qui permettent aux débutants de se présenter sur scène avec un maximum d'atouts dans leur jeu.

Proche de Lama également est Marie-Paule Belle. Ensemble, ils ont écrit quelques chansons, souvent humoristiques, qu'elle interprète. On se souvient de *Mon Nez,* auto-mise en boîte magistrale de la chanteuse. Marie-Paule Belle a toujours reconnu ses dettes envers Lama. Il l'a poussée, l'a entraînée, lui a permis de gagner une notoriété en lui offrant une place de plus en plus importante dans ses premières parties. Leur public respectif n'est pas très éloigné, et leur répertoire joue autant sur l'humour que sur l'émotion. Ils sont complémentaires.

Très vite, Marie-Paule Belle se montre originale. Niçoise originaire de Corse, elle incarne à la perfection le « titi parisien » de la légende. Timide de nature, elle a sur scène l'abattage d'une meneuse de revue. Méridionale, elle joue de l'accent parigot avec aisance, cultive avec bonheur la gouaille et l'insolence. A tel point que l'on se demande si l'esprit de Mistinguett et d'Arletty ne se sont pas rencontrés en elle.

La provinciale et les Parisiennes

Ses origines sont bourgeoises : père médecin, grand-père médecin, oncles médecins... Le plus logiquement du monde, elle se prépare elle aussi à la médecine... sans succès. Là n'est pas sa passion. Elle étudie alors la psychologie, obtient sa licence, prépare un doctorat. Elle en a déjà choisi le thème : « Angoisse et expression ». Elle confie : « Je voulais savoir comment les gens qui se produisent dans les cabarets, qui sont donc les plus proches du public, concilient leur angoisse de monter sur scène avec la nécessité de s'exprimer. » Sujet ambigu, qui trahit déjà son inclination pour le spectacle.

Sans le montrer, elle s'y prépare depuis toujours. Elle a appris le piano – comme cela se fait dans les bonnes familles –, est devenue bonne musicienne. Il lui arrive même, en secret, de composer. Elle se fait aider d'un ami, Michel Grisolia, devenu depuis scénariste et romancier. Ils se connaissent depuis l'âge de dix ans, et, ensemble, ils écrivent dès l'âge de treize ans des œuvrettes lugubres sur la fatalité du temps qui passe et de la vieillesse qui vient. Elle n'en gardera bien sûr aucune dans son répertoire. Elle se lance pourtant, participe à des concerts d'amateurs avec le répertoire des autres, et finit par remporter un « télé-crochet » organisé par Télé Monte-Carlo, « en trichant un peu » avoue-t-elle.

Elle monte alors à Paris, théoriquement pour poursuivre ses études, mais avec un projet secret. Elle fait le tour des cabarets rive gauche, se voit refusée par quelques-uns, acceptée par l'Échelle de Jacob où elle est, dit-elle, « payée avec un lance-pierre », puis par l'Écluse où elle grimpe allègrement du « lever de rideau » à la place enviée de « chanteuse de minuit », tout comme, avant elle, Barbara. Ce rôle l'intimide, la paralyse presque. « Je n'ai pas osé toucher au piano sur lequel elle jouait et me suis, pendant des mois, accompagnée à la guitare », se souvient-elle. Bientôt, elle concourt au Festival de Spa en Belgique (1974), organisé par la Communauté des radios publiques de langue française, qu'elle emporte haut la main. Sa carrière s'emballe, en France et dans toute la francophonie. Nombre de ses chansons deviennent des tubes.

Marie-Paule Belle possède désormais son propre répertoire, conçu à trois : elle-même, l'écrivain Françoise Mallet-Joris, devenue une de ses proches, et Michel Grisolia, le copain de toujours. Ses chansons reposent sur un comique dévastateur, délirant, poussant la dérision jusqu'à l'absurde, parfois hors du temps (*la Brinvilliers, Wolfgang et moi...*), mais, le plus souvent en prise avec l'actualité telle que la présente la presse à sensation, comme en témoigne *Je veux pleurer comme Soraya*, visiblement inspirée par les journaux du cœur : « Je veux pleurer comme Soraya / Je veux pleurer comme une princesse / Je veux pleurer avec noblesse / Pas dans la soupe mais dans la soie... » Elle chante aussi *Mes bourrelets d'antan*, évoquant les cures d'amaigrissement... La mode inspire beaucoup le trio, le cinéma porno l'amène à jouer des mots et des sons de façon déconcertante : « L'alibi de la libido / L'abus du nu libidineux / La littérature a bon dos / Mais ça finit toujours au lit. » Du même acabit, *la Parisienne*, chanson à laquelle Marie-Paule Belle est définitivement associée, apparaît comme un modèle du genre. Il faut pour être dans le vent, expliquent les auteurs, accumuler tares et bizarreries. L'héroïne se désole : « Je ne suis pas nymphomane, / On me blâme, on me blâme, / Je ne suis pas travesti, / Ça me nuit, ça me nuit... » Elle sera bientôt rassurée : « Mais si, me dit le docteur en se rhabillant, / Après ce premier essai, c'est encourageant. / Si vous ne buvez pas, ne vous droguez pas et n'avez aucun complexe / Vous avez une obsession, c'est le sexe. »

Ce personnage à l'ironie acide cache une autre Marie-Paule Belle, peut-être plus attachante, qui s'émeut et qui touche. Le public la connaît moins, tant il s'est habitué au petit lutin farfelu dont les mimiques et les mots font sourire. Pourtant, c'est à cette sœur jumelle que « la Belle » doit peut-être ses meilleures chansons. Elle flirte avec la nostalgie (« J'ai l'âme à la vague / J'ai l'âme qui vogue / Avide elle drague / C'est comme une drogue »), trouve pour évoquer son enfance un ton d'une rare délicatesse (« Les petits dieux de la maison / Souriaient en te voyant faire / Avec amour et déraison / Si maladroitement ma mère... ») et frôle parfois le désespoir (« Un peu d'angoisse et de café / Beaucoup de poisse et de gaieté. ») Elle chante les départs avortés, les voyages jamais entrepris (« Je rêvais du train bleu / De Trans Europ Express / L'amour et la vitesse / Les matins fabuleux / Les roues qui grincent / Sur leurs essieux / D'autres provinces / Sous d'autres cieux. ») Lucide, elle sait que les amours meurent, pas toujours tragiquement, mais souvent d'usure et de lassitude : « Quand tout ira bien, quand nous serons amis / Sans plus de mensonge, sans plus de jalousie / Sans plus de colère / Sans plus de mystère / Notre amour sera fini. »

Cette Marie-Paule-là, « la Belle » ne l'a peut-être pas assez mise en avant. On l'ignore trop souvent. Elle mérite d'être connue. Autant que l'est *la Parisienne.*

D'autres « Parisiennes » (tel était le nom de leur groupe) ont, une dizaine d'années durant, précédé Marie-Paule Belle. Elles se sont penchées sur le quotidien, elles l'ont regardé à distance, avec ironie et humour. Elles ont su parler des petites joies et des petites difficultés de l'existence, les évoquer sans rancœur, avec entrain. Elles n'ont pas révolutionné la chanson, mais elles se laissaient écouter lorsqu'elles lançaient *Il fait trop beau pour travailler, Va falloir se mettre au régime* ou encore cette chanson au titre interminable, *C'est tout de même malheureux de ne pas pouvoir se promener tranquillement dans les rues après sept heures du soir.* Les Parisiennes, très influencées par le jazz, avaient du charme. Normal : leur inspirateur, le chef d'orchestre Claude Bolling, venait du jazz. Il continue d'ailleurs de le pratiquer. Un jour, elles ont disparu. Sans qu'on sache vraiment pourquoi. Dommage ! A peine caricaturales, leurs interprétations donnaient une juste image de leur époque. On les regrette.

Quand le jazz est là...

Les Parisiennes avaient volontairement choisi une musique dérivée du jazz pour parler de la vie de tous les jours et de la modernité. Amoureux du jazz, Claude Nougaro en fait un tout autre usage : fantasmatiques, fantasmagoriques sont ses mots. Il dit : « Le jazz est une musique qui a les pieds enfoncés dans le sol, profondément, et qui a la tête dans le ciel, au milieu des nuages. » Selon lui, cette musique a sa place partout. Elle peut aussi bien servir le rêve que parler du quotidien, cette glèbe qui colle aux souliers. Nougaro rend ainsi le jazz à sa vocation première. Le jazz, mémoire des Noirs d'Amérique, leur rappelait leur origine, le mépris et la violence dont ils étaient victimes, mais en même temps, il les leur faisait oublier, leur ouvrait le droit à l'espérance.

Le lien qui unit Nougaro au jazz ne paraît d'abord pas limpide. Ses parents vivent de la musique, c'est vrai, mais leur style est bien différent de celui qui sera le sien. Son père est baryton d'opéra, sa mère pianiste classique. Lui-même connaît ses premiers émois musicaux au Capitole de Toulouse, la ville où, en 1929, il a vu le jour. Son soudain intérêt pour le jazz provoque une manière de scandale dans la famille, hostile à ce qu'elle appelle « la danse des ours ».

Pour ce lycéen allergique aux études, la musique n'est pas encore une vocation, juste un environnement. Il l'aime, assurément, et sous toutes ses formes, mais il se sent incapable de composer. Le solfège le rebute. Il lui paraît trop hermétique. Pourtant, l'adolescent sent se préciser l'idée qu'il se fait de la musique. Il aime celle qui vient « du corps et des tripes », découvre à la fois Louis Armstrong, Édith Piaf, le tango et sa tragédie, le blues et le désespoir, la samba et sa fête mélancolique. Il croit en la musique-émotion, la musique-passion, la musique-danse, celle qui donne des ailes. Pas étonnant si, bientôt, il se passionne pour les tambours et les tam-tams d'Afrique.

Plus encore peut-être, Nougaro aime la musique des mots, la poésie. Il s'enthousiasme pour Cocteau et devient l'ami d'un des poètes les plus marquants de ce siècle, Jacques Audiberti – qu'il hébergera longtemps. Écrire, telle est sa première vocation. Il composera plus tard, pas souvent, longtemps secondé par le pianiste de jazz Maurice Vander.

Nougaro devient donc parolier. Il fournit à Marcel Amont, fantaisiste en renom, des couplets bien venus, joliment écrits, merveilles d'humour et de jonglerie verbale. A Philippe Clay, il offre *la Sentinelle* (« Que fais-tu Lili dans ton lit / Est-ce que tu lis, Lili / Est-ce que tu libertines... » Il joue avec les mots, mais, dira-t-il plus tard, « ce sont les mots qui jouent avec moi, qui m'entraînent là où je ne pensais pas aller ». Il donne à Montand, qui en fera un grand succès, *le Jazz et la Java* : « Je donne au jazz mes pieds / Pour marquer son tempo / Et je donne à la java mes mains / Pour le bas de son dos. »

Mais écrire pour les autres ne lui suffit plus. Il ressent l'impérieux besoin de porter lui-même les textes qu'il a conçus, de se laisser porter par eux. Il s'essaie au cabaret, passe en 1958 au Lapin agile ; il y connaît un succès réel, mais restreint. C'est en 1962 qu'une nouvelle rencontre, celle de Michel Legrand, change toute son existence. C'est avec lui qu'il écrit son premier album, un 25 cm préfacé par Audiberti ; le grand public découvre Nougaro. Ce disque exemplaire le présente sous toutes ses facettes : hâbleur, volontiers macho dans *les don Juan* (« Ce qu'il faut dire de fadaises / Pour voir enfin du fond d'son lit / Un soutien-gorge sur une chaise / Une paire de bas sur le tapis... ») ; nostalgique et rêveur dans *le Cinéma* (« Sur l'écran noir de mes nuits blanches / Moi je me fais du cinéma / Sans pognon et sans caméra / Bardot peut partir en vacances / Ma vedette c'est toujours toi. ») ; ironique avec lui-même dans *Où* (« Puisque ma poésie / Vous fait bâiller d'ennui / Ô ravissantes gourdes / Pour être dans le bain / J'y mets de la musique de style afro-cubain... »). Une chanson, un véritable tube, lance véritablement le disque, qui devient le grand succès de l'année 1962 : *Une petite fille*. Elle est en, quelque sorte, le pendant des *Don Juan,* puisque son héros est un mâle vaincu et pitoyable : « Une petite fille en pleurs dans une ville en pluie / Et moi qui cours après / Et moi qui cours après au milieu de la nuit / Mais qu'est-ce que je lui ai fait ? »

Humour noir et images d'or

Son univers n'est pas sans contradictions. L'homme n'est pas tout d'une pièce. Il voudrait dominer (« Un mètre quatre-vingts / Des biceps plein les manches / Je crève l'écran de mes nuits blanches... »), et rêve d'être consolé (« Mais s'il est parmi vous / Une fée, une fleur, quelque part sur la piste / Qui entend malgré tout / Malgré le cha-

cha-cha / Les mots de ma voix triste... / Alors dites-moi vite où. ») Cette dualité, la force de ses textes, la raucité de sa voix et la puissance de la musique de Legrand font de Nougaro, à la fin de 1962, une vedette.

Après le succès, l'épreuve : un accident de voiture, en 1963, le maintient immobilisé pendant près d'un an. Il réagit comme Serge Lama le fera un peu plus tard, avec une volonté farouche de s'en tirer et de rester fidèle à sa vocation. Il reviendra à la scène en s'appuyant sur des béquilles lui aussi... Il écrit même sur sa mésaventure quelques couplets moqueurs (*Pauvre Nougaro*) ; il y parle d'un obstacle dans « son jeu de quilles »... On n'entendra guère ces vers qu'il juge lui-même trop faciles et désinvoltes. Ils apportent cependant des éléments de compréhension à la définition du personnage, à son refus de se plaindre.

Nougaro préfère évoquer le texte de *A bout de souffle,* écrit sur son lit d'hôpital, alors qu'il avait le thorax emprisonné dans un corset. Il s'agit d'une histoire de gangster traitée à la manière d'un film noir américain, mais surtout d'un exercice sur le souffle, le halètement, la suffocation d'un héros condamné d'avance par le destin. Son interprétation – qui complète parfaitement la musique de Dave Brubeck – ajoute au sentiment d'angoisse et de désespoir qui étreint l'auditeur. Aucune lueur, aucune embellie n'est possible dans le monde sombre où Nougaro nous conduit.

Parfois, dans des situations aussi lugubres, Nougaro trouve, grâce à un humour très noir, le moyen de faire oublier la gravité de ses couplets. Ainsi dans *Sing Sing Song,* sur un thème de Nat Adderley : « Quand le jour se lève sur Sing Sing / Et qu'c'est dimanche qu'on attend / On va voir l'orchestre de Sing Sing / Il faut dire qu'il swingue méchamment / L'dernier batteur avait l'rythm' dans l'sang / Sur la chaise, il fit trois petits sauts... »

Restent le swing et une sorte de frénésie qui enfièvrent le chanteur et son public à l'unisson. C'est grâce au rythme qu'une chanson sur la boxe, dure parce que sans illusion, se transforme en un étonnant ballet physique et vocal (*Quatre boules de cuir*), grâce au rythme que *la Pluie fait des claquettes* semble née pour illustrer le film *Singing in the rain*... Gene Kelly pourrait danser sur nombre de refrains de Nougaro. D'ailleurs, ce dernier ne chante-t-il pas, sur une musique de Neal Hefti, *Dansez sur moi* : « Dansez dessus mes vers luisants comme un parquet de Versailles / Embrassez-vous, enlacez-vous / Ma voix vous montre la voie / La voie lactée, la voix clarté où les pas ne pèsent pas. »

Chez Nougaro, le rythme repose sur les mots, les pirouettes verbales jouant sur les doubles et les triples sens... *Le Petit Taureau* entre dans « la reine, la reine des abeilles » ; le narrateur de *Schplaouch !* plonge « dans la vie en sortant de *sa* mère [...] / Plonge dans la vie comme dans l'eau de la mer. » Il nage : « Haouch ! / A quoi ça sert ce bain ? / Surveille-t-on mon style ? / Je me mouille, pourquoi ? / Haouch ! »

Parfois, comme dans *Locomotive d'or*, les mots tant triturés perdent jusqu'à leur sens. Le bruit, le *scat* prennent le dessus. On entend : « Locomotive d'or, tchi-ki-kon, tchi-ki-kon / Locomotive d'or, ka-kan-ka-kan-ka-kan », et le train s'ébranle, entraînant le chanteur dans un voyage de rêve (« Tu me fis visiter tes Congo, tes Gabon / Tes Oubangui-Chari et tes Côte d'Ivoire / Où de blancs éléphants m'aspergeaient de mémoire. ») Une remarque à propos de cette chanson et de *l'Amour sorcier* : Claude Nougaro est en France l'un des premiers à avoir introduit les sonorités et les rythmes africains dans ses chansons, préfigurant ainsi ce qui deviendra la *world music*.

Qu'on ne s'étonne donc pas si, en plus des musiques négro-américaines (il compose un superbe hommage à *Armstrong*), Nougaro puise aussi ses sources au Brésil, empruntant à Gilberto Gil la musique de *Brésilien* et à Baden Powell celle de *Bidonville*.

Une remarque s'impose : Nougaro craint par-dessus tout qu'on le considère comme un chanteur engagé. Or, *Bidonville* est une chanson engagée, tiers-mondiste pourrait-on dire : « Donne-moi ta main camarade / J'ai cinq doigts moi aussi / On peut se croire égaux. » De même, *Y avait une ville*, un des textes qu'il interprétait du temps de ses débuts au cabaret, est une chanson pacifiste. Quant à *Paris Mai*, c'est probablement la plus subtile des analyses – favorables –

qu'on ait faites de la révolte étudiante de mai 68 : « Le casque des pavés ne bouge plus d'un cil / La Seine de nouveau ruisselle d'eau bénite / Le vent a dispersé les cendres de Bendit / Et chacun est rentré chez son automobile... » Après leur succès initial, Nougaro a éliminé ces chansons de son répertoire. Des années durant, il ne chantera plus *Bidonville,* à cause de la consonance marxiste du mot « camarade », ni *Paris Mai,* du fait de la charge politique qu'elle contient. Il a tellement peur d'être récupéré qu'il en vient à pratiquer l'autocensure. Contradictions, bien sûr. L'homme en est pétri : un solitaire qui, pour travailler, ressent la nécessité de s'appuyer sur les meilleurs musiciens du moment : Maurice Vander, Eddy Louiss, Michel Portal, Ivan Jullien, mais aussi Michel Legrand et Jean-Claude Vannier ; un audacieux qui ne craint pas d'écrire *Plume d'ange,* un véritable conte philosophique transformé en chanson ; un poète toujours fidèle à son maître, Audiberti, auquel il offrira une vibrante *Chanson pour le maçon.*

Nougaro est aussi un personnage à l'inspiration imprévisible. Entre deux hommages à la femme, tels *Marcia Martienne* ou *Île de Ré,* il fait l'éloge de la bonne cuisinière (*les Mains d'une femme dans la farine*) et se livre à des comparaisons hasardeuses qu'on passerait difficilement à un autre : « Au Saint-Hilaire ou chez Régine / Tout se passe au fond, au fond, au fond / C'est tout à fait comme dans les mines / Comme dans les mines de charbon... » Dérision, sans doute, comme dans *Clodi clodo, Je suis sous* ou *Western.* Nougaro s'amuse autant qu'il amuse.

Des années durant, accident mis à part, il se hisse vers les sommets et s'y maintient. Ses disques se vendent. Il fait l'Olympia en 1969, Bobino en 1971, le théâtre de la Ville en 1973, l'Olympia en 1974... puis le Palais des Sports en 1983, et l'Olympia en 1985. Cette année-là, il est convoqué chez Barclay, sa maison de disques du moment. On a cessé de croire en lui. Le contrat est rompu. Il n'est plus « à la mode ». Nougaro « craque », déprime, détruit ses textes et ses dessins... Pour le show-biz, c'est un homme fini.

Rebondir plus haut

C'est alors que se produit le sursaut. Aidé de Mick Lanaro, son producteur, il entreprend de remonter la pente. Il revient d'abord à ses premières amours. On le revoit chanter dans les petits clubs de jazz, pour un public restreint mais fervent. A New York, où il est allé à la fois pour rencontrer les jazzmen et noyer ses problèmes, il croise Philippe Saisse, le magicien des synthétiseurs. Lanaro lui a dit : « Tes difficultés viennent de ce que tu n'as pas réussi à intéresser les jeunes. Ils aiment tes textes, mais tes orchestrations leur semblent dépassées. »

C'est avec Philippe Saisse qu'il entreprend le grand tournant. En apparence, une rupture : « J'ai découvert le charme du rythme binaire », confie-t-il en souriant. Sortent alors, en l'espace de deux ans, deux albums qui le propulsent de nouveau au sommet, *Nougayork* et *Pacifique*... Du rock, du funk, on ne sait : lui-même refuse les étiquettes. Mais, sur ces musiques plus sommaires et plus percutantes, ses textes éclatent comme ils ne l'avaient peut-être jamais fait. Éclatent... et emballent. Ses ventes explosent. Sexagénaire, le voilà devenu « idole des jeunes ». Il est rassuré.

Dès lors, sans renoncer à ce nouveau style, il peut sans angoisse retrouver ses anciens réflexes. Pour son dernier album et son Olympia en 1992, il est accompagné simplement au piano par Maurice Vander : « Une voix, dix doigts. » Il réfléchit à de nouveaux accompagnements, ne perdant ni sa curiosité ni son audace.

Ainsi se présente Claude Nougaro, manieur de mots et amoureux des sons. S'il fallait définir l'homme, trois chansons, déjà anciennes, suffiraient : l'inquiet qui s'angoisse à l'idée de ne plus séduire (*Mon assassin*) ; le père que la naissance de son enfant (*Cécile, ma fille*) rend fou de joie : (« Elle voulait un enfant / Moi je n'en voulais pas / Mais il lui fut pourtant facile / Avec ses arguments / De te faire un papa / Cécile, ma fille ») ; l'homme du Sud-Ouest enfin, fidèle depuis toujours à sa ville, et qui l'idolâtre : « Ô moun paìs / Ô Toulouse... » (*Toulouse*).

14.
LE GRAND CHAMBARDEMENT

Quand craquent les carcans

Deux mois, parfois, suffisent pour changer un monde. Si, pour près d'une décennie, la chanson a transformé son langage et s'est choisi de nouveaux héros en 1968, c'est en grande partie parce qu'en quelques semaines, étudiants et ouvriers ont voulu tout mettre en cause, refusant tous les pouvoirs, y compris ceux qui semblaient immuables.

En 1967, la France semble nager dans la joie. Les accords d'Évian ont mis fin à la guerre d'Algérie. Les salaires, le niveau de vie s'accroissent régulièrement. La salle de bains, l'automobile, luxes réservés jusqu'alors à quelques privilégiés, sont devenus d'usage courant. Les congés payés, qui ne datent que d'une trentaine d'années, ont radicalement modifié les comportements. On attend les vacances, on profite des week-ends. On parle désormais de « civilisation des loisirs », selon la formule du sociologue Joffre Dumazedier.

Dans cette France apaisée, tout n'est certes pas rose. Il y a des exclus : les marginaux du quart monde, incapables de se plier aux règles sociales, etc. Plus encore, les travailleurs immigrés, rouages du progrès : leur travail reste pénible et leur logement aléatoire. Ils habitent les banlieues, dans des conditions parfois très précaires : eux aussi, pourtant, sont aveuglés par les feux de la société de consommation.

Ils ne sont pourtant pas à l'origine du décalage croissant entre une population qui s'émancipe et des structures sociales qui se rigidifient. Bien qu'entrée dans une ère nouvelle, la France reste repliée sur son passé. La situation de l'Université, en particulier, se détériore. En une quinzaine d'années, le nombre d'étudiants a décuplé. Mais les règles internes, la hiérarchie dont ils dépendent, le système dans lequel ils évoluent n'ont pas bougé, associant les coutumes de la Troisième République à des traditions datant du Premier Empire. Libérale avec ses professeurs, l'Université continue de traiter ses élèves comme des mineurs, leur déniant la liberté de penser et d'agir.

Rien d'étonnant, dans ces conditions, si le monde étudiant est le premier à sentir les secousses du séisme qui s'amorce. Des incidents surviennent dans des résidences universitaires à Antony et à Nanterre où l'accès des chambres de filles est toujours interdit aux garçons. A Nanterre, à l'occasion de l'inauguration d'une piscine, une altercation oppose le ministre de la Jeunesse, François Missoffe – ami d'adolescence de Boris Vian –, à un garçon jovial, rond et roux, Daniel Cohn-Bendit, qui s'exclame : « Au lieu de construire des piscines, parlez-nous plutôt de la misère sexuelle des jeunes... » Missoffe réplique : « Si ça vous travaille à ce point, plongez, ça vous calmera ! »

Le monde étudiant désire le changement. C'est une certitude. Mais quel changement ? Les réponses sont extrêmement confuses. Les anciens maîtres à penser s'étiolent, de nouveaux apparaissent, qui appartiennent à la même génération que ceux qu'ils sont censés remplacer, mais longtemps marginalisés : Wilhelm Reich, Herbert Marcuse croient aux sous-prolétaires et au rôle de la sexualité dans la révolution. Bientôt surgit une organisation d'autant plus mystérieuse qu'elle ne regroupe que ses fondateurs (lesquels passent leur temps à s'exclure mutuellement) : c'est l'Internationale situationniste. En 1967, les situationnistes parviennent à se rendre maîtres de l'Association générale des étudiants de Strasbourg, le temps pour eux d'en démontrer l'inutilité et de publier, sous forme de bande dessinée, un pamphlet corrosif : « De la misère sexuelle en milieu étudiant. » C'est à ces situationnistes, ultraminoritaires, que l'on doit les plus célèbres des slogans de mai 68, dont le fameux « sous les pavés, la plage. »

Une révolution sans vocalises

La mode, en matière politique, est aux groupuscules. Ils foisonnent, offrant chacun sa version d'un monde meilleur. Il y a les anars, les « maos », orthodoxes et fidèles aux préceptes du Petit Livre rouge, les « spontex » attachés à la spontanéité des masses, les trotskistes, avec leurs multiples nuances... Pas de communistes ou très peu : les étudiants en révolte rejettent les institutions et, à ce titre, le Parti lui-même.

A côté de ces idéologies plus ou moins structurées et plus opposées que parallèles, fleurissent toutes sortes de théories souvent floues. Ainsi considère-t-on que l'accession à la consommation est une cause supplémentaire d'aliénation du prolétariat, désormais davantage tenté par l'acquisition de biens matériels que par la lutte révolutionnaire. Ajoutons, pour compléter le tableau, une solidarité affirmée avec tous les combattants anti-impérialistes de la planète : le petit Viêt-nam, sur lequel bute le géant américain, le Cuba de Fidel Castro dont l'influence se fait sentir dans toutes les guérillas d'Amérique latine, les Palestiniens, les progressistes d'Afrique et du Proche-Orient, les Black Muslims des États-Unis, etc. Telle se présente ce qu'on pourrait appeler la pensée soixante-huitarde.

L'explosion de mai est déterminante dans tous les domaines, et par conséquent dans la chanson. La révolution échoue, mais la mue réussit. Les carcans trop étroits éclatent. L'Université et l'administration entament leur grande période de réformes, le régime quasi monarchique de l'entreprise est ébranlé ; les usages, les mœurs, la morale quotidienne sont presque balayés. Les modèles s'effondrent et le progrès lui-même, dans son ancienne acception, est rejeté.

Le courage des étudiants, la force des manifestations et la puissance des grèves y sont pour beaucoup, et plus encore la liberté de parole. Comme l'écrira le philosophe Michel de Certeau, « en mai, on a pris la parole comme on avait pris la Bastille en 1789 ». Mai est une révolte bavarde. On débat jour et nuit à la Sorbonne et à l'Odéon, devenus lieux de meetings permanents. On dialogue dans les usines, les administrations, les théâtres ou les lycées occupés. On parle même dans les rues lorsque, plus ou moins spontanément, de petits groupes se forment, simplement pour discuter.

On parle beaucoup, mais on chante peu. Dans les « manifs » où sont scandés, sur des rythmes de musique pop alors en vogue, les slogans du moment (« Ce n'est qu'un début, continuons le combat ! », « Nous sommes tous des Juifs allemands » ou « Hô-Hô-Hô-Chi-Minh »), les groupuscules distribuent des feuillets où sont imprimées les paroles de vieux chants révolutionnaires français (*l'Internationale, la Jeune Garde, le Drapeau rouge*), ou soviétiques (*les Partisans, Usé et tombé à la tâche*). Sans grand succès. Les airs en ont été oubliés et la révolte n'attire pas les vocalises. Les quelques chansons liées aux « événements », celles d'Évariste, « le Chanteur de mai », ou du Théâtre de l'Épée de Bois, passent totalement inaperçues. Quant aux idoles de la veille, elles sont devenues muettes. Frank Alamo résume leur attitude en avouant : « Je préparais une chanson sur le thème : la jeunesse a toujours raison. Heureusement qu'elle n'est pas sortie ! » Si *la Cavalerie* de Julien Clerc et Étienne Roda-Gil reste liée au souvenir de mai, elle est avant tout un succès commercial. L'esprit de mai 68 ne se retrouve vraiment qu'en Léo Ferré et Colette Magny.

Curieusement, les événements de mai, qui provoquent la publication d'une centaine de livres, n'inspirent guère les compositeurs. Hormis Nougaro (*Paris-mai*) et, dans une moindre mesure, Serge Lama (*les Belles de mai*), il n'est guère que Béart, dans *le Grand Chambardement*, pour tenter de conférer à la révolte étudiante une dimension planétaire... Il semble même que les adversaires de mai, une fois le danger passé, font montre de plus de pugnacité que ses partisans. Philippe Clay retrouve une popularité certaine en opposant *Mes universités* à celles qui viennent de se rebeller, et Sheila tente d'imposer, dans *Petite Fille de Français moyen*, une vision poujadiste et anti-intellectuelle d'une jeunesse qui ne conteste pas. Quant à Jacques Dutronc, toujours sarcastique, il trouve, avec la complicité de Jacques Lanzmann, le moment venu de faire l'éloge de *l'Opportuniste* : « Je retourne ma veste / Toujours du bon côté... »

Renaissance des provinces

Ce relatif silence ne doit pas faire illusion. Mai est dans l'air du temps. La fraternité des barricades, le défi lancé aux règles morales et sociales ne sont pas oubliés. Il faut le temps à ceux qui les ont vécus de s'en imprégner. Bientôt, ils tireront parti de leurs expériences pour renouveler leurs créations. On parlait, dans les années 50, de chanson engagée. La chanson contestataire va prendre le relais. Elle reflétera, l'espace de quatre ou cinq années, toutes les contradictions observées durant les mois de mai et juin 1968. Elle sera d'une grande tolérance... et d'un sectarisme absolu. Elle rejettera les valeurs admises pour en élever d'autres, héritées d'un monde rural mythique. Universaliste, elle exaltera les régions et les provinces, poussant les particularismes jusqu'à leur extrême limite. Écologiste avant l'heure, elle défendra le droit à la nature, soutenues par des puissantes sonos. Elle sera puritaine et prônera la libération sexuelle, se nourrira d'aliments biologiques dans l'âcre fumée du « pot », de l'« herbe » et de la « Marie-Jeanne ». Bercée d'idéologies de gauche, voire gauchistes, elle rêvera enfin de retrouver un âge d'or passé, d'autant plus idyllique qu'il ne correspond à aucune réalité.

Le folklore, le *folksong* pour employer le langage de l'époque, devient une de ses principales sources d'inspiration. Des groupes naissent, comme Malicorne et Mélusine, qui reprennent des chants anciens ou en composent sur le même modèle. Ils redécouvrent les instruments d'autrefois, la viole de gambe, le biniou, la cabrette et la viole à roue, essayant de recréer l'atmosphère supposée des fêtes de village où chacun était à la fois spectateur et acteur. En Bretagne, les fest-noz (« fêtes nocturnes ») attirent des foules de plus en plus denses, et leurs vedettes, telles les sœurs Goadec, obtiennent une audience nationale. On danse à nouveau la sardane à Perpignan et la bourrée en Auvergne.

Parmi ces chanteurs « régionalistes », si nombreux qu'il est impossible de tous les citer, les plus influents sont ceux qui savent combiner modernisme et tradition, ajouter aux sons d'autrefois des orchestrations actuelles et mêler aux mots du terroir des termes d'aujourd'hui, français, parfois même anglo-saxons.

Très frappant est le cas de Glenmor, l'ancêtre du genre, que certains surnomment le « Barde breton ». La Bretagne, on le sait, est une contrée où, à l'intérieur des terres, la langue survit, miraculeusement préservée de l'oubli, de génération en génération. Mais son impact se réduit, bien que les militants veuillent la transmettre aux jeunes. Les « Bretons bretonnants » se font rares, si bien que, pour se faire entendre du plus grand nombre, Glenmor, nationaliste farouche, doit souvent s'exprimer en français. Ce qu'il fait à la perfection, avec une puissance et un souffle peu communs, quoiqu'il y ait quelque incohérence à demander en français aux Bretons de parler breton.

Glenmor refuse le passéisme d'un Théodore Botrel, chantre du terroir début-de-siècle qui exaltait « Dieu et le Roy ». Glenmor est véhément, agressif, droit et entier. Comme Léo Ferré, il attaque, il dénonce. Il décrit une Bretagne corrompue par son intégration à la France, une nation brimée, brisée, à laquelle on a arraché sa liberté et sa culture. Il met l'État au pilori, et, surtout, Paris (*Sodome*), cité de toutes les tares et de tous les vices. Son intransigeance, son puritanisme hérissent souvent : il désigne nommément des gens de bien, coupables, selon lui, du crime d'homosexualité. Dans ses couplets, le patriotisme breton frôle parfois la xénophobie, et son intolérance l'intégrisme. Mais sa sincérité ne fait pas de doute. Proche du FLB (Front de Libération de la Bretagne), il a connu, peu de temps il est vrai, les cachots de la République.

Les Bretons récalcitrants

Autre héraut des revendications bretonnes « nationalitaires » (un terme inventé pour remplacer « nationalistes », mot jugé réactionnaire) : Gilles Servat. Découvert en première partie du groupe nantais Tri Yann, c'est un Breton revenu au pays, qui chante d'abord en français, puis s'astreint à apprendre la langue pour retrouver la culture de sa terre. Son « patriotisme » breton est bien moins sectaire que celui de Glenmor. Servat veut faire craquer les États, et en premier lieu la France ; il se veut solidaire des

Basques et des Alsaciens, des Corses et des Occitans, mais aussi des Catalans rebelles à l'Espagne franquiste, des Irlandais du Nord en conflit avec la couronne britannique.

Pour lui, aucun doute : l'émancipation sera obtenue par la lutte des forces populaires, ouvrières et paysannes. La grève du Joint français à Saint-Brieuc, essentielle dans la mythologie révolutionnaire du début des années 70, constitue pour lui un déclic. Il adhère à l'UDB (Union Démocratique Bretonne), le parti nationalitaire de gauche, et chante les combats du peuple breton : « Ouvriers du Joint français / Paysans des grèves du lait / Vos luttes sont la semence / D'où germe notre espérance. »

On lui reproche le simplisme de ses formules, l'apparence de « tract » de ses couplets. Il l'assume, certain que son langage direct touchera le peuple et le conduira à la révolte. A propos du remembrement et de l'exode rural, il écrit : « Taille mon vieux paysan, taille / C'est tout ce que nos maîtres désirent / Quant les Bretons seront bétail / Ton pays sera leur plaisir. » Pas question de littérature quand la chanson est un combat, même si elle ne suffit pas pour changer le cours des choses : « Les chansons ont seulement le goût de la liberté / Elles n'ouvrent pas les portes des prisons. »

Il lui arrive pourtant d'oublier ses propres préceptes, de laisser la poésie se glisser dans ses vers. Mais ses évocations de la Bretagne demeurent des chants de combat. Dans *la Blanche Hermine*, sa chanson la plus célèbre, il se dit prêt à faire la guerre aux Francs et écrit : « J'ai rencontré ce matin devant la haie de mon champ / Une troupe de marins, d'ouvriers, de paysans / Où allez-vous camarades avec vos fusils chargés ? » Dans un autre texte, il souhaitera « Heureuse nouvelle aux Bretons / Et malédiction rouge aux Français »...

Pourtant, quand Servat évoque Paris, dans *Montparnasse blues* ou *Canal Saint-Martin*, ses mots deviennent plus limpides, l'atmosphère plus troublante et chargée d'émotion. Mais il s'en défend et refuse de succomber au charme de la ville lumière (bien qu'il y chante régulièrement) ; paraphrasant Enrico Macias, il écrit une chanson sans ambiguïté : *Toi Paris tu m'as pris dans tes bras et j'ai eu du pot de m'en sortir.*

La lutte reste sa motivation première. Lutte pour « une langue phénix qui renaît sans cesse d'un meurtre de cinq cents ans », pour « les prolétaires bretons, ouvriers, paysans, petits commerçants » menacés par le modernisme ; lutte contre les prêtres (*le Tango des curés*) qui ont appris au peuple à se résigner. Le slogan sans nuances ne lui fait pas peur, ni l'outrance : « Les galériens de Bretagne / Les galères d'Occitanie... » Il croit en sa cause. Pour la défendre, tous les moyens sont bons.

La sert-il vraiment ? La question mérite aujourd'hui d'être posée. Plus que les chansons de Servat ou de Glenmor, la musique d'Alan Stivell a contribué à la renaissance d'une culture bretonne. Or, Stivell n'est pas un foudre de guerre revendicatif. Pour rendre son âme à la Bretagne, il a puisé dans son fonds musical, étendant ses recherches à l'ensemble des pays d'origine celtique. Tout cela ne serait rien sans son inspiration, teintée d'une touche de modernisme : en peu de temps, il devient le musicien breton le plus écouté, non seulement en Armorique, mais sur l'ensemble du territoire.

Dès la parution de son premier album, *Renaissance de la harpe celtique*, il obtient un succès considérable. C'est qu'on y découvre un « style Stivell », un son Stivell. A chacun de ses concerts, devant des salles bondées durant les années 70-75, la foule s'enthousiasme, danse autour de la scène. Il fait revivre sous une forme plus actuelle le bonheur de la fête d'autrefois. Peut-être son influence se fait-elle encore sentir dans le Festival de musique interceltique qui, chaque année, rassemble à Lorient quelque 100 000 personnes.

Des Occitans hasardeux

Si l'on a beaucoup insisté sur le phénomène breton, c'est qu'il se reproduit à des degrés divers et sous des formes variables dans la plupart des régions françaises. Les Corses et les Basques retrouvent leur langue et aspirent à l'autonomie (on le constate encore avec les chanteurs Antoine Ciosi et Petru Guelfucci, des groupes comme I Muvrini ou Oio, proches par l'esprit des mouvements nationalistes clandestins). Les Alsaciens suivent le mouvement, bien que leurs revendications soient radicalement différentes. Leur porte-parole le plus populaire, Roger Siffer, est un humoriste né qui entremêle dans ses couplets réflexions et historiettes, contées indifféremment en français ou en dialecte alsacien. Un exemple : « A Strasbourg, un homme se noie dans le Rhin. Il crie : "Au secours ! Je me noie, aidez-moi !" Un Alsacien sur le quai lui répond : "Au lieu d'apprendre le français, tu aurais mieux fait d'apprendre à nager." » A la revendication brute, sans nuance, Siffer préfère l'ironie et la dérision, qui lui donnent une réelle force de conviction.

Dans cette bataille « nationalitaire » qui secoue l'Hexagone, l'Occitanie constitue un cas à part. Non que les revendications y soient moins pressantes qu'ailleurs ; au contraire, leur virulence est parfois effrayante. Mais elles s'appuient sur une réalité territoriale qui n'existe pas. Il n'y a jamais eu d'État occitan, de nation occitane, tout au plus des provinces – duchés, comtés, voire royaumes – plus souvent rivales qu'alliées. Cette diversité s'est perpétuée au cours des siècles et demeure évidente aujourd'hui. On aurait du mal à trouver des aspirations communes aux Provençaux et aux Toulousains, aux Albigeois et aux Bordelais. Seule la langue d'oc, parlée dans le grand Sud, entre le Massif central, les Pyrénées et la Méditerranée (enclaves basque et catalane exclues), pourrait tenir lieu de trait d'union. Encore faut-il nuancer : on n'a jamais parlé la même langue d'oc à Auch et à Nîmes. En fait, c'est la France, royaume ou république, qui a unifié les provinces du Sud.

L'émergence d'un sentiment nationaliste n'en est pas moins très réelle. Ultraminoritaire avant la guerre (et pour cause : la Troisième République est née du soutien des radicaux du Sud-Ouest, des protestants des Cévennes et des laïcs de l'ensemble du territoire, et Toulouse a toujours exercé sur elle une influence prépondérante !), il prend une ampleur limitée mais sensible après 1968.

Des organisations se créent ou se développent, qui prônent la lutte contre la colonisation du Sud par Paris. Colonisation fort ancienne au demeurant, puisqu'elle date de la croisade des Albigeois menée au XIIe siècle pour réduire à néant l'hérésie cathare... Quelques centaines d'années ne suffisent pas, estiment les militants occitans, pour effacer ce forfait de la mémoire populaire.

A la revendication économique – faire de l'Occitanie une terre indépendante capable d'assurer sa propre subsistance –, se mêlent d'autres exigences, d'ordre culturel. Rendre tout d'abord son lustre à la langue, brimée pendant des siècles par les conquérants français. Puis, redorer la vie intellectuelle et artistique dont le comté de Toulouse était un haut lieu, étouffée depuis que les barbares du Nord sont venus tout dévaster. Bref, il s'agit de permettre à tous de « vivre et travailler au pays » et de profiter de la splendeur d'autrefois enfin retrouvée – signe de la nostalgie d'un passé mythifié –, en quelque sorte de prouver définitivement la supériorité des troubadours de langue d'oc sur les trouvères de langue d'oïl !

Novela cançon

Bien entendu, la chanson est de la partie. Elle devient même, avec Patric, Mans de Breish, Marie Rouanet, Rosina de Peira et surtout Claude Marti, le principal vecteur des revendications occitanes. Mais, à l'image de celles-ci, notamment mises en avant par « Lutte occitane », l'idéologie que véhicule la *novela cançon occitana* est confuse, contradictoire et sans cesse tiraillée entre les références à une tradition et un passé très enjolivés et l'urgence de s'inscrire dans les combats révolutionnaires du moment. Les héros qu'elle choisit d'exalter sont aussi bien les Tupamaros d'Amérique latine que les courageux Toulousains qui, tel Trancavel, se sont opposés, le fer à la main, aux barons du Nord. La télévision popularise les silhouettes des « rebelles du Sud » : en 1966, une émission de Stellio Lorenzi sur les Cathares connaît une énorme répercussion dans toute la France.

Très symbolique, le répertoire de Marti, exclusivement chanté en langue occitane, mêle thèmes du folklore, œuvres des grands anciens et chansons nouvelles. Il chante : « Entre montagne Noire / Corbières et Méditerranée / Je suis né il y a plus de mille ans », mais sur la pochette de son premier album (*Occitania*) figure le portrait de Che Guevara. Dans ses couplets, il rappelle les grandes époques de « sa terre », à commencer par la Croisade, mais aussi la révolte des vignerons de 1907, sur lesquels le 17e régiment d'infanterie de ligne refusa de tirer (donnant au chansonnier anarchiste Montéhus l'occasion d'écrire son fameux chant, *Gloire au 17e*) et la Grande Guerre, enfin, au cours de laquelle des centaines de milliers d'Occitans sont allés mourir pour un État qui n'était pas le leur. Instituteur lui-même, Marti dénonce le « décervelage de l'école », responsable selon lui du recul de la langue, et surtout de l'uniformisation française, encore moins pardonnable à ses yeux.

Marti a du courage et de la force. Ses tours de chant se transforment souvent en meetings. Impossible de lui résister lorsqu'il crie, devant une foule conquise d'avance, le drame d'un « peuple qui en a assez / D'être colonisé, vaincu, matraqué », ou quand il explique : « Écoute, il me faudrait trois vies / Une pour enseigner ma langue / Une autre pour chanter mon peuple / Une pour vivre parmi les miens / Hommes à nouveau, hommes debout. » Il emporte l'adhésion en soutenant les Chiliens opprimés par Pinochet, en annonçant que « l'Occitanie salue Cuba » ou, paraphrasant Mao, en affirmant que « la Longue Marche est commencée ».

Ses admirateurs ne se contentent pas de l'indépendance nationale annoncée pour bientôt, mais entendent grossir les rangs de la lutte mondiale contre l'impérialisme. Pour alliés, ils se sont choisi tous les autres mouvements autonomistes de l'Hexagone, mais aussi ceux qui défendent les minorités un peu partout (Indiens d'Amérique du Nord, Québécois, Wallons, Catalans, séparatistes jurassiens menaçant de rompre avec le canton de Berne...) Bien que les militants occitans récusent le terrorisme au profit de l'action de masse, leur préférence va aux organisations les plus radicales et les plus violentes. Quand Marti chante avec des Irlandais, ce sont naturellement des membres de l'IRA...

Les Occitanistes connaissent quelques beaux succès dans la première moitié des années 70. Ils sont partie prenante dans la « bataille du Larzac », qui vise à empêcher que le plateau et ses pâturages ne deviennent des champs de manœuvres pour l'armée. Leurs chanteurs leaders s'expriment devant quelque 100 000 manifestants. Mais le Larzac, comme l'usine Lip de Besançon ou l'usine nucléaire de Creys-Malville en Isère, est aussi le point de convergence de toute la contestation gauchiste de l'époque, de France comme d'Europe occidentale. Quant à leur participation aux grands mouvements de viticulteurs de l'Aude et de l'Hérault (qui font un triomphe à Marti et à son « théâtre de la Carriera »), elle serait plus probante si ces derniers ne se retrouvaient occitans que pour défendre leurs vins de consommation courante contre les « appellations contrôlées ». La révolte vigneronne s'accompagne par ailleurs de xénophobie, notamment avec le refus de l'importation de vins d'Afrique du Nord...

Le temps des sectaires

Qu'importent ces accrocs ! L'agitation, quelle qu'elle soit, renforce les militants dans leurs convictions et leurs illusions, comme dans leur intransigeance. Marti et ses amis fondent une maison de disques, Ventadorn, à laquelle tout chanteur occitan se doit de confier sa production. Or, l'un d'entre eux, et non des moindres, à la fois « nationalitaire », anarchiste et communiste, libertaire de surcroît, choisit d'enregistrer chez Philips. C'est Joan Pau Verdier. Il en a discuté avec ses camarades de la Faco (Fédération Anarchiste Communiste Occitane) et, ensemble, ils ont préféré la multinationale. Si le disque doit servir de support à des idées, autant rechercher la grande diffusion. Après tout, Stivell et Servat ne sont-ils pas eux aussi distribués par Philips ?

Ventadorn accepte mal cette « trahison ». Verdier est immédiatement boycotté, traité de suppôt du capitalisme, et les auteurs-compositeurs-interprètes qui le soutiennent, tous solidement ancrés à gauche (comme Colette Magny ou Catherine Ribeiro), connaissent un sort voisin. Pourtant, Verdier a du talent. Il a même réussi à tenir une gageure : marier la tradition musicale limousine au rock'n roll anglo-saxon. Ses textes, où se reconnaissent tous les styles adoptés par Léo Ferré, de l'imprécation à la tendresse ou à l'érotisme, sont d'une richesse comparable, bien souvent supérieurs à ceux des autres Occitans... aux yeux desquels ces qualités ne suffisent pas pour qu'on lui pardonne.

Il est vrai que les mouvements indépendantistes des provinces reviennent de loin. Les félibres qui, dès le XIXe siècle, tentaient de remettre à l'honneur le parler provençal, étaient d'inspiration maurrassienne (Frédéric Mistral, Joseph Roumanille). Pendant la Seconde Guerre mondiale, les autonomistes bretons et alsaciens ont, dans leur grande majorité, collaboré avec l'armée allemande ; d'étranges cérémonies visant à associer les idées des Cathares au nazisme eurent lieu durant ces années noires.

Aussi les revendications « nationalitaires » sont-elles ambiguës. Certes, mai 68 et le soutien des gauchistes post-soixante-huitards apportent une caution révolutionnaire aux luttes régionales. Mais il suffit de peu de chose pour que renaissent le chauvinisme et la xénophobie. Même les plus « socialistes » des chanteurs indépendantistes ne peuvent y échapper, pas plus qu'à l'idéalisation des mouvements anti-impérialistes. Bientôt perceront les défauts, les tares et parfois les crimes de cet idéalisme. Telles sont peut-être les raisons pour lesquelles, après la flambée du début des années 70, les indépendantistes ont perdu de leur influence ; leurs chanteurs sont alors redevenus ce qu'ils étaient avant 1968 : des minoritaires chantant pour des minorités.

A l'inverse du régionalisme, les organisations politiques, en flèche durant les événements de mai, ne connaissent aucun prolongement dans la chanson. Même si des artistes nombreux participent aux fêtes de la Ligue communiste ou du syndicat Lutte ouvrière, on n'entend pas de chansons trotskistes, et bien que les activistes « mao » de la gauche prolétarienne bénéficient du soutien affirmé d'un grand nombre d'intellectuels, d'étudiants et d'artistes, la chanson « pro-chinoise » ne parvient pas à s'imposer.

Une exception pourtant. Lorsque la Gauche prolétarienne décide d'engager des activités clandestines par l'intermédiaire de la « Nouvelle Résistance Populaire », elle se dote d'un chant de guerre, une sorte d'hymne à l'organisation, *les Nouveaux Partisans*. Le texte coïncide parfaitement avec l'idéologie simpliste et presque délirante du mouvement. Le prolétariat est en conflit ouvert avec la bourgeoisie comme les francs-tireurs et partisans l'étaient avec le nazisme. Les cadres de la classe ouvrière, les syndicalistes qui refusent l'affrontement jouent, sciemment ou non, le même rôle que les « collabos » sous l'Occupation. La lutte doit être menée surtout contre les « traîtres » : ils constituent l'obstacle principal entre la classe ouvrière et sa prise de conscience révolutionnaire. A l'indignation, au romantisme emphatique des chansons révolutionnaires traditionnelles succède donc une démonstration laborieuse et sans âme. Curieusement, l'auteur, Dominique Grange, est une comédienne fine et même raffinée. Sous sa plume s'étaient révélées quelques chansons originales et intéressantes. Devenue militante, elle abandonne son inspiration pour ne plus suivre que la ligne de l'organisation. Elle sera la seule à suivre cette voie.

Si proches aient-ils été de mai 68 et aussi sympathisants soient-ils des mouvements gauchistes, les autres artistes continueront à privilégier leurs sentiments, leur style et leur musique. Cela ne va pas sans incidents, comme le prouve l'exemple de Colette Magny. Apparue dans la chanson grâce à une chanson écrite comme un *negro-spiritual, Melocoton*, elle connaît un succès immédiat, suffisant en tout cas pour se hasarder vers d'autres voies. Ses textes deviennent de plus en plus engagés, ses dénonciations de plus en plus précises, mais son avant-gardisme s'affirme également dans ses couplets, ainsi que dans ses musiques. C'est une novatrice, soucieuse d'expérimenter sans cesse de nouvelles formules. Elle sera en France une des très rares interprètes à utiliser le *free jazz*. Autant d'éléments qui font d'elle un personnage à part. On le lui fera sentir. Durement. Les maoïstes approuvent ses idées mais critiquent l'hermétisme de ses propos et de ses musiques. Ils dénoncent ses travers d'intellectuelle, l'accusent d'être élitiste et, en fin de compte, de mépriser le peuple. Ses concerts sont troublés. Pour ses contempteurs, la formule de Pascal, « Abêtissez-vous », paraît encore trop indulgente...

Une diva du fado-pop

Catherine Ribeiro ne connaît pas les mêmes déboires. Sans doute son répertoire est-il moins politisé. Elle aussi, cependant, milite, participe aux galas de soutien, signe des manifestes et descend dans la rue. Mais qu'elle écrive ou qu'elle chante, l'idéologie passe au second plan. L'important, pour elle, est d'inventer un style, une écriture, une atmosphère, pour désorienter et désarçonner l'auditeur. Elle crée tout un univers étrange, inquiétant et imprécis jusque dans l'évocation du bonheur... Univers onirique, mais en prise avec l'actualité, parce que furieusement romantique, et puisant à de multiples traditions, la chanson française bien sûr, mais aussi le Portugal dont elle est originaire et les musiques d'Amérique latine qui, à l'époque, nourrissent toute contestation. Sa profonde originalité naît de ces multiples emprunts.

Musicalement, elle s'inspire de la pop music, dont c'est la grande vogue. En fait, le groupe Alpes, avec lequel elle travaille, que dirige Patrick Moullet, est sans cesse à la recherche de sonorités inédites. Moullet, infatigable inventeur d'instruments nouveaux, triture les accords, casse les mélodies, brise les rythmes. Rien de comparable entre ses trouvailles et la pop originaire de Grande-Bretagne, débarquée en France au milieu des années 60. La musique d'Alpes n'est ni meilleure ni pire que l'originale. Elle est différente, plus recherchée, moins facile. On ne reprend pas en chœur les chansons de Catherine Ribeiro, on les écoute. Religieusement.

Catherine a quelque chose d'une grande prêtresse. Grande, très belle, elle prend d'instinct des poses hiératiques, le corps droit, les reins cambrés, le menton en avant, les yeux hautains. Comédienne, elle a notamment incarné l'héroïne des *Carabiniers* de Jean-Luc Godard. Elle se met en scène comme pour une cérémonie, semble obéir à un rituel de gestes convenus, curieux mélange d'outrance et de sobriété. Sa voix très puissante, d'une tessiture particulièrement étendue, sait murmurer et crier, exploser puis s'apaiser. Elle ne la ménage guère, capable de hurler à se rompre les cordes vocales. Cet engagement la contraint à espacer ses concerts et à ne jamais chanter deux soirs de suite. Son organe, comme disent les chanteurs, n'y résisterait pas.

Catherine Ribeiro a beau électrifier ses instruments, en imposer de nouveaux, pousser souvent ses sonorisations au maximum, elle n'appartient pas au monde ordinaire de la pop music. Elle a beau signer ses textes, les rédiger dans une langue parfaite, elle ne s'inscrit pas non plus dans la tradition de la chanson française. Elle emprunte à l'une et à l'autre sans se plier à leurs règles. Reprenant les grands succès d'Édith Piaf ou enregistrant Jacques Prévert (*Jacqueries* fait scandale et lui vaut un procès avec la famille du poète), elle se défend de les trahir, mais leur apporte un ton tout personnel. Différente de celle de Piaf, sa version de *Padam padam* est aussi remarquable que l'original.

Mais sa véritable source d'inspiration est ailleurs. Son jeu de scène, sa voix qui passe de la confidence au hurlement, sa profonde mélancolie, le violent désespoir et la quiétude soudaine qui donnent à ses couplets cette couleur si particulière, tout cela vient du *fado*, forme lusitanienne de la désespérance. Certes, elle n'en parle jamais, et le public qui, pendant la première moitié des années 70, lui fait un triomphe, ne s'en rend pas vraiment compte. Elle est pourtant restée profondément portugaise. Comédienne, elle était prête à composer tous les rôles. Chanteuse, elle retrouve le Lisbonne de ses ancêtres et en traduit la nostalgie. Même s'il est difficile de lui découvrir des analogies directes avec Amalia Rodrigues, c'est bien de la grande chanteuse portugaise que, consciemment ou non, elle perpétue la tradition.

Des tranches de vie

Pendant les années 1973-1976, Catherine Ribeiro est de ceux dont les tournées déplacent le plus de spectateurs. A ses côtés, François Béranger. Un personnage très différent, moins abstrait, davantage attiré par l'instant. Bien plus que les régionalistes, il représente une des sensibilités collectives héritées de mai 68. A Pierre Guinchat [1], il explique : « Mes chansons ne sont pas des chansons de commande. Elles ne me sont pas demandées par un parti, par une fraction ou par une faction. Non, c'est un truc à moi que j'exprime. » Une bonne partie de la jeunesse militante, gau-

1. *François Béranger*, éditions Seghers, 1976.

chiste évidemment, s'y reconnaît ; il exprime les espoirs, les doutes et la foi en une issue heureuse.

Son premier 45 tours frappe fort : une seule chanson d'une face sur l'autre. C'est *Tranche de vie*, qu'on entendra peu à la radio, à cause de son contenu, de sa longueur et de sa manipulation compliquée ! Sur un rythme guilleret, elle conte l'aventure d'une grande partie de sa génération : enfance pauvre, éducation sommaire, apprentissage rude, petite délinquance, guerre d'Algérie, barricades de mai, prison enfin, que salue ce couplet gouailleur : « En tôle, j'vais pouvoir m'épanouir / Dans une société structurée / J'ferai des chaussons et des balais / Et j'pourrai m'remettre à lire. »

Toute l'originalité de Béranger éclate dans les cinq ou six minutes de ce disque : une langue limpide, forte et drue, qui n'a pas systématiquement recours à l'argot, mais que nourrissent les mots du parler quotidien, des ateliers et des usines. Les « roustons » sont pour lui ce que seront plus tard les « valseuses ». Sans emphase, avec un petit ton narquois, il décrit une existence misérable. Particulièrement fort est ce couplet sur l'école : « Pour parfaire mon éducation / Y a la communale en béton / Là on fait d'la pédagogie / Devant soixante mômes en furie / En plus d'l'alphabet, du calcul / J'ai pris beaucoup d'coups d'pied au cul / Et sans qu'on me l'ait demandé / J'appris l'arabe et l'portugais. »

Ce chanteur débutant a déjà beaucoup « galéré ». Fils d'un « prolo » militant syndicaliste, chrétien et résistant devenu député, il se sent, comme ses parents, « le cul entre deux chaises » : ouvrier par tradition familiale, son mode de vie bourgeois le met mal à l'aise. Dans un premier temps, il a été agent technique chez Renault (chez « P'tit Louis », comme disent les vieux compagnons qui se rappellent le temps où Louis Renault faisait lui-même le tour de ses ateliers). Devenu animateur, il a participé à un groupe de communication qui pratiquait – horreur ! – la publicité, mais de façon si provocatrice qu'il lui trouvait des excuses.

Sa brutalité verbale, ses sarcasmes indisposent bientôt une bonne partie de la presse. Il est régulièrement pris à partie, aussi bien par les quotidiens de droite que par certains journaux de gauche. Si la jeunesse, dans sa majorité, reste fidèle à l'esprit de mai 68, les médias ont changé d'opinion. Plus tard, quand Béranger passe à Bobino, il fait placarder à l'entrée du music-hall l'agrandissement d'un article vengeur paru dans *le Monde*. Même *Libération*, journal au profit duquel il a chanté dans maints galas de soutien (gratuitement, cela va sans dire), l'étrille le jour où la ligne du journal passe de la lutte révolutionnaire à la mode avant-gardiste.

Il est vrai que Béranger ne fait rien pour plaire. Il évoque la situation des détenus dans des termes crus qui lui interdisent l'accès à la radio et au petit écran : « A la place des filles, des filles de geôliers / Ils ont la veuve Poignet, la branlette sauvage / La masturbation jusqu'à devenir dingue » (*Prisons*). Il excelle en outre à se faire toujours plus d'ennemis. Aux militants qui l'applaudissent quand il chante : « La révolution, y faut jamais que ça s'arrête », il confesse aussi : « La révolution parfois ça devient dégueulasse / Ça fait d'la doctrine, d'la théorie et d'la merdasse... » Il va même jusqu'à leur avouer ses doutes : « Plus je me pose de questions / Et moins je trouve de solutions. »

L'humour sous l'amour

Malgré le silence des médias, les disques de Béranger se vendent. Ses concerts attirent des foules denses et enthousiastes. Il est vrai qu'il chante les mots que son public attend : « Bien plus qu'un chanteur / Je suis comme beaucoup d'entre vous / Simplement en colère. » Il raconte l'intolérable, la condition ouvrière (« Rien de changé dans les usines / La gueule des mecs de l'équipe de nuit / Qui vont dormir quand le soleil se lève / Exténués, abrutis »), les contraintes subies par les travailleurs (« A six heures du matin / Se lever comme un aveugle / Se laver, avaler son café. ») Il ose même aborder des sujets tabous, peindre le drame d'une nuit d'hiver où, dans un bidonville, des enfants sont morts de froid : « Est-ce qu'on peut sans déchoir / Faire une chanson d'une histoire / A rendre fou ? » (*Chanson bleue*). De tout cela, il s'explique : « J'sais bien qu'une chanson / C'est pas tout à fait la révolution / Mais dire les choses c'est déjà mieux que rien. »

Il utilise cependant d'autres moyens d'expression, et fait partie de la bande qui, avec Gébé et Jacques Doillon, réalise le film *l'An 01*. Cette production légendaire traduit pour un vaste public les premières préoccupations écologistes. Son credo : plutôt qu'un pas en avant, faites un pas de côté pour découvrir un autre monde...

Béranger chante aussi l'amour, mais avec détachement et humour : « La fille que j'aime c'est pas la plus belle / C'est pas la plus moche non plus / Seulement mystère et boule de gomme / C'est pour celle-là que j'me sens un homme. » On se prend à penser, en l'écoutant, qu'une certaine pudeur le retient de laisser libre cours à ses sentiments autant qu'à ses indignations. Il se réfugie alors derrière l'humour. Le *Tango de l'ennui*, dont le refrain est : « Anastasie / L'ennui / M'anesthésie », est le récit narquois d'une passion amoureuse... en même temps qu'un réquisitoire contre la société gaulliste – Anastasie n'est-il pas le prénom de la censure depuis la Grande Guerre ? Quand il veut déclarer sa flamme à une fille, il lui chante : « Rachel, Rachel / Si les petits cochons ne te mangent pas / Rachel, Rachel / Il en restera peut-être pour moi. » Il faut chercher longtemps pour trouver dans son répertoire quelques phrases graves sur l'amour : « Ne me dis jamais *jamais* / Ne me dis jamais *toujours* / Laisse à la mort le soin / De prononcer ces mots. »

Parfois, il lui arrive de décrire le monde heureux dont il rêve et, presque d'instinct, les symboles de la liesse et de la fraternité populaires viennent à ses lèvres : le vin (pourtant, il ne boit guère), l'accordéon (alors que l'instrument ne figure pas dans l'ensemble qui l'accompagne, il chante : « Au coin des rues / On a remplacé flics, cognes et agents / Par des accordéons ») et même son « pote le pot » (quoique très prisé de bien des post-soixante-huitards, il ne fume pas d'herbe lui-même). Il chante avec chaleur la quête de ses propres racines : « Ça doit être bien / D'être de quelque part / D'en partir et puis d'y revenir / Quand on est de nulle part. » Il y raconte le retour au pays, un pays qu'il ne connaît pas mais qu'il imagine : « Tous les copains sont attablés / Ça par exemple te v'là enfin ! / Assieds-toi et bois-en un. »

Grand, maigre, les cheveux longs tirés en arrière par un catogan, il n'a pas le look d'un rocker. Mais le groupe qui l'entoure et que dirige Jean-Pierre Alarcen a choisi l'électricité. « La musique électrique est d'aujourd'hui, dit-il. Ses sons correspondent au monde actuel, à un environnement en permanence agressif. Jouer fort est un moyen de se défendre en produisant soi-même un choc traumatisant. » Mais, rapporte Pierre Guinchat, il avoue aussi : « Nous sommes plus à l'aise pour jouer sous un chapiteau à deux pas d'un échangeur d'autoroute que dans une salle intimiste. »

Durant la plus grande partie de la décennie 70, sans emprunter les circuits officiels, il est l'un des chanteurs qui dominent. Il continue de combattre le racisme (*Mamadou m'a dit*), la dictature : « C'est gros c'est noir / Ça hurle ça crache / C'est chevillé / Armé blindé / C'est surmonté / D'un fort canon. » Il reste fidèle à sa devise : « Chanter c'est survivre » (*Une ville*). Et puis, dans les années 80, il s'estompe. Sans qu'on sache pourquoi. A nouveau les temps changent. Le monde des gagneurs ne convient pas à ceux qui se situaient du côté des vaincus. Il manque, celui qui lançait : « Réprimez-moi si vous voulez / Vous n'aurez pas ma fleur / Celle qui me pousse à l'intérieur. » Il vient de ressortir un disque, un CD celui-là, bon, comme autrefois. Sera-t-il dans l'air du temps ?

15.
TENDRES CONTESTATAIRES

Le petit couple

Il ne suffit pas de compulser le *Guide tube* pour comprendre le bouleversement qui s'est produit dans une très importante fraction de la jeunesse durant les années 1970-1975. Les grands succès de l'époque s'intitulent *Darladirladada* ou *Tu veux, tu veux pas* (1970), *Je m'éclate au Sénégal* (1972), *Allez hop ! tout le monde à la campagne* et *Tout nu tout bronzé* (1973), *Le téléphone pleure* (1974) et *Lady Marmelade* (1975). Peu ou pas de chansons contestataires alors qu'elles correspondent parfaitement à l'air du temps. Un abîme sépare l'univers « tubesque » (pour employer le néologisme de Gainsbourg) de la création véritable, miroir de la génération montante.

Si l'on s'en tient à la vente de 45 tours, Stone et Charden sont parmi les vainqueurs de l'époque. Ce petit couple bien sage chante en se tenant la main : débuts en fanfare en 1971 avec *l'Avventura*, puis avec *Laisse aller la musique* et *le Prix des allumettes.* Des chansons qui ne font rien bouger, mais qui s'écoutent malgré soi et se goûtent comme des tisanes digestives. Leur succès populaire est considérable, si fort qu'on voit, au concours Eurovision de la chanson, près de la moitié des candidats se présenter en couple en se tenant par la main.

Mais leur succès est aussi réel que fugace. Stone et Charden disparaîtront aussi vite qu'ils sont apparus. Parmi leurs émules, aucun n'atteindra leur popularité. Ils plaisent, c'est vrai, mais n'imposent pas leur style – sauf peut-être la coiffure de Stone. La jeunesse a d'autres souvenirs, d'autres images, d'autres aspirations en tête. Elle fredonne machinalement *l'Avventura*, mais préfère chanter d'autres inspirateurs. Mai 68 lui en fournira.

La liberté, la folie, le défi de cette année 68 sont restés gravés dans les mémoires. La France découvre les grands rassemblements fraternels de Woodstock et de l'île de Wight où pop, folk, rock, chanson, amour et marijuana se trouvent mélodieusement associés. Mais de telles expériences se heurtent à l'hostilité des municipalités dans notre pays ; lorsque, comme à Amougies, un festival finit par être monté, les joyeux maoïstes peu conformistes de VLR (Vive la Révolution), qui veulent « tout tout de suite », s'empressent de venir le troubler. Pas question de faire payer le peuple s'il veut entendre la musique qu'il aime ! En définitive, à part ceux qui ont eu la chance de s'offrir le voyage, les jeunes Français ignorent tout de ces immenses kermesses et de la joie collective qui en émane.

C'est indirectement qu'ils vont les découvrir, grâce à une comédie musicale venue d'Amérique. Inhabituelle, étrange, passablement illogique puisqu'elle laisse place à l'improvisation, l'œuvre – il s'agit de *Hair* – parcourt l'Europe après avoir conquis les États-Unis. En 1969 et 1970, on la joue à Londres, Berlin, Bruxelles et, bien entendu, Paris. Jacques Lanzmann en a écrit l'adaptation française, Bertrand Castelli et Annie Fargue produisent le spectacle. Un pari perdu d'avance, pense-t-on. La comédie musicale a la réputation d'être un genre qui ne plaît pas aux Français. Certes, *le Violon sur le toit* a été joué devant des salles combles et, lorsqu'il a volontairement interrompu les représentations de *l'Homme de la Mancha*, Jacques Brel a déçu des milliers de spectateurs qui n'avaient pu trouver de place.

L'apogée de Hair

Plus marquant encore : parmi les films qui ont obtenu les meilleurs scores de la décennie 60 figurent deux œuvres « en chanté » : une comédie dramatique, *les Parapluies de Cherbourg*, et un divertissement, *les Demoiselles de Rochefort*. Les spectateurs ont beau savoir que Catherine Deneuve, Françoise Dorléac et Michel Piccoli sont doublés dès qu'ils poussent la moindre vocalise, ils s'en moquent, tant les images, les dialogues de Jacques Demy et les musiques de Michel Legrand sont entraînants. Vingt-cinq ans après, à peine réentend-on un couplet qu'instantanément l'intrigue et le climat du film reviennent en mémoire. En outre, Demy a eu l'audace, rarissime en France, de situer l'action des *Parapluies* en pleine guerre d'Algérie et de faire de celle-ci une des données du drame qu'il met en scène. Pourtant, ni ces succès ni le triomphe de *West Side Story*, à l'affiche à Paris pendant une douzaine d'années, ne parviennent à convaincre les irréductibles d'un possible engouement des Français pour la comédie musicale.

Un handicap pour *Hair*, donc. L'œuvre de J. Rado, G. Ragni et G. Mac Dermot en a d'autres à surmonter, bien plus préoccupants. Les problèmes qu'elle évoque, les révoltes dont elle se fait l'écho sont typiquement américains, voire californiens... Comment les jeunes Français pourraient-ils se sentir concernés par la guerre du Viêt-nam, la désertion et l'objection de conscience, l'autodafé des livrets militaires, la recherche de l'innocence par la nudité, celle de l'au-delà par les voies du « hash », du LSD et de l'irrationnel ? Précédant d'une bonne vingtaine d'années le « New Age », *Hair* s'adonne à l'ésotérisme, à l'astrologie, à la prédestination, à la prophétie... L'argument même du spectacle est de ceux qui devraient déplaire d'emblée. Le mélange des genres y est de rigueur, le récit part de faits réels, concrets, et se poursuit dans le délire. Le fil, ténu, qui lie les scènes entre elles est simple : un jeune homme refuse de servir au Viêt-nam, rejoint une communauté hippie, brûle son livret militaire, mais finit par obtempérer. Il mourra là-bas. A l'action se mêlent les fantasmes nés des vapeurs d'encens et d'herbe. Le monde hippie cherche son salut dans une spiritualité asiatique, dans le refus des carcans, des mœurs et des modes occidentaux. Les acteurs de *Hair*, qui forment une tribu, portent le jean, la blouse indienne, les cheveux longs et désordonnés. De quoi déconcerter nos bons esprits cartésiens.

Certes, il existe des connivences entre les jeunes rebelles français et ceux de Californie. Les grandes manifestations de Berkeley ont précédé celles de Paris, mais l'opposition à la guerre du Viêt-nam leur est commune. Mais que de jeunes Français puissent à la fois faire leur la philosophie indienne et le « pot », le « peuple des fleurs » (nom que s'attribuent les hippies) et l'ère du Verseau, les longs cheveux embroussaillés et les tenues bigarrées, paraît inconcevable. C'est pourtant ce qui se produit.

On trouve immédiatement des explications : les vingt secondes de nu intégral de toute la troupe, sur lesquelles s'achève la première partie du spectacle (mais le spectacle *Ô Calcutta,* joué par des acteurs en tenue d'Adam, n'aura pas le même succès) ; le retour à une certaine spiritualité (mais, à l'exception de *Gospell* qui fera une jolie carrière, les shows à tendance spiritualiste tourneront court, et *Jésus Christ Superstar* sombrera dans l'indifférence générale). On évoque aussi le scandale : des soldats de l'Armée du Salut venant manifester au théâtre de la Porte-Saint-Martin pour protester contre l'immoralisme de *Hair,* apportant ainsi à la pièce une publicité supplémentaire.

Au succès de *Hair,* qui restera plus de deux ans à l'affiche à Paris, il est d'autres raisons encore. La musique est de celles qu'on n'oublie pas, et l'adaptation de Lanzmann est très réussie. Toute une génération connaît par cœur *Aquarius* et *Laissons entrer le soleil.* Le spectacle porte en lui une émotion immédiate, de « bonnes vibrations », comme on dit alors. Malgré le flou des situations et l'atmosphère fantasmagorique dans laquelle baigne l'action, les gorges se nouent aux moments clés, à la mort du héros notamment. Et, surtout, le public participe. Il monte même, en fin de spectacle, danser sur scène avec les comédiens.

Ceux-ci, à la fois figurants et choristes, acteurs et danseurs, donnent à *Hair* ses couleurs. La plupart débutants, ils forment un groupe homogène, apparemment soudé, plus peut-être du fait de valeurs communes que par leur prestation scénique. Bertrand Castelli, qui aiguillonne la troupe, rappelle ces valeurs chaque fois que le spectacle lui semble faiblir. Les ballets ne sont pas véritablement ordonnés. Mais le désordre et l'improvisation siéent à *Hair* et confèrent à la pièce une bonne partie de son efficacité. Peu de solistes dans la tribu : ils nuiraient à la cohésion de l'ensemble. L'action s'articule autour de trois personnages :

Claude, le héros, son copain, le leader de la communauté, et une splendide blonde à la voix troublante, Vanina Michel. Celle-ci essaiera par la suite de faire carrière, seule ou avec un groupe, en participant à des spectacles d'avant-garde, mais elle n'obtiendra qu'un succès d'estime. L'ami de Claude est interprété par Hervé Wattine, un habitué des cabarets rive gauche, où il excellait dans la chanson poétique. *Hair* ne lui apportera rien, sinon deux années exaltantes : son nom disparaîtra assez vite des mémoires. Deux des chanteurs qui se succèdent dans le rôle principal deviendront célèbres : Julien Clerc, premier titulaire du rôle, et Gérard Lenorman. Ils sont les révélations du spectacle. Quand *Hair* s'achève après deux années de triomphe, l'esprit de la pièce a imprégné tout une époque. Les spectateurs et, au-delà d'eux, tous ceux qui en ont aimé les chansons, en retiendront une certaine manière de vivre.

L'apparition du petit prince

Gérard Lenorman a beaucoup hésité avant de prendre la succession de Julien Clerc dans le rôle de Claude. Pas facile de se fondre dans une troupe, si prestigieuse soit-elle. Mais il « galère » depuis trop longtemps. Il écrit des chansons (paroles et musiques) qu'on n'écoute guère et a l'impression de tourner en rond. Bientôt, il délaisse l'écriture, qui ne le satisfait guère. Il continue de composer et trouve en la personne de Christian Arabian, lui-même chanteur, un parolier adéquat. Mais cela ne suffit pas pour percer. *Hair* sera le tremplin qui lui permettra de rencontrer enfin le public. Mieux qu'un simple ballon d'oxygène.

Le jeu n'est pas sans risques. Il sera inévitablement comparé à son prédécesseur. D'autant qu'il y a des similitudes entre leur allure adolescente, leur romantisme, flamboyant chez Clerc, mélancolique chez Gérard, lui-même qualifié péjorativement de « petit frère triste de Julien ». Pourtant, leurs routes divergent aussitôt. Lenorman compose la petite musique guillerette de *la Fille de paille*, sur laquelle Frank Gérald a mis ses couplets. Il l'enregistre, la fait aimer ; Brigitte Bardot s'en empare et en fait un grand succès : « Ah ! que c'est triste / Ah ! que c'est éprouvant /

D'être amoureux d'une fille de paille / Car elle s'envole au moindre coup de vent. »

Il compose de moins en moins. L'expérience de *Hair* le pousse à faire confiance aux auteurs et compositeurs, qui ont compris l'image qu'il souhaite donner de lui. Le succès vient brutalement en 1971 avec *Il*, l'histoire d'un enfant qui parle aux oiseaux, une chanson de Guy Skornik, dont la sensibilité fait écho à la sienne : « Il habite dans le froid / Il n'a plus ni père ni mère / Il habite dans les bois / Il ne connaît que l'hiver. » Le public adopte aussitôt ce jeune premier nostalgique qui semble porter en lui un désespoir secret.

Suit tout une série de chansons, toujours issues d'autres plumes, mais si bien adaptées à Lenorman qu'elles l'entraînent vers les sommets : *le Petit Prince, les Matins d'hiver, le Magicien,* écrites et composées par Richard et Daniel Seff. Pierre Delanoë écrit pour lui *Quelque chose et moi, Je n'ai jamais rencontré Dieu,* deux succès d'une inspiration religieuse assez peu habituelle sous la plume de cet auteur. C'est le même Delanoë qui donne à Lenorman *Si tu ne me laisses pas tomber,* sa meilleure chanson, du moins celle qui explique le mieux le personnage. Une chanson où domine le sentiment d'échec ; deux adolescents y font des rêves, s'inventent des aventures : « On aura le monde entier / Si tu ne me laisses pas tomber. » Le temps passe : « L'autre jour je l'ai croisé / Le regard au ras du sol / Il avait raté son envol. » La chanson s'achève cependant sur une note d'espoir.

Lenorman progresse. En 1975, il passe en vedette à l'Olympia. Il est au faîte de sa carrière. Sa popularité ne se dément pas. Quand les instituts de sondage, aujourd'hui encore, interrogent les Français sur les chansons qu'ils préfèrent, *la Ballade des gens heureux* (autre texte de Pierre Delanoë) figure toujours parmi les premières. Gérard Lenorman vieillit, modifie peu à peu son répertoire, prenant même parti en interprétant *On a volé la rose* pour protester contre la victoire de François Mitterrand en 1981. Il s'est trouvé un créneau, différent de celui de ses débuts : un public qui n'aime pas voir bouger les choses et qui a oublié qu'autrefois, sur des paroles de Maurice Vidalin, Gérard Lenorman faisait l'éloge de la désertion dans *Soldats, ne tirez pas.*

Un autre des protagonistes de *Hair* frôle la gloire. Gérard Palaprat porte une des premières barbes de la chanson et exalte le besoin de spiritualité. Véritable appel à Dieu, *Fais-moi un signe* connaît un énorme succès. Ce sera le seul. Sans doute Palaprat n'a-t-il pas obtenu de réponse.

Prince pirate adolescent

Tel n'est pas le cas de Julien Clerc. Au moment où *Hair* l'entraîne dans sa sarabande – une aventure à laquelle il ne croit guère au départ – ce garçon séduisant, fils de famille et métis (son père est un haut fonctionnaire poitevin, sa mère est antillaise), a déjà entamé sa carrière. Tout jeune encore, il a monté plusieurs groupes et joué dans les rallyes, ces réceptions où les jeunes gens « bon chic bon genre » peuvent se rencontrer sans risquer de déchoir. Musicien habile, il se sait médiocre parolier. Après avoir tourné dans les banlieues fréquentables et être passé en attraction au Bus Palladium – naguère à la mode, le lieu a perdu de son lustre –, il traîne à l'Écritoire, un bistrot du Quartier latin, en compagnie de Maurice Vallet, Momo, un ami du lycée Lakanal à Sceaux. Il continue à penser à la chanson, mais sans rien faire pour progresser.

C'est pourtant à l'Écritoire que se produit le déclic. Les deux amis y font connaissance d'un troisième larron, un peu plus vieux qu'eux et très différent. Fils d'ouvriers espagnols émigrés, insoumis pendant la guerre d'Algérie, Étienne Roda-Gil est plus mûr, plus cultivé. Plus politisé aussi : il est séduit par le trotskisme et les idées libertaires. Marié, il travaille en tant que visiteur médical, alors que ses futurs complices passent leur temps à jouer au flipper. Étienne a déjà en réserve quelques textes, abscons et passablement délirants, Julien bon nombre de musiques inemployées. De plus, la silhouette de celui-ci est séduisante, sa voix belle, prenante et originale. Elle tranche avec le tout-venant.

Le trio se met donc au travail. Roda-Gil, l'intellectuel, a échafaudé une théorie qui garantit le succès : « Julien, nous l'avons prémédité. Nous visions une cible. Il était fait pour plaire aux cadres de 30 à 35 ans, lecteurs de *l'Express* et de *l'Observateur*. Des types intelligents qui prennent conscience qu'ils ont été piégés. Julien devait leur ouvrir une porte sur leur jeunesse sauvage perdue, une jeunesse déjà morte. Nous nous sommes complètement plantés. » Ce public-là ne viendra que plus tard, quand Julien accédera à la célébrité. Ses premiers admirateurs sont des ados qui l'aiment pour sa jolie voix, sa musique moderne et sa belle gueule. Un périodique le soutient à fond, *Salut les copains*, qui lui consacre un article presque tous les mois. Titre après titre, il se bâtit un personnage ; Étienne dessine pour Julien l'image d'un « prince pirate adolescent » qu'un photographe sera même capable de figer pour l'éternité ! On tente de vendre aux maisons de disques chansons, photos, et interprète ; c'est un échec chez CBS, une réussite chez Pathé-Marconi. Le premier 45 tours, enregistré en février 68, est mis en vente en mai... Un mois où les jeunes se préoccupent peu de chanson.

Il y a pourtant dans le titre-phare du premier 45 tours, *la Cavalerie*, des expressions prophétiques (« J'abolirai l'ennui »), que les rebelles de mai pourraient reprendre à leur compte. Sur le coup, la chanson est à peine diffusée. Il faudra que revienne le calme pour qu'on écoute enfin les paroles de la chanson : « Comme dans les films héroïques / Aux moments les plus critiques / Quand tout croule dans la vie / Quand tout semble compromis / Moi j'entends la cavalerie / Moi je pense à la cavalerie. »

Dès le premier album, qui sort au moment où Julien joue *Hair*, le style du répertoire est fixé : un exotisme rêvé, une atmosphère proche de celle des grands films d'aventures, une pointe de surréalisme, un zeste d'étrange et surtout un romantisme exacerbé. La nostalgie s'y fait une place, bien sûr, mais elle est balayée par l'élan conquérant de l'interprète. Les radios ne sont pas séduites par le disque : on trouve à Julien une parenté avec Gilles Dreu, qui vient de faire un tabac avec *Alouette alouette*, une adaptation d'un air sud-américain. Mais, si les programmateurs hésitent, les auditeurs, eux, s'emballent. Toutes les premières chansons de Julien connaissent le succès.

Des couplets déconcertants

Il est vrai que les titres de Julien Clerc ont de quoi plaire. *Ivanovitch* (paroles de Maurice Vallet) conte l'histoire d'un homme revenant dans une Russie lointaine et imprécise : « Il était arrivé / Le fiacre l'emportait / Toujours la même ville / Toujours les mêmes gares / Des églises barbares... » On croise aussi une « petite sorcière malade, qui traverse le marécage avec son balai brisé à la main », un enfant aventurier : « Yann avait un navire mais n'avait pas seize ans... » On y découvre une *Californie* « frontière / Entre mer et terre / Le désert et la vie ».

La méfiance du trio, hostile par principe à sa participation dans *Hair*, et les réserves de ce dernier sur les arrière-pensées idéologiques du spectacle nuisent quelque peu à Julien Clerc. Le personnage de Claude lui convient si bien qu'il tend à l'imiter dans sa propre vie. La tournée qui suit est ratée : tout ce qui faisait l'originalité de Julien a disparu. Il s'est fondu dans le moule. Le groupe met le holà. Julien retrouve alors la voie qui lui convient.

Dès lors, l'ascension reprend. Nouvelles chansons, nouveaux succès : *Des jours entiers à t'aimer*, sur un texte de Roda-Gil, *Zucayan* et *Quatre heures du matin* (Maurice Vallet). Malgré leurs différences profondes, Vallet et Roda-Gil écrivent des textes complémentaires contribuant à façonner le personnage qu'a conçu Julien. Vallet : « Je veux te dédier / Ma misère, mon ennui / Le début de ma haine / Le fond de nos orgies. » Roda-Gil : « Un petit vieillard chantait mal / Dans une drôle de chorale / Une méchante vieille jaune et sale / Mendiait devant la cathédrale. » On sent cependant ce qui les différencie : Maurice Vallet est plus intimiste ; Étienne Roda-Gil, lui, peint des fresques, des tableaux bizarres et colorés, proches de Chagall dans *le Patineur*, future chanson culte. Le trio ironisera plus tard sur le « club des patineurs » qui voudrait que tout le répertoire de Julien soit bâti sur ce modèle. Autre chanson étape, due au talent de Roda-Gil, *le Cœur-Volcan*, aux vers étranges, incohérents et néanmoins attachants : « La lave tiède de ses yeux / Coule dans mes veines malades », ou « J'ai la raison arraisonnée / Dans un port désert dérisoire / Toute ma vie s'est arrêtée / Comme s'arrêterait l'histoire. »

Bien que *le Cœur-Volcan* soit un tango, ses couplets n'ont rien de commun avec ceux qui accompagnent d'ordinaire cette forme musicale.

Quoi qu'il en soit, malgré leur étrangeté ou peut-être à cause d'elle, les chansons de Julien continuent de plaire. Et plus encore le personnage. L'Olympia joue à guichets fermés en 1970, 1971, 1973, 1974... Ses tournées déplacent les foules et ses albums deviennent l'un après l'autre des disques d'or. En 1977, son spectacle au Palais des Sports marque l'apogée de Julien Clerc premier style. Il s'y produit en compagnie de Geneviève Paris, qu'on verra peu en France, cette chanteuse s'étant fixée à Montréal, et du groupe québécois Beau Dommage. Le climat irréel qui baigne ses chansons a été recréé : les instruments, les micros, les fils reflétés par un immense miroir mobile transforment la scène en une jungle presque inextricable. L'avancée du plateau dans la salle semble une étrave de navire...

L'amoureux de Mélissa

Julien songe alors à changer de personnage. Il ne peut continuer éternellement à jouer les adolescents romanesques. Il a envie de faire bouger sa musique, d'y intégrer les apports de la pop music et du rock. De nouveaux auteurs entrent dans son jeu et y occupent une place de plus en plus importante : Maxime Le Forestier, qui lui écrit *Amis* et *J'ai eu trente ans*, Jean-Loup Dabadie... Dans l'album publié en 1978, trois titres connaissent un grand succès. Deux d'Étienne Roda-Gil, *Jaloux* et *Macumba*, un de Dabadie, *Ma préférence.* Mais Julien ne se reconnaît plus dans les mots d'Étienne, qui, de son côté, ne reconnaît plus l'interprète qu'il aimait. Comment rompre ?

Avec le compositeur Jean-Pierre Bourtayre, Roda-Gil écrit alors un opéra-rock : *36, Front populaire,* qu'il cherche à monter. 1936, c'est en France l'année des premiers congés payés ; en Espagne, le début de la Guerre civile. Dans une gare, deux trains côte à côte : l'un mène à la mer les familles ouvrières en vacances, l'autre à la frontière les volontaires qui vont combattre aux côtés des

Républicains espagnols. Faute de trouver l'argent pour que *36, Front populaire* devienne un spectacle, Bourtayre et Roda-Gil en font un double album. Julien Clerc en est le héros et une des chansons, *Ça commence comme un rêve d'enfant,* séduit aussitôt le public.

Pourtant, la rupture est proche ; dans l'album de 1980 subsistent encore quelques chansons d'Étienne. Ce seront les dernières. On le regrette. On ne peut que regretter son style brillant : « Et j'abandonne les lévriers / A leur démarche lassée / Compassée » (*la Fille de la Véranda*). Mais Julien doit évoluer pour survivre. Il change de look, coupe ses cheveux, change de musique. Bientôt, il quittera Pathé-Marconi pour Virgin.

Et cela marche. Luc Plamondon, un de ses nouveaux paroliers, lui forge un personnage de rocker, le seul susceptible de séduire la jeunesse du moment ; se succèdent coup sur coup *Quand je joue, Cœur de rocker, Lili voulait aller danser* et *la Fille aux bas nylon.* Son public achetait des albums. Julien vend désormais, et en grande quantité, des 45 tours. L'ascension reprend. En 1983, il tient cinq semaines sous un chapiteau à la Porte de Pantin ; en 1985, il remplit pendant onze jours les 16 000 places de Bercy ; le Grand Rex lui fait fête.

D'autres sont venus rejoindre la « famille » Clerc : David Mc Neil, auteur des deux tubes *Mélissa* et *Hélène* (« Le satin noir sur son teint blanc / Avoue peignoir que c'est troublant »), puis Jean-Claude Vannier, Jean-Louis Murat, Françoise Hardy. Plus de dix ans se sont écoulés depuis la rupture avec Roda-Gil. Julien a interprété quelques grandes chansons comme celle contre la peine de mort, écrite avec Dabadie en 1980. Au début des années 90, il semble s'essouffler. Peut-être lui faut-il à nouveau changer de style. On parle pour lui d'un nouveau parolier : Étienne Roda-Gil.

Fais comme l'oiseau

Malgré sa parenté avec l'esprit de ces années-là, on ne peut raisonnablement qualifier Julien Clerc de chanteur post-soixante-huitard. Dans le bouillonnement d'idées qui agite le pays, il trouve avec Vallet et Roda-Gil une voie originale, et la suit. D'autres se sentent plus directement impliqués, telle Valérie Lagrange. Comédienne, elle présente dès 1967 un personnage sexy, provocateur et rétif. Elle interprète alors des chansons de Gainsbourg (*la Guerilla*) et des airs adaptés de thèmes sud-américains, avant de se passionner pour les « *happenings* », spectacles improvisés dans lesquels les spectateurs sont impliqués. On la retrouve participant à l'expérience de Marc O, *les Idoles*, un opéra-rock qui mêle l'improvisation au texte écrit, puis s'essayant au folk aux côtés de Graeme Allwright... Tous les essais, toutes les avant-gardes la tentent, même si elle n'y conquiert pas la gloire. Elle n'essuie pas d'énormes échecs, ne connaît pas non plus de succès fulgurants, mais parvient à se maintenir. En 1992, elle présente une comédie musicale conçue par elle et uniquement interprétée par des femmes.

Valérie Lagrange se situe à l'un des extrêmes de la chanson post-soixante-huitarde : rejet du « carriérisme », avant-gardisme, fidélité intellectuelle sans faille à des principes parfois usés. Michel Fugain se situe à l'autre extrême. Il vient de la chanson dite commerciale, encore que – comme toujours – les classifications soient abusives. (Comme l'annonce sans précaution ce directeur artistique qui a aidé des poulains de tous genres, « la chanson commerciale est une chanson marginale qui a réussi ».) Fugain a déjà connu en solitaire quelques jolis succès dans les années 60 : *Je n'aurai pas le temps* tient toujours la route vingt-cinq ans après sa création. Ce thème revient souvent dans ses chansons, le désespoir du jeune conquérant qui s'aperçoit qu'une vie est trop courte pour voir aboutir toutes ses aspirations.

1968 donne à Fugain l'idée de réaliser un de ses rêves. En 1972, il monte une troupe de jeunes artistes, le Big Bazar, qui regroupe des chanteurs, des danseurs et qui va tenter de mettre au point des spectacles vivants et colorés faisant appel à la musique, au chant et à la danse. Particularité du Big Bazar : c'est une coopérative dans laquelle tous les artistes touchent la même part sur les revenus de la troupe, Michel Fugain compris. Leurs adversaires hurlent à la démagogie. Véritable professionnel, Fugain veille à ce que ses spectacles soient techniquement réussis : il fait appel à de bons paroliers et orchestrateurs. Il veut, dans chacun de ses shows, restituer l'atmosphère de la fête populaire. « Fête » est bien le maître mot, l'idéal vers lequel doivent converger, selon lui, toutes les formes de spectacle. C'est ce qu'on lui reprochera le plus. En poliçant la fête, en présentant au public un ensemble carré, bien mis en scène, Fugain, dit-on, en dénature l'esprit, en élimine la spontanéité, transforme un phénomène de société en mode et remplace la participation du public par le voyeurisme. Autrement dit, il récupère la fête : révolutionnaire, elle n'est plus qu'une simple distraction.

Avec le recul, on préfère ironiser sur ce type de débat sectaire. La crainte d'être « récupéré » hante la première moitié de la décennie 70. La chanson se veut alors contestataire, même quand elle ne l'exprime pas ouvertement. La société est corrompue, la dénoncer est nécessaire. Ceux qui s'y intègrent, qui en acceptent la moindre règle, sont regardés comme traîtres. En jouant son propre jeu, mais en s'appuyant sur les valeurs sûres du show-business, Michel Fugain trahit. Tant pis si son expérience (que seul Jean Vilar avait osé tenter avant lui avec le TNP puis Avignon) risque de bouleverser les règles du jeu.

La polémique disparaît avec la mort du Big Bazar. La démocratie directe et totale, l'autogestion très en vogue à l'époque rendent le groupe ingouvernable. Des tensions naissent et s'accusent, des discussions sans fin précèdent toute prise de décision. Sous la communauté de façade, les individualités se manifestent et, dans ce métier où l'égocentrisme est une seconde nature, leur poids devient vite considérable. Un beau jour, il faut casser la belle machine qu'avait conçue Fugain. Il s'y résigne à contrecœur, et met très vite en place une structure voisine, qui proposera le même genre de spectacles : la Compagnie Michel Fugain. Le changement de nom est significatif. Du Big Bazar, Fugain était l'animateur, mais ses pouvoirs étaient limités : il lui fallait palabrer pour obtenir une décision. De la Compagnie, il est le patron. Il porte la responsabilité des succès comme des échecs.

De ces expériences, très controversées et en fin de compte réussies, demeurent surtout des images, des couleurs, une sorte de vie grouillante et néanmoins organisée, mêlant chant, danse et numéros de cirque... On n'a pas oublié non plus ces chansons, si fidèles à leur époque : *Fais comme l'oiseau, la Belle Histoire*, etc. On se souvient aussi de cette apostrophe qui ouvrait chaque représentation : « Approchez mesdames et messieurs, dans un instant ça va commencer ! »

La Compagnie disparaît à son tour, mais Fugain ne renonce pas. Toujours ouvert à de nouvelles expériences, il monte en 1977, avec la Maison de la culture du Havre, une comédie musicale réussie, *Un jour d'été dans un havre de paix*, puis, redevenu solitaire, continue de chanter. Malgré quelques aléas, il parvient à se maintenir... En 1992 encore, certaines de ses chansons apparaissent dans les hit-parades, donnant à cet homme sympathique et chaleureux, musicien inventif, metteur en scène doué et chanteur à la voix entraînante et convaincante, la preuve qu'il n'était pas un phénomène de mode et que ses messages ont été perçus.

La ballade des Le Forestier

Pas de phénomène de mode non plus chez les Le Forestier. Lorsque l'on veut mettre un visage aux années 70, ou du moins à leur première moitié, c'est à eux que l'on pense d'abord, en particulier à Maxime qui, pendant six ou sept ans, apparaît comme le porte-parole de l'immense majorité de la jeunesse. Au départ est une petite famille : la mère, Geneviève, dite Lili, deux filles, Anne et Catherine, et Maxime. Lili, qui traduit les dialogues de feuilletons américains tel *les Incorruptibles*, connaît quelques problèmes financiers, mais parvient à assurer à ses enfants une éducation convenable en laissant une place privilégiée à la musique. Le solfège côtoie la grammaire et les mathématiques. Leçons profitables : Anne deviendra professeur de composition. Catherine et Maxime chanteront. L'atmosphère de ces années d'enfance revit dans *la Petite Fugue*, une chanson qu'ont écrite Catherine et Maxime et qu'ils interprètent ensemble : « C'était toujours la même / Mais on l'aimait quand même / La fugue d'autrefois / Qu'on jouait tous les trois. / On était malhabile / Elle était difficile... »

Adolescents encore, ils forment le duo Cat et Maxime, qui connaît quelques petits succès en s'accompagnant à la guitare. Ils ont alors un modèle, le trio américain Peter, Paul and Mary, alors très en vogue, dont ils interprètent les adaptations. C'est avec l'une de celles-ci qu'ils obtiennent une seconde place au concours de la Rose d'Or d'Antibes. Ils rencontrent alors Georges Moustaki, qui n'est pas encore le chanteur du *Métèque* ; l'auteur de *Milord* leur confie quelques textes et musiques originales. En 1968, Cat et Maxime occupent le Concert Pacra, un vieux music-hall près de la Bastille, et chantent en mai dans les usines en grève. Maxime a déjà écrit quelques textes et musiques de chansons, *Ballade pour un traître*, qu'interprète Serge Reggiani, et *Édith*, que chante Lama.

1969. Le service militaire de Maxime entraîne la rupture du duo. Maxime est affecté à une unité de parachutistes. Il n'y restera pas longtemps – impossible pour lui de s'adapter à l'esprit de corps ; on l'enverra finir honteusement son temps dans les bureaux. Il s'en échappe le soir pour aller accompagner à la guitare sa sœur, qui amorce une carrière en solo.

Catherine commence la première. Un 30 cm sort en 1969. Les chansons, déjà, sont accrocheuses : *la Petite Fugue*, bien sûr, mais aussi *l'Amour avec lui*, *Sophie*, *la Javagabonde* (sur une musique de Lama)... Elles sont fraîches, jolies et servies à la perfection par la voix claire, très pure, infiniment séduisante de l'interprète. On lui prédit une très belle carrière.

Impression confirmée en 1971. Catherine est présentée par Radio-France au Festival de Spa en Belgique, un concours organisé par la Communauté des radios publiques de langue française (Radio-Canada, l'ORTF, la RTBF et la Radio Suisse Romande). Elle y défend une chanson d'amour tendre et sensuelle, écrite et composée par elle, *le Pays de ton corps*, et remporte le Grand prix. Dans le deuxième album, on remarque deux œuvres écrites par Catherine et Maxime pour *America*, un spectacle d'Antoine Bourseiller (*San Diego* et *les Bonnes Adresses*), et surtout des chansons engagées. L'une, *Parachutiste*, est due à

Maxime : « Tu avais juste dix-huit ans / Quand on t'a mis un béret rouge / Quand on t'a dit "Rentre dedans / Tout ce qui bouge"... ». Les deux autres ont été écrites et composées par Catherine : *le Gardien du square* (« Les vertes pelouses appelées Liberté / Pas question d'y mettre les pieds ») et *Allez voir mes voisins*, illustration sonore du film de Med Hondo, *les Bicots Nègres vos voisins.* Tout à fait dans l'esprit du temps, le disque part en flèche. La carrière de Catherine est lancée.

La longue marche de Catherine

Le grand prix de Spa est doté d'une somme rondelette : 10 000 francs de l'époque. C'est assez pour que le frère et la sœur s'offrent un voyage vers la terre promise, la Californie. Ils y errent quelque temps, finissent par trouver une communauté hippie que Maxime décrira bientôt dans *San Francisco* (« On y vient à pied / On n'y frappe pas / Ceux qui vivent là / Ont jeté la clé... »). L'un et l'autre sont séduits par l'extrême liberté, la tolérance, la fraternité qui règnent dans cette « maison bleue », rendez-vous de routards pacifistes, sorte d'Éden retrouvé. A leur retour en France, Catherine et Maxime ne sont plus les mêmes. Si Maxime rapporte de Californie des musiques, des sons et une chanson, Catherine, elle, a attrapé le virus de la route. Ils chantent encore tous deux, montent même quelques spectacles à la Gaîté-Montparnasse. Bien accueillis par la critique. « Il y a entre eux une complicité de jumeaux », écrit Danièle Heymann dans *l'Express.* Mais, pour Catherine, le cœur n'y est plus. Elle dit un soir à sa famille : « Je me demande si devenir une vedette est vraiment ma forme de bonheur. » Dès le lendemain, elle prend la route.

Le voyage durera dix ans, entrecoupé de brèves réapparitions. En 1976 notamment. Elle a cessé d'être Catherine, se fait appeler Aziza et revient avec un groupe de musiciens marocains, Babel. Ensemble, ils proposent une musique étrange et difficile ; à la Cour des Miracles, ils montent une série de spectacles. Hélas, à aucun moment ne s'établit de communion avec les spectateurs. Tous donnent l'impression de jouer pour leur propre plaisir. Chaque musicien ne semble concerné que par son jeu personnel : il n'y a dans Babel, nom prémonitoire, ni cohésion ni cohérence.

C'est en 1980 et 1981 que Catherine fait son véritable retour. Avec *Music for Aziza* et *S.O.S.*, disques marqués par la musique orientale, elle démontre à nouveau ses talents de musicienne et d'interprète. Mais le public ne la suit pas : il y a trop d'écart entre l'interprète qu'il a connue autrefois et celle qui se produit aujourd'hui. Peut-être aurait-elle pu, si elle ne s'était faite si rare, habituer ses fidèles à tant de changement. Elle est au contraire devenue méconnaissable.

Courageusement, Catherine repart alors de zéro, recommence à chanter dans les cafés-théâtres, devient conteuse pour adultes, pour enfants, mêlant à ses récits des chansons qu'elle interprète avec la même voix superbe. C'est une autre et longue route, au but incertain. Elle ne s'intéresse pas aux modes, essaie de justifier son cheminement, n'y réussit pas toujours, mais persévère. Sans rien regretter.

L'envol de Maxime

Catherine partie sur la route, Maxime est resté seul. Encore inconnu. Il a enregistré deux 45 tours chez Festival, deux autres chez Polydor, avec des directeurs artistiques qui croient en lui, Claude Dejacques et Jacques Bedos. Les quatre chansons Polydor – *Mon frère, Éducation sentimentale, San Francisco* et *Ça sert à quoi ?* – plaisent aux programmateurs de radio. On les entend beaucoup sur les ondes. Les jeunes auditeurs en retiennent par cœur les couplets et commencent à connaître leur interprète. Les ventes ne suivent pas. Prudente, la maison Polydor s'est tenue à un petit tirage.

Ce qui attire l'attention sur Maxime, c'est d'abord sa voix, très juste et très pure. Une voix de charmeur qui n'est pourtant pas celle d'un crooner. Ses textes sont bien écrits, à la fois simples, faciles à retenir et denses. Enfin, il y a la sonorité musicale. Autour de Maxime, à la guitare, s'est constituée une petite équipe formée de Patrice Caratini à la basse et Alain Le Douarin à la seconde guitare. Le trio invente une manière de jouer, une rythmique, une atmosphère qui constitueront longtemps le « son » Le Forestier. Un « son » qui s'inspire à la fois d'une certaine tradition française (dont Brassens est le plus illustre représentant) et du folklore à l'américaine. Ni emprunt ni copie : Maxime a abandonné toute référence au style rive gauche et oublié le style Peter, Paul and Mary de ses débuts. Sa musique est originale. Dès les premières mesures, on reconnaît sa façon.

En attendant le succès, Maxime chante de-ci de-là, au gré des engagements. A la Pizza de Pigalle, où un animateur de génie, Lucien Gibara, tente d'amener à la chanson un public récalcitrant, mais aussi au restaurant de la Tour Eiffel où les convives, souvent étrangers, n'accordent qu'une attention distraite à l'artiste du jour. C'est à leur intention que Maxime écrit : « Fais deux boules de pain pareilles / Mets-les-toi dans les oreilles / Fais comme si j'étais pas là / Je ne chante pas pour toi » (*le Steak*). Brassens s'intéresse à lui. Les deux hommes se connaissent : le débutant est souvent venu demander des conseils à celui qu'il considère comme son maître. Brassens lui propose de passer dans une de ses premières parties, en octobre 1972, à Bobino. Accueil enthousiaste du public et de la presse. Un nouvel auteur-compositeur-interprète est né, lit-on un peu partout.

Un mois avant Bobino, le premier album de Maxime a été publié grâce aux efforts de Jacques Bedos et malgré les réticences de la firme. La légende veut qu'avant la parution un des patrons de Polydor ait convoqué Maxime pour lui présenter la pochette. « Une belle pochette, lui aurait-il dit. Dommage qu'il n'y ait rien dedans. » Les ventes sont d'abord modestes, mais bientôt augmentent. Pendant des semaines, des mois, des années, cet album figurera parmi les meilleures ventes. Le second, en 1973, prend le même chemin. A la veille de son spectacle au théâtre de la Ville (mars 1974), Maxime constate : « J'ai vendu plus de 600 000 albums. » Il y croit à peine. Lui qui souhaitait en vendre 10 000 pour avoir la possibilité d'en faire un second ! Dans une étude sur *les Professionnels du disque*, Antoine Hennion a dépouillé les statistiques de ventes d'albums publiées par le Syndicat des éditeurs de disques.

D'avril 1973 à octobre 1977 (date à laquelle le Syndicat abandonne le recensement), sur les trente meilleurs vendeurs d'albums, Maxime arrive en troisième place derrière les Pink Floyd et Serge Lama. Sur les vingt albums les mieux vendus durant ces cinquante-six mois, on en compte trois de Maxime. Seul Serge Lama, avec quatre albums dans les vingt premiers, dépasse ce score.

Un geste de la main

Même succès en concert. A la fin de l'hiver 1973-1974, le théâtre de la Ville est bondé. Des gens sont assis sur les marches de l'escalier. On refuse du monde chaque soir. Sur scène, Maxime arrive dans une sorte de brouhaha, conversations et applaudissements mêlés. D'un geste de la main, il impose le silence, puis, *a capella* et sans micro, entame sa première chanson, *la Ballade des marguerites*. S'appuyant sur le seul accompagnement de Caratini et de Le Douarin, le spectacle est statique, sans effet de voix ni de lumière, aussi austère qu'un concert de Brassens. Et aussi prenant : Maxime n'a pas besoin de gestes pour conquérir le public. Il possède une présence immédiate, une « aura » : on l'aime et on l'admire avant même qu'il ne chante. La tournée qui suit donne la mesure de sa popularité auprès de la jeunesse : 8 000 spectateurs à Poitiers, autant à Grenoble. « Le Forestier, on pourrait l'écouter sur un trottoir, dans le métro, dans un bistrot », écrit-on dans *Ouest-France. Le Courrier de l'Ouest* renchérit : « Entre Maxime et son public, il se passe quelque chose qui n'a rien à voir avec l'hystérie collective à laquelle d'autres célébrités de la chanson nous ont habitués. »

Chose étonnante, cette percée se produit sans soutien des médias. Si la radio, surtout France-Inter, diffuse ses disques, la télévision le dédaigne – « Le Forestier ? Connais pas », aurait lancé Guy Lux, alors grand manitou des variétés télévisuelles – et la presse adolescente l'ignore superbement. Hormis sur les pochettes de disques, on voit peu son portrait. Or, barbus, chevelus, vêtus de jeans et de blouses indiennes, les jeunes commencent à lui ressembler. Hasard ou volonté ? Toujours est-il que le mimétisme est patent.

Son répertoire explique en grande partie ce succès. Il est romantique, romanesque comme on l'est durant l'adolescence. « La rouille aurait un charme fou / Si elle ne s'attaquait qu'aux grilles », chante-t-il sur un texte de Jean-Pierre Kernoa. Les spectateurs adorent ses chansons, reprennent en chœur *Mon frère* ou *Éducation sentimentale.* Mais ce n'est pas pour elles qu'ils viennent en priorité. Le Maxime qu'ils préfèrent, c'est l'antimilitariste de *Parachutiste,* l'antipatriote de *J'm'en fous d'la France* (sur un texte de Marianne Sergent), le rebelle de *Ça sert à quoi tout ça* ? (« Tu as beau me répéter / Qu'on n'a jamais rien changé / Avec des notes et des phrases / Je continue de chanter / Les doigts en forme de V / En attendant que tout s'embrase. »

Découvrant dans une ferme abandonnée une liasse de lettres datant de la Grande Guerre, il en fait une chanson, *les Lettres,* contant la douleur d'un couple séparé par la mobilisation et les combats, une des plus belles chansons pacifistes jamais écrites. Car, comme ses admirateurs, Maxime est pacifiste, non violent, inquiet face à la mécanisation (*Petit Robot*). Comme lui, son public pourrait chanter *Comme un arbre dans la ville* (« Je suis né dans le béton / Coincé entre deux maisons... »), répondre aux parents qui disent : « Ce monde je l'ai fait pour toi », « Il est foutu / Et je n'ai plus / Qu'à le refaire / Un peu plus souriant / Pour tes petits-enfants » (*Dialogue*).

Dans la tournée triomphale qui le mène à travers la France, Maxime a imposé deux conditions aux organisateurs. Pas de service d'ordre : son public est pacifiste et tolérant. Et surtout, un prix des places limité à 10 F au départ, et toujours deux à cinq fois moins cher que celui des spectacles concurrents par la suite. C'est là que le bât blesse. Le show-business supporte mal qu'on enfreigne sa loi : une certaine presse se déchaîne contre Maxime, accusé de concurrence déloyale. On l'admettait quand il passait pour un poète populaire. Mais on refuse le porte-parole de la contestation qu'il est devenu.

Le Palais des Congrès, en 1975, marque le point d'orgue de la carrière de Le Forestier première manière. La scène est trop vaste pour un trio ? Le Forestier y fait monter le public : 400 personnes sont assises derrière lui chaque soir.

En trois semaines, il accueille 90 000 spectateurs. Chaque soir, 4 200 jeunes viennent communier avec lui, reprennent en chœur aussi bien ses refrains rebelles que ses chansons douces. Il est devenu un symbole. Même s'il en refuse l'idée, il le sait. Et il en subit les effets. Honni par la presse de droite, il ne trouve pas un meilleur accueil dans celle d'extrême gauche, qui lui reproche son idéalisme et son « boy-scoutisme ». « Maxime Le Forestier, lit-on dans un brûlot gauchiste, fait tout pour détourner les aspirations révolutionnaires de leur véritable but, et même pour essayer de les réduire à néant. »

Recréer un style

Maxime n'en a cure. Son problème du moment est d'évoluer, d'offrir à ses admirateurs quelque chose de nouveau. Il s'est lié d'amitié avec deux « bêtes de scène », Julien Clerc et Diane Dufresne. Il va tenter de suivre leur exemple : apprendre à se mouvoir sur un plateau. Afin de s'y contraindre, il choisit pour cette rentrée 1976 un lieu où personne n'a jamais chanté, le Cirque d'Hiver, et où l'on est obligé, pour toucher l'ensemble des spectateurs, de bouger sans cesse, car la salle est circulaire. Un lieu difficile à sonoriser, ainsi qu'il s'en rendra compte assez vite.

Comme si cela ne lui suffisait pas, il se crée de nouvelles difficultés. Son étonnante ascension s'est déroulée sans, et même contre les médias. Il va cette fois s'en passer volontairement. Pas de promotion avant spectacle, pas non plus de prélancement du disque enregistré à cette occasion. Enfin, dès la fin des prestations, Maxime part pour le Québec et la Californie. Le spectacle, excellent, marche. Maxime y mêle le cirque et la chanson, la musique classique, le jazz et sa formation habituelle. Le disque, lui, n'aura pas le succès escompté, en dépit de remarquables chansons, dont un *Hymne à sept temps* sur lequel il est impossible de marcher au pas !

Dès lors, la décrue commence. En 1977-1978, les illusions dont on se berçait depuis mai 68 s'estompent. On croyait avoir tout très vite, on n'a pas obtenu grand-chose, et ceux qui continuent de rêver à un autre monde ont cessé d'être des contestataires ; on les traite désormais avec ironie de « babas-cools ». Maxime le dit dans une chanson : il ne veut pas devenir un vieux chanteur « de mai sage ». Pis ! Il veut évoluer. Le trio a vieilli. Pour rester en phase avec le « son » du moment il lui faut employer les « sonos », les instruments électriques, l'informatique. Ce qu'il fait, parfois maladroitement, avec le zèle et la passion du néophyte.

C'est le malentendu avec ses fidèles. Ils étaient révoltés, ils sont rentrés dans le rang. Mais ce qu'ils admettent pour eux-mêmes, ils ne le pardonnent pas à Maxime. Pour eux, témoin et garant de leur jeunesse, celui-ci doit rester immuable. A ses concerts, ils ne semblent se dégeler qu'au moment où Maxime, guitare en main, reprend ses anciennes chansons. Les nouvelles les laissent presque froids.

Ses nouvelles chansons sont riches et inventives, plus mélancoliques, plus amères qu'autrefois. Plus étranges aussi : l'insolite y règne. *L'Homme à tête de loup* rôde la nuit dans les égouts, effraie les citadins et fait naître « les loups à têtes d'homme » ; « des sorcières / En robe de mariée / Rampent autour d'un anneau d'or » (*Dans ces histoires*) ; à Saint-Pétersbourg, une vieille gémit : « Il n'y a plus d'hiver ! », et sur les bords de la Seine trop sale, trois sirènes ne veulent plus se baigner. La berceuse est devenue triste, et le blues presque gai pour celui qui veut gagner « le grand match de Mineville » ; c'est dur de faire du *spiritual* depuis que Dieu est mort. L'optimisme s'est effrité, le monde meilleur qu'on attendait s'est encore éloigné. On a beaucoup rêvé. Il faut se résigner à la froide réalité ou se laisser aller au délire.

Les fidèles sont décontenancés. Maxime pourrait certes se constituer un nouveau public de jeunes. Mais ceux-ci l'ignorent. Ils ne connaissent de Maxime que l'image d'un personnage marqué par une époque révolue, qu'il a lui-même contribué à façonner. Le nouveau Maxime leur est inconnu. Comment pourraient-ils le découvrir alors qu'on ne l'entend plus, que les médias le boudent ? Il lui faudra subir quelques années de purgatoire, le temps d'effacer les souvenirs, pour retrouver à nouveau la faveur du public. Grâce à deux chansons : *Né quelque part* et *Ambalaba* qui, en 1987 et 1988, marquent son retour au premier plan. En 1992, son nouveau CD et un passage à l'Olympia amorcent le redémarrage d'une carrière, dû aussi à une chanson qu'il a écrite et qu'il interprète avec Michel Rivard, ancien du groupe Beau Dommage, *Bille de verre.*

Maxime a toujours été généreux. Avec le public, auquel il a beaucoup donné. Et avec ses amis artistes, qu'il a aidés : Jean-Michel Caradec, auteur-compositeur-interprète trop tôt disparu, Joël Favreau, guitariste doué (il a accompagné Brassens et Duteil) mais chanteur trop discret, dont il a produit le premier disque. Et des gens dont on reparlera, comme Yvan Dautin ou Dick Annegarn.

16.
MARGINALITÉS

Autodérision

« C'est un aquaboniste / Un faiseur de plaisanteries / Qui dit toujours à quoi bon ? / A quoi bon ? » Serge Gainsbourg sème, comme le Petit Poucet ses cailloux, des autoportraits sans indulgence. Des caricatures le plus souvent. L'homme, visiblement, ne s'aime pas. Il se croit laid, se compare à l'âne Aliboron (*Laissez-moi tranquille*), reprend le texte de la *Chanson de Maglia* de Hugo : « Vous êtes bien belle / Et je suis bien laid. » Il lui faudra longtemps, et bien des réussites amoureuses, pour admettre ses talents de séducteur et chanter : « La beauté cachée / Des laids des laids / Se voit sans délai / Délai délai... » Il aura fait avouer à l'un de ses héros (auquel il ne s'identifie pas, malgré l'emploi de la première personne) : « J'ai le regard morne et les mains dégueulasses / D'quoi inciter les belles à faire la grimace. »

Si Gainsbourg ne s'aime pas au physique, il ne s'aime pas non plus au figuré. En témoigne ce dialogue chanté avec Jane Birkin dans *Slogan,* de Pierre Grimblat. Elle : « Tu es vil, tu es veule, tu es vain / Tu es vieux, tu es vide, tu n'es rien. » Lui : « Évelyne, tu es injuste / Évelyne, tu vois / Tu m'aimes encore. » Plus tard, à Jacques Dutronc, pour l'album *Guerre et Pets,* il confiera : « J'ai pas d'parole / Gainsbourg s'est fait la paire / Faut s'le faire / Quand il boit / Pauvre alcoolo / Il faut toujours qu'il se cuite / Pourquoi ? » (*l'Éthylique*). Quand il se travestit, entre dans la peau de son double en négatif, il constate : « On reconnaît Gainsbarre / A ses tics, à sa bar- / Be de trois nuits, ses cigares / Et ses coups de cafard. »

Il lui arrive pourtant de se tenir en estime, vantant par

exemple ses prouesses sexuelles, comme dans *Love on the beat* ou dans *No comment* : « Si je baise ? / Affirmatif. / Si j'assure ? / No comment. » Il use alors à dessein d'un langage et d'un ton si outranciers qu'il devient impossible de le prendre au sérieux. On a l'impression d'entendre un adolescent faraud qui se vante de ses premiers exploits amoureux. Gainsbourg le sait. Se faire passer pour un surmâle, l'espace de quelques chansons, c'est encore une façon de pratiquer l'autodérision, de démolir sans regret son personnage.

Il va de plus en plus loin dans la pratique de l'autodénigrement. Du temps où, au cabaret Milord l'Arsouille, il était le pianiste de Michèle Arnaud, il méprisait cordialement la chanson. « Un art mineur », disait-il. Un peu plus tard, il corrigera : « Je me suis aperçu en entendant Boris Vian, Léo Ferré et Félix Leclerc, qu'on pouvait dire quelque chose dans la chanson, et je me suis mis à écrire. » (Les années passant, il ne gardera que la référence à Vian.) Enfin, quand la chanson le porte au faîte de la gloire, quand l'admiration qu'on lui voue est devenue quasi unanime, il revient à ses premières certitudes. « La chanson, dit-il, est un art mineur conçu pour les mineures. » Une façon d'avouer qu'il ne mérite pas les lauriers qu'on lui tresse : il n'est qu'un type moyen qui a eu de la chance.

On lui parle de ses qualités de musicien : « J'ai beaucoup piqué, dit-il, et j'ai su précéder les modes et les utiliser avant qu'elles n'éclatent. » On évoque la poésie de ses textes : « Je ne suis pas un poète, commente-t-il. D'ailleurs quand on a édité le premier livre sur moi chez Seghers, j'ai fait changer le titre de la collection pour remplacer *Poètes d'aujourd'hui* par *Poésie et Chansons.* » Ce qui est exact. Il assure n'avoir été grand et totalement intègre que le jour où il a détruit tous ses tableaux. « Je peignais pas mal, avoue-t-il. Mais je subissais trop d'influences et ne trouvais pas mon style. Alors j'ai coupé brutalement avec la peinture. »

Pourtant, la chanson ne lui suffit pas. Il s'essaie à d'autres arts, majeurs ceux-là. Il écrit, et son roman, *Evguenie Sokolov*, est publié chez Gallimard en 1980. Il réalise des films, *Je t'aime moi non plus* (1976), *Équateur* (1983), *Charlotte for ever* (1986), *Stan the flasher* (1990), mal accueillis par la critique, mais qui deviennent les œuvres cultes de certains jeunes cinéphiles. Il a particulièrement soigné l'écriture du roman : son style, classique, se rapproche de celui des écrivains du XVIIIe siècle. Quant aux plans de ses films, il les a conçus comme des œuvres picturales. C'est là-dessus qu'il aimerait qu'on le juge.

Inceste et flatulences

Mais Gainsbourg redoute les jugements qu'on pourrait porter sur ses œuvres « majeures ». Il allume des contrefeux, donne à chaque chanson une aura de scandale, ce qui, il en est sûr, détournera l'attention des critiques de l'essentiel. Le héros d'*Evguenie Sokolov* est un peintre pétomane qui brosse ses tableaux sous l'effet des flatulences ; *Je t'aime moi non plus* s'inscrit sur fond de sodomie et de misérabilisme ; il y a dans *Équateur* une sensualité exacerbée, un soupçon d'inceste dans *Charlotte,* et le personnage central de *Stan* est un exhibitionniste. Ce que la presse ne manque pas de relever, avec force détails. Il en est heureux et désolé. « De vieux coloniaux m'ont dit, raconte-t-il, que j'ai parfaitement su retrouver dans *Équateur* l'atmosphère lourde de l'Afrique. » De même, il ne supporte pas que d'autres reprennent à leur compte son leitmotiv sur la chanson « art mineur ». Il est complexe, contradictoire, Gainsbourg. En un mot : ambigu.

Il commence à chanter à trente ans, en 1958. Au Milord l'Arsouille, puis au Port du Salut. Sur de plus grandes scènes aussi, comme celle du théâtre des Capucines à l'occasion des « mardis de la chanson ». Il est mal dans sa peau, très pâle, paralysé par le trac. On s'angoisse en regardant ses mains dont il ne parvient pas à maîtriser le tremblement. « J'avais très peur, confiera-t-il. Pour conjurer le sort, je fixais le public d'un œil incisif, de façon à lui transmettre mon malaise, à le désarçonner. Le contact entre nous était glacial. » Il chante ses propres œuvres, dont certaines ont déjà été enregistrées par des interprètes connus : Michèle Arnaud, les Frères Jacques... Son premier album, paru la même année, *Du chant à la une,* avec une présentation de Marcel Aymé, obtient le Grand Prix de l'Académie Charles Cros.

Trois autres albums sortiront en l'espace de quatre ans. On y recense déjà les thèmes qui seront les siens tout au long de sa vie. La misogynie d'abord : les femmes sont faciles (*la Recette de l'amour fou*), décevantes (« Quand t'auras douze belles dans la peau [...] / Qu'est-ce que t'auras de plus sinon / Sinon qu'un peu de plomb / Un peu de plomb dans l'aile / Pas plus dans la cervelle. » Elles sont volages (*la Femme des uns sous le corps des autres*), vénales (*Jeunes Femmes et Vieux Messieurs*), insaisissables : « Les femmes c'est du chinois / Le comprenez-vous ? Moi pas. » Pour elles, de la même manière qu'Antonin Artaud avait inventé le théâtre de la cruauté, il invente la chanson cruelle : « Ce mortel ennui / Qui me vient quand je suis avec toi. » Ou bien : « En relisant ta lettre / Je m'aperçois / Que l'orthographe et toi ça fait deux. »

L'insupportable avec elles, c'est leur froideur : « A la gare maritime / Tu gagneras mon estime / En prenant la galère / Jusqu'à Cythère... » (*l'Amour à la papa*) ; « Eh ! toi, dis-moi quelque chose / Tu es là / Comme un marbre rose / Aussi glacée que le plastron d'mon smoking / Aussi froide que le plafond du living / Room. » (*Intoxicated Man*).

Dans son répertoire, la provocation est partout. Elle apparaît dans les mots : « Faut savoir s'étendre / Sans se répandre / Pauvre Lola. » Elle se manifeste dans les gestes, l'attitude, les rapports étranges que Gainsbourg entretient avec son public. « Provoquer est pour moi une nécessité », avoue-t-il déjà. Ses premières chansons laissent aussi place à l'érotisme (« Je t'en prie ne sois pas farouche / Quand me vient l'eau à la bouche ») et plus encore à ce sentiment de solitude sans remède qui saisit tous les héros de ses chansons, du *Poinçonneur des Lilas* au prolo de *l'Alcool* ou à l'oisif « claqueur de doigts devant le juke-box ». Une solitude parfois délibérée. « Les cigarillos ont cet avantage / De faire le vide autour de soi. » L'univers de Gainsbourg est noir « anthracite », dit-il, même s'il lui oppose ironie, dérision et sarcasme. L'humour est la politesse du désespoir. Rarement la formule s'est aussi bien appliquée à un auteur-interprète.

Gainsbourg s'appuie sur une musique très marquée par le jazz des années 50. Il atteint une certaine renommée, trouve un public parmi les fidèles des cabarets rive gauche. Une carrière s'amorce, il n'a plus qu'à se laisser porter. Jusqu'où ? Il n'en sait rien, mais il a déjà choisi sa nouvelle provocation : ce public qu'il a eu tant de mal à se constituer, il va sciemment le décevoir. En « trahissant », en écrivant pour les yé-yés. Par intérêt ? Il l'affirme. A Denise Glaser, animatrice de la fameuse émission de télévision Discorama, qui lui demande : « Pourquoi avez-vous retourné votre veste ? », il répond : « J'ai retourné ma veste quand j'ai vu qu'elle était doublée de vison. »

De l'épisode France Gall, qui montre comment on peut doublement provoquer ses propres admirateurs et les yé-yés eux-mêmes, nous avons déjà parlé. Le triomphe à l'Eurovision, en 1965, provoque un véritable appel d'air. Chacun réclame des chansons à Gainsbourg. Certes, il a beaucoup écrit pour d'autres interprètes, mais ceux-ci, de Juliette Gréco à Catherine Sauvage, appartenaient au même milieu, relativement confiné. Cette fois, son champ d'activité s'étend considérablement. Il écrit pour Petula Clark de joyeuses pochades : *Ô Sheriff ô, la Gadoue, Vilaines Filles et Mauvais Garçons* ; pour Régine, dame de la nuit devenue chanteuse populaire, à laquelle il confie des couplets insolents (*Pourquoi un pyjama ?, Je te prête Charlie mais il s'appelle Reviens*) et l'une des plus délicates œuvrettes qu'il ait écrites, *les Petits Papiers*... Il compose pour Mireille Darc *la Cavaleuse, Hélicoptère, le Drapeau noir*, et pour Claude François un texte que celui-ci ne gardera pas longtemps à son répertoire : « Je pratique la politique de la femme brûlée / Je brûle toutes celles que j'ai adorées. » Pour Dominique Walter, il brosse un portrait féroce du « copain-chanteur » (*Plus dur sera le chut*).

Les belles et la bête

Il écrit pour Brigitte Bardot. La belle des belles du cinéma français, notre seule star mondiale, s'est mise à la chanson. Elle a trouvé un ton, un répertoire qui lui ressemblent, avec des œuvres légères, telles *Sidonie* et *N'insistez pas Stanislas*. Gainsbourg va « épicer » son répertoire : *Bubble gum, l'Appareil à sous, Harley Davidson* (« Il me monte des désirs / Dans le creux de mes reins. »)

Ensemble, elle et lui chantent *la Ballade de Bonnie and Clyde,* avant d'enregistrer la première version de *Je t'aime moi non plus.* Une version qui ne sortira que vingt ans plus tard, Brigitte Bardot s'étant, pour des raisons personnelles, opposée à la diffusion de l'enregistrement.

Vient alors *69 année érotique.* Gainsbourg a fait la connaissance de Jane Birkin sur le tournage de *Slogan.* Ils se retrouvent ensemble à Paris. Ensemble également, ils enregistrent une nouvelle version de *Je t'aime moi non plus.* Scandale sans précédent. Malgré 1968, la morale institutionnelle pèse encore sur la sexualité. Un couple qui fait l'amour en public, même sur disque, voilà qui n'est guère admissible... encore moins sur un air d'orgue quasi liturgique. Gainsbourg murmure : « Je vais / Je vais et je viens / Entre tes reins / Et je me re- / Tiens. » On parle alors d'interdire le disque, mais la crainte du ridicule aidant, il finit par paraître. Partout, les bien-pensants s'indignent, et à Rome, *l'Osservatore romano,* organe du Vatican, mène une très violente campagne contre la diffusion de cet enregistrement.

Gainsbourg ironise : « Tout le monde n'a pas la chance d'avoir le pape pour assurer sa campagne de publicité ! » Le triomphe est immédiat en France et partout dans le monde, y compris dans les pays non francophones où sa réputation l'a précédé. *Je t'aime moi non plus* se vend à des millions d'exemplaires, Gainsbourg chanteur retrouve la faveur du public et Jane Birkin est lancée.

Dès lors, Serge et Jane vont se livrer à un curieux petit jeu. On les voit dans tous les lieux où il faut être vu. La presse suit pas à pas « la belle et la bête ». Lui s'est donné le rôle de Pygmalion, elle celui de Galatée. Il est le savant, l'érudit qui initie la jeune femme, le débauché qui l'incite à la perversion ; elle est l'élève docile et soumise, touchante de naïveté, affublée d'un inimitable accent anglais, inconsciente des dangers. Le public adopte le couple sans restriction.

Dès lors, Serge n'écrit plus que pour Jane et pour lui-même. A Jane, il donne une série de chansons, légères au premier abord, mais bien plus profondes qu'il n'y paraît. *Jane B,* sa chanson-portrait, est un constat d'assassinat, *Le canari est sur le balcon* l'histoire d'un suicide, et *Ex-fan des sixties* une nécrologie du rock : « Disparu Brian Jones, Jim Morrison, Eddie Cochrane, Buddy Holly... » L'air accorte et fantaisiste, la belle Jane dissimulerait-elle des talents de tragédienne ?

Bien entendu, elle n'a rien de la petite fille que le public imagine. Comédienne, elle joue sur tous les registres, de la fofolle de Claude Zidi à la dramatique héroïne de *Sept morts sur ordonnance*, de Jacques Rouffio. Elle a tourné et tournera avec Richard Lester, Antonioni, Chapier, Cayatte, Vadim, Deville, Benayoun, Jacques Doillon, Rivette, Godard, Agnès Varda et, inévitablement, Serge Gainsbourg. Chanteuse, elle impose immédiatement un style, une émotion, une voix qui n'est parfois qu'un souffle. Elle devient très vite « la petite Anglaise » de la chanson française. Avec succès.

Serge n'a pas tant de chance. Il ne cesse pourtant d'innover, se fait accompagner par le guitariste de jazz Elek Baksik (*Gainsbourg confidentiel*), s'appuie sur des rythmes latino-américains ou africains (*Gainsbourg percussions*)... Homme d'idées, il écrit une chanson sur la hauteur des buildings de New York (*New York USA*), une autre en forme de procès-verbal sur le naufrage d'un pétrolier (*Torrey Canyon*), se souvient d'un argot début-de-siècle oublié, pour composer *la Javanaise*, une chanson d'amour d'anthologie.

Purgatoire

Mais Gainsbourg n'accroche pas. Il n'est pas dans l'esprit du temps. Il a assisté à mai 68 en spectateur, sans adhérer à la révolte étudiante. Trop lucide, trop pessimiste pour croire aux illusions qui bercent les post-soixante-huitards, trop individualiste aussi, il ne fait pas confiance aux masses et observe leur évolution avec scepticisme. « Comment croire ce qui se raconte ? dit-il. Hier "peace and love", aujourd'hui *Bonnie and Clyde...* On s'y perd ! » Certes, l'homme reste populaire grâce à son franc-parler, ses provocations et son charme. Mais on n'écoute plus le chanteur qui, pourtant, entre dans sa période de création la plus féconde. En 1971, il publie l'*Histoire de Melody Nelson*, un *concept-disc* comme on dit dans le métier. L'album raconte les amours sophistiquées et sulfureuses d'un homme mûr et d'une fillette. Quatre épisodes : la rencontre, la conquête, l'amour, la mort.

Gainsbourg a déjà participé à une comédie musicale pour la télévision, *Anna,* de Pierre Karatnick, dans laquelle il faisait chanter Anna Karina (*Sous le soleil exactement*) et Jean-Claude Brialy. Cette fois, il place la barre plus haut, partageant la composition musicale avec Jean-Claude Vannier, qui assure les orchestrations, « sublimes », dit-il. Il mêle au rock la musique symphonique et commence à utiliser la technique du *talk off* (texte parlé sur fond musical). Le disque plaît à la critique, qui se répand en dithyrambes. Mais, hormis quelques fidèles, le public ne suit pas : *Melody Nelson* se vend mal.

Comme se vend mal l'album suivant, *Vu de l'extérieur* (1979). Pendant sa préparation, alors qu'il enregistre *Je suis venu te dire que je m'en vais,* il est victime d'une crise cardiaque. L'album provoque par ses accents scatologiques (*Des vents des pets des poums*). La chute est encore plus sévère avec l'album suivant, *Rock around the bunker.* Gainsbourg, fils de Juifs russes émigrés, a connu le nazisme sous l'Occupation. Il veut le dénoncer. A sa manière, en le tournant en ridicule : ces surhommes, dont on admirait la prestance et la musculature, n'étaient, dit-il, que des « tatas teutonnes » ; ces SS sanguinaires qui terrorisaient l'Europe se montraient ridicules et stupides (*Est-ce est-ce si bon*) ; Adolf et son Eva sanglotaient en écoutant une rengaine américaine d'avant-guerre, *Smoke gets in your eyes...* Tout cela, il a le droit de le dire, ayant porté en son temps l'étoile jaune.

1976-1977, *l'Homme à tête de chou* rapporte les amours contrariées d'un homme d'un âge certain et d'une petite shampouineuse qui se fout de lui. Climat lugubre, musique toute neuve avec l'introduction du reggae, étonnants exercices de style dans les *Variations sur Marilou,* sur ce thème unique : « Dans son regard absent et son iris absinthe. » Disque culte aujourd'hui, *l'Homme à tête de chou* n'obtient alors qu'un succès d'estime.

Mais une rumeur se répand dans le show-business. On lui reconnaissait du talent, on commence à parler de lui comme d'un génie méconnu, poète et musicien maudit, et, de nouveau, on lui réclame des chansons : Alain Chamfort (*Rock'n'rose*), puis Jacques Dutronc (*Guerre et pets*), bientôt Alain Bashung (*Play blessures*). Pour la première fois depuis le temps des cabarets, il remonte sur scène, un passage éclair avec le groupe rock Bijou... Le redémarrage est proche.

La reconquête – la conquête plutôt, puisqu'une bonne partie du public ne connaît toujours pas Gainsbourg – passe par un scandale, comme il se doit. En 1979, il sort un disque reggae enregistré à Kingston, en Jamaïque. Parmi les titres, une version reggae de *la Marseillaise* : un acte visiblement iconoclaste, que vient encore pimenter le traitement réservé au refrain, réduit à cette simple formule : « Aux armes *et caetera...* » La formule n'est pas de Gainsbourg : « Je l'ai piquée à un dictionnaire qui détaillait les couplets de l'hymne national », explique-t-il. Les réactions sont démesurées. Certaines associations d'anciens combattants s'indignent, appellent à manifester. Dans un article publié par *le Figaro Magazine,* Michel Droit parle de profanation et accuse Gainsbourg, juif et russe d'origine, de faire renaître l'antisémitisme !

Gainsbarre se bourre

Suit une tournée en province, houleuse, et, à Strasbourg, un face-à-face avec les parachutistes venus l'empêcher de chanter. Ému, Gainsbourg ne se laisse pas intimider. Il explique qu'en l'adaptant au rythme reggae il a rendu à *la Marseillaise* sa pureté révolutionnaire première. Il va même jusqu'à acquérir un manuscrit original de la partition de Rouget de Lisle...

De retour à Paris, lors de son passage triomphal au Palace, Gainsbourg a conquis un nouveau public. A plus de cinquante ans, il devient une idole et un modèle pour la jeunesse. Elle ne l'abandonnera plus. Elle se pressera au Casino de Paris en 1985, au Zénith en 1988 et lui restera fidèle au-delà même de sa mort, survenue le 2 mars 1991. Elle fera même l'effort de rechercher ses vieilles chansons pour leur redonner vie. Dans les années 80, on redécouvre les œuvres rares que sont *Melody Nelson* et *l'Homme à tête de chou*, mais aussi *Élisa* et *la Chanson de Prévert*, dédaignées depuis plus de vingt ans.

Gainsbourg n'a pourtant pas partie gagnée. Il a trop tiré sur la corde. Jane finit par rompre. Il s'en sort totalement désespéré, « boit à trop fortes doses » et s'invente un double, « Gainsbarre » (« Gainsbourg se barre quand Gainsbarre se bourre »). Il publie le plus noir de ses albums, *Mauvaises Nouvelles des étoiles*. Noir comme l'humour, bien sûr : n'y vante-t-il pas son *Mickey maousse*? Mais l'homme est miné. Portant jeans, blouson et baskets, soigneusement mal rasé et légèrement titubant, il apparaît dans des émissions populaires à la télévision. Moins par provocation que par mal-être. Dans le film *Je vous aime* de Claude Berri, il joue le rôle d'un personnage qui lui ressemble : insupportable et malheureux. A cette époque, Catherine Deneuve chante son émouvant *Dieu fumeur de havane*.

Malgré tout, il reprend pied et trouve une nouvelle femme, Bambou. Elle lui donnera un fils, le petit Lulu. Il recommence alors à écrire pour les autres et pour lui-même. Mais le ton est différent. Aux autres, à Jane surtout, dont il a retrouvé l'amitié, il offre ses textes les plus recherchés, les plus fouillés, ceux auxquels il croit, se réservant des textes plus brutaux et sommairement efficaces. Il joue encore à provoquer, brûlant par exemple un billet de 500 F ou jouant l'ivrogne sur les plateaux de télévision. Mais souvent le vernis craque, laissant apparaître l'homme tendre et sensible qu'il n'a jamais cessé de cacher.

En 1989, nouvelle alerte. On le transporte d'urgence dans un hôpital. Mais il continue d'agiter des projets et d'écrire. Il prépare *Variations sur le même t'aime* pour Vanessa Paradis. Auparavant, il a écrit un disque pour Isabelle Adjani, un autre pour sa fille Charlotte, déjà excellente comédienne. Ils chantent en duo dans *Lemon incest* : « L'amour que nous ne ferons jamais ensemble / Est le plus beau le plus violent / Le plus pur le plus enivrant. » Il fait aussi chanter Bambou des *Nuits de Chine* qui tombent à plat.

La face B de Serge

Mais son principal porte-parole, c'est Jane. Elle dit : « Je suis la face B de Serge. » De 1983 à 1990, il lui confie trois grands disques parés de délicats bijoux, tels, dans le premier, *Fuir le bonheur de peur qu'il ne se sauve, En rire de peur d'être obligé d'en pleurer,* et surtout : « Les dessous chics / C'est la pudeur des sentiments / Maquillés outrageusement / Rouge sang » (*les Dessous chics*). *C'est la vie qui veut ça, le Couteau dans le play* et *Lost song* lancent le deuxième, et *Amour des feintes, Et quand bien même, l'Impression de déjà vu* le troisième. L'Académie Charles Cros couronne *Baby alone in Babylone.*

Jane est devenue une grande. Oubliée, la petite Anglaise débarquée du *Swinging London,* qui, en souriant, déplorait : « Les autres filles / Ont de beaux nichons / Et moi je suis aussi plate qu'un garçon / Que c'est con. » Jane Birkin sait couper le souffle et faire naître l'émotion. Patrice Chéreau, qui monte à Nanterre *la Fausse Suivante* de Marivaux, lui confie l'un des principaux rôles. Après avoir beaucoup hésité, elle accepte et séduit critique et public. C'est tout naturellement qu'elle se retrouve sur scène pour chanter. Une expérience qu'elle n'a jamais tentée. En 1987, elle donne au Bataclan un modèle de récital : pudique, chaleureux, intime... Elle établit avec les spectateurs un contact direct, immédiat. Elle chante Gainsbourg, bien sûr, mais aussi une très vieille chanson, *l'Amour de moi,* dédiée à une amie disparue, ainsi que la plus belle peut-être des œuvres de Léo Ferré, *Avec le temps,* qu'elle interprète d'une façon suprêmement émouvante.

Récidive, en 1991, au Casino de Paris. Cette fois, Serge a disparu. De nouveau, elle crée l'émotion et la complicité. Un lien invisible l'attache à chacun des auditeurs. Pour eux, elle n'est pas une star, mais une proche, une amie. Elle parvient même à maintenir ce climat d'intimité sur d'aussi grandes scènes que celles du Printemps de Bourges (1987) ou des Francofolies de La Rochelle (1992). Son filet de voix, frêle mais perceptible, son sourire timide, ses gestes maladroits, sa gêne à se laisser applaudir, bref, sa fragilité et sa vulnérabilité la rendent particulièrement attachante. Son charme est communicatif. Comment quitter la salle à la fin du concert ?

Serge disparu, elle a décidé d'abandonner la chanson. Pour qui chanterait-elle ? Mais, en même temps, elle voudrait mener bataille pour mieux faire connaître le Gainsbourg qu'elle a aimé, le vrai, le tendre, l'homme dont la provocation n'était que réflexe défensif. Sur cette décision repose l'hypothèse de son retour sur scène, attendu.

Maman j'ai peur *et ses enfants*

Le spectacle a ses lieux de légendes. Pas forcément les plus grands ni les plus prestigieux : il suffit qu'il s'y passe « quelque chose ». Ainsi, à deux pas de la grande mosquée de Paris, la Vieille Grille est-elle l'ancêtre des cafés-théâtres. Une toute petite salle : cinquante places tout au plus. Mais un endroit magique où, depuis plus de trente ans, Maurice Alezra donne leur chance aux artistes qu'il aime. Il a fait débuter (ou il a relancé) des personnages tels Bernard Haller ou Zouc, des groupes tels les Red Beans (qui devaient devenir célèbres sous le nom de Haricots Rouges, défenseurs sans faiblesses du jazz New Orleans), ainsi que Gérard Blanchard, Catherine Le Forestier, Jacques Serizier, etc. Peu de chanteurs, beaucoup de numéros parlés ou visuels, de sketches, et, dans la cave située sous la « grande salle », de nombreux concerts jazz de tous styles.

En 1964, trois jeunes gens occupent la minuscule scène. Ils interprètent *Maman j'ai peur*, une série de sketches dont le thème est la panique. Il y a là une fille, Brigitte Fontaine, et deux garçons, Rufus et Jacques Higelin. Tous trois sont promis à un avenir intéressant. L'un sera l'emblème d'un certain style de comédie, les deux autres, à des degrés divers, tiendront leur place dans l'aventure de la chanson.

Le comédien (encore qu'il arrive à tous les trois de jouer la comédie), c'est Rufus. Il entame bientôt une carrière cinématographique et théâtrale exceptionnelle. On le voit un peu partout, dans une multitude de rôles. Certains, à considérer sa fausse naïveté et son air ahuri, prédisent qu'il remplacera Bourvil, au cinéma comme au théâtre. Lui n'y tient guère. Il préfère une forme de spectacle dans laquelle il excelle, le *one man show*. Il s'y sent à l'aise, sans entrave, n'y interprétant que des rôles et les situations de son imagination. Il invente un comique poétique, souvent cocasse et parfois poignante. Il écrit aussi : romans, nouvelles... Et des chansons, que Jean-Marie Sénia met en musique. Il les chante quelquefois en public, enregistre même un album, dont le succès restera limité. Il ne s'en étonne pas, mais abandonne les vocalises. Il avait prévu cet échec. Sa première chanson dit en substance : « N'y a-t-il pas quelqu'un pour chanter à ma place ? »

Brigitte Fontaine est bien différente. Elle a déjà chanté, dans les cabarets rive gauche, un répertoire insolent annonçant la naissance d'une nouvelle femme, indépendante et rétive. Narquoise et plutôt féroce, sa chanson *Mon homme-objet* a valeur d'exemple : elle retourne une situation encore considérée comme naturelle.

Après *Maman j'ai peur*, énorme succès de café-théâtre, son style évolue rapidement. Avec Jacques Higelin, elle interprète en duo une chanson écrite à deux : chacun y monologue, sans se soucier de l'autre. *Cet enfant que je t'avais fait* devient le symbole de l'incommunicabilité, thème fort en vogue à l'époque. Malgré leurs efforts, aucun des deux protagonistes ne parvient à forcer les défenses de l'autre.

Seule, puis en compagnie d'Areski, Brigitte adopte encore une nouvelle voie. Elle joue désormais de l'insolite, fait naître des mondes farfelus dans lesquels elle se perd avec joie. Une poésie délirante et burlesque emporte ses musiques et ses textes. Elle écrit une fort étonnante *Lettre à Monsieur le chef de gare de la tour de Carol*, et s'adonne à l'humour noir dans *C'est normal* : son partenaire et elle y égrènent les réflexions logiques d'un couple en chute libre, condamné d'avance.

Ils ne touchent cependant qu'un public marginal. Brigitte Fontaine le sait. Elle a délibérément choisi de surprendre, de faire sursauter, voire de choquer. Pas à la manière de Gainsbourg qui, même dans ses périodes creuses, vise le plus grand nombre. Elle se complaît dans les marges. Elle peut y observer sans crainte le monde environnant. L'une des premières, elle a recours à la musique arabe. Elle continue à bourlinguer de pays en pays, se crée partout un public plus ou moins restreint, mais fidèle à ses étrangetés.

(Ce sont des Japonais qui ont édité son dernier CD.) Elle possède tout ce qui peut heurter : une voix naïve, enfantine et un peu nostalgique, dont la fraîcheur accuse l'agressivité du propos, une silhouette de jeune fille un peu fragile que démentent ses coiffures pour le moins originales (tantôt tondue à ras ou chapeautée d'un bonnet d'âne). Elle a chanté *Cet enfant que je t'avais fait* avec Higelin, un peu après ses débuts. Elle la rechantera avec lui bien plus tard, lors du passage de ce dernier à la Grande Halle de la Villette, en 1988.

Tout Brigitte est dans cette anecdote qui remonte au début des années 70. N'ayant pas chanté en public depuis longtemps, elle s'installe au Ranelagh pour une soirée. Elle déboule sur scène, se roule par terre, pousse un hurlement, crie : « Brigitte Fontaine et Sheila, même combat ! ».... puis disparaît ! Les spectateurs sont sidérés et passablement déçus. Explication invoquée : « Elle voulait les provoquer, les pousser à faire eux-mêmes leur propre musique... »

L'épopée Saravah

Higelin est la plus forte personnalité du trio. Arrivé tout jeune à la Vieille Grille, il est déjà un vétéran du spectacle. On l'a vu à l'écran, sur scène lorsqu'il interprétait, en compagnie de Catherine Sauvage, Jean Rochefort, Dominique Grange et Jean-Roger Caussimon, *Frank V* ou *l'Opéra d'une banque*, une pièce féroce de Dürrenmatt. Comédien, il se laissait toutefois emporter par la danse, le boogie-woogie et la chanson. Qualité très rare dans le métier, il est capable, même hors scène, d'improviser une histoire, de la mimer à la perfection et d'y introduire, guitare à la main, quelques couplets appropriés, souvent improvisés eux aussi.

C'est ainsi qu'à la Vieille Grille il subjugue Jacques Canetti. Celui-ci, comme à l'ordinaire, lui fait enregistrer un disque consacré aux chansons de Boris Vian. Higelin surmonte l'épreuve avec honneur, gagnant le droit d'y inclure des chansons rock écrites en compagnie du comédien Marc Moro. L'une d'elles, *Priez pour Saint-Germain-des-*

Prés, hymne à la gloire des « glandeurs » attablés aux terrasses des cafés, connaît un franc succès.

Sa rencontre avec Pierre Barouh va décider du premier grand tournant de sa carrière. Chanteur et parolier lui-même, Barouh vient de réussir un « coup » fantastique. Avec Francis Lai, il a écrit les chansons du film *Un homme et une femme,* qui révèle le metteur en scène Claude Lelouch. Leur fameux *Chabadabada* devient un tube mondial. L'argent entre à flots. Barouh ne se laisse pas impressionner, et met aussitôt à exécution une idée qui, depuis très longtemps, lui tient à cœur : créer une maison de disques « pas comme les autres », avec un solide esprit d'équipe, une totale liberté d'expression et une volonté affirmée de ne rassembler que des talents inhabituels, voire incongrus, et, surtout, différents du tout-venant de la chanson.

Ainsi naît la firme Saravah. Sa devise : « Il y a des années où l'on a envie de ne rien faire. » Barouh fait enregistrer des auteurs-compositeurs-interprètes, réunit sa petite troupe dans des spectacles surprenants, sans ordre ni ligne directrice, où chacun s'exprime selon son bon plaisir – ce qui, au début des années 70, correspond parfaitement à l'air du temps. Higelin et Brigitte Fontaine font partie de la première fournée. Viendront les rejoindre Areski, puis le musicien africain Pierre Akendengué, Jean-Roger Caussimon, dont les chansons, connues de tous, n'avaient jamais été enregistrées, Aram, un jeune de talent, qui ne réussira pas à faire carrière et, enfin, le remarquable David Mc Neil.

N'oublions pas Barouh lui-même, qui écrit de beaux textes finement ciselés où perce, par instants, une pointe de préciosité. Sa voix discrète et convaincante n'est pas sans émouvoir. Il ne parviendra cependant pas à imposer son personnage. Le public préfère le Barouh animateur (et acteur) au Barouh chanteur. Il ne renoncera pourtant jamais à la chanson, et, l'expérience de Saravah terminée, se lance dans d'autres aventures aussi passionnantes et périlleuses. Avec le théâtre Aleph, une troupe d'amateurs emmenés par l'acteur chilien Oscar Castro, il monte des spectacles inattendus dont l'un, *le Kabaret de la dernière chance,* connaît un certain succès. On peut d'ailleurs croiser Barouh et le théâtre Aleph dans le récent film de Lelouch, *Il y a des jours et des lunes.*

Entre Ranelagh et Haute-Ardèche

Pensionnaire de Saravah, Jacques Higelin s'en donne à cœur joie. Puisque tout est permis, il se permet tout. Même un crime de lèse-majesté en s'offrant une délirante chanson d'amour dédiée à la reine Élisabeth d'Angleterre (*I love the Queen*), dans laquelle les chœurs sont assurés par les Mormos, un groupe américain issu d'une troupe new-yorkaise d'avant-garde. Une chanson qu'on entendra peu sur les ondes, par crainte des réactions de l'ambassade britannique. Tout aussi insensée, *Chope la soupape* est un jeu d'onomatopées : « C'est l'pape qui m'sape / Mâche-moi la glotte / Chop suey chop suey / Mâche-moi la glotte. » Une troisième, *J'aurais bien voulu*, repose sur cette seule phrase : « J'aurais bien voulu t'écrire une chanson d'amour / Mais par les temps qui courent / Ce n'est pas chose commode. » Il va même jusqu'à improviser, avec ses musiciens sur la face B de son deuxième album, travail intéressant mais sans génie (*Musique rituelle du Mont des Abbesses*).

L'humeur macabre d'Higelin caractérise sa période Saravah. Jacques est encore très jeune. A en juger par son répertoire, il pense beaucoup à la mort. Parfois très sérieusement, comme dans *Remember* : « Je mourrai dans une voiture carbonisée, la portière ne voudra pas s'ouvrir, et je hurlerai. Tu apprendras ma mort. Atroce. Par un ami, par les journaux, par la poste. Alors... Alors tu te souviendras que nous avons fait l'amour. *Remember...* Que je pleurais de plaisir. Et que ma peau était douce et vivante dans la paume de mes mains d'alors... »

Le plus souvent, c'est par l'ironie, l'humour et la tendresse qu'il conjure le mauvais sort. *Six pieds en l'air* est sa version de la *Ballade des pendus* de François Villon : « Doux tout doucement je me balance / Tout abandonné aux caprices du vent / Les yeux grands ouverts je sombre dans l'enfance / Quand elle me berçait dans ses bras ma maman / Doux tout doucement vient l'exquise jouissance / Qui m'arrache l'échine de son spasme brûlant... » La plus belle des chansons de cette période, et sans doute l'une des meilleures qu'il ait jamais écrites, porte un titre bizarre : *Je suis mort qui, qui dit mieux.* Il y raconte le monde vu d'en-dessous : « Attends un peu ma femme ma mie / J'ai un message pour le garçon / J'ai plus ma tête voilà qu'j'oublie / Où j'ai niché l'accordéon... » Suivent alors ces mots clés : « Mais il est tard, sauve-toi, je t'aime / Riez pas du pauv' macchabée. »

Quatre, cinq semaines, on ne sait combien dure le spectacle qu'il donne au Ranelagh en 1971, et qui marque le point culminant de la période Saravah. Un spectacle ? Pas vraiment. Plutôt une suite d'improvisations. Sur la scène de cette petite salle, aussi jolie qu'une bonbonnière, il a éparpillé ses instruments. Ici l'accordéon, plus loin le piano, ailleurs la guitare. Il passe de l'un à l'autre, racontant des histoires, se balade dans la salle, grimpe dans une loge d'où il lance des messages exaltés, agrippe des spectateurs, des spectatrices surtout, les entraîne sur scène, improvise pour eux et pour elles des refrains tout neufs. Parfois, des amis viennent se joindre à lui, jouent et chantent avec lui. Certains jours, son bambin, Arthur, participe à la fête : peut-être est-ce là qu'il a pris le goût de la scène. Cette série de concerts, dont rien ne reste, faute d'enregistrements, semble préfigurer une nouvelle forme de spectacles, moins étudiés, plus spontanés.

Des spectacles réussis, mais limités. Surenchérir conduirait au désastre. Higelin s'en rend compte à la Gaîté-Montparnasse où, en compagnie de Jean et Élisabeth Wiener, Catherine Le Forestier et quelques autres, il enregistre une émission de radio en public. La mode est alors aux *happenings* et à la « création collective ». Hélas ! aucun des participants ne pourra, ce soir-là, participer. Dès qu'une individualité se manifeste, sa voix est couverte à grands coups de gong. Et lorsqu'on invite le public à entrer dans le jeu, à danser ou à chanter, c'est l'apathie. Échec total : les organisateurs de l'expérience ont oublié que les spectateurs n'ont pas toujours envie de remplacer les artistes.

Higelin doute. En pleine ascension, il ne se sent plus sûr de lui. La totale liberté que lui a accordée Pierre Barouh ne le satisfait plus ; sans doute aurait-il eu besoin de conseils et de directives. Sur scène, sa complète indépendance l'a conduit à des excès, tel ce *happening* raté. Il a besoin de réfléchir, de se retrouver. C'est le temps où le « retour à la nature » mobilise la jeunesse. Pourquoi ne pas partir vivre à la montagne avec des amis, créer un semblant de « communauté » ? Higelin s'installe alors dans le centre de la France. Nouvel échec, et prévisible. Des nombreuses communautés qui se constituent ainsi, rarissimes sont celles qui survivent plus de dix-huit mois.

Le plus difficile est de revenir au premier plan. Higelin ne croit plus à ce qu'il faisait auparavant. Trop individualiste, trop artiste. Bien sûr, il a toujours été aux côtés des rebelles : maos, trotskards, écolos, anars, pacifistes... Mais la révolte semble désormais passer par d'autres voies, celle des loubards et des « zonards », notamment, que la société rejette dans les bas-fonds. Là est le creuset subversif. Bien sûr, entre les hippies non violents des communautés qu'il vient de fréquenter et les « loubs » de banlieue toujours prêts au baston, qu'il envisage de conquérir, existent de très sérieuses différences. Qu'importe ! Comme beaucoup de garçons de l'époque, Higelin se laisse séduire par le romantisme de la pègre, de tradition dans la chanson française.

La zone et le rock

La musique des « zonards », c'est le rock. C'est par celle-ci qu'il parviendra peut-être à les toucher. Avec Simon Boissezon, Higelin entame un nouvel apprentissage du rock. Une musique qu'il connaît pourtant bien. Mais, intimidé par des musiciens qui ne le valent pas et qui parlent du rock mieux que lui, il trébuche. Le voilà reparti pour de nouvelles galères : petites boîtes et cafés-théâtres bidons où on l'accepte à contrecœur et où on coupe la lumière pour l'empêcher de rester trop longtemps. A la Taverne de l'Olympia, il ne parvient pas à imposer à ses musiciens une unité de style, ni un « son » susceptible de passer la rampe. Période noire pour Jacques Higelin...

... heureusement passagère. Il abandonne Saravah et intègre une nouvelle maison de disques. Il s'y lie d'amitié avec le réalisateur Laurent Thibault et le directeur artistique, Claude Dejacques, qui lui garantissent une totale liberté de création. Lui choisit de s'astreindre à une certaine discipline. Fini les années où l' « on a envie de ne rien faire ». De 1974 à 1976, trois grands disques sortent : *BBH 75*, violent et sarcastique ; *Irradié*, âpre et angoissant ; *Alertez les bébés*, quasi apocalyptique...

Le ton d'Higelin est devenu agressif et intransigeant. Il hurle : « Je suis peut-être poubelle pleine, poubelle vide, et tous tes gadgets en plastique, tes flips, alors jette-les dans ma gueule ouverte. » Il tonne : « Est-ce que ma guitare est un fusil ? / Si ma guitare est un fusil je te descends. » Il déplore : « Son frère lui fait peur. Alors, il se précipite en pleurant dans les bras du premier colonel papa venu. » Il a une manière très personnelle de raconter sa naissance : « Hey ! / Je suis né dans un spasme / Dans un grand brasier haletant / Le ventre de ma mère a craché / Un noyau de jouissance / Et je n'ai jamais perdu / Le goût de / Ça. »

Il est vrai que, malgré cette violence, il n'a pas perdu le goût de « ça ». Son répertoire reste sensuel. Parfois d'une manière indirecte (« Hé ! Hé ! Je suis amoureux d'une cigarette / Elle a la rondeur d'un sein qu'on mord ou qu'on tète... »), souvent beaucoup plus crûment : « Dans le rocking chair / Ton cul contre mon ventre / Rien de meilleur pour s'entendre / De me laisser te le faire. » Les mots sont devenus forts, drus, d'aucuns diraient grossiers mais grossiers comme la vie. Il « bande », il « s'en branle », rêve de « cul contre son ventre ». Les images sont sans ambiguïtés, aussi « obscènes » que l'énorme banane de King Kong s'attaquant à *Mona Lisa Klacson*...

L'humour n'a pas déserté ce nouveau répertoire. Il y a simplement gagné en âpreté et en vigueur. Le premier album Higelin nouvelle manière recèle un texte assez carabiné, *Œsophage boogie cardiac blues,* le troisième une pochade très directe, *Je veux cette fille.* Higelin le communicatif a choisi de déranger, d'être le « grain de poussière / Qui colle à tes bottines / Qui bloque la machine / Qui fait d'une ville un désert. »

La tornade Higelin

Les trois premiers albums Pathé se vendent correctement. En 1978, le quatrième, *No man's land*, démarre en flèche grâce à une chanson, *Pars*, un tube. Dès lors, le succès ne se dément pas. Dans *Champagne pour tout le monde... Caviar pour les autres*, double album publié en 1979, il laisse de nouveau libre cours à ses fantasmes, conte dans *Champagne* une nuit de bal chez les vampires et, dans *l'Attentat à la pudeur*, une grotesque histoire d'inceste et de sodomie.

Higelin a retrouvé ses marques et le ton Saravah. Il peut de nouveau invoquer Charles Trenet, l'idole de son jeune âge, et écrire des textes à la manière de son grand aîné : « Valets volages et vulgaires / Ouvrez mon sarcophage / Et vous, pages pervers / Courez au cimetière » (*Champagne*). Il peut retrouver la tendresse gratuite (*la Ballade de chez Tao*), l'amour de l'enfance qu'il n'a jamais trahi (*la Croisade des enfants*). Il peut surtout retrouver la scène. Il s'y essaie en 1979 au théâtre Fontaine et, pour marquer la fin de l'année, au pavillon Baltard de Nogent. Accueil enthousiaste du public. En décembre 1980, il s'installe pour plusieurs semaines au théâtre Mogador. Tous les soirs, la salle est comble ; des dizaines d'adolescents envahissent les travées. Le triple album *live* tiré du spectacle est un modèle du genre. On réécoute toujours avec joie sa version totalement folle de *Hold tight*, reprise d'un succès de Fats Waller. Fin 1981, début 1982, il est huit semaines au Cirque d'Hiver avec un spectacle à thème : *Jacques Joseph Victor dort*. Armande Altaï, Jean-Marc Torrès et Jean Babilée participent au spectacle qui, remarquable de bout en bout, connaît quelques moments de bonheur absolu. En 1983, il est au Casino de Paris ; une nouvelle réussite. En 1985, il s'installe pour quatre semaines dans le gigantesque espace du palais omnisports de Paris-Bercy (16 000 places). Une mise en scène de Patrice Chéreau, la participation de Youssou N'Dour et Mory Kanté n'empêchent pas que, certains soirs, la salle n'est pas complètement pleine. Certains augurent un échec. Mais, tout compte fait, Higelin aura accueilli à Bercy plus de 200 000 spectateurs. Il décide cependant de retourner aux sources en effectuant une tournée de petites salles, ce qu'il a déjà fait avant Bercy en se livrant pendant un mois à des exercices d'improvisation à la Vieille Grille.

Higelin reprend la scène en 1988, à la Grande Halle de la Villette, pendant quarante-cinq jours. Un spectacle très poétique suivi d'une tournée qui, en 135 villes, accueillera 700 000 personnes. Enfin, en 1992, c'est le Grand Rex : une nuit imaginaire dans laquelle interviennent les filles du groupe belgo-zaïrois Zap Mama. Plaisir communicatif que celui de Higelin sur scène, partageant sa joie avec des milliers de spectateurs. La scène est son élément naturel ; il dialogue avec le public, fait le pitre et grimace. Il n'est pas non plus de ces bêtes de scène qu'on éponge après chaque reprise. Lorsqu'il glisse des confidences comme : « Il n'y a que l'interdit qui m'excite / Qui pique mon imagination / Je ne bande plus que pour l'illicite / L'au-delà de la fascination », on veut le croire sur parole. Cette année-là, il a un nouveau bonheur à faire partager : une petite fille, Izia (il a cinquante-deux ans). Émotion que conte *Ce qui est dit doit être fait,* chanson émerveillée.

Ainsi se présente « le fou, le sage, le débile », le délirant prêt à se laisser aller à toutes les audaces, verbales et autres, le « tête en l'air » plongeant à corps perdu dans n'importe quelle excentricité. Ce ludion farfelu, qui au cours du spectacle *Corde raide et piano volant,* jouait suspendu dans l'espace, aux côtés du funambule Philippe Petit. La meilleure définition qu'on peut donner de Jacques Higelin, c'est lui-même qui, dans *Parc Montsouris,* l'a écrite : « Je ne vis pas ma vie, je la rêve... / C'est comme une maladie / Que j'aurais chopée quand j'étais tout petit / Et qui n'va pas m'lâcher / Jusqu'à ce que j'en crève. »

Seul dans ton coin

Après le délirant Higelin, le flegme, la distance, le sourire narquois de son ami David Mc Neil, lui aussi rescapé de l'épopée Saravah. Autant l'un est extraverti, exubérant, autant l'autre reste réservé, ironique et lucide. Mais non dénué d'humour : il adore les plaisanteries à froid, les affirmations qui font sursauter, le jeu poussé jusqu'au bout pour décontenancer ses interlocuteurs. Dans un article décoiffant, le journaliste et écrivain Jacques A. Bertrand raconte comment, une nuit, dans un bistrot où se retrouvaient d'anciens SS français, ils furent amenés à écrire ensemble un hymne à double sens à la gloire de Pétain...

L'anecdote est d'autant plus cocasse que, s'il possède les caractéristiques physiques du bel Aryen de la mythologie nazie, grand, blond et costaud, David Mc Neil est le plus bel exemple du cosmopolitisme triomphant : père russe, mère anglaise, accointances écossaises. Ayant successivement habité à Bougival, Saint-Paul-de-Vence, Paris, Bruxelles, il est le concentré parfait de ces multiples cultures, auxquelles il ajoute la culture juive dont il est issu. Mais sa grande ouverture d'esprit cache un redoutable scepticisme. Ne comptez pas sur lui pour se laisser prendre aux illusions qui font rêver Higelin ! Il ne croit ni aux communautés pseudo-paysannes ni au romantisme des loubards.

Dès son premier disque, paru chez Saravah en 1972, on sent se dessiner l'univers qui sera le sien : des musiques proches de la ballade de l'Ouest et des textes dans lesquels il raconte de curieuses histoires mêlant sans complexe héros de légende et personnages réels confrontés à des mondes qui ne sont pas les leurs. On croise, au hasard de ses couplets, le chasseur de nazis Simon Wiesenthal, Pat Garrett et Billy the Kid, Sir Edmund Hillary, vainqueur de l'Annapurna, et le clan Campbell dans *The Campbells are coming*, hymne narquois à la gloire du clan écossais auquel il est supposé appartenir.

Mc Neil joue avec les idées, les récits et les mots. Une de ses premières chansons a pour titre *Cynthia, sa tour et le satyre centaure.* Il éprouve un plaisir certain à se moquer des modes, à leur tordre le cou ; il chante *Roule baba-cool,* conte les mésaventures du pauvre garçon toujours en retard d'une vogue qui, pour une fois, prend les devants : « Marchand de nostalgie / Quel est le prochain héros ? / Ce coup-ci je ne serai ni trop tard ni trop tôt. / J'ai déjà fait mon arche / J'attends les animaux. »

A Bob Dylan qui, après avoir été rebelle, athée, juif pratiquant, vient de se convertir au catholicisme, il adresse ses adieux : « So long Bob Dylan / Même si tu crois qu'on peut changer son âme / En changeant / D'étoile ou de croix. » Il décrit, dans *Marcellin pain et vin,* le Paris policier des années 70 naissantes : « En Amérique plus de bisons / En Atlantique plus de poissons / Mais il y a des flics, des flics, des flics / Bon Dieu qu'est-ce qu'il y a comme flics... » *Showbiz blues* raconte la course dérisoire d'un petit groupe manipulé par les sorciers du métier qui veulent à tout prix le mettre au goût du jour : « On a lancé partout / Le hard cha-cha-cha / Maintenant il faudra trouver autre chose / Ils veulent nous cacher pendant quelques mois / En disant qu'on est mort d'une overdose. » Une chanson qui finit sur un véritable appel au secours : « Capitaine, capitaine ! / Faut qu'tu nous emmènes / Avant qu'on joue / Du hard Stockhausen. »

Si ses récits font voyager, il se méfie de l'exotisme comme de la peste. Son *Honolulu Lulu* se situe entre la Coupole et le Dôme, et l'on croise dans *Côte ouest* une « petite sœur de James Dean / Dans la rue des Lombards ». Certes, *Hollywood,* sa chanson fétiche enregistrée en 1971, et qu'Yves Montand conduira au triomphe en 1981, est une histoire purement américaine, mais le récit, où se croisent Baby Doll, une mère danseuse, un père lanceur de couteaux « au cirque à Buffalo », un Hindou errant nommé Benjamin Shankar et une fille dont on gagne les faveurs aux dés, est si incongru qu'on ne croit pas une seconde à ces États-Unis de bazar !

David Mc Neil enregistre trois autres albums chez RCA de 1976 à 1979, dont l'un obtiendra le Grand Prix de l'Académie Charles Cros. En 1980, peu après *Papa jouait du rock'n roll,* chanson destinée à son fils, il arrête tout. Le disque ne le satisfait plus. Sur scène, ses rapports avec le public n'ont jamais été faciles. Il écrira désormais pour les autres. Avec grand succès. Pour Yves Montand, il écrit les couplets de sa tournée américaine de 1981, et les chansons de l'album *Montand chante Mc Neil.* A Julien Clerc, il destine plusieurs textes qui deviendront des tubes : *Mélissa, Hélène, les Aventures à l'eau...* Il écrit aussi avec Souchon et Élizabeth Anaïs.

Il faut attendre 1991 pour qu'il se décide enfin à publier un CD, *Seul dans son coin,* léger, amer et nostalgique, mais finement ciselé. En 1992, il se découvre une nouvelle vocation. Acteur, cinéaste, chanteur, musicien, le voici romancier. Ses *Lettres à mademoiselle Blumenthal* composent un livre curieux, drôle et nostalgique, où l'on retrouve l'originalité insolite qui, depuis toujours, lui donne ce ton particulier.

17.

FRANCOPHONIES

Autour de Bruxelles

Qu'il existe un apport de la francophonie à la chanson française est un fait avéré. Il est cependant difficile d'en déterminer l'importance. Ainsi, la chanson belge n'a pas de statut réel. On chante en flamand en Flandre, en français en Wallonie et à Bruxelles. La chanson wallone, qui emprunte beaucoup aux dialectes locaux, reste circonscrite dans ses provinces ; la bruxelloise, avec son accent pittoresque, ne dépasse guère les limites de la cité.

Des artistes belges parviennent pourtant à s'imposer auprès du public français, mais ils ont gommé de leur répertoire tout particularisme. Lorsque Annie Cordy, fantaisiste inspirée et phénomène de scène, attire les foules, qu'elle joue l'opérette ou qu'elle présente un tour de chant ; lorsque Raymond Devos, incomparable manieur de mots, s'installe pour trente ans sur nos scènes, on ignore ou l'on oublie que l'un et l'autre sont belges. Jacques Brel lui-même devient, dès l'instant où il est adopté, un grand nom de la chanson française, et non francophone.

Ceux qui leur succèdent, souvent adeptes de la chanson « à texte », éliminent presque systématiquement les belgicismes de leur répertoire. C'est vrai, à Paris, dans les années 50 et 60, d'auteurs-interprètes tels Jean Vallée ou Paul Louka. C'est vrai également à Bruxelles, où certains essaient de perpétuer la tradition rive gauche. Même dans la chanson dite « commerciale », le « français de France » est de rigueur. Qui pourrait, par exemple, déduire du répertoire qu'il interprète que Frédéric François est belge ?

Ce n'est qu'au début de la décennie 70 qu'on commence

à découvrir, et à exporter, une chanson belge francophone plus authentique. La mode est alors au *folksong*, à un certain renouveau folklorique. Le moment rêvé pour que s'affirme Julos Beaucarne. Auteur-compositeur-interprète, il mélange avec astuce les dialectes wallons et le français courant. Poète, il use des mots avec délicatesse et illustre ses propos d'images audacieuses. Il a en lui tendresse, finesse et un sens très aigu de l'humain. En Wallonie d'abord, puis en France, dans le reste de la francophonie enfin (et plus particulièrement au Québec), il apparaît bientôt comme le symbole d'une chanson belge renaissante qui cultive ses particularismes. Derrière lui se profile un petit groupe de chanteurs wallons : Jofroi, qui, après avoir obtenu un certain succès dans la même veine que Beaucarne, se tourne vers la chanson enfantine ; Joseph Reynaerts, qui mêle *folksong* et refrains engagés, etc. Une exception dans cette unanimité wallone : André Bialek, un fantaisiste caustique et percutant, un peu rétro, qui rêve de réconcilier les Belges entre eux.

Curieusement, c'est par le rock que la chanson belge va vraiment s'internationaliser. Plus sensible que la France aux influences extérieures, moins marqué par la tradition, le royaume se plonge avec délectation dans les nouvelles formes musicales. Mieux, il les adapte et les transforme. Ainsi naissent un style belge, une sonorité belge qui rassemblent Wallons et Flamands. A l'origine de cette mode, un producteur malin avide de « coups », Lou Depryek, et un trio de musiciens spécialistes du rock and roll, Dan Lacksam, Michel Moers et Marc Moulin.

A Lou Depryek on doit une de ces anecdotes savoureuses dont le show-biz est friand. Nous sommes en 1978. La mode est alors au style punk. Pour ne pas être en reste, il écrit une chanson punk... l'esprit de révolte et le désespoir en moins : *Ça plane pour moi.* Il l'enregistre sous le pseudonyme de Plastic Bertrand. Énorme succès : la chanson devient un tube européen. Les télévisions demandent à rencontrer l'interprète. Or, Lou Depryek, sympathique et rondelet, ne correspond pas du tout à l'image admise du punk. Il faut engager une doublure, un garçon blond et mince, une épingle de nourrice à l'oreille. Il devient instantanément le « vrai » Plastic Bertrand, condamné pour quelques années à chanter à la manière de Lou Depryek.

Quant au trio de rockers Telex, il invente un pastiche de l'explosion disco, usant de la musique de synthèse et des ordinateurs avec humour et distance. Par la suite, il s'essaiera à la véritable musique disco dans son pays d'origine, les États-Unis. Plusieurs expériences du même ordre auront lieu plus tard avec la *house music*, vulgaire et brutale, qui déferlera sur l'Europe à partir des studios belges, et avec le rap, grâce au groupe Benny B. Constantes de ces essais réussis : l'humour et le détachement.

Certains Belges prennent pourtant le rock au sérieux : Jo Lemaire, avec son groupe Flouze, parvient à atteindre une notoriété enviable, tandis que Viktor Lazlo et Jill Kaplan, en première ligne d'une nouvelle génération de chanteuses, conquièrent le public.

Mais un cas particulier vaut d'être souligné, celui de Lio, Portugaise de Belgique, ironique et insolente, elle démarre adolescente avec un répertoire proche de celui de la France Gall des débuts. Devenue adulte, elle se présente comme une jeune femme libre qui n'a pas froid aux yeux, un rôle qu'elle assume également au cinéma. D'autres personnages, enfin, émergent. Parmi les anciens, Jacques Hustin, André Burton ont tenté d'associer chanson et rock'n roll. Parmi les jeunes, citons Philippe Swan, Philippe Lafontaine (*Cœur de loup*), le groupe Vaya con Dios... Une mention particulière doit être faite à Maurane qui, par son répertoire, son goût du jazz, du rock et des musiques latino-américaines, est en passe de se faire une belle place dans la chanson française. Une évidence pour ces chanteurs : tous ou presque ont d'abord dû conquérir Paris.

Le plus étonnant de ces Belges errants, c'est un Flamand qui chante en français, Arno. Un rocker provocateur, d'une agressivité puissante, faisant preuve, notamment dans *Putain*, d'une ironie décapante.

Lausanne-sur-scène

Mêmes causes, mêmes effets : la proximité de la France a longtemps été un frein à la création d'une chanson suisse moderne et autonome. Il existe pourtant en pays romand toute une tradition de la chanson. Les Suisses chantent beaucoup. Pas de village du canton de Vaud ou de Neuchâtel qui ne possède sa chorale. On reprend en chœur les vieux airs issus du folklore ou ceux, plus récents, d'un néo-folklore dont le grand maître a été Jacques Valcroze. Même des auteurs « modernes » tel Émile Gardaz ou des compositeurs tel Géo Voumart abandonnent par moments le jazz et la variété pour « folkloriser » à leur tour...

Il existe cependant une vraie différence entre le chant choral collectif et la chanson, celle que l'on retient, que l'on fredonne et que l'on danse. Pour celle-ci, la notoriété passe par Paris. C'était déjà vrai du temps où Jean Villard, dit Gilles, père de la chanson romande moderne, formait dans les années 30, avec son complice A.-M. Julien, le couple de duettistes légendaire Gilles et Julien. Certaines de leurs chansons ont marqué l'époque, comme *Dollar*, *la Marie-Jésus*, *A l'enseigne de la fille sans cœur*. Revenu au pays pendant la guerre, Gilles devient avant l'heure une sorte de Brassens romand, puis, à la Libération, écrit pour Piaf et les Compagnons de la chanson une œuvre qui obtiendra un succès mondial, *les Trois Cloches*. Sous l'Occupation, quelques « chansonniers » comme Jack Rolland et surtout Pierre Dudan (*le Café au lait au lit*, *la Chanson du grand pont*) deviendront dans le Sud-Est des vedettes régionales grâce aux auditeurs clandestins de la radio suisse-romande. Après la guerre, Dudan viendra trouver à Paris une certaine notoriété et quelques grands succès, dont le célèbre *Clopin-clopant*, écrit avec Bruno Coquatrix, futur directeur de l'Olympia. Il retournera terminer sa carrière au pays, après avoir séjourné plusieurs années au Québec.

Passer par Paris avant de retourner au pays est un impératif, même si Lausanne a longtemps possédé un des meilleurs cabarets de langue française au monde, les Faux Nez. Tous ceux qui portent un nom dans la chanson romande sont « montés à Paris ». Le cas de Pascal Auberson est typique. Musicien doué, marqué par le jazz, homme de scène exceptionnel, un physique à la Julien Clerc, il débute à Lausanne au théâtre Boulimie, monte à Paris, chante à la Pizza du Marais, le plus fameux des cafés-théâtres d'alors. Il donne ensuite une série de récitals au théâtre de la Ville. Le public lui fait fête, et les « spécialistes » lui prédisent une fulgurante carrière. C'est alors qu'il disparaît : on apprend qu'il est retourné chez lui. Il ne reviendra à Paris que deux ou trois fois, notamment pour une série de concerts au TLP Dejazet.

Expérience voisine pour Jean-Pierre Huser qui, malgré d'excellentes chansons, ne parvient pas à s'imposer dans la capitale française, et pour Michel Bülher, chanteur engagé et convaincant, à qui l'on doit l'un des textes les plus remarquables jamais écrits sur les travailleurs émigrés : « C'est pas par plaisir qu'ils voyagent » (*les Immigrés*). Réfugié dans son Jura natal, il y présente désormais des spectacles ironiques mêlant le théâtre et les chansons, et mettant en scène des personnages suisses de l'histoire (le Major Davel) ou de la légende (Guillaume Tell). On en a eu un aperçu lors de son passage à la Vieille Grille en 1989.

Seul Henri Dès continue à fréquenter régulièrement la capitale française. Mais il a changé de genre. Il offrait des chansons tendres et chaleureuses aux adultes ; il a choisi désormais un public enfantin qu'il divertit avec respect, ce qui lui permet de passer régulièrement à l'Olympia au moment des fêtes. C'est qu'il n'est pas facile pour un Suisse de se faire une place à Paris. Il lui faut affronter la concurrence locale. Silhouette fascinante de la chanson et du théâtre romands, capable d'entraîner dans son émotion des salles entières, Yvette Théraulaz, n'a que rarement pu rencontrer le public parisien.

Mieux armé – il chante en allemand, en anglais et en français –, plus sensible aussi au modernisme, le jeune rocker alémanique Stephan Eicher est en train de devenir une vedette. Il s'appuie, il est vrai, sur des musiques modernes, et Philippe Djian, romancier français en vogue, a écrit les textes de certaines de ses chansons. Une de ses œuvres, *Déjeuner en paix*, a connu en 1991 un succès remarqué. Le tient-on pour un Suisse ? Voilà qui n'est pas sûr. Qu'il vienne à la célébrité, il grossira aussitôt les rangs des chanteurs étrangers considérés comme français...

Le grand Félix

Les Québécois sont réfractaires à la « moulinette » parisienne. Pas seulement à cause de leur accent. Ils n'ont en réalité rien de commun avec les interprètes que l'on croise habituellement en France.

L'histoire de la langue française au Québec tient du miracle. Voilà une terre conquise par les Anglais il y a plus de deux cents ans qui, malgré un environnement anglo-saxon hostile, parvient à préserver presque intact le langage du vieux continent. A l'origine de ce miracle, l'Église. Elle s'est battue pour le français en empêchant ses ouailles de se laisser tenter par les cultes réformés des Anglo-Saxons. Avec ceux-ci, un marché a été tacitement conclu. L'Église continue à veiller sur ses fidèles. En échange de quoi, elle garantit leur obéissance au pouvoir : elle étouffera dans l'œuf bien des tentatives de révolte.

A cause d'elle ou grâce à elle, la chanson québécoise reste longtemps attachée à son passé. Le folklore domine les ondes. On entend *Alouette, gentille alouette* ou *J'ai vu le loup, le renard, le lion*... Le premier interprète à passer les limites de la province et à franchir l'Atlantique, Jacques Labrecque, s'emploie à faire renaître les refrains d'autrefois. Il existe bien à Montréal et à Québec une forme de chanson plus contemporaine, mais hors de la province, son impact est nul. Paris ne connaît pas la légendaire Madame Bolduc, personnage pittoresque et attachant. Du Canada français, la France n'a entendu que des échos : les pastiches de Charles Trenet (*Dans les pharmacies*) ou les joyeuses chansons d'Aglaé, Québécoise fort sympathique, mais qui ne doit son succès qu'à son accent insolite et au genre inhabituel des œuvres qu'elle interprète (*le Rapide blanc*).

Curieusement, c'est à Jacques Canetti – un Français – que l'on doit la naissance de la chanson québécoise moderne. Un jour, dans une station de radio locale de la Belle Province, il entend un animateur, un garçon sympathique qui a déjà écrit des contes et des chansons. Il l'amène à Paris. Son nom, Félix Leclerc.

Pour les Parisiens, c'est un choc. D'un coup, ils découvrent le vrai Canada français : les grands espaces, les terres rudes et arides, les hommes bâtis à l'image du pays. Leclerc possède la carrure du bûcheron qu'il a été ; il en a même conservé la chemise de laine à carreaux. Il est à la fois doux et abrupt, taciturne et volubile. Sa voix grave et puissante, qui porte loin, peut aussi murmurer tendrement.

Musicien spontané, ses mélodies nostalgiques s'inscrivent dans les mémoires. Il est un chanteur captivant qu'on écoute en silence. Il est surtout un poète. Il a, pour décrire ses plaines, ses lacs et les gens qui y vivent, des mots rares, des formules précieuses, des phrases imagées et précises, comme fignolées par un artisan. La délicatesse de ses strophes, la finesse de ses sentiments contrastent avec l'allure un peu rustre de ce garçon trop costaud.

La France s'étonne. Elle a déjà connu des poètes vagabonds qui contaient leurs mésaventures, mais légèrement, avec désinvolture. Avec des départs sans amertume et des chagrins superficiels. A celui-là, les coups font mal, et, lorsqu'il erre, ses bottes accrochent la boue et la neige, ralentissant sa marche. Terrien dans l'âme, il croit au réel, même quand il rêve. Sa poésie est d'une rudesse vraie et d'une authenticité inhabituelle. Avec lui, la poésie cesse d'être éthérée et devient âpre et crue. Quelques mois suffisent pour qu'il rencontre le succès et s'installe en « vainqueur » dans la capitale française. Il s'y fait une place à part d'où personne ne pourrait le déloger. Sinon lui. Car il ne se sent pas à l'aise parmi la foule parisienne, sous ce climat trop tempéré, dans cette société trop policée. Il a besoin de repartir.

Il retourne donc à Montréal, dans son île d'Orléans qu'il chantera plus tard : une énorme surprise l'y attend. Il était parti inconnu, on l'accueille avec enthousiasme. Il est devenu célèbre sans le savoir. Parce que Paris l'a adopté ? Probablement. La consécration par la France compte encore beaucoup au Québec... Mais plus encore parce que la province est en train de changer. Un mouvement, d'abord souterrain, est en train de grossir : celui de la jeunesse et des intellectuels contestataires. Les habitudes, les façons de réagir et de penser, l'ordre immuable établi depuis deux siècles sont remis en cause. Ainsi, bien sûr, que les institutions : le pouvoir, l'Église, la domination britannique... De cette lame de fond qui va bientôt bouleverser le pays dans les années 70, Leclerc est le poète populaire et le chantre. Un modèle.

La « Belle Province » bouge. Des revues naissent, mi-politiques, mi-littéraires. Écrivains et artistes y élaborent l'esprit nouveau. Des cabarets se créent (on les appelle au Québec « boîtes à chansons ») où de jeunes chanteurs osent braver les tabous. L'un d'entre eux, Claude Gauthier, connaîtra une grande mais courte vogue en contant l'aventure du *Grand Six-Pieds*, un bûcheron qui, berné par ses patrons anglais, les abat à coups de hache. De cette génération, Leclerc, pourtant à peine son aîné, fera office de père. Il sera le sage auquel on demande conseil, l'exemple qu'on s'efforcera de suivre. Il est vrai que, du *P'tit bonheur* à *Moi mes souliers*, son répertoire est déjà d'une exceptionnelle richesse. Il va, dans les années qui suivent, l'enrichir encore. Mais, bien qu'il continue à fréquenter Paris où il apparaît périodiquement sur scène, ses chansons demeurent essentiellement québécoises. On aime en France *le Tour de l'île* et *l'Alouette en colère* parce que ce sont de belles musiques et de beaux textes, mais il faut être né à Montréal ou à Québec pour les comprendre vraiment.

Mon pays, c'est l'hiver

Au Québec, les événements s'accélèrent. En 1959, Maurice Duplessis, qui, appuyé par l'Église, dirigeait autoritairement un gouvernement à la fois rétrograde et corrompu, disparaît. En 1960, Jean Lesage, un libéral, veut faire entrer la Province dans le siècle. Il engage une série de réformes si importante qu'on donnera à sa politique le nom de « révolution tranquille ». Dès lors, tous les mouvements souterrains, longtemps contenus, éclatent au grand jour. On trouve enfin dans les librairies les auteurs longtemps vendus sous le boisseau, de Voltaire à Sartre. On commence aussi à percevoir différemment la France. On éprouvait pour elle une sorte d'amour-haine. N'avait-elle pas enfanté les encyclopédistes semeurs de doute, chassé ses prêtres et guillotiné son roi ? On la reconnaît enfin, terre des libertés et des Droits de l'homme. A sa lumière, une idée se fait jour et gagne du terrain : l'indépendance.

Au début des années 60, les Canadiens français commencent à goûter à la liberté, mais le pouvoir économique reste aux mains des anglophones. A Montréal, deuxième cité francophone du monde, ils occupent les postes de responsabilité. Pauline Julien, superbe chanteuse croisée dans les cabarets rive gauche de Paris et qui deviendra une des grandes voix indépendantistes, explique : « Au bureau, il faut s'adresser au chef en anglais, et, dans certains magasins de la rue Sainte-Catherine, la grande rue de Montréal, on répond "*Speak white*" à ceux qui passent leur commande en français. » Le sentiment d'humiliation est permanent ; les Québécois se sentent considérés comme des citoyens de seconde zone. Selon la formule d'un écrivain montréalais, ils ont « honte d'être nés Canadiens français ».

C'est par la chanson que va surtout se manifester la révolte des Québécois humiliés. La nouvelle génération d'auteurs-compositeurs-interprètes s'y emploie ; un nouveau venu l'emmène, Gilles Vigneault. Silhouette frêle, voix éraillée qui s'égare dans les aigus, visage anguleux... La chanson n'est d'abord pas sa voie. Il écrit des contes et des poésies faites de vieux mots – « le patois dix-septième » – et de termes nés du terroir. Et des musiques, à la fois folkloriques et modernes. Il les destine à d'autres, mais il les chantera lui-même.

Dès l'instant où on le propulse sur scène, Vigneault interprète est plébiscité par le public. Il a de la présence, et cette manière très étonnante de jouer successivement de tous ses atouts. Il arrive en récitant quelques vers qui, imperceptiblement, se transforment en chanson, et sa chanson en danse, en gigue, semblable à celles des fêtes de village.

Mais sa vraie popularité vient de son répertoire. A un peuple trop longtemps bafoué, il dit en substance : « Tu as été méprisé et tu t'es méprisé toi-même. Tu avais tort. » Et, pour justifier ses propos, il brosse une galerie de portraits de personnages rudes et généreux, durs à la tâche, vaillants face au froid et aux longues nuits d'hiver. Ainsi naissent Jos Hébert, le facteur des neiges qui s'en va distribuer son courrier derrière son traîneau, John Débardeur le docker, Ti-Paul la Pitoune, le bûcheron... Et les gens de son pays, « gens de paroles et gens de causerie », dont il raconte et chante les belles histoires, celles que connaissent par ouï-dire les trappeurs et les convoyeurs de troncs d'arbres, les hommes de la terre et ceux des forêts.

Gens de causerie

L'univers de Vigneault a une capitale : son village d'enfance, Natashquan, sur la côte nord du Saint-Laurent, face à l'île d'Anticosti, isolé par les glaces durant six mois de l'année : « Mon pays, ce n'est pas un pays, c'est l'hiver. » C'est là, sur cette terre glaciale, que vivent tous ses personnages, là que se déroule sa soirée de *Danse à Saint-Dilon,* si endiablée qu'il faut une oreille très attentive pour en démêler les paroles. Il dit : « Chez nous le français n'est pas une langue châtiée, c'est une langue punie. Alors quand on lui permet de se libérer, les mots se bousculent. » Et ajoute : « Le jour où je cesserai de parler de Natashquan, je n'aurai plus grand-chose à dire. »

Dans les mots de Vigneault, les Québécois se retrouvent. Ils viennent tous, eux ou leurs parents, de tels villages. Ils ont tous été, comme Vigneault, ancien séminariste, tantôt favorables aux curés et tantôt hostiles à l'Église. Comme le dit un de ses contemporains : « Nous sommes tous des anticléricaux qui avons chacun trois abbés dans la famille. » Quand Vigneault parle de liberté, ils le suivent. Lorsque les indépendantistes progressent dans la province au point d'obtenir (en 1976) et de conserver le pouvoir pendant deux législatures (avec le Premier ministre René Lévesque), un titre de Vigneault, *les Gens de mon pays,* leur sert de chant de ralliement.

Vigneault n'est pas seul. Autour de lui gravite une foule de chanteurs, pour la plupart politisés : Pauline Julien, déjà citée, *pasionaria* de l'indépendance, engagée également dans le combat féministe, mais aussi Claude Léveillée (*Frédéric*), Georges Dor (*Pour la mémoire, La Manic*), Jean-Pierre Ferland que les Québécois comparent à Brel, Claude Dubois... Un ancien également, Raymond Lévesque, auquel les grands de trois générations, Leclerc, Vigneault et Charlebois, rendront hommage en 1974 en interprétant ensemble, devant 100 000 spectateurs, *Quand les hommes vivront d'amour.*

Le mouvement québécois franchit l'Atlantique et arrive à Paris à la fin des années 60. Il lui faudra deux ou trois ans pour s'imposer et que naisse en France une véritable mode québécoise. L'univers de Vigneault et de ses amis correspond à la sensibilité post-soixante-huitarde. Ils parlent d'indépendance, comme le font les militants nationalistes, sont pacifistes, libertaires, rêvent de fraternité universelle comme, bientôt, les fidèles de Maxime Le Forestier... Ils sont surtout « authentiques », à la fois attachés à une réalité ancienne et conscients d'appartenir au monde actuel. Ils sont français de souche, mais ils viennent d'Amérique comme les très populaires chanteurs de *folksongs*. On s'aperçoit à peine de leur exotisme, de leur pittoresque, tant ils sont dans l'air du temps, et tant leur poésie correspond à l'image qu'on se fait d'une poésie du peuple.

A Montréal, les choses vont vite. Les Québécois, grâce à Vigneault, ont renoué avec leurs racines. Ils redécouvrent un monde qui n'a plus cours. Les vieux villages qu'il chante n'existent plus : huit habitants de la province sur dix vivent dans des villes. Et, comme tous les Canadiens, ils subissent l'influence des États-Unis. Ils sont les premiers à entendre et à goûter le rock, la musique qui bouge et fait bouger le monde. Ils vont aussitôt l'adopter.

L'homme du « joual »

Le rock québécois n'est pas une simple adaptation en français de tubes *made in USA*. Les jeunes talents sont prêts, pour s'exprimer, à remettre en cause aussi bien les traditions anciennes que les œuvres de leurs aînés immédiats. Un groupe, surtout, va faire scandale. Spécialiste des provocations à la manière dada, il lance, après un journal sulfureux, *Terre des bums*, un spectacle au titre grinçant, l'*Ostid'cho*. (La religion est à l'origine de nombre de jurons québécois : tabernak, hostie, calice... En les employant dans un journal, on est sûr de choquer. A plus forte raison en en faisant un titre de show.) A la tête du groupe en question et qui bientôt se dispersera, une fille, Louise Forestier, et un garçon, Robert Charlebois. Après la séparation, Louise Forestier retournera vers une chanson plus classique. Robert Charlebois, lui, poussera plus avant vers la folie, avant de redevenir sage.

Débutant, Charlebois a tâté du répertoire rive gauche. Le rock aidant, lui est venu le besoin de passer les bornes, de casser la logique à coups d'humour corrosif, de prendre le public à rebrousse-poil. Il s'est fabriqué (ou on lui a fabriqué) une nouvelle musique, pop ou rock on ne sait, mais très différente du modèle américain. Il lui reste à trouver un langage neuf, suffisamment choquant pour provoquer les auditeurs. Ce langage existe déjà à Montréal. C'est le « joual » (déformation du mot « cheval »), un argot parlé dans les quartiers populaires de la métropole, qui mélange la vieille langue à des mots anglais, des termes apportés par les immigrants à ceux qu'emploient les marins, etc.

Le joual a ses poètes, ses écrivains, Réjean Ducharme, Gérald Godin... Charlebois le fait entrer dans la chanson. On entend dans ses couplets des mots étranges, à la fois incompréhensibles et très évocateur : « Ça s'décocrisse » (ça part en lambeaux), « Ça s'défuntifise » (ça meurt). Les mots se déforment, perdent leur sens et s'habillent de sonorités troublantes. Avec Louise Forestier, il enregistre un petit chef-d'œuvre de non-sens, *Lindberg*, où, sur une litanie de noms de compagnies aériennes, se dessine une histoire absurde de tapis volants, d'amours égarées et de pot de biscuits perdu...

Sur scène, Charlebois se déchaîne. Il veut provoquer et ne recule devant aucun moyen. On le voit apparaître déguisé en joueur de base-ball ; il fait des bonds de grenouille sur *Frog song* (« Chanson des grenouilles »), satire des Canadiens français que ceux-ci ne lui pardonneront guère : « You're a frog / I'm a frog / Kiss me / Donne-moé des peanuts / J'vas te chanter « Alouette » / Sans fausse note. » Il prétend, en présentant *Conception*, avoir inventé la « langue universelle », un français aux sonorités hispaniques très caricaturées. A « Mon pays, ce n'est pas un pays, c'est l'hiver » de Vigneault, il oppose *Mon pays, ce n'est pas un pays, c't'une job,* description impitoyable et très ironique de la vie d'un ouvrier qui arrive à l'usine les yeux fermés, en retard, parce que sa voiture a crevé...

Les provocations de Charlebois ne se limitent pas à la scène. Profitant du goût retrouvé des Québécois pour la politique, il fonde le parti Rhinocéros, aux objectifs parfaitement loufoques. Aux élections, il parvient à obtenir 1 % des suffrages. Mais cette action à la Coluche avant la lettre tombe un peu à plat ; l'enjeu des élections est trop important : les Québécois n'ont pas suivi.

Qu'importe ! En spectacle ou sur disque, il multiplie les succès : tout le monde fredonne *Si j'avais les ailes d'un ange* ou *Dolorès*. Il enregistre une très grande chanson écrite avec Mouffe, *Ordinaire*, sur la solitude et le désespoir du « chanteur de fond ». Un classique. Charlebois est alors devenu le troisième grand de la chanson québécoise. C'est alors qu'il change de style, happant au passage la déferlante disco. Il renie le joual. Il entend désormais chanter en « français international ». Il s'en explique dans *Moi plus vouloir chanter en créole*, qui provoque des remous parmi ses admirateurs. Il est devenu sage, privé de son public naturel sans en avoir gagné un nouveau. Charlebois le provocateur semble avoir vécu. Il faudra attendre les années 90 pour qu'il retrouve sa veine, sa verve et son joual, notamment dans une chanson non conformiste sur les problèmes actuels du Québec, *l'Indépendantriste*.

Si, longtemps, Charlebois s'est éloigné de ce qu'il fut, il a toutefois ouvert des brèches dans lesquelles se sont engouffrés les jeunes du moment, les rockers notamment, les jumeaux Seguin, le groupe Offenbach, les défenseurs du joual avec le truculent et débridé Plume Latraverse, les passionnés de l'insolite comme le remarquable groupe Beau Dommage (d'où émergera le non moins remarquable Michel Rivard), auquel on doit une fort jolie chanson en forme de fable, *la Complainte du phoque en Alaska*.

Comme souvent lorsqu'un chanteur se montre trop provocateur ou trop débridé, Paris accueille mal Charlebois. A l'Olympia où il se produit en 1969 en compagnie d'Antoine et de Georgette Plana, la tension est si vive qu'il finit par envoyer la batterie sur le public. Mais le retournement est aussi brut que radical. Quelques mois seulement après ce geste spectaculaire, il occupe la salle pour une soirée spéciale. Un triomphe ! On le reverra en 1972 et 1973, toujours à l'Olympia, et toujours avec un énorme succès. Tant qu'il conserve vivaces ses qualités premières – provocation, goût du gag, joual et rock –, Charlebois jouit d'une grande popularité auprès des spectateurs français. Certes, il ne défend pas les idées à la mode : humanitarisme, écologie, etc. Mais sa musique et ses bouffonneries, son bagout et son pittoresque emportent l'adhésion. Après tout, son attitude sur scène l'apparente aux grands rockers américains, presque unanimement admirés.

Une folle sublime

A Montréal, Leclerc domine les années 50, Vigneault les années 60, Charlebois les années 70. La décennie 80 s'annonce plus indécise. Un référendum manqué éteint l'espoir d'indépendance, si vif jusque-là. Il ne reprendra sa force qu'après 1990, à la suite de l'échec des négociations qui devaient donner un statut particulier au Québec. En attendant, la crise frappe la province, qui connaît le chômage, les difficultés de vivre et l'absence de perspectives.

A ce désarroi, la chanson fait écho. Elle ne commente pas ces événements, tel n'est pas son rôle, mais elle fait siennes les inquiétudes des Québécois. L'époque n'a plus de repère et paraît devenir folle. Il faut, pour pouvoir la chanter, un fou ou une folle. Cette folle existe. Elle possède une sorte de génie qui la pousse à sans cesse aller plus loin : Diane Dufresne.

Le Québec la découvre au milieu des années 70. Elle interprète des chansons sur mesure dues au compositeur François Cousineau et au parolier Luc Plamondon. Elle va très vite s'imposer... A vrai dire, ce ne sont pas ses véritables débuts. Toute jeune, elle a chanté dans les petites boîtes de Saint-Germain-des-Prés. Son répertoire était alors des plus classiques, dominé par l'œuvre de Vigneault. Elle était sobre. Trop peut-être. On la distinguait mal des autres filles qui fréquentaient les mêmes cabarets. Elle restait immobile, lointaine... Séduisante, pourtant, puisqu'un critique parisien, Jean Monteaux, fit d'elle un très élégant portrait dans *Arts.* Mais en persistant dans cette voie, elle n'aurait sans doute pas connu une carrière aussi étonnante.

La nouvelle Diane éclate dans les années 70. Elle est totalement différente. Par ses chansons, d'abord : des textes bien écrits qui marient dans un langage quotidien le vieux français et le joual, et des musiques prenantes marquées par le rock. Par son phrasé et son rythme ensuite : Diane s'inscrit dans la lignée de Robert Charlebois. A la lecture, ses couplets apparaissent cependant bien moins délirants que ceux de l'interprète de *Lindberg.* Dans *J'ai rencontré l'homme de ma vie,* ils racontent sous forme de dialogue la naissance presque banale d'un grand amour;

dans *Actualités*, ils dévoilent les pensées d'une petite femme solitaire qui s'ennuie et rêve d'un autre monde.

Le personnage de la chanteuse, son comportement sur scène (comme dans la vie), sont, eux, proprement délirants. Elle entretient un rapport passionnel avec son public. Elle veut à la fois se laisser porter par lui et le désarçonner, le faire sursauter et le faire fondre. Comme un défi, elle lui lance, dans un de ses premiers disques, *Tiens-toé ben, j'arrive* ; les spectateurs doivent s'accrocher à leur fauteuil pour résister à toutes ses outrances. Elle leur crie : « Tout ce qui compte / C'est qu'on soye sur la même longueur d'onde [1]. » Se rassemblent autour d'elle des admirateurs d'un nouveau genre. Pas des fans ni des groupies, comme en drainent généralement les groupes de rock ou les chanteurs de variétés. Plutôt des fanatiques qu'elle contraint à sortir d'eux-mêmes, à aller jusqu'au bout de leurs fantasmes. Lors du show *Comme un film de Fellini*, les spectateurs sont invités à venir déguisés en personnages du grand cinéaste italien. Qu'elle leur demande de s'habiller en rose, ils se prêtent au jeu et, une rose à la main, occupent les 60 000 places du stade olympique de Montréal, où elle se présente à eux affublée d'une traîne longue de 200 mètres !

On l'admire, on la vénère comme une diva, « la diva du Québec ». Elle est présente à chaque grand événement de la Province. Le jour de la Saint-Jean, considéré comme la fête nationale, on la voit apparaître avec, peint sur sa poitrine nue, l'emblème québécois, le drapeau bleu à fleurs de lys blanches. Sa règle d'or : surprendre. Elle sait se faire désirer : ses spectacles durent peu dans le temps, mais proposent toujours quelque chose de totalement neuf, montant par exemple, d'un jour sur l'autre, deux shows totalement contradictoires, *Halloween* et *Hollywood*. *Hollywood*, c'est le bonheur, l'espoir, une façon de parler du futur comme d'un rêve à portée de main ; *Halloween* tient au contraire du cauchemar le plus noir...

Il y a assurément du génie dans cette inventivité permanente et proprement débordante. Ce pouvoir de magicienne, elle le doit à quelques vrais atouts : une voix d'une

---

1. Cité par Geneviève Beauvarlet, *Diane Dufresne*, éd. Seghers, 1984.

tessiture très étendue, qu'elle module à sa guise, tour à tour sensuelle, ironique, dramatique et tendre, tantôt rauque, tantôt confidentielle ; une présence étrange, à laquelle il est difficile de résister (bien que les Parisiens, encore une fois troublés par une personnalité si affirmée, l'aient longtemps rejetée) ; un sens aigu de la mise en scène : à l'un de ses spectacles, on est accueilli par de faux détectives à la Bogart, portant impers, feutres mous et lunettes noires.

D'autres silhouettes

Toutes ces explications rendent imparfaitement compte du mystère Dufresne. Elle a beau changer de compositeur, d'auteur (Pierre Grosz est parmi les derniers en date), elle peut reprendre des chansons anciennes déjà immortalisées par de prestigieuses interprètes, chaque fois le miracle s'accomplit. La Dufresne (on dit « la Dufresne » au Québec comme on dit « la Callas ») marque tout ce qu'elle touche d'une empreinte indélébile. Elle ne peut laisser indifférent. Impossible de résister à l'émotion quand on entend *J'ai douze ans* ou *le Parc Belmont.*

Comparée à la tornade Dufresne, la chanson québécoise quotidienne paraît bien sage. Difficile d'aller plus loin. Il faut chercher ailleurs. Comme les Québécois sont d'excellents artisans, amoureux du travail bien fait, tous ceux qui accéderont désormais au sommet sont, chacun dans son genre, exemplaires. Ainsi Michel Rivard, fils spirituel de Leclerc et de Vigneault, poète inspiré dont les œuvres, à la fois concrètes et insolites, plaisent énormément au Québec, mais qui, à Paris, malgré l'appui que lui apporte Maxime Le Forestier, ne parvient pas à dépasser un succès d'estime.

Ainsi, également, Carole Laure. Comédienne et chanteuse, elle mène en parallèle ses deux carrières. Révélée au cinéma par les films de Gilles Carle, elle tient, depuis, les premiers rôles. Dans la chanson, elle occupe une place à part, grâce à sa façon d'être, un mélange de sensualité et d'innocence, et à la richesse des musiques que compose pour elle son compagnon, le Canadien anglais Lewis Furey. Furey, dont les sources d'inspiration sont extrêmement variées – il invente des sons nouveaux, totalement originaux, et trouve le moyen de s'inscrire dans la filiation de Kurt Weill –, lui sert de mentor, de metteur en scène et de musicien. Il réalise ses clips, toujours surprenants, et transforme chacun de ses spectacles, à l'image de *Fantastica*, en une petite comédie musicale.

Ses shows sont tous très séduisants. Elle y réussit le mélange des genres : chanson, danse et comédie. On y retrouve, outre le professionnalisme qu'on reconnaît aux Américains, les pointes d'humour, d'ironie et d'émotion qui caractérisent les chanteuses québécoises. Longtemps attachée, comme tous les artistes du Québec, à la langue française, Carole Laure a franchi le pas. Elle chante désormais également en anglais, ce qui lui a notamment permis de vendre aux États-Unis un bel album de *country music*. A Paris, elle n'apparaît ni comme une interprète représentative du Québec, ni comme un personnage spécifiquement dans l'air du temps. Sa popularité repose essentiellement sur la qualité de ses chansons, de son interprétation et de ses shows, réglés comme des mécaniques. Carole Laure est hors du temps : en vogue aujourd'hui, elle eût tout aussi bien pu l'être hier ou demain.

Fabienne Thibeault a suivi d'autres chemins. Elle est, en premier lieu, une voix et une présence. Sa voix, très riche et très pure, aurait pu la conduire à une carrière d'interprète lyrique. Sa présencc et sa chaleur font naître entre les spectateurs et elle une connivence immédiate. Elle débute au Québec peu avant 1975, se fait connaître en France dans la première version de l'opéra-rock *Starmania* de Michel Berger et Luc Plamondon et apparaît elle aussi comme une chanteuse internationale dont les liens avec le Québec se sont distendus ; même remarque pour la piquante Diane Tell qui, plus tard, jouera un des rôles principaux de *la Légende de Jimmy*, autre opéra-rock des mêmes auteurs.

La plupart des artistes québécois sont venus chercher gloire à Paris : Daniel Lavoie, natif du Manitoba, mise sur l'émotion ; Raoul Duguay, à la sensibilité voisine de celle du Wallon Julos Beaucarne ; Richard Desjardins, qui poursuit avec beaucoup de talent la tradition de Vigneault (son passage en 1991 au théâtre de la Ville est un triomphe) ;

les rockers Marc Drouin (*Vis ta vinaigrette*), Luc de la Rochellière (*Sauvez mon âme, Cash City*) et Jean Leloup (*En 1990*). L'énergique Geneviève Paris, bien avant eux, fit ses premières armes en France avant de conquérir Montréal...

Les Québécois ne sont pas les seuls francophones du Canada. Au Nouveau-Brunswick, en Nouvelle-Écosse, les Acadiens contribuent, eux aussi, à la pérennité de l'expression française, faisant alterner folklore et œuvres nouvelles. Édith Butler propose un répertoire comparable à celui de Vigneault ; Daniel Lanois, producteur et chanteur, mêle, dans les chansons simples et fraîches qu'il interprète, le français et l'anglais (une de ses œuvres, *Jolie Louise*, a connu en 1990 un beau succès en France)... Enfin, un garçon solide à la voix virile, Roch Voisine, connaît un énorme succès en défendant des variétés de style international, sans grande originalité mais efficaces. Très soutenu par la télévision française, il occupe une place de choix dans ce qu'on peut appeler la chanson de consommation courante.

Très proches des Canadiens français sont les Cajuns de Louisiane, une communauté d'un million de personnes parlant une forme de créole dérivée du français. Sur cette terre où naquit le jazz, ils ont inventé une musique originale, le zydéco, à la fois folklorisante et moderne. Malgré les efforts d'interprètes tel le groupe Beausoleil-Broussard ou le très remarquable Zachary Richard, ils n'ont pas réussi à s'imposer en France. C'est Julien Clerc qui a fait un tube de *Travailler c'est trop dur*, l'un des succès de Zachary Richard, et non ce dernier. Il est vrai qu'en Louisiane même la francophonie est en recul. Les jeunes ne s'y intéressent plus. Évoquant avec pessimisme l'avenir du français au Québec, Gilles Vigneault, dans une chanson intitulée *Quand nous partirons vers la Louisiane*, a raconté comment meurt une langue.

Les invités

L'abandon peut tuer une langue. A l'inverse, il arrive qu'en l'adoptant des étrangers lui donnent une vigueur nouvelle. La France accueille périodiquement des chanteurs venus d'ailleurs qui, pour se faire entendre, utilisent notre langue. Il ne s'agit pas seulement d'une mode.

Dans les années 50, le succès d'une chanson italienne traduite en français correspond effectivement à une vogue : celle du tourisme naissant. La première destination des Français n'est-elle pas l'Italie ? La chanson devient symbole de vacances. La mode italienne connaît alors un véritable essor. Des pizzerias se montent un peu partout, et des ensembles comme l'orchestre de Marino Marini, des chanteurs comme Domenico Modugno accèdent à une gloire incontestée, quoique précaire. Ils disparaîtront avec la mode.

La deuxième vague, au cours des années 70, n'est pas italienne. Angelo Branduardi est certes originaire de la péninsule, mais il est surtout représentatif du *folksong* international. Il est un ménestrel moderne, un « rocker rural » selon Étienne Roda-Gil, qui écrit les adaptations françaises de ses chansons. Il aura toutefois beaucoup plus de succès dans son pays natal et en Europe du Nord (Allemagne, Scandinavie) qu'en France. Certaines de ses chansons, *Va où le vent te mène, la Demoiselle, Confession d'un malandrin,* atteignent cependant une grande popularité et lui permettent de figurer dignement dans le paysage de la chanson française jusqu'au début des années 80.

Herbert Pagani représente un cas différent. Franco-Italien, maîtrisant parfaitement les deux langues, il mène des carrières parallèles sur les deux versants des Alpes : animateur de radio là-bas, puis auteur-compositeur-interprète ici. Il s'essaie également à la peinture, excellant dans les grandes compositions fourmillant de détails.

Ses chansons ressemblent à ses tableaux. Ce n'est pas par hasard si l'une d'entre elles s'intitule *Peintures* (1975), ni si, dans un disque-concept, *Megalopolis* (1972), il brosse une vaste fresque futuriste, pessimiste comme le veut l'air du temps. Amoureux du Sud, il veut le faire connaître aux Français, et chante *Mon Sud, Concerto pour Venise,* une ville dont la disparition lui paraît inéluctable, et *Concerto pour l'Italie.* Musicalement, il est de ceux qui associent la tradition, le rock et la musique symphonique. D'un abord chaleureux, il surprend par son inventivité, illustrant ses spectacles de projections picturales. Parfaitement en phase avec les idées de l'époque, il écrit des pamphlets ironiques (*Show biznesse*), chante l'espoir d'une jeunesse qui, sans croire aux lendemains qui chantent, trouve dans le présent des motifs d'être heureuse (*Deux sous la douche*). Il offrira aux adolescents d'une époque avide de découvertes une de ses plus jolies chansons, *Couleur blue jeans délavés.* Pagani s'efface à la fin des années 70 ; à sa mort, en 1988, il a conservé intact un public limité mais fidèle.

Contemporain de Branduardi et de Pagani, Lucio Dalla ne parviendra pas à se faire une place en France. Plus récemment, Paolo Conte a réussi, sans pourtant chanter en français, à toucher un public tant parisien (théâtre de la Ville, notamment) que provincial (au cours de tournées). Le personnage est original : avocat quadragénaire venu à la chanson par passion, ses choix musicaux, inspirés par le jazz, et son goût de la dérision, qui transparaît malgré la barrière de la langue, ont séduit nombre de nos compatriotes.

Parfaitement bilingue, Frédérik Mey, lui, est né à Berlin en 1945. En Allemagne, il se fait connaître sous le nom de Reinhard Mey, et jouit d'une réputation de chanteur intellectuel. C'est cependant en France qu'il obtient ses plus gros succès. Remarquablement écrites, ses chansons esquissent avec talent une série d'images de la vie quotidienne. Il alterne ironie (*la Chasse présidentielle*), tendresse (*Christine*) et nostalgie (*Mes valises toujours à la main*). On l'entendra pendant cinq ou six ans. Son nom est aujourd'hui moins connu.

De tous ces chanteurs, Mort Shuman est le seul à atteindre une grande notoriété. Ce colosse américain, dont les parents sont originaires de Pologne, débarque en France précédé d'une légende. Auteur de chansons, il a eu pour interprètes Elvis Presley, Ray Charles et bien d'autres ; c'est par dizaines de millions d'exemplaires que se sont vendues ses œuvres. L'une d'entre elles, *Save the last dance for me*, est même devenue un standard, régulièrement réenregistré depuis sa création (et récemment encore par Carole Laure). Interprète lui-même et metteur en scène, il a monté à Broadway un spectacle resté plusieurs années à l'affiche, *Jacques Brel is alive and well and living in Paris*.

Ce spectacle, il le présente à la Taverne de l'Olympia, située sous le grand music-hall parisien. Très vite, il décide de chanter en français. Étienne Roda-Gil sera son parolier. Son premier 33 tours, paru en 1972, connaît d'emblée un énorme succès, grâce à une chanson bientôt sur toutes les lèvres, *le Lac Majeur.* D'autres suivent : *Brooklyn by the sea*, évocation de la vie d'un vieux quartier new-yorkais où se retrouvent les Juifs d'Europe de l'Est et les ex-révolutionnaires déçus des années 20 ; *l'Imperméable anglais*, texte étrange, objet d'un culte comparable à celui qui entoure *le Patineur* d'Étienne Roda-Gil et Julien Clerc ; *Écoute ce que je veux te dire*, etc.

Mort Shuman est lancé. Pendant huit ans, on apercevra sa haute silhouette bienveillante dans les salles de spectacle. Son répertoire s'enrichira encore de quelques tubes, dont *Papa-Tango-Charly,* sur un texte de Philippe Adler, *Ma ville,* une chanson dédiée à Paris, et *Un été de porcelaine.* En 1982, il cesse de chanter, part pour Londres monter quelques spectacles. Il y meurt en 1992.

Ute Lemper, Allemande ironique et belle comme un mannequin de haute couture, se présente d'abord en France en comédienne chanteuse, vedette de la version de *Cabaret* montée par Jérôme Savary. Elle reprend ensuite, avec une exceptionnelle présence, le flambeau Brecht/ 432Weill. Enfin, après une rencontre avec Art Mengo, elle s'invente un nouveau répertoire, passionné et sensuel, et offre, avec son récent album *Espace indécent*, l'image brûlante d'une femme à la perfection trop froide.

Anna Prucnal est le dernier grand nom de cette série d'hôtes prestigieux. Comédienne, cantatrice et chanteuse, elle est originaire de Pologne. Puissante, volontiers outrancière, elle est capable de passer de l'émotion la plus délicate aux cris et aux hurlements de la passion. La France a su écouter sa révolte et apprécier son sens de la provocation. Slave jusqu'au bout des ongles, elle a d'instinct l'intonation canaille d'un gavroche parisien. Seule Diane Dufresne peut lui être comparée. Ce n'est pas un mince compliment.

18.

DIVERGENCES

Une commode Louis XV

Pas facile pour un chanteur classé à droite de faire carrière dans les années 70... La réussite de *Mes universités* de Philippe Clay ne doit pas faire illusion : la chanson est sortie pendant la période qui a suivi l'échec de mai 68 et a surtout plu à ceux qui avaient eu peur des événements. Une manière comme une autre de prendre sa revanche, mais en vérité peu efficace. Malgré la défaite, les idées de 68 restent en pointe. S'y opposer, c'est ramer à contre-courant. Sheila s'en apercevra bientôt. Sa très conformiste *Petite fille de Français moyen* marque le début de son déclin. Auteurs et interprètes prennent conscience pour la plupart qu'un nouvel état d'esprit s'est imposé. Même un homme comme Pierre Delanoë, qui ne cache pas ses opinions gaullistes, paraît se rallier aux idées en vogue et met en avant, le plus souvent avec talent, la fête, le vagabondage, les rencontres de hasard et une liberté sans entraves – que d'autres appelleraient licence.

Quelques-uns, pourtant, prennent le risque de s'engager sur la voie de la « réaction », risque toutefois limité puisque après tout, les gauchistes finiront bien un jour par lasser. A condition de tenir jusque-là. Un jeune homme d'extrême droite, Jean-Pax Méfret, le « chanteur d'Occident » rédacteur à *Minute*, se fait passer pour le défenseur de la civilisation contre les assauts qui la menacent. Peine perdue : ses couplets combatifs et ses vers en hommage à Primo de Riveira, héros et modèle de l'Espagne franquiste, tombent à plat. Personne ne les écoute, personne ne les entend, nullement en raison d'un quelconque boycottage des médias, mais simplement parce que personne ne se sent concerné. Qui, dans la jeune génération, s'identifie à Franco, le général sinistre et ridicule qui tient encore l'Espagne d'une poigne de fer ?

Pourtant, cette même période voit l'émergence d'un chanteur de droite. Certes, celui-ci n'éprouve aucune sympathie pour les dictatures gâteuses et ne rêve pas de s'embrigader dans des troupes de choc pour faire régner l'ordre et la loi. D'ailleurs, est-il vraiment de droite, Michel Sardou ? Les thèmes de ses chansons, des premières surtout, inciteraient à le croire. Lui-même l'admet et en même temps le nie, laissant à chacun le soin de tirer ses propres conclusions. Florence Michel écrit[1] : « Numéro un au hit-parade, et sa vedette la plus contestée, de l'insulte sommaire au mépris souverain en passant par l'agression physique, Michel Sardou a tout vécu, tout subi, tout encaissé. On lui a tout reproché. De chanter pour les partisans de l'OTAN et pour ceux de la peine de mort, pour les nostalgiques de l'empire colonial, pour les cathos, les écolos, les alcoolos, les militaristes et les antimilitaristes... La liste n'est pas exhaustive, et il eut du même coup le privilège de déplaire successivement à tout le monde : aux gaullistes, aux gauchistes, aux intégristes, aux anciens combattants et aux parachutistes, aux femmes, aux homosexuels... » Lui-même renchérit : « Tout est sujet à interprétation. Si je chantais *Mon cul sur la commode,* on dirait que la commode est Louis XV et on me traiterait de royaliste... » Sans doute ! Encore que Sardou ne soit pas classé à droite par hasard et que les réactions qu'il suscite soient effectivement provoquées par ses prises de position.

Sardou est un enfant de la balle : son père Fernand, comédien et chanteur, s'était spécialisé dans les rôles de Marseillais ; son grand-père, Valentin, était chanteur et comique troupier ; son arrière-grand-père, Baptistin, charpentier de marine et chanteur amateur... Sa mère, Jackie Rollin, danseuse à l'origine, jouait les « rondeurs » dans des revues de music-hall avant de s'affirmer comme comédienne. Lui-même, enfant, a fréquenté les coulisses et, adolescent, a rencontré Johnny, son idole, à qui il a pro-

1. *Michel Sardou,* éd. Seghers / Le Club des Stars, 1985.

posé des textes. Du spectacle et de la chanson, Michel Sardou connaît bien les coulisses. Il n'est pas, il n'a jamais été un naïf. Il s'exprime toujours en connaissance de cause.

Des Ricains aux vaillants petits Français

Ses débuts cependant sont marqués par quelques imprudences. Sa chanson *les Ricains,* qui lui sera longtemps reprochée, témoigne d'une véritable indignation. Quand il l'écrit, l'antiaméricanisme est, dans la jeunesse, un sentiment dominant : à l'« agression » américaine au Viêt-nam, presque unanimement fustigée, il est de bon ton d'opposer le courage de ce petit peuple aux prises avec le « géant impérialiste ». A chaque occasion, on brûle le drapeau des États-Unis. Michel Sardou, quant à lui, même s'il n'a pas vécu l'Occupation, sait ce que ses adversaires ont oublié, à savoir l'impatience avec laquelle la France des années 40 a attendu le débarquement allié. Voilà pourquoi il s'écrie : « Si les Ricains n'étaient pas là / Vous seriez tous en Germany. » Cette évidence, il lui faut un cran certain pour oser l'afficher. Il prend des risques, non seulement avec sa carrière (ses ennemis le renvoient aux « poubelles de l'histoire »), mais aussi, on le verra plus tard, avec sa sécurité physique. Il y a, dans sa façon de jouer le tout pour le tout, ou simplement d'exprimer une révolte, quelque chose d'admirable.

Plus sereines seront ses chansons suivantes, qui assureront son succès, puis son triomphe, *les Bals populaires* et surtout *J'habite en France.* Dans ces couplets écrits en collaboration avec Vline Buggy, il offre aux franchouillards de France l'autoportrait dont ils rêvent : le Français bon bâfreur, bon buveur et amant exceptionnel... « Toutes les femmes sont là pour le dire / On les fait mourir de plaisir... » Qu'il y ait, derrière ces affirmations, des intentions ironiques, voilà qui est plus que probable. Mais les auditeurs, chauffeurs de taxi ou boutiquiers, les prennent au premier degré. Sardou chante comme ils pensent. A preuve, le soutien enthousiaste que lui apporte *l'Aurore,* quotidien alors spécialisé dans la défense des petits commerçants. Avec *les Ricains,* Sardou nageait à contre-courant ; avec *J'habite en France,* il se laisse porter.

Chanson après chanson, il dessine ainsi la silhouette du Français idéal telle que le pays poujado-populiste l'imagine : cocardier et antimilitariste, nostalgique d'une époque de grandeur révolue, un peu vantard mais généreux, hostile aux institutions, vaguement anar, indiscipliné, toujours râleur, hostile à tous ceux qui sont hors normes : marginaux, « pédés », etc. Il s'attaque aux « homos » à l'internat et à l'armée dans *le Rire du sergent, le Surveillant général et la Marche en avant* (avec la collaboration de Pierre Delanoë)... Avec le même auteur, il écrit ce que l'on peut considérer comme un chef-d'œuvre du patriotisme cocardier, *le France*, à la gloire du « plus beau paquebot du monde » condamné par l'évolution économique et les progrès du transport aérien. Une autre fois, il raconte l'histoire d'un bon sauvage transformé malgré lui en pseudo-civilisé, *Zombi Dupont*, exprime, dans *le Temps des colonies*, les regrets d'un ancien colonial. « Une pochade, dit-il, qu'on ne saurait prendre au sérieux. » Pourtant, quand on pousse un peu Pierre Delanoë, coauteur de la chanson, il avoue avoir gardé la nostalgie de l'époque où, sur les cartes de géographie, l'Empire français faisait une vaste tache...

Sardou connaît quoi qu'il en soit un énorme succès. Après une première scène à Bobino en 1966 (avant d'être embarqué par les gendarmes pour insoumission), il progresse à toute allure et, à partir de 1970, occupe régulièrement l'Olympia, puis le Palais des Congrès. Son album *les Bals populaires* obtient le prix Sacem de la Chanson, le Grand Prix de l'Académie Charles Cros, et devient disque d'or. Depuis, il multiplie les succès, vend ses enregistrements à des dizaines de millions d'exemplaires. Sardou est désormais l'un des grands de la chanson française.

Il est vrai qu'il a beaucoup d'atouts dans son jeu : une voix puissante, chaude et émouvante, qui « remue » ; des musiques entraînantes, pour la plupart signées Jacques Revaux, dont on se souvient et que l'on fredonne volontiers ; une incontestable présence sur scène. S'il est vrai que, lors de ses premiers galas, son rapport au public, très autoritaire, pouvait gêner, il a depuis effacé ce défaut, peut-être dû au trac. Aujourd'hui, il s'offre sans réserve, et ses admirateurs savent qu'il ne les décevra pas.

La qualité de ses textes – y compris « politiques » – constitue son arme principale, qu'il les rédige seul ou avec l'aide d'un de ses complices, Pierre Billon, Vline Buggy ou, principalement, Pierre Delanoë. Il a le sens des phrases percutantes (« Petit / N'écoute pas les grands parler / Va-t-en jouer dans le jardin. ») Il sait créer une atmosphère ; ainsi celle, envoûtante, d'*America-America.* Plus tard, les États-Unis le décevront et la chanson-constat qu'il en rapportera, *Huit jours à El Paso,* a des accents presque lugubres : « T'es bien mort, Pat Garett ! » Il chante *les Villes de grande solitude,* aussi bien que *Et mourir de plaisir.* Aucun sujet ne lui fait peur. Il aborde tous les thèmes, même des plus scabreux, évoquant le mariage des prêtres (*le Curé*) ou les amours d'une mère jeune, peut-être la sienne (*Une fille aux yeux clairs*). Il ne craint pas les outrances, se lance sans peur du ridicule dans le mélo (*Un accident*), voire dans l'imprécation (*J'accuse*). Cela pourrait lui nuire. Il est au contraire si persuasif que le public le plébiscite.

L'affaire Sardou

Une chanson, pourtant, sera de trop. Un soir de mai 1976, Sardou découvre à la télévision le visage bouleversé du père dont on vient d'assassiner l'enfant. Aussitôt, il écrit d'un trait un texte violent et sans fioritures : « Tu as volé mon enfant / Versé le sang de mon sang / Aucun dieu ne m'apaisera / J'aurai ta peau... Tu périras. » La chanson, intitulé *Je suis pour,* est diffusée à l'heure où s'ouvre à Troyes le procès du meurtrier présumé, Patrick Henry. Elle vient ainsi renforcer le mouvement qui, dans la presse et les médias, réclame la peine capitale pour le tueur d'enfants. Sardou est-il un anti-abolitionniste ? Il s'en défend. Il se dit même plutôt d'accord avec Robert Badinter, qui milite pour la suppression de la peine de mort. Mais le meurtre d'un enfant lui apparaît impardonnable.

Les premières réactions d'hostilité, sans grande conséquence, se manifestent dans la presse d'extrême gauche. C'est pendant la tournée qui suit que la situation s'envenime. A Belfort, en fin de spectacle, il est conspué aux cris de « sale facho ». Même scénario à Caen, au Mans, au Havre... Rien d'organisé : seuls quelques individus isolés manifestant leur hostilité. Comment ne pas les comprendre ?

L'affaire prend une tout autre tournure à Bruxelles, le 18 février 1976. Sardou doit chanter ce jour-là dans la grande salle du Forest National. Or, un comité anti-Sardou s'est constitué à l'initiative d'organisations gauchistes. Il exige l'interdiction du concert. « Les chansons de Sardou, à caractère raciste, colonialiste, chauvin, violent et sexiste, sont une insulte à la classe ouvrière et au progrès social », prétendent-ils. Curieusement d'ailleurs, le comité proteste aussi contre le prix trop élevé des places... Six cars de policiers n'empêchent pas des bagarres d'éclater, opposant les manifestants aux spectateurs. Dans la journée, on a couvert de croix gammées les affiches et l'une des voitures de la caravane de Sardou. Devant l'entrée, les manifestants scandent : « Sardou, salaud, le peuple aura ta peau ! » ou chantent « Sali salaud Sardou » sur l'air nazi de *Halli hallo halla.* Dans la chaufferie du Forest, une bombe artisanale est désamorcée dans l'après-midi. Malgré tout, le concert a lieu, sans incident. Mais, par la force des choses, les spectateurs sont devenus des militants pro-Sardou.

La suite devient cauchemardesque. A Toulouse, Nîmes, Montpellier, Aix-en-Provence, le même scénario se répète : alerte à la bombe, généralement sans conséquence, graffitis virulents sur les affiches (« Sardou violeur », « Sardou SS »), bagarres à l'entrée agrémentées de croix gammées, de menaces anonymes. A Toulouse, un cocktail Molotov met le feu au chapiteau. Et cependant, un public fervent fait partout un triomphe au chanteur. Celui-ci prend ses précautions, et ses gardes du corps en *battle-dress* et rangers, accompagnés de chiens-loups, ont de quoi inquiéter. Leur crâne rasé trahit leur sympathie pour l'extrême droite musclée... En définitive, Sardou aura rarement recours à leurs services, même à Besançon où les forces de l'ordre devront, pour que le concert puisse commencer, disperser à coups de grenades lacrymogènes quelque deux cents militants casqués, armés de manches de pioche et de frondes. Le chanteur décide alors d'arrêter son tour. Il est fatigué, lassé de se produire sous la protection des policiers. Le plaisir de chanter ne vaut pas une mort d'homme ; la situation empirant à chaque nouveau concert, ce risque n'est désormais plus exclu. Les gauchistes pavoisent. Ils ont, disent-ils, remporté une victoire sur le fascisme.

Victime ou coupable ?

Ils se trompent, assurément. Sardou, coupable, aux yeux de ses contempteurs, de positions outrées, est devenu du même coup une victime. On l'accusait d'être le héraut de la peine de mort ; le voilà porte-parole des défenseurs de la liberté d'expression. D'autant que, derrière la campagne menée contre lui, on devine les manœuvres politiques, les surenchères des groupes qui rêvent d'embrigader la jeunesse révolutionnaire. Le prétexte choisi pour s'opposer à lui – la peine de mort – semble peu sincère. Ni les trotskistes ni les « maos » qui mènent l'opération ne sont des abolitionnistes à tout crin, puisque leurs maîtres à penser respectifs, Trotski et Mao, n'ont pas hésité à appliquer cette même peine de mort.

Plusieurs grands chanteurs classés à gauche ne tardent plus à exprimer leur désaccord, Montand le premier, suivi par Jean Ferrat, puis Reggiani... Maxime Le Forestier, considéré par beaucoup comme l'anti-Sardou par excellence – la presse les oppose souvent et, vus de l'extérieur, ils semblent alors se disputer le monopole de la clientèle adolescente –, déclare nettement : « Sardou interdit, je serai obligé de le défendre. »

Bientôt, les médias renchérissent ; pratiquement unanimes, ils condamnent les violences des anti-Sardou (unanimité que l'on cherchera en vain lorsque Serge Gainsbourg sera confronté aux agressions des parachutistes). Les adversaires du chanteur sont dès lors amenés à reconnaître leurs torts. Dans *Rouge*, organe de la Ligue communiste révolutionnaire, un des courants du trotskisme français, on peut lire : « Je le dis nettement, nous avons eu tort de contribuer à faire monter cette campagne... Sardou n'est ni un militant fasciste, ni un porteur de barre de fer. »

Sardou, lui, encaisse, rumine, réfléchit et se tait. Il lui faudra plusieurs mois pour mettre les choses au point, dans une interview publiée par un journal de gauche, *le*

Matin de Paris. Non il n'est pas facho, le nazisme lui fait horreur, il ne prône pas l'usage systématique de la guillotine... Il n'exprime que des positions personnelles. A chacun d'en juger !

Quoi qu'il en soit, l'article de *Rouge* et l'interview au *Matin* marquent la fin des « problèmes politiques » de Michel Sardou. Il prendra encore parti en 1984, au moment du débat sur l'école privée, en essayant, avec *les Deux Écoles*, de réconcilier l'instituteur et le curé (la presse reproduira quelques déclarations maladroites : « Les parents sont propriétaires de leurs enfants ») ; la même année, il adresse un message à *Vladimir Ilitch*, c'est-à-dire Lénine. On ne lui en voudra plus. Il pourra même ironiser, dans un texte ambigu, sur la promotion sociale au féminin (*Être une femme*), à la limite du machisme ; les adeptes du MLF se tairont. L'interprète et l'auteur sont définitivement admis. On admire les splendides images que Sardou donne des *Lacs du Connemara* (quoique la chanson aborde également le conflit irlandais), la manière dont, en quelques phrases, il sait résumer des destins parallèles (*Marie-Jeanne*)... Il y a quinze ans, dans *Faut-il brûler Sardou ?*, un pamphlet aussi bien venu que de mauvaise foi, Louis-Jean Calvet et Jean-Claude Klein, coauteurs avec Chantal Brunschwig de *Cent ans de chanson française* [1], posaient une question dangereuse. Avec le temps, la réponse est venue : Sardou est incombustible !

Contrexéville

Ainsi un chanteur peut-il, en adoptant des positions résolument opposées à celles qui dominent l'époque, se frayer un chemin – non sans difficultés. Il peut aussi, tout en étant dans l'air du temps, suivre dans ses chansons un cheminement sinon divergent, du moins passablement éloigné des normes en vigueur. C'est le cas d'Yves Simon. Un personnage aux multiples facettes, intellectuel et fils de prolétaires journaliste à ses heures, c'est-à-dire attaché au

1. Éditions du Seuil, 1981.

concret, mais désireux de chanter pour passer de l'autre côté du miroir. Romancier, enfin, et de diverses manières.

Fils d'un père cheminot et d'une mère serveuse de restaurant, il passe son enfance à Contrexéville, ville d'eau des Vosges. Plus tard, il racontera : « Pendant une bonne partie de l'année, on attendait la saison en espérant qu'il se passerait quelque chose. La saison arrivait, elle se terminait. Il ne s'était rien passé. » A « Contrex », Yves rêve. De théâtre (il joue avec une troupe d'amateurs), de cinéma (il lit régulièrement *Cinémonde* et fait à treize ans une escapade pour découvrir les studios de Boulogne, haut lieu mythologique du film français), de chansons et de pop music enfin : à dix-huit ans, il monte avec quelques amis un groupe, les Korrigans, qui n'aura qu'une existence éphémère. Il ambitionne de mener une carrière à la Boris Vian.

Yves entreprend des études littéraires et pense sérieusement à chanter. Il y est encouragé par son père, « dylanolâtre » forcené depuis qu'il a entendu, dans un bistrot, *Mr Tambourine Man*. A vingt ans, Yves débarque à Paris. Il hésite encore entre cinéma (il prépare l'IDHEC, Institut des Hautes Études Cinématographiques) et chanson... C'est alors qu'il rencontre Claude Dejacques, un des grands directeurs artistiques du moment, qui lui trouve du talent et lui fait immédiatement enregistrer un 33 tours. Nous sommes en 1967. L'album, *Ne t'en fais pas petite fille,* atteint une certaine notoriété, tout comme le suivant, publié en 1969, *la Planète endormie.* Ce ne sont certes pas des succès populaires. Yves écrit bien, crée une atmosphère, ses mélodies sont belles, mais il n'a pas encore su dégager un style original.

Ses premiers couplets, qu'ils évoquent son père disparu, la guerre ou l'enfance, sont riches et émouvants mais restent assez académiques. Yves écrit comme s'il s'était imposé des garde-fous. Musicalement, même s'il est influencé par les groupes anglais, la tradition française pèse sur lui de tout son poids.

En 1973, son album *Au pays des merveilles de Juliet* entérine une rupture. Entretemps, Yves Simon a effectué de grands reportages en Amérique latine pour *Actuel,* écrit trois romans ; il est de ceux qui ne peuvent rester un instant inoccupés. Ce troisième album atteste d'une évolution à tous points de vue. Musicalement d'abord, le rythme de la pop l'emporte sur la mélodie à la française, et l'on commence à percevoir un « son » original. Les textes aussi ont changé. Ils cessent de raconter des histoires, ou plutôt ils les laissent filtrer à travers un imbroglio de pensées et de situations. Yves bridait son imagination, il vient de lâcher les rênes. Toutes les règles qu'il s'était fixées sont transgressées. Les vers ne riment plus, on passe allègrement d'une image à une autre, d'une pensée à la suivante. Au prosaïsme des premières œuvres succède un kaléidoscope riche et coloré.

Naissent ainsi des personnages un peu fous, un peu flous, mi-réels, mi-rêvés (« Le joueur d'accordéon / Qui crève à la station / Voit ses idées noires / Derrière les yeux des banlieusards »), des images quasi surréalistes (« On voudrait voir apparaître des bateaux / Qui sortiraient des escaliers du métro »), des fresques comparables à celles des romans de Dos Passos . Le refrain : « Nous nous sommes tant aimés dans les années 70 / On allait voir des films italiens » rythme une série de tableaux sur ces années révolues (*Nous nous sommes tant aimés*). Quant aux *Gauloises bleues* (« On fumait des Gauloises bleues / Qu'on coupait souvent en deux »), elles réinventent les scènes d'une adolescence mythique.

Les grands départs

Le mythe, cependant, cache bien souvent la réalité : le monde qu'à sa manière pointilliste et insolite Yves Simon décrit est celui d'aujourd'hui : « Nous nous rencontrerons sous les néons des nuits de la ville / Dans des cafétérias, des bars, autour d'une bière française ou étrangère. » Yves Simon est un citadin, un amoureux des villes aux lueurs éclatantes, des trains, des avions, des autoroutes, « macadams à quatre voies », qu'il a, comme beaucoup de ses contemporains, parcourues en auto-stop. Il rêve de New York, y croise ses héros, Lester Young, Gregory Corso ou Jimi Hendrix. Il décrit la cité-phare mondiale, « de l'asphalte, des morceaux de pneus, de la gomme et des souliers » (*J'ai rêvé New York*), y retrouve la légendaire Babylone : « Tu te shootes et tu rêves / Tu fumes trop et tu crèves / Tu exploseras sur un graffiti de New York. » Pas de passéisme, même s'il pourfend *les Promoteurs* immobiliers qui dévastent tout sur leur passage.

De telles évocations, en même temps que ses choix musicaux, le distinguent de Maxime Le Forestier auquel, à ses débuts, on le comparait souvent (ce qui ne plaisait ni à l'un ni à l'autre). Ils ont, il est vrai, quelques points communs : le look (jeans et barbe, cheveux longs), la sensibilité de l'époque, une popularité réelle chez les soixante-huitards. Mais leurs différences sont plus nettes encore. Yves Simon ne regrette pas un âge d'or révolu, ne craint pas, comme Maxime et ses amis, un avenir apocalyptique, ni ne juge nécessaire, bien qu'il lui arrive de s'engager personnellement, d'introduire la politique dans son répertoire. En écrivant *Rue de la Huchette,* il constate, sans s'indigner : « Y a des mendiants, des affamés. / T'as pas cent balles ? Une cigarette ? / Ensemble on avale la fumée. » L'idée des fausses communautés paysannes ne l'effleure même pas. C'est dans les villes que se rassemblent les hommes, dans les villes qu'il a envie de vivre, dans les villes qu'il rencontre les silencieux auxquels il lance son cri : « Envoie toutes sortes de messages / Aux inconnus et lucioles de passage / Prendre le parti du risque et de l'erreur / Le silence est toujours complice ou trompeur » (*Raconte-toi*).

Partir est pour lui un moyen de renouer avec ses contemporains. Dès ses premiers couplets, il s'adressait au « vieil auto-stoppeur, mon copain du monde ». Depuis, tel un Bob Dylan n'aspirant qu'aux *highways,* il chante le voyage. La petite fille qu'il a croisée dans Paris (« Elle s'appelait Clo / C'était un oiseau / Qu'était v'nu d'Autriche / Dans une vieille Hotchkiss / Elle vendait des bagues dans le métro (*Clo Story*) est une voyageuse. A un interlocuteur invisible, il lance : « Moi je sais un jour tu iras / Sur les kayaks de l'Alaska / Rejoindre les chercheurs d'or / Jack London du Mackenzie. » A une autre, il confie : « Nous partirons dans un train express / Pour nulle part / Nous prendrons le temps de nous regarder. » A sa devise « Respirer chanter », il ajoute en permanence « partir ». Ce n'est pas un hasard si l'un de ses romans s'appelle *Transit-Express,* s'il a donné ce même nom au groupe musical qui l'a accompagné pendant quelques années, ni si tous ses écrits parlent d'errance et de vagabondage. Même immobile, Yves Simon voyage.

Les années passent. Ses disques se font plus rares, alternant avec les romans. On ne le rencontre plus guère sur scène. La littérature semble parfois l'accaparer. Mais il a gardé ses fidèles. Mieux, il a su unir ses lecteurs et ses auditeurs, autrefois différents. Il cumule les disques d'or et les best-sellers, obtient des récompenses pour ses chansons et, en 1991, le prix Médicis couronne *la Dérive des sentiments.* Il chantait autrefois : « Qu'est-ce que sera demain ? Le début ou la fin ? » Il sait désormais que demain lui sera, pour longtemps encore, un début.

Entre mots et musiques

Aux côtés d'Yves Simon (et de Maxime Le Forestier), on rencontre, dans des lieux proches et touchant des publics voisins, d'autres jeunes talents qui ne connaîtront pas la même notoriété. Ce sont Jean-Michel Caradec qui, après quelques disques prometteurs, disparaît dans un accident de voiture ; Dick Annegarn, Hollandais volant de la chanson, poète d'avant-garde ambitieux, dont l'impact immédiat sera considérable (*Sacré Géranium* séduira nombre d'auditeurs) et qui, par refus de se plier aux règles du métier, annoncera son retrait de la « compétition » en attendant de revenir, quelques années plus tard, pour tenter de reconquérir un public, malheureusement dispersé et vieilli.

Yvan Dautin apparaît pour sa part à la fin des années 60, chantant des œuvrettes farfelues, telle *la Méduse,* dans les cabarets rive gauche. Il ajoute à son audace verbale un goût prononcé pour les musiques et les rythmes modernes. A l'aide de calembours et d'à-peu-près, il peut tout faire passer : l'érotisme (*Kate*), la désespérance (*la Portugaise*), la nostalgie, l'amertume, un certain mal de vivre. Il séduit immédiatement ; autour de lui se constitue un cercle d'aficionados, enthousiasmés par sa façon d'écrire, insuffisamment nombreux cependant pour le mettre à l'abri d'une concurrence acharnée. Mais Dautin persiste, menant, pour équilibrer son budget, une double carrière de comédien (il joue le rôle de Thénardier dans *les Misérables*) et d'auteur-compositeur-interprète. C'est un artiste qui a encore beaucoup de choses à dire, beaucoup de notes et de mots à jouer et chanter.

Si l'alphabet inspire Dautin, la musique porte Catherine Lara. Sa formation de violoniste lui permet, toute jeune, de jouer dans des orchestres symphoniques. N'a-t-elle pas créé un quatuor à cordes à la tête duquel elle a notamment participé à une tournée de Claude Nougaro ? Lorsqu'elle se met à la chanson, en 1972, elle est encore une musicienne de formation classique. Dans ses premières mélodies, où interviennent pourtant les instruments électriques ou électroniques, elle manifeste le désir d'unir la variété, la pop et le classique. Ce qui donne à ses œuvres ce ton si particulier, prenant et étrange, dont l'originalité est encore accentuée par les textes baroques que lui écrit Daniel Boublil. Baroques et un peu morbides : parmi les chansons de son premier album figurent *la Pierre tombale, Morituri* et *Ad Libitum*... La collaboration Lara/Boublil dure quelques années, atteint son sommet en 1974 avec une chanson d'une rare qualité, *la Craie dans l'encrier* ; Catherine Lara y est déjà en pleine possession de son style.

Cependant, elle décide de se tourner vers le rock et opte pour le violon électrique. L'album *Coup d'feel* ! (1979) marque pour elle, semble-t-il, le grand tournant. En même temps qu'elle adopte un style neuf, elle cherche de nouveaux auteurs, plus conformes à cette nouvelle direction. Ce seront Luc Plamondon d'abord, puis Étienne Roda-Gil qui écrira pour elle, en 1980, les textes de l'album *Géronimo* (*Totem vivant, la Femme nue*), Pierre Grosz, Élisabeth Anaïs, elle-même chanteuse originale qui, de 1981 à 1984, introduira un certain piquant dans ses chansons (*Famélique, la Rockeuse de diamants, Don Juan*...).

Ainsi, d'année en année, Catherine Lara peaufine son personnage de rockeuse au violon. Violon qu'elle abandonne pourtant lorsque, au début des années 90, elle se décide à réaliser son grand œuvre, sur des textes de Plamondon, *Sand et les romantiques*. Il s'agit d'un opéra-rock, en hommage à George Sand, auquel participent de nombreux artistes dont Véronique Sanson. Le succès du disque l'encourage à tenter l'expérience sur scène. Chose faite à l'automne 1992 : le TMP-Châtelet programme une dizaine de représentations. Un coup audacieux, à contre-courant – quoique le romantisme soit de nouveau à la mode –, mais qui finit par payer. Il faut parfois savoir aller contre le goût présumé du public.

De la messe au ketchup

William Sheller est de la même « famille » que Catherine Lara. C'est d'abord un musicien, bien qu'il écrive – avec quel talent ! – les textes de ses chansons. Lui aussi vient du classique. Il s'intéresse même à la musique d'avant-garde, en raison des innovations techniques qu'elle comporte, pour ensuite condamner sa froideur, son refus de l'émotion. Il pense que la musique doit remuer ceux qui la jouent comme ceux qui l'écoutent.

Sheller a vécu aux États-Unis. Son père, cumulant les fonctions de musicien de jazz et de veilleur de nuit, invite souvent en leur maison de Lake Milton (Ohio) Kenny Clark et Oscar Peterson. Ces visites ennuient profondément William, obligé de s'asseoir et de se taire. A sa biographe Marie-Ange Guillaume [1], il avouera plus tard : « Même maintenant, quand j'entends du jazz, ça veut dire que c'est important, qu'il va falloir s'asseoir et écouter. »

En fait, le jazz l'intimide. Son parcours musical va, un temps, l'en éloigner. L'opéra, découvert grâce à son grand-père charpentier dans la marine devenu décorateur à la salle Garnier, le fascine. Du haut des cintres, le jeune Sheller assiste, une fois rentré à Paris, à des représentations de ballets, dont l'éternel *Lac des cygnes* ; les danseuses le captivent ; il jouera même l'un des enfants de Wozzeck dans l'opéra d'Alban Berg. Émotions : il se nourrit à la fois de ballet traditionnel et de musique sérielle, commence à apprendre le piano (à douze ans) et ambitionne d'égaler

1. *William Sheller*, éd. Seghers, 1989.

Beethoven. Il suit les cours de différentes écoles – Schola cantorum, Conservatoire –, et étudie tout ce qui passe à sa portée : composition, orchestration, harmonie... Jusqu'au jour où il découvre les Beatles. Émerveillé, Sheller prend conscience qu'il est possible de composer une musique complexe, élaborée, et de toucher le grand public.

Dès lors, sa décision est prise. La pop music et le rock'n'roll seront ses sésames. Il n'en démordra pas, malgré l'accueil plus qu'hostile de ses professeurs. Il crée alors un duo avec une amie, puis un groupe, puis un second duo avec une autre amie, tourne dans les bases américaines implantées en France, enregistre – la mode est au « psychédélique » – un disque au son des cithares indiennes orchestré par un autre débutant, Gérard Manset. Bientôt, il compose des musiques de films, qui passent presque inaperçues (*Érotissimo*, *Trop petit mon ami*), orchestre à son tour deux albums, *Popera cosmic* de Francois Wertheimer et Guy Skornik, deux personnalités intéressantes, puis *le Jour où les vaches* d'Emmanuel Booz. Booz comme Wertheimer s'effaceront, malgré des débuts prometteurs.

A l'occasion du mariage d'un couple de ses amis, il compose une messe, *Lux Eterna*, l'enregistre avec quelques copains, quarante musiciens de l'Opéra et seize choristes de l'ORTF. Son intention, partagée par d'autres à l'époque, est d'inventer une musique composite qui unirait le rock au classique. C'est un échec. En France, les genres sont trop nettement délimités pour qu'on puisse jouer à les mélanger. Le disque attire néanmoins l'attention de quelques gens du métier, dont Barbara, qui lui commande les orchestrations de l'album *la Louve* et qui sera l'une des premières à le pousser à chanter.

De fait, Sheller propose bientôt à Philips une chanson parodique, *Rock'n dollars*. Les paroles sont à ce point farfelues (« Donnez-moi madame s'il vous plaît / Du ketchup pour mon hamburger ») que, pour l'émission qu'il anime à la télévision, Philippe Bouvard le fait passer dans la rubrique « Chansons idiotes » ! Qu'importe ! Idiote ou pas, la chanson est un des tubes de l'année 1975 : un demi-million d'exemplaires vendus. Sheller en est satisfait, bien que peu de gens aient compris ses intentions : il voulait se moquer d'une mode... et l'on a adopté *Rock'n dollars* comme l'expression de cette mode !

Excalibur, un homme heureux

Le voilà donc lancé. Il possède une sorte de génie qui lui permet, presque involontairement, de glisser un ou deux énormes succès dans chacun de ses albums. En 1976, par exemple, *Dans un vieux rock'n'roll* et surtout le fin et délicat *Carnet à spirales* : « Je garderai dans mon carnet à spirales / Tout mon bonheur en lettres capitales / À l'encre bleue aux vertus sympathiques... » En 1980 sortent *Fier et fou de vous* et *Oh ! j'cours tout seul,* en 1981 *Une chanson noble et sentimentale...*

A chaque succès un ton particulier, des couplets insolites, et une volonté permanente d'innover. Sheller est rebelle aux vogues ; ses chansons ne datent pas, et s'écoutent, dix ou quinze ans plus tard, avec le même plaisir. Parallèlement, bien qu'il ne se sente pas particulièrement fait pour la scène – son apparente froideur gêne la communion avec le public –, il occupe l'Olympia pendant plusieurs semaines en 1982 et 1984.

Mais cela ne lui suffit pas. Il ressent durement les limites que lui impose le show-business et supporte mal les contraintes liées à la promotion de ses disques. Il possède trop le sens de l'ironie pour aller grimacer devant les objectifs des photographes et les caméras de la télévision. Un besoin d'inventer incessant le démange. Avec Michel Jonasz, il écrit une comédie musicale délirante qui n'ira jamais jusqu'à son terme. Pour son amie Catherine Lara, en hommage à son violon, il imagine l'aventure du *Violinaire français,* dont on prévoit qu'elle sera jouée à Bruxelles devant le roi Baudouin et la reine Fabiola... Le spectacle n'aura pas lieu, Catherine se trouvant alors en tournée au Québec. Enfin, il offre à Jean-Marie Rivière un ballet pantomime pour l'ouverture du Paradis latin.

Ces essais ne sont encore que broutilles. William Sheller a envie de tout changer. Déjà, ses textes sont devenus plus graves, plus mélancoliques, la drôlerie et le ketchup de *Rock'n dollars* appartiennent au passé. Il abandonne alors les instrumentistes qui l'accompagnaient pour constituer un quatuor à cordes, défendant ainsi un genre curieux qu'on pourrait appeler « rock de chambre ». Il compose ce qu'il nomme du faux classique, faux sans doute mais suffisamment prenant pour convaincre le public. En 1985, sa *Suite française* – un titre emprunté à Bach – est au programme du Festival de musique classique de Montpellier. Par la suite, il écrit *l'Empire de Toboll*, un oratorio qui plonge ses auditeurs dans un monde aux contours incertains. En 1987, il monte au Grand Rex un spectacle où se côtoient classique, jazz et rock dans les décors délirants conçus par Druillet, dessinateur d'extravagantes bandes dessinées futuristes. Enfin, avec *Excalibur*, il réinvente l'imaginaire du Moyen Âge, narrant à sa façon l'aventure du roi Arthur et de ses compagnons : « Sont venues misères et longue nuit / Dieu me l'a donné / Dieu me l'a repris. »

Le point d'orgue de la nouvelle carrière de William Sheller sera l'expérience menée en 1991-1992. Seul à son piano, il enregistre un album exemplaire qu'il s'en va défendre au cours d'une longue tournée. Pari risqué, puisque résolument à contre-courant. Mais la richesse musicale, la pureté de l'interprétation, la discrétion du chanteur font merveille. L'album est une des meilleures ventes de l'année. Les salles où Sheller se produit sont bondées, et le titre-phare de l'ensemble, *Un homme heureux*, est bientôt sur toutes les lèvres. Dix-sept ans après son premier tube, William Sheller connaît un triomphe en jouant des cartes totalement différentes de celles qu'il avançait à ses débuts.

Face aux intégristes

L'exemple de Sheller, tout comme celui de Catherine Lara et de Véronique Sanson, vaut qu'on s'y arrête un instant. Voilà trois personnalités qui, incontestablement, appartiennent à la génération post-soixante-huitarde. Par leur façon de penser, leur comportement et leurs prises de position, ils font preuve de lucidité. Mais ils n'en font pas le sujet de leurs chansons. A de rares exceptions près, ils ne s'engagent pas. Seuls comptent pour eux les sentiments et, plus encore, la musique, sur laquelle ils se livrent à des recherches incessantes. En somme, même s'ils constituent une sorte de groupe informel, s'il leur arrive de travailler ensemble, chacun cherche d'abord à développer sa propre individualité. Ils témoignent rarement de l'époque, mais leur musique et leurs personnages s'y inscrivent parfaitement.

Pour avoir voulu passer outre à cette règle qu'elle s'était implicitement fixée, Véronique Sanson a failli payer le prix fort. Fin 1988, pour son album *Moi le venin,* elle enregistre une chanson, *Allah*, qui va provoquer de graves remous. Il ne s'agit pas, comme on a voulu le faire croire, de couplets dirigés contre l'Islam, mais d'un véritable pamphlet contre l'intolérance. La chanteuse souhaitait d'abord s'en prendre aux intégristes de toutes confessions. Si, en fin de compte, elle n'a retenu que le fondamentalisme musulman, c'est qu'à cette époque précise il faisait preuve d'une virulence exceptionnelle. Au nom de l'Islam, on commet des attentats, on assassine, on multiplie les atrocités. Et on condamne à mort : l'écrivain Salman Rushdie doit, pour avoir publié ses *Versets sataniques,* se protéger de l'appel au meurtre lancé par l'ayatollah Khomeiny ; sa tête a été mise à prix, et plusieurs de ses éditeurs et traducteurs ont été victimes d'attentats.

Passer d'une mise en cause globale du fanatisme religieux à la condamnation d'événements récents, c'est dépasser le simple geste de bonne volonté généreuse pour prendre position dans les combats du jour. Véronique Sanson s'en rend parfaitement compte. Elle ne prévoit pourtant pas la violence des réactions. Dans un premier temps, les passages radio n'ont pour effet que de populariser la chanson. C'est le 28 février, soit deux mois après la sortie du disque, qu'elle reçoit une lettre de menaces, alors qu'elle achève les répétitions du spectacle qu'elle doit donner à l'Olympia. Elle pense d'abord à une provocation d'extrême droite destinée à exacerber les ferments xénophobes. Mais la police, consultée, estime que la menace doit être prise au sérieux. Soucieuse d'éviter tout risque à son public et à ses musiciens, elle retire *Allah* de son tour de chant.

L'affaire ne s'arrête pas pour autant. Plusieurs grands magasins de disques reçoivent à leur tour des avertissements : si l'album n'est pas retiré de la vente, des représailles sont à craindre. Le souvenir d'attentats meurtriers est encore tout frais et, une fois encore, il faut céder, malgré le soutien qu'apportent à Véronique Sanson quelque cent artistes, réunis par Yves Simon, qui s'élèvent contre les « diktats de tous les intégrismes ». Ainsi la chanteuse apparaît-elle à la fois comme l'héroïne et la victime d'une lutte qu'elle a tenté de mener contre l'intolérance.

Tout cela n'était pas prévisible. Non que Véronique Sanson ait jamais voilé ses sentiments. Dire le fond de sa pensée ne lui a jamais fait peur. Mais, jusque-là, ses opinions n'avaient pas transparu dans ses chansons. Ses coups d'audace étaient surtout musicaux. Issue d'une famille bourgeoise, elle tente, avec sa sœur Violaine et François Bernheim, de lancer un groupe, les « Roche-Martin ». Deux 45 tours *extended play* (quatre titres) sont enregistrés en 1967. L'accueil est bon mais les ventes médiocres. Mêmes réactions pour les 45 tours qu'elle enregistre seule en 1968. Pathé Marconi, qui avait misé sur elle – peu en vérité –, lui rend son contrat.

Du noir à l'espoir

Mais, chez Pathé, Véronique a rencontré deux jeunes directeurs artistiques, Michel Berger et Claude-Michel Schönberg, qui croient en son talent. Ensemble, ils vont essayer de mettre en évidence tous les éléments qui souligneront son originalité. « Michel ne l'influence nullement dans ses choix musicaux, il ne sait que canaliser son inspiration, comme le fera, lors de l'enregistrement de son disque futur, Claude-Michel Schönberg. Il n'y a pas collaboration entre Véronique Sanson et Michel Berger, mais concertation », écrit Brigitte Kernel[1]. La mévente du 45 tours Pathé-Marconi n'est pas ressentie comme un échec par Berger et Véronique. L'un et l'autre sentent qu'il manque encore quelque chose à la chanteuse pour exprimer toute sa personnalité.

C'est elle-même qui va découvrir que sa spécificité repose d'abord sur sa voix : son curieux vibrato, bien maîtrisé, donne un ton original à ses enregistrements ; et son

1. *Véronique Sanson*, éd. Seghers, 1990.

intonation ajoute à la nostalgie des textes... Enfin, on remarque en elle une admirable adéquation entre la voix, les couplets et la musique, certes très inspirée par la pop, mais aussi extrêmement novatrice. Pour Véronique, Michel Berger se fait démarcheur ; il lui trouve une nouvelle maison de disques, WEA ; son directeur, Bernard de Bosson, ancien musicien, est tout disposé à lui accorder sa confiance. Un premier album, *Amoureuse*, sort en 1972. Son succès est immédiat. Un titre, *Besoin de personne* est bientôt sur toutes les lèvres. Véronique Sanson est lancée. Elle a vingt-trois ans.

Amers, souvent proches du désespoir, marqués par une certaine difficulté de vivre, ses textes sont écrits pour toucher l'adolescence. Elle chante : « Tout est cassé, tout est mort / Tout nous vide et nous endort / La vie, ce n'est pas ça... » ou « Louis, Louis / Tu attends le pire / Comme toujours... » Rares sont les couplets où s'exprime le bonheur : « Quand je lui joue du piano / Ses cheveux caressent mon dos / Je lui donnerai ma musique... » Elle avoue : « Si seulement je fais une chanson gaie / Juste une seule fois dans ma vie / Peut-être que j'aurai enfin trouvé / Une autre façon de pleurer... »

Pourtant, par moments, sa volonté d'exister, sa soif de liberté et son goût de la sensualité éclatent comme dans sa *Chanson pour une drôle de vie*. Elle y affirme son besoin d'indépendance : « Et je fais tout ce que j'ai envie... » Joie de vivre qui demeure exceptionnelle ; la mélancolie l'emporte : « Je chante / Dans le port de Vancouver / Je chante / Sur des souvenirs amers... » *Le Maudit* promène ses angoisses dans un monde sans ouvertures : « Pauvre maudit, comme ta vie doit être une longue nuit. »

Quelque tournant que connaisse sa vie privée – son mariage avec Stephen Stills, sa rupture, son retour en France –, la couleur de son répertoire ne change pas : noire. Elle y croise la solitude et la trahison (*Le temps est assassin*). Quand on lit ses textes se dégage l'impression que, cachée derrière ses lunettes noires comme elle l'est souvent dans la vie, elle n'aperçoit jamais de lueur salvatrice.

Curieusement, ses tours de chant ne trahissent pas ce désespoir latent. Grâce à sa musique. Elle chante : *J'ai la musique au moins*, et cette musique vivante, enlevée, partagée, touche au cœur et donne des raisons de croire et d'espérer. Grâce à sa musique, la fragilité de Véronique Sanson s'estompe, ses inquiétudes s'évanouissent, sa solitude disparaît. Quand elle s'installe au piano, quand, en 1989, elle enregistre avec un orchestre symphonique pragois, on a l'impression qu'elle a repris confiance et que, d'une certaine manière, le bonheur l'habite. Impression confirmée en 1992 avec un nouvel album propulsé aux avant-postes des hit-parades.

19.

LES NOUVEAUX HOMMES

Femmes libérées et hommes fragiles

Étonnante la rapidité avec laquelle notre époque rejette ses héros. Auparavant, presque immortels, ils marquaient l'une après l'autre les générations ; aujourd'hui, ils s'effondrent après quelques années, sombrent dans l'oubli. Les symboles qu'ils incarnaient s'usent promptement. Hirsutes, fraternels, utopistes, les hippies promettaient un monde meilleur ; devenus babas-cools, donc ridicules, ils n'attirent plus que les sarcasmes. Ils parlaient d'un âge d'or ; ils rabâchent... Porteurs de grands espoirs, les révolutionnaires préparaient les adolescents à des combats enthousiasmants, formidablement romantiques ; pour la plupart, ils ont renoncé, ne croient plus guère à leurs utopies et, plutôt que de les voir s'effilocher, dissolvent leurs organisations. Ceux qui restent, rendus à l'état de sectes ou de groupuscules, continuent de prêcher dans le désert, sans s'apercevoir que leurs mots d'ordre ne touchent plus une génération sourde à ces proclamations. « Les temps ont changé », chantait Bob Dylan. Eux ne changent pas, et tel est leur drame.

Un groupe, en particulier, n'a pas réussi à se faire entendre dans la chanson, celui des femmes libérées. Pourtant, depuis les années 70, elles ont remporté bien des combats : droit à la contraception et à l'avortement, mise en application (théorique !) du principe « à travail égal salaire égal ». Devenues polytechniciennes, « générales » de brigade, énarques, ministres, elles ont prouvé leur aptitude à gérer, diriger et agir en meneuses d'hommes. Elles peuvent désormais s'exprimer sans contrainte dans des maisons d'édition exclusivement féminines ou dans des journaux, comme *le Torchon brûle*, « organe menstruel exclusivement féminin ». Or, la femme conquérante, la femme vainqueur est étonnamment absente de la chanson : Jean Ferrat a beau affirmer que « la femme est l'avenir de l'homme », les chanteuses féministes continuent de pleurer sur leurs malheurs anciens. Quand une fille intelligente et sensible comme l'est Lucid Beausonge s'attaque, dans *Lettre à un rêveur*, aux rapports conflictuels entre sexes, elle parle en victime face à ses violeurs, comme si, au cours de cette décennie triomphale, rien n'avait bougé. Les seuls à entériner en musique cette évolution sont des hommes, des « machos ». Ils se moquent, bien sûr, ironisant comme Michel Sardou dans *Être une femme* ou comme Cookie Dingler, éphémère vedette de 1984, dans *Femme libérée*. Décevants constats.

Bien plus, ce formidable bouleversement qu'a connu l'univers féminin se répercute dans la chanson de manière indirecte, par la voix d'hommes qui, confrontés à une femme forte, sûre d'elle et de son pouvoir, se sentent affaiblis, inquiets et fragilisés. Des victimes de la cruauté féminine, la chanson en a toujours connu bon nombre. Elle a enfanté des « femmes à bijoux », des enjôleuses, des vamps et des femmes fatales, avides et impitoyables qui rendent les hommes fous, les mènent à la déchéance, au crime et à la mort. Ce n'est là pour elles qu'une façon un peu outrancière d'éprouver les passions, de jouer, comme l'écrit Marcel Achard, « le jeu d'amour, la tendre guerre où l'ennemi est le partenaire. »

Un Cocteau jeune

A la fin des années 70, les circonstances ont changé. L'amant ne cherche plus une amoureuse ni une partenaire, mais une maîtresse au vrai sens du mot, qui le protégera des aléas du sort, une infirmière qui calmera les maux du cœur et de l'âme, qui éteindra ses craintes. Avec Bécaud, l'homme aimait à crier : « Je t'apporterai le réconfort, allez, viens ! » Aujourd'hui, il appelle au secours et hurle *Allô maman bobo.*

Pour endosser cette défroque d'homme fragile et traumatisé, il faut à la fois un physique adéquat et une solide dose d'humour. Alain Souchon possède les deux. Physiquement, c'est un garçon long et maigre aux cheveux fous, aux gestes un peu maladroits, au regard toujours étonné et qui paraît n'être jamais sorti de l'adolescence. « Il ressemble à Cocteau jeune », dit de lui Paulette Coquatrix, l'épouse du fondateur de l'Olympia... Une allure insolite, inhabituelle, qui ne facilite pas ses rapports avec le sexe faible. L'humour, Souchon l'a acquis au cours d'une enfance et d'une jeunesse assez sombres : disparition du père, pensions, surveillants aussi idiots qu'impitoyables et révoltes inutiles. Les débuts dans la carrière ne sont guère meilleurs : galères et petits métiers, « dèche » et espoirs déçus, avec pour seul réconfort le soutien de sa femme Belotte qui croit en lui plus que lui-même.

Il démarre enfin, tard, à plus de « vingt-cinq balais », sans s'être vraiment trouvé. Il rêve d'un hier passablement embelli, regrette *l'Amour 1830* (le premier de ses succès), et chante un répertoire très classique, où les voyages en paquebot et en dirigeable s'accompagnent d'un rejet systématique du monde moderne. Des chansons pas vraiment noires, mais marquées par une nostalgie quelque peu artificielle. Le Souchon d'alors est un jeune homme sympathique, attachant, mais perdu dans ses rêveries d'un XIXe siècle de fantasmagorie. Bien difficile d'imaginer qu'il sera bientôt le miroir de toute une génération...

Plusieurs événements l'amènent à changer radicalement de style. Tout d'abord, il rencontre Laurent Voulzy, un jeune compositeur-interprète qui s'essaie à la chanson dans la même maison de disques que lui. Souchon, séduit par la pop et le rock, aimerait pouvoir utiliser ces rythmiques et ces sonorités modernes. Voulzy va le lui permettre, en lui offrant quelques musiques qui collent avec l'époque, et en lui apprenant à en user.

Seconde chance de Souchon, la présence à la direction de RCA (la maison de disques en question) d'un homme qui lui fait totalement confiance. Jeune, Bob Socquet est de ces directeurs artistiques qui cherchent à bâtir, pour leurs poulains, de vraies carrières, et non à jouer de simples « coups ». Aussi est-il prêt à laisser à Souchon les années nécessaires pour s'épanouir.

La troisième clé de sa réussite, Alain la trouvera en lui-même. Jusqu'alors, il écrivait ses textes en respectant la rime et la prosodie, la grammaire et la syntaxe ; ses couplets étaient si parfaits qu'ils frisaient un académisme un peu empesé. Brutalement, vers 1973-1974, il découvre que la chanson n'est pas un langage écrit, mais parlé, avec ses tics, ses défauts, ses incorrections, mais aussi tout un aspect humain, charnel... La chanson, enfin, a son humour, celui des mots ; impossible de pleurer en argot !

Le langage d'un enfant

Une chanson marque la transition : *J'ai dix ans,* texte de Souchon, musique de Voulzy. Une tendre mélancolie baigne les paroles : « J'ai dix ans / Je sais que c'est pas vrai mais j'ai dix ans / Laissez-moi rêver que j'ai dix ans... » L'humour n'en est pas absent : « Si tu m'crois pas, hé ! / T'ares ta gueule à la récré. » Le tout ponctué d'argot enfantin et de tournures d'écolier : « Je vais embêter les quilles à la vanille / Et les gars en chocolat... » En somme, Souchon s'efforce de recréer un univers préadolescent dont il s'empresse de nier l'existence.

Suit toute une série de chansons, toujours aussi pessimistes, mais ironiques. *Bidon* raconte l'aventure déplorable d'un hâbleur dont le mensonge est la raison de vivre. *S'asseoir par terre* est une sorte d'hymne au renoncement : « On a le vertige sur nos grandes jambes de bazar / Alors pourquoi pas s'asseoir ? » Le désespoir quotidien, traité avec dérision, s'exprime dans *Qui dit qui rit pis qui pleure...* A l'écouter, on comprend pourquoi Souchon a vécu 1968 sans y participer : il ne pouvait faire sienne cette illusion lyrique, étant lui-même trop amer et trop lucide.

Petit à petit, son personnage se précise. Sa fragilité, loin d'être un phénomène de mode, est reconnue comme telle et adoptée par le public. Sa gêne sur scène, sa pudeur face aux applaudissements, le dédain qu'il a de sa propre tristesse composent un personnage très convaincant. Rares sont les couplets où il livre crûment, comme dans *la P'tite Bill,* ses convictions profondes : « C'est une vieille maladie poisseuse / Un sacré manque d'amour qui creuse / Dans nos villes, dans nos campagnes / Ça gagne. »

Il refuse de larmoyer. Il préfère grince, ricaner ; « Elle me dit que j'pleure tout l'temps / Que j'suis comme un tout p'tit enfant / Qu'aime plus ses jeux, sa vie, sa maman... » (*Jamais content*). La déchéance physique, il la pressent alors qu'elle ne le menace nullement : « Mais l'estomac y tient pas le tempo / Tombe de haut gringo pistolero / Dans la crème chantilly les gâteaux... » (*Papa mambo*), ou encore : « C'est pas le Conquistator / Ce *has been* jeune homme bouffi qui dor encore... » (*Toto 30 ans*).

Parfois lui vient l'envie de changer de style. Avec David McNeil, il écrit *J'veux du cuir* et constate aussitôt : « Mais si j'dis ça je casse mon image / Ce s'rait dommage / Ce s'rait dommage d'être au chômage à mon âge. » Alors, il retrouve la nostalgie de ses débuts, change *Casablanca, Somerset Maugham* ou *Ava*, s'apitoie dans *Y a d'la rumba dans l'air* sur le sort d'un vieux beau auquel, il en est persuadé, il ressemblera un jour, puisque, comme il l'affirme ailleurs : « On avance, on avance / On a pas assez d'essence / Pour faire la route dans l'autre sens... » (*On avance*).

Cependant, même ses aveux les plus sincères se refusent à être pris au sérieux : « C'était l'dégoût d'quoi j'sais pas mais l'dégoût » (*le Dégoût*). *Le Bagad de Lann Bihoué*, la plus désespérante de ses chansons, raconte les illusions perdues, mais joue à ce point de la dérision qu'on finit par en oublier la noirceur : « Tu la voyais pas comme ça ta vie / Tapioca potage et salsifis / On va tous pareils moyen moyen / L a grande aventure, tintin... »

Mais tant d'ironie ne peut faire diversion. Lorsque Souchon sourit, c'est d'un sourire gêné, cette gêne qui le paralyse lorsque le public l'applaudit. Il se sent mal à l'aise quand on lui dit qu'une fraction de la jeunesse se reconnaît en lui et adopte son look.... D'ailleurs, s'est-il jamais fabriqué un look ? La plupart du temps, il porte sur scène, comme à la ville, pull ample et pantalons informes qui le voilent plus qu'ils ne l'avantagent... A l''écran – il est aussi devenu comédien et comédien talentueux –, il est semblable à lui-même, et n'interprète en fait que son propre personnage, ce qui le rend si crédible.

Bien qu'ayant collectionné les disques d'or, il demeure le chanteur des regrets et de l'échec : « Tu la voyais pas comme ça ta vie... / Tu la voyais grande et c'est une toute petite vie... » Échec sans amertume, sans acrimonie. Sa gentillesse le garde des récriminations contre ceux qui savent tricher et se mettre en avant. Rares sont les couplets dans lesquels il fait montre de colère. *Poulailler's song* est peut-être sa seule chanson engagée : « On entend la conversation / D'la volaille qui fait l'opinion / Ils disent / "On peut pas être gentil tout le temps / On peut pas aimer tous les gens"... » Encore cette volaille stupide qui caquette dans sa basse-cour est-elle autant victime que bourreau.

Le mythe de l'homme fragile s'effrite, Alain Souchon reste. Certes, il enregistre peu de disques, mais chacun d'entre eux connaît d'emblée le succès. Preuve qu'on lui est reconnaissant d'avoir apporté quelque chose de neuf dans la chanson : un vaincu qui gagne, bien sûr, mais aussi un langage différent, efficace, à la fois proche du réel et recréé, et surtout une façon de déguiser la douleur en boutade. Récemment encore, il écrivait et interprétait avec David McNeil *Seul dans son coin*, une devise pour l'un et l'autre.

Heureuse mélancolie

Souchon chante le plus souvent sur des musiques de Laurent Voulzy. Voulzy interprète presque toujours des textes de Souchon. La même atmosphère nostalgique se retrouve dans les chansons de l'un et de l'autre. Pourtant, ils n'ont ni le même ton ni le même son. Voulzy n'est pas si triste lorsqu'il chante Souchon. Peut-être son personnage est-il plus réconfortant. Là où Alain attendrit et inquiète, Laurent charme et apaise. La noirceur s'efface pour laisser place à une couleur rose à peine ombrée. Le répertoire de Voulzy prend volontiers des teintes pastel.

Fils de la pop et du rock, fasciné par les sonorités des *sixties*, Laurent Voulzy n'a pas suivi un chemin musical identique à celui de « son copain ». Jamais tenté ni par le style rive gauche, ni par la tradition, il est entré de plain-pied dans son époque. Les premières musiques qu'il écrit pour Souchon, les premières chansons qu'il interprète, en sont les preuves évidentes. Il débute en 1977 par un coup de maître, *Rockollection*, hommage-pillage aux vedettes anglo-américaines des années 60, l'équivalent masculin du *Ex-fan des sixties* de Jane Birkin (1978). Le succès est universel : des millions de disques vendus, quelques procès aussi, et le chanteur passe instantanément du statut d'inconnu à celui de star.

Décortiquée, la chanson laisse une impression tristounette : une adolescence banale, marquée par de menus problèmes scolaires et familiaux, des vacances gâchées... Le tout est ponctué de refrains des Bee Gees, des Beatles, etc. Or, ces refrains évoquent des moments de plénitude, voire de bonheur, car ils racontent la jeunesse de toute une génération. Voulzy et Souchon n'ont pas suivi la mode rétro qui, périodiquement, réapparaît. Ils ne l'ont pas non plus réinventée. Ils ont puisé dans leurs souvenirs et le public en a été ravi. Tel est peut-être le miracle Voulzy : il donne des couleurs gaies à la mélancolie.

Comme Souchon, il enregistre peu. Mais chacun de ses albums connaît le même succès, souvent porté par une chanson « locomotive », *Cœur grenadine* par exemple, ou cette curieuse aventure très proche de Souchon première manière, *Karin Redinger*, évocation d'amours aquatiques et platoniques sur un paquebot de luxe, le tout conçu comme une « musicale comédie ». Avec *Rockollection*, une chanson domine son répertoire, *Belle-Île-en-Mer, Marie-Galante*, écrite en 1986, et récompensée par une « Victoire de la Musique ». Peut-être a-t-on voulu ainsi remercier les auteurs d'être restés fidèles à l'enfance.

Cette enfance, dont, chacun à sa manière, Souchon et Voulzy cultivent les regrets, est également le thème favori des interprètes dits « comiques ». Certains utilisent des mimiques et un langage bêtifiants, comme le populaire Carlos, personnage sympathique mais qui, comme il apparaît bien vite, n'œuvre pas dans la dentelle. Consciemment ou non, il se rattache à la vieille lignée des « chanteurs idiots » qui, depuis le début du siècle, déclenchent les rires des masses tandis que quelques intellectuels, avides d'insolite, tentent de décrypter, sans y parvenir, le double ou le triple sens supposé de leur production. Dans l'esprit – si l'on peut dire –, il n'y a pas de différence fondamentale entre *Ah ! les p'tits pois* de Dranem et le *Big bisou* de Carlos.

Richard Gotainer est d'une tout autre espèce. Depuis son premier album, paru en 1977, il cherche à recréer, de façon comique, l'univers enfantin (*Chipie*, 1981). Du collège ou de la pension, on peut avoir deux visions contradictoires : la pesante dictature des pions et de leurs séides, ou les moments de défoulement collectif où l'on s'imagine que tout est permis. Les réunions d'anciens collégiens fusent de souvenirs où alternent toujours les brimades des surveillants et les bons tours qu'on leur a joués.

Cette humeur joviale, le « sacré déconneur » qu'est Gotainer sait aisément l'évoquer. Il retrouve les mots d'enfant que les adultes ont oubliés (*le Taquin et la Grognon*), et les introduit dans ses chansons... Même sa description des *Trois vieux papys* a un côté gamin, potache. Avec son complice Claude Engel, il nous parle « d'un temps que les plus de treize ans ne peuvent pas connaître », pour paraphraser Charles Aznavour.

Pour jouer ce jeu, Richard Gotainer a des prédispositions. Enfant de la publicité, il travaille encore dans des agences où il a appris l'efficacité du message direct et sans apprêts. Le bon texte publicitaire est celui que toute la famille peut comprendre ; il doit donc s'adresser prioritairement à l'enfant. Chaque phrase de *Tout foufou* et du *Mambo du décalco* s'apparente ainsi à un slogan ; on pourrait, sur l'air de *Femmes à lunettes*, mener une pimpante campagne de promotion pour une chaîne d'opticiens !

Entre la pub et la chanson, Gotainer n'établit pas de différence fondamentale. Le sourire vient aisément, et à tous les âges, à l'écoute de son 33 tours consacré à ses messages refusés par les agences de pub. Rien d'étonnant si Uderzo lui confie l'adaptation musicale (sous le titre *Vive la Gaule*) du très célèbre *Astérix le Gaulois*. Ainsi, farfelu, clownesque, traversé parfois d'éclairs poétiques, Gotainer promène sa dégaine de pré-ado poussé trop vite, une grimace sur sa face ahurie, la mélancolie en berne.

L'angoisse du clown

Las ! La mélancolie a la vie dure. Elle nous revient sous les traits d'un jeune homme maladroit, un peu « foufou » lui aussi, qui ne se croyait pas destiné à la scène et qui y est venu pour survivre et trouver l'air dont il avait besoin. Michel Jonasz. Lui aussi alterne les plaintes et les rires. « Smoking rouge, chemise Hawaii bariolée de couleurs trop franches, baskets blanches... Le paradoxe de son habillement égale celui de son personnage. Jonasz fait le pitre... Clown, Auguste, il a tous les traits du farceur, du turlupin, du boute-en-train. Il est l'amuseur public... », écrit Brigitte Kernel[1].

Ce désir de divertir ne laisse pas d'étonner, si l'on songe que Jonasz a conquis son public grâce à son pouvoir d'émotion ; il réveille chez l'auditeur des sentiments cachés d'inquiétude et d'angoisse... On ne croisait chez lui que d'inaccessibles *Super Nana* qu'il fallait supplier : « J'veux pas qu'tu t'en ailles » ; on n'y parlait que de *Tristesse* et *Du blues, du blues, du blues...*, ou de cette « Bague de fiançailles / Posée sur les rails / Coupée net en deux / Par les roues des / Wagonnets... »

En fait, ces deux images de Michel Jonasz se superposent tout en s'opposant. Petit-fils d'émigrés hongrois d'origine judéo-slave, il est né en 1947 à Drancy, une ville sinistrement marquée par la guerre et l'Occupation, puisque les nazis y avaient installé un camp de transit vers les camps de la mort... Michel a vécu à Drancy jusqu'à l'âge de dix ans. Il n'en retiendra pourtant que l'atmosphère de fête qui régnait autour de la table familiale, les odeurs de goulash et de chou farci : « On était bien, au chaud tous ensemble... On était heureux, on s'aimait », confiera-t-il plus tard.

Même ambiguïté en ce qui concerne le premier apprentissage musical. Sur le vieil électrophone familial, on écoute surtout des disques de musique tzigane, avec des violons qui pleurent et gémissent, dans la tradition hongroise... Des airs qui sont là comme pour rappeler une

1. *Michel Jonasz*, éd. Seghers, 1985.

terre lointaine, définitivement perdue : Budapest, ville inconnue où les grands-parents, un peu fous, un peu artistes, se sont rencontrés sur les planches. Michel Jonasz s'est imprégné de ces sons d'Europe centrale, à tel point que certains, à ses débuts, parlaient de lui comme du « tzigane de la chanson française ».

Mais, en même temps, il est un Parisien, qui ne peut ignorer les mots et les rythmes qui plaisent à ses copains d'école. Ses goûts d'alors le poussent vers la chanson « écrite » : Brel, Brassens, Ferré... Mais, depuis le jour où on lui a offert une guitare électrique, il est également attiré par les rockers et les yé-yés... Errant ainsi de Brassens aux Chaussettes noires, il rêve d'un métier artistique, hésite entre la peinture et la chanson et finit par trancher en découvrant Ray Charles qui l'enthousiasme. Il sait jouer du piano, en possède un, électrique, offert par sa mère, et tente sa chance dans un groupe aujourd'hui oublié. Avec son ami Alain Goldstein, il fonde alors son propre groupe, les Lemons, et s'associe à un chanteur noir nommé Vigon... L'affaire tourne court.

Au sein d'une nouvelle formation, le King Set, avec Goldstein à la guitare, Jonasz enregistre un premier disque en 1967. Grand succès radio, mais échec commercial. Jonasz vit les événements de mai sans s'y intéresser. « Pour moi, l'année 68 est celle des ovnis », dira-t-il. Il multiplie les petits métiers : chauffeur, marchand de chaussures, fourreur... Finalement trois paroliers, Frank Thomas, Pierre Grosz et Jean-Claude Vannier, lui permettent de remonter la pente. Après quelques essais entre 1970 et 1973, il sort enfin un 33 tours chez WEA en 1974.

Le succès est modeste, mais prometteur. *Super Nana* et *Dites-moi* séduisent les auditeurs et lui apportent ses premiers fidèles. L'album suivant, *Changez tout* (1975), modifie les données du problème : lentement, patiemment, Jonasz progresse, assure sa popularité et trouve, année après année, les chansons qui lui permettent d'avancer : *Je voulais te dire que je t'attends* (1976), *Du blues, du blues* (1977), *Golden Gate*, avec le Golden Gate Quartet (1978), *Joueur de blues* (1981), *Rock à gogo* (1983), *la Boîte de jazz* (1985).

En outre, il s'est trouvé des orchestrateurs : Jean-Claude

Petit, Michel Bernholc, Gabriel Yared... Il écrit désormais seul la plupart de ses textes et de ses musiques. Sur scène, il rencontre un succès unanime lors de son passage en 1977 au théâtre de la Ville, avant de triompher à l'Olympia en 1983. Trop rond, trop triste aussi, il se sentait mal à l'aise en public. Désormais, il transforme ses défauts en atouts, en les accentuant, jouant sans complexes de ses faiblesses, jusqu'à la caricature.

Le théâtre l'a aidé à surmonter ses inhibitions. En 1979, il joue au théâtre de la Gaîté-Montparnasse dans une pièce burlesque de Didier Kaminka, *Toutes les mêmes sauf maman.* Puis il tourne au cinéma dans *Qu'est-ce qui fait courir David ?* d'Elie Chouraqui, ce qui lui vaut d'être désigné en 1983 « meilleur second rôle de l'année ».

Dans la chanson, son style évolue. Bien avant que se manifeste le *New Age*, il rêve à une nouvelle spiritualité, à de nouveaux moyens d'établir entre les hommes la communication et la paix. Il lit des textes ésotériques, évoque un monde *Uni vers l'uni*, titre d'un album paru en 1985, tendu vers la joie. Mais à Brigitte Kernel[1] il avoue aussi sa tristesse : « C'est vrai... Je ne sais pas faire de la musique gaie. Pour moi, musique est synonyme de " on pleure ". » Enfin, en 1988, il donne le plus célèbre de ses spectacles, *la Fabuleuse Histoire de Mister Swing*, dont l'album se vendra à 300 000 exemplaires. Fin 1992, Michel Jonasz est de nouveau en pleine tournée. Il a encore nombre de choses à dire.

Au sous-sol de la Pizza

Rue des Blancs-Manteaux, en plein cœur du Marais, le quartier historique de Paris. Un petit lieu : au rez-de-chaussée, un restaurant italien peu réputé pour ses qualités gastronomiques ; en cave, une mini-salle de spectacle. Quatre-vingts personnes peuvent y prendre place, assises sur des bancs de bois. Au fond, une régie sommaire. Le tout est d'un confort douteux. Cet endroit fait pourtant partie de la mythologie de la chanson et du spectacle français,

1. *Op. cit.*

pour lesquels il a beaucoup fait. Le rôle qu'avait joué la Vieille Grille dix ans plus tôt, la Pizza du Marais (qu'on appellera plus tard les Blancs-Manteaux) le reprend vers 1975. C'est un banc d'essai. Nombre de vedettes d'aujourd'hui ont fait leurs premiers pas sur la minuscule scène du sous-sol.

Le patron, Lucien Gibara, dit « Gros Lulu » ou « Nounours », est en effet un découvreur-né. A moins de trente ans, il a déjà exercé toutes sortes de métiers : garde du corps, livreur, garçon de café, barman, maître d'hôtel... Mais le spectacle le fascine. A la Pizza de Pigalle où il fut employé, il avait réussi à glisser Maxime Le Forestier et Henri Tachan au milieu des numéros de travestis et de strip-tease. Des ennuis avec la police – qui ne tenait pas à voir les contestataires de la rive gauche affluer dans le quartier de la noce crapuleuse – l'ont obligé à cesser ses activités.

À la Pizza du Marais, qu'il a reprise en compagnie d'un de ses amis médecin, il a carte blanche. Les deux hommes rompront bientôt, faute de tomber d'accord sur le style des spectacles à promouvoir. Des vedettes, tels Maxime ou Tachan, assurent le lancement. Et vogue la galère ! Très vite, le succès vient. On se rend à la Pizza parce qu'on sait par ouï-dire qu'il s'y passera quelque chose et qu'aucun des artistes présentés ne laissera indifférent. En quelques mois s'y succèdent les frères Jolivet, Pierre et Marc, tous deux chanteurs (ils mèneront bientôt des carrières indépendantes, fort éloignées de la chanson) ; les Enfants terribles, groupe talentueux qui se dissoudra en 1975 (ils interprètent pour l'heure un texte remarquable, *la Joshua*, hommage au navigateur solitaire Bernard Moitessier) ; le jeune chanteur suisse Pascal Auberson, très doué, mais qui préférera fuir sa gloire naissante. Quatre jeunes femmes – trois sur scène, une en coulisses –, les Jeanne, créatrices du « féminisme hilare », entament à la Pizza un périple d'une dizaine d'années qui leur permettra de toucher quelque deux millions de spectateurs.

Tout le métier se retrouve à la Pizza : Claude Nougaro, Guy Bedos, Diane Dufresne, Georges Moustaki, Julien Clerc sont souvent au bar, Jean Mercure, directeur du théâtre de la Ville, vient y puiser ses prochaines attractions ;

Jean-Michel Boris, directeur de l'Olympia, y passe fréquemment pour débusquer les talents. La presse est également là, quelle que soit sa couleur politique. Une association de critiques de variétés y voit le jour, longtemps animée par Paul Carrière, chroniqueur au *Figaro*, mais finit par s'effondrer, victime du sectarisme de certains de ses membres.

C'est encore à la Pizza, au début de juin 1975, qu'apparaît sur la petite scène un jeune homme frêle, timide, rongé par le trac et maladroit, Renaud. Sur la tête, la casquette de son grand-père (la « gapette », comme il dit), un petit foulard rouge de voyou au cou, un mégot au coin des lèvres, sur le ventre, enfin, une guitare dont il joue encore mal. Par bonheur, un accordéoniste musette l'accompagne. Dans l'ensemble, le spectacle donne une impression singulièrement désuète. Les mauvais garçons dont il parle ressemblent plus à des apaches début-de-siècle qu'aux loubards de banlieue ; les « anars » dont il se réclame ont terrorisé les Parisiens des années 1900. Il a déjà, même s'il ne le chante plus, écrit un hommage à Ravachol : « C'était un anarchiste / Qu'avait des idées folles, des idées terroristes / Il fabriquait des bombes et les faisait sauter / Pour emmerder le monde, les bourgeois, les curés. » Même son argot, qui évoque les « aminches », les « escarpes » et les « marlous », semble terriblement vieillot. Son album, le premier, qui paraît cette année-là, rend le même son, curieusement démodé. On se rendra compte plus tard qu'il est un précurseur ; quinze ans après, les rockers alternatifs puiseront allègrement au même fonds commun.

Un gamin des fortifs

Contrairement aux apparences – qu'il lui arrive de cultiver –, Renaud n'est pas un enfant de la « zone ». Si son grand-père maternel a été mineur dans les charbonnages du Nord et si sa mère a travaillé en usine, son grand-père paternel était enseignant à la Sorbonne et son père est professeur d'allemand, écrivain, traducteur, auteur de romans policiers. On ne roule pas sur l'or dans la famille, mais on n'y connaît pas la misère. Bien sûr, le petit Renaud a joué, près de la Porte d'Orléans, sur les terrains vagues des « fortifs » (où sont désormais les boulevards périphériques) avec les gosses de la proche banlieue, ceux de Montrouge ou de Malakoff – qui ne sont pas non plus des « zonards ». Leurs parents sont souvent propriétaires de leur pavillon, acquis entre les deux guerres grâce aux facilités offertes par la loi Loucheur.

Mauvais élève au lycée, Renaud y apprend le militantisme, participe aux manifestations contre la guerre du Viêt-nam ou l'armement atomique, aux comités d'action lycéens... En 1968, à seize ans, il occupe la Sorbonne, flirte avec les « maos », mais retrouve vite les « anars » dont il se sent proche et dont il a déjà étudié quelques textes sacrés. Il gratte aussi de la guitare : des chansons de Bob Dylan revisitées par Hugues Aufray ou celles, plus engagées, de Graeme Allwright. Enfin, il propose ses premiers textes, tel *Crève salope*, qu'il interprète devant les occupants de la Sorbonne.

Il chante aussi dans les rues le vieux répertoire populaire, notamment *la Plus Bath des javas.* Il se lie d'amitié avec Romain Bouteille, puis avec Coluche, dont le producteur Paul Lederman, lui permet de se produire au Caf'Conc', la salle qu'il vient d'ouvrir aux Champs-Élysées. En somme, ses premiers pas dans la chanson sont plutôt faciles, même si Renaud doit parfois faire le garçon de café à la Pizza pour boucler son budget. Il joue aussi de petits rôles pour la télévision, travaille un moment à la Veuve Pichard où l'on présente une pièce burlesque de Martin Lamotte, et se retrouve même mécanicien dans un magasin de motos – sa passion.

En 1977, son deuxième album marque un tournant décisif. Plusieurs chansons retiennent l'attention : *le Blues de la porte d'Orléans* où il met en boîte les régionalistes et autres autonomistes ; *Je suis une bande de jeunes (à moi tout seul)* ; *les Charognards* qui met en scène un voyou agonisant à la totale l'indifférence des passants ; et, enfin, *Laisse béton*, une histoire de « dépouille » dans laquelle il remet à la mode le verlan, un jargon disparu depuis un siècle, et reposant sur l'inversion des syllabes. En moins d'une décennie, il deviendra le langage quotidien des banlieues. En même temps, on redécouvre *Hexagone*, une chanson extraite du premier disque : l'un après l'autre, les défauts supposés des Français y sont disséqués.

Dès lors, l'élan est donné. Voilà Renaud parti pour les grands concerts, les tournées triomphales... Succès au Printemps de Bourges en 1978 et 1980, au théâtre de la Ville en 1979, à Bobino en 1980, puis à l'Olympia, au Zénith, etc. Au début des années 80, il est devenu l'idole d'une large fraction de la jeunesse, ce qui le flatte, bien sûr, et pourtant lui déplaît : est-il vraiment persuadé de séduire pour de bonnes raisons ? La question mérite d'être posée après « l'incident » de son deuxième Printemps de Bourges : on applaudit Renaud, « le loubard en cuir », mais on « emboîte » Souchon, « le bourgeois » vêtu « normalement ».

Telle est l'ambiguïté du personnage Renaud : garçon gentil et sympathique, plutôt ouvert et chaleureux, si fragile qu'on pourrait le comparer à Souchon. Il semble se barder de cuir et de tatouages pour se protéger et dissiper les craintes que lui inspirent le monde et la société. D'ailleurs, quand il lui arrive de chanter la tendresse, il fait montre, malgré l'argot, d'une grande délicatesse : qu'on écoute simplement *Chanson pour Pierrot*, *Mistral gagnant* ou *En cloque*... Son amour de l'enfance est très caractéristique : il s'en fait une idée toute rousseauiste, faite de fraîcheur, de pureté et d'innocence corrompues par un monde adulte décadent. De même, il est fidèle en amitié. Lorsque disparaît Lucien Gibara, victime d'un attentat, il est, avec Maxime Le Forestier, l'un des rares artistes à venir lui rendre un dernier hommage.

Un mauvais garçon

Il n'est pas certain que ses admirateurs connaissent vraiment le Renaud amical et chaleureux. Ils préfèrent le révolté, l'insolent, le sarcastique, l'interprète de *Mon beauf*, du *Père Noël noir*, des *Aventures* ou du *Retour de Gérard Lambert* dont le héros, sans la moindre hésitation, « éclate la tête du Petit Prince de mes deux » et de la fille qui lui réclame « dix sacs ». Il leur explique qu'il est naturel de piquer une « tire » parce qu'elle appartient à un bourgeois ou, comme dans *Adieu minette*, de détruire l'appartement d'une copine qui a des parents « bourges ». L'exaltation du mauvais garçon, même moqueuse, est perçue au premier degré par nombre de ses fans. Difficile d'admirer le petit voyou qui vole un sac à main ou le tueur qui « braque » une banque sans se préoccuper des bavures. Une bavure de flic est insupportable ; celle d'un gangster l'est-elle moins ? Évidemment, Renaud explique qu'il ne fait pas partie des loubards, qu'il se contente de les décrire et qu'il les montre plus paumés que méchants. Ce qui est vrai. Il met aussi beaucoup d'humour dans les histoires qu'il raconte, pour gommer leur aspect par trop provocateur...

D'ailleurs, lorsqu'il se prend lui-même pour héros, il se met en scène dans des situations ridicules. Il se fait carrément déshabiller dans *Laisse béton* ; dans *Peau aime*, il se fait tatouer un pigeon sur le dos parce qu'il n'y a pas la place... pour un « aigle aux ailes déployées » ; dans *Buffalo débile*, il parvient tout juste à « casser » trois francs cinquante... Il avoue aussi : « J'suis épais comme un sandwich SNCF... / Demain j'peux tomber sur un balèze / Qui m'casse la tête. »

Mais les contradictions demeurent. Il dénonce *Jojo le démago*, sans réaliser que lui-même pratique une certaine démagogie en livrant à un public, acquis d'avance, ce qu'il espère entendre : une dénonciation du pouvoir, des institutions, de l'armée, du conformisme français. Un peu à la manière d'un Sardou qui lance à son public, politiquement à l'opposé de celui de Renaud : « Mais la France c'est aussi un pays / Où il y a quand même pas cinquante millions d'abrutis. »

Renaud est pacifiste, il le clame, mais, conjointement, il demande : *Où c'est que j'ai mis mon flingue ?* Dans *Marchand de cailloux*, il parle de faire naître des « intifadas partout ». Derrière le terrorisme, pour lequel il ne peut se défendre d'une certaine sympathie, il y a la terreur. Il pourfend, sans doute à juste titre, *Miss Maggie*. A-t-il un mot de compassion pour les enfants assassinés par l'IRA ?

Tout cela, il était nécessaire de le rappeler. Car Renaud, même s'il ne se veut pas maître à penser, l'est devenu. Il n'est pas seulement le « chanteur énervant » que, sincèrement, il croit être. Il est aussi responsable de ce qu'il chante et de ce que comprennent ceux qui l'écoutent. Une vraie responsabilité.

Il n'empêche que, dans l'ensemble, son œuvre est remarquable. Renaud décrit l'époque avec une précision et une justesse rares. Des chansons comme *Dans mon HLM* ou *Banlieue rouge* sont de véritables documents sociologiques, l'humour en plus. L'amitié qui émane de *Manu*, la tendresse amoureuse de *Ma gonzesse* sont tout à l'honneur de « la chetron sauvage » (ainsi qu'il a choisi de se surnommer), même si elles traduisent un comportement amoureux plus que traditionnel. Il dénonce le poids de la famille, mais n'aspire qu'à en fonder une, s'attaque aux coureurs du Paris-Dakar et se lance dans l'aventure de la voile maritime... Méprisant la politique, il s'engage lors des élections. (N'est-il d'ailleurs pas préférable de dire oui à « Tonton » plutôt qu'à Mesrine ?) Bref, Renaud est un homme de contradictions, qui, le plus souvent, fait le bon choix : il est de tous les combats contre le racisme et s'associe aux initiateurs de « Chanteurs sans frontières ». En fin de compte, on l'aime bien. Par moments, on lui souhaiterait un peu plus de cohérence, même si cela doit le conduire à désorienter ses fidèles. Quand on se dit « chanteur énervant », n'est-ce pas d'abord pour énerver son propre public ?

Le prolo de Saint-Étienne

C'est également à la Pizza que l'on commence à écouter un jeune homme grand, costaud et sympathique, Bernard Lavilliers. Ses chansons mêlent, sur des musiques brésiliennes, l'exotisme et la révolte, le dépaysement et la révolution. Lavilliers n'est pas un véritable débutant. Il a déjà fait quelques tournées dans de petites salles, autour de sa ville natale de Saint-Étienne. À Paris, il a fait la manche, a chanté à la terrasse d'un bistrot de Boulogne-Billancourt et donné quelques concerts au Discophage, une petite boîte brésilienne de la rue des Écoles où se retrouvent souvent les musiciens latino-américains. Les réactions favorables laissent déjà présager de l'impact qu'il est capable d'exercer sur un public.

Bernard Lavilliers arrive à la Pizza précédé de tout un passé dont on ne sait trop s'il est authentique ou légendaire. Mais chacun est disposé à croire sur parole le conteur de talent. Fils d'ouvrier, il fut lui-même sidérurgiste à la Manufacture d'État ; cette expérience donnera plus tard un accent de sincérité étonnant à ses couplets consacrés aux aciéries de la *French Vallée* : « C'est vraiment magnifique une usine / C'est plein de couleurs et plein de cris ... / C'est vraiment dommage que les artistes / Qui font le spectacle soient si tristes. »

La boxe lui permet un moment d'améliorer une condition sociale précaire. Insoumis, il est presque voyou, emprisonné par l'armée alors qu'il « galère » aux environs de Marseille. Mai 68 le découvre violent. Auparavant, sur un coup de tête, il est parti pour le Brésil, où il a oscillé entre l'emploi, peu accessible, de docker, et celui, plus courant, de *tropical tramp* – « clodo des Tropiques » –, avant de prendre le volant d'un vieux camion brinquebalant vers les terres arides du Nordeste... De ces aventures plus ou moins réelles, il revient avec des musiques, des rythmes et des images qui vont bientôt enthousiasmer les foules.

La force de ses textes y est sans doute pour quelque chose. Dès son premier album, sorti en 1968 et passé inaperçu, on se rend compte qu'un véritable auteur est né, bien qu'il ne fasse pas montre immédiatement de toutes ses qualités. Mais les balbutiements laissent déjà percer beaucoup de promesses. Dans les deux disques suivants, parus en 1972 et 1975, les recherches sont plus poussées, les phrases plus originales, les aventures plus pathétiques. « Dès que j'ai commencé à écrire des chansons, dit-il, j'ai voulu raconter ce que j'avais vécu, ce que je ressentais. A ma façon. Brutale ! » Ainsi *Brazil 72* ou la *Grande Marée...*

C'est en 1976, avec le disque *les Barbares*, et l'accueil obtenu aux Blancs-Manteaux, que son succès se confirme. L'album est sorti chez Barclay, sous les auspices d'un nouveau directeur artistique, Richard Marsan – récemment disparu –, l'ami et le confident de Léo Ferré, modèle avoué de Lavilliers. Les titres évoquent la prison (*Haute Surveillance*) et le ghetto (*la Zone*). La drogue aussi, pour dénoncer une pratique encore tabou (*Berceuse pour une shootée*)... Plus tard, dans l'une de ses plus belles chansons, *Betty*, qui paraît s'adresser à une taularde, Lavilliers racontera, sur un ton consolateur, l'histoire d'une amie dopée et paumée : « Betty, faut pas trembler / Tu sais / On se retrouvera là / Ailleurs, en plein soleil. »

C'est plus encore à son abattage sur scène qu'il devra sa fulgurante ascension. Du théâtre de la Ville au Palais des Sports (1981), les salles deviennent de plus en plus vastes, de plus en plus bondées, de plus en plus enthousiastes. Lavilliers y impose son *look* : pantalon et blouson de cuir balafré de fermetures métalliques ; blouson qui volera, laissant voir un torse aux muscles saillants serrés dans un T-shirt et des biceps puissants, fuselés comme des obus. Il se meut avec la souplesse d'un félin, d'un grand *Fauve d'Amazone*. A l'oreille, il porte l'anneau de Corto Maltese, héros de bande dessinée et symbole du voyageur impénitent. Chaque fois, c'est un triomphe. En 1980, à la veille de son Palais des Sports, Robert Mallat, dans *le Point*, résume ainsi la carrière de Bernard : « Le théâtre de la Ville en 1977 : comble ; l'Olympia en 1978 : triomphal ; l'hippodrome de Pantin en 1979 : colossal. » Jamais Lavilliers ne s'est senti en accord aussi total avec son public.

C'est pourtant là que le bât blesse. Son look, sa tenue de scène semblent rituels. Il les revêt comme le torero son habit de lumière, pour accrocher le soleil des projecteurs... Peut-être aussi pour exorciser la peur. Un interprète qui travaille ainsi son animalité et joue avec les nerfs des spectateurs sait qu'il ne peut se permettre la moindre faiblesse, et que, s'il lâche pied, il risque d'être dévoré. Son magnétisme n'en paraît que plus artificiel : Lavilliers s'astreint au *body-building* pour demeurer le « métallo » qu'il fut !

Le globe-trotter et le collecteur de sons

Même les voyages ont pour lui changé de sens. Véritables aventures du temps où il roulait sur les pistes brésiliennes et découvrait la salsa dans les quartiers portoricains de New York, ils sont devenus simple détente. Il lui arrive bien d'aller rôder dans les ruelles mal famées de Kingston (Jamaïque) lorsqu'il y enregistre un disque, ou de croiser en Afrique des guerriers masaï ; mais son aisance financière nouvellement acquise (et que personne ne peut lui reprocher) le range désormais parmi les nantis et les protégés. Quand il lance à son public : « A Kingston, il y a une ville basse où s'agglutinent les miséreux, et une ville haute pour les riches. Un jour, les gens du bas envahiront les rues de la haute ville pour mettre la main sur tout ce qui leur a été volé », il se fait le chantre d'un monde auquel il n'appartient plus.

Cette contradiction n'est pas la seule. Aux spectateurs, il lance : « N'appartiens jamais à personne », et il le pense. Mais ses rythmes lancinants, la force de conviction de ses textes sont tels que son jeune public danse dans la salle... Il les possède. Ils lui appartiennent. Pourtant, n'a-t-il pas consacré bon nombre de ses chansons à dénoncer les *Pouvoirs*, à évoquer *Big Brother*, ce personnage de George Orwell dont la toute-puissance se manifeste insidieusement. N'a-t-il pas exalté l'individualisme ?

Tout aussi étrange est la fascination qu'exercent sur lui les armes en tout genre, le calibre, la lame et même la mitrailleuse. Bien sûr, certaines de ses chansons le situent aux côtés des victimes, face aux armes... Mais, le plus souvent, le calibre est dans sa main et, lorsqu'il évoque le soldat guettant les guérilleros derrière sa mitrailleuse, il prend soin de se trouver du bon côté du canon... « Déjà, écrit-il, l'ombre glisse sur l'acier de mon automatique. » L'arme est là pour exterminer, pour liquider (« Trafic, vertu, j'aime ou je tue. ») Elle strie de ses traces écarlates les amours et les joies du héros (« sanglant rasoir, éclair rasant, comme un foulard sur ton cou blanc. ») Elle annonce la fin : « Si tu prends ma machette juste entre les oreilles, c'est fini pour la fête. » Ses voyages ont cessé d'être des aventures. On a moins foi en ses exploits, qu'il détaille toujours aussi complaisamment. Mais quelle importance ? Les romans de Malraux, les récits de voyage de Blaise Cendrars ont-ils perdu de leur force lorsqu'on s'est aperçu que leur auteur avaient « amélioré » leur rôle ?

Certains textes de Lavilliers font figure de bons reportages – notamment sur la « nouvelle barbarie ». Un voyage au Salvador, en proie aux fureurs révolutionnaires, lui inspire un texte qu'il offre au journaliste Jacques Erwan et à l'équipe de *Paroles et Musique* : « J'ai vu l'horreur / J'ai vu du sang / J'ai vu des mômes avec des *machine-guns* / J'ai vu des cadacres pourrir au bord des routes. » Partout où il va, il croise, même s'il ne les rencontre pas vraiment, ces « frères autonomes », ces « sœurs de la zone », ces « aventuriers de l'entresol », ces « barbares aux couteaux étoilés ». Il avoue : « Je suis nomade comme on est syphilitique. »

Il ramène aussi des portraits de femmes attirantes, séduisantes, inquiétantes comme des héroïnes de série noire. Traîtresses aussi : « Petit monstre, petit monstre, pourquoi m'as-tu donné ? » Hésitant entre la femme-escale et la femme-refuge, il laisse à l'existence le soin de trancher. A celles qui, comme lui, attendent et ignorent, il lance, narquois : « Si tu n'en veux pas / De cet amour-là / Faut pas venir dans mon hamac. »

Ses voyages sont enfin l'occasion de découvrir de nouvelles musiques. Puisées dans les ghettos, où elles sont le seul moyen de libération, elles se nomment samba, bossa nova ou reggae et reconstituent en quelque sorte l'atmosphère des faubourgs miséreux du Saint-Étienne de son enfance. Un moment, Lavilliers a cru les réunir dans le rock'n'roll, musique populaire hybride. Il en est moins sûr maintenant, bien qu'il les maintienne à son répertoire.

Accompagnées par une énorme sono, par les tam-tams de Doudou N'Diaye Rose ou par une simple guitare, assaisonnées à la sauce salsa, reggae, samba, rock ou blues, ses chansons ont, elles aussi, pris du muscle. Il les avait trouvées au hasard de ses vagabondages en Amérique latine et Amérique du Nord, en Jamaïque... En voici de nouvelles, puisées dans le quartier chinois du XIIIe arrondissement de Paris, ou, plus loin, au Viêt-nam. A chacun de ses retours, son répertoire s'enrichit. De *Capoeïra* à *Rue de la Soif*, de *Fortaleza* à *Pigalle la Blanche*, on pourrait presque tracer un exact portrait du héros. Il remet à l'honneur *If*, le célèbre poème de Rudyard Kipling – chantre de l'impérialisme britannique –, mais, presque en même temps, il écrit quelques beaux vers qui donnent à la chanson française un supplément de grandeur : « De n'importe quel pays, de n'importe quelle couleur / La musique est un cri qui vient de l'intérieur. »

Les ciseleurs de ritournelles

Cette galerie de portraits serait incomplète sans la silhouette d'un garçon fort différent des précédents, Yves Duteil. Il ne possède ni la musculature ni le goût de l'errance de Lavilliers, ni le mélange d'audace et de passéisme de Renaud, ni la désespérance ironique et novatrice de Souchon. C'est un homme normal, moderne d'inspiration et traditionnel de style. Il est le sage héritier de la bonne chanson française, descendant de Trenet, Mireille, Jean Nohain et, plus près de nous, Georges Brassens. Ce n'est d'ailleurs pas un hasard si, dans l'ensemble acoustique qui l'accompagne, la guitare est confiée à Joël Favreau (lui-même auteur-compositeur), qui fut le guitariste de Brassens. La trame musicale de ses chansons traduit ce classicisme. S'il flirte un peu avec le *folksong*, s'il se sent séduit par le jazz, la mélodie, à la fois neuve et héritée de siècles de chanson française, est son principal moyen d'expression. Il est, a-t-on dit, un « ciseleur de ritournelles », un bon artisan qui fignole ses vers et qui choisit ses notes en fonction de ce qu'il cherche à exprimer.

Ainsi s'explique l'immense popularité qu'il a acquise auprès du public. Il figure toujours aux premières places dans les sondages sur les goûts musicaux des Français, et *Prendre un enfant par la main* est une de leurs chansons favorites. D'où, aussi, l'hostilité que lui manifestent certains critiques « branchés ». On trouve le personnage trop sage, trop gentil, ses couplets trop bien écrits, ses musiques trop simples. On lui cherche en vain des aspérités, des défauts, des tics de langage censés affirmer sa personnalité. La mode n'aime pas les gens qui suivent leur chemin sans tenir compte d'elle.

Jeune, il découvre les Beatles, Bob Dylan, Hugues Aufray et, plus surprenant, Offenbach, qui lui inspirera plus tard quelques musiques guillerettes et sautillantes. On lui offre une guitare, il se met à écrire et à composer. Curieusement, ce futur défenseur de la langue française écrit en anglais une de ses premières œuvrettes, aujourd'hui oubliées. Au lycée, en 1966, il participe à la création d'un petit orchestre dont la renommée restera limitée. Il vit dans un quartier « provincial », petit-bourgeois, près du square des Batignolles, auquel il rendra plus tard hommage.

Mai 68 marque la rupture avec la grisaille ambiante. Il observe plus qu'il ne participe et en tire une leçon définitive : s'il continue dans la chanson, il ne deviendra jamais un chanteur engagé. Il s'y tiendra durant toute sa carrière.

Ses débuts, difficiles, s'effectuent dans les cabarets rive gauche, vieillissants et mauvais payeurs, ainsi qu'aux terrasses des bistrots et dans les restaurants, où ses chansons sont mieux récompensées. Le répertoire de ses idoles fait place progressivement à ses propres compositions qu'il joue dose homéopathique. Il est vrai qu'il passe un temps fou à écrire ses textes : c'est un maniaque, un perfectionniste qui sans cesse recherche le terme adéquat.

Se trouver une maison de disques constitue une autre difficulté. Duteil n'appartient à aucune des catégories qui laissent espérer un minimum de succès : il n'est ni yé-yé, ni post-yé-yé, ni révolutionnaire... Il refuse la violence du rock, comme toute forme de virulence. Son répertoire naissant lui ressemble : discret, inspiré par la vie quotidienne, porteur d'espoir plus que de révolte. Un producteur, Frédéric Botton, lui permet d'enregistrer un premier disque. Dans cet album, *Virages*, destiné à devenir sa chanson fétiche : une histoire d'amour racontée simplement, des gestes de tous les jours : la nuit, une route, un garçon qui conduit, une fille appuyée sur son épaule...

Dès lors tout va aller très vite. Au Festival de Spa, en 1974, il remporte à la fois le Prix de la meilleure chanson et le Prix du public. Spa est alors un excellent tremplin pour les jeunes interprètes : les quatre radios publiques de langue française qui patronnent la manifestation s'engagent à diffuser massivement les disques des vainqueurs. En 1977, Yves Duteil est au théâtre de la Ville, en 1979 au théâtre des Champs-Élysées. Cette même année, il est sacré meilleur vendeur de 33 tours en France. Dès lors, malgré quelques creux, fréquents dans le métier, il se maintiendra toujours près des sommets.

S'il n'aime pas le voyage en soi, ni pour l'aventure, ni pour le tourisme, il adore en revanche les tournées et le contact privilégié avec un public auquel, pourtant, il se livre peu. Il ne dialogue pas, ne commente pas ses textes, par pudeur. Il voudrait cependant apparaître comme un descendant des troubadours et des trouvères qui s'en allaient porter leurs chansons d'une région à l'autre.

Très vite, son répertoire s'est fixé. Il écrit des chansons comme on peint des tableaux, à petites touches. Il raconte l'enfance, comme dans *Prendre un enfant par la main*, bien sûr, mais aussi dans *Petite Fille, Marie merveille Marie bonheur* ou encore *la Tendre Image du bonheur.*

Ses goûts sont bucoliques. Il parle de la Normandie, où il vit, avec un lyrisme retenu, trouve dans le passé des sources d'inspiration (*le Petit Pont de bois, le Mur de lierre*), présente dans *l'Écritoire* toute une vie d'homme (« Le jeune homme écrivait penché sur l'écritoire / Éclairé de la rue par une aurore avare »), et fait danser à ses fidèles une *Tarentelle* endiablée.

Pour les mots, il éprouve une véritable passion : « Pour amis j'ai des mots », écrit-il. Il sait les employer gravement quand c'est nécessaire, ou jouer avec. Boby Lapointe est l'un de ses modèles, dont il ne craint pas de s'inspirer, comme dans *Un lilas pour Eulalie* (« Suis allé à l'îlot cueillir un lilas / Un lilas pour Eulalie ») ou dans *la Maman d'Amandine* (« La maman d'Amandine / Veut que son amant dîne / Amandine a dit non »). Il compose même une chanson à la gloire de *la Langue de chez nous*, dont Bernard Pivot s'empare pour illustrer son émission Apostrophes. Caution sérieuse que Duteil apprécie à sa juste valeur, sans trop la prendre au sérieux. Il pratique volontier l'autodérision, n'hésitant pas à reconnaître les limites de sa production, notamment dans *J'ai la guitare qui me démange* et surtout dans *les P'tites Casquettes.* Il aime la chanson, sans la sacraliser. En réalité, il offre à ses admirateurs ce qu'ils attendent : un peu d'amusement, des touches d'émotion, une sensation de bonheur. Certains chanteurs agacent, agressent ou révoltent. Duteil, lui, apaise.

Un dernier amoureux des mots, plus sarcastique, plus impitoyable celui-là : Gilbert Laffaille. Cet homme de talent et d'humour démarre en force grâce à une chanson féroce sur les goûts de chasseur d'un ancien président de la

République (*le Président et l'Éléphant*) et se maintient au sommet pendant quelques années, soutenu par un répertoire sans concession. Puis, sans qu'on comprenne bien pourquoi, il disparaît des ondes, et c'est en vain qu'il essaiera de retrouver son succès d'autrefois. Pourtant, écrite voici treize ans, sa chanson *Neuilly-blues* apparaît comme une charge bien plus corrosive que le fameux rap *Neuilly-Auteuil-Passy* des Inconnus, pourtant de la même veine.

20.

MAXI ET MINIMALISTES

L'épopée Starmania

Starmania est avant tout un album dont, des mois durant, on a entendu les chansons sur les ondes. Un disque-concept, une aventure dont chaque air et chaque couplet s'inscrivent dans une suite logique. Cependant, chaque chanson a été conçue pour mener sa propre vie. De fait, *Quand on arrive en ville, les Uns contre les autres, le Blues du businessman, le Monde est stone, les Adieux d'un sex-symbol* grimpent successivement dans les hit-parades, visiblement destinées à devenir des classiques, des standards, comme on dit dans le métier.

A l'origine de l'œuvre, une rencontre, celle de Michel Berger – qui en écrira la musique – avec le parolier québécois Luc Plamondon. Plamondon, dans son domaine, est un « grand » : au Québec, il a écrit pour de nombreuses vedettes, a contribué à faire de Diane Dufresne la star qu'elle est devenue. En France, il a travaillé avec Julien Clerc, Catherine Lara, Barbara... Ensemble, Berger et lui imaginent une fable qui met en scène quelques-uns des profils types de l'époque : le jeune rebelle mi-loubard mi-terroriste, style Brigades rouges ; l'animatrice vedette de la télévision ; l'homme d'affaires qui a réussi ; la star qui craint la décadence ; la serveuse de bistrot muée en automate... Dessinés à gros traits, rappelant la bande dessinée, ces personnages apparaissent comme des symboles, les silhouettes d'un temps qui s'annonce. Souvent, le portrait s'apparente à la caricature. En témoignent les noms donnés aux personnages, tels Johnny Rockfort le rebelle ou Zéro Janvier le *businessman*. Pourtant, on croit volontiers à ces personnages typés, tant les chansons qu'ils interprètent sont chargées d'émotion, de tendresse ou de violence.

Au moment où il est conçu, le récit se rapproche d'un roman d'anticipation. Si les terroristes gauchistes voyous existent déjà, si Patricia Hearst, fille du magnat de la presse américaine, a connu un sort semblable à celui de Crystal, l'héroïne de *Starmania*, on n'imagine pas alors la toute-puissance de la télévision et de ses vedettes ni la « starification » des chefs d'entreprise. C'est peut-être ce qui provoquera la mauvaise humeur, voire la hargne de certains critiques.

Bouderie de quelques médias, enthousiasme du public. Le spectacle donné au Palais des Congrès à l'automne 1979 est somptueux. Plus encore que la beauté de la réalisation, la force du sujet, la richesse musicale et la qualité de l'interprétation en sont l'explication. Le héros est campé par un débutant prometteur, Daniel Balavoine ; la « servante automate », Fabienne Thibeault ; l'animatrice de télé, France Gall ; Diane Dufresne joue, comme il convient, le *sex-symbol*. Étienne Chicot a repris le rôle du *businessman* interprété sur le disque par Claude Dubois. Enfin, Nanette Workman endosse la peau d'un étrange androgyne, inquiétant et fascinant.

Un mois de présence au Palais des Congrès, plus de 100 000 spectateurs, un album qui culmine dans les hit-parades... On est loin de l'échec annoncé par les oiseaux de mauvais augure. D'autant qu'il ne s'agit que d'un début. Deux fois, le spectacle est repris au Québec, déclenchant la même ferveur populaire. En France, où il revient en 1988 précédé d'une réputation légendaire, il remporte un triomphe. L'époque n'est plus la même. Ce qui apparaissait comme une lointaine utopie est devenu une réalité quotidienne. On idolâtre aujourd'hui les stars du petit écran que les chaînes se disputent à coups de cachets mirifiques ; les politiciens soignent leur *look*, apprennent à se tenir devant une caméra ; les terroristes envoient aux télévisions des cassettes vidéo qui sont d'authentiques programmes ; les journalistes rivalisent d'adresse pour obtenir l'interview de tel dictateur ou de tel assassin, promis, pour quelques instants, à la célébrité. Quant aux hommes d'affaires, si discrets jadis, ils « communiquent ». Le summum est atteint le jour où Bernard Tapie, *golden boy* comblé et futur politicien, chante *le Blues du businessman* face aux caméras de la télévision : « J'aurais voulu être un artiste ! »

En un mot, l'époque est propice à la seconde représentation de *Starmania*, qui restera plus de six mois à l'affiche du théâtre de Paris, d'abord, puis au Marigny. Le spectacle a été allégé, et de nouveaux venus ont remplacé les vedettes d'hier : Maurane, Martine Saint-Clair, Norman et Richard Groulx, Sabrina Lory... Cette fois, la presse n'ose plus s'attaquer à *Starmania* : les chansons sont désormais trop célèbres. Bientôt une version anglaise voit le jour, *Tycoon*, interprétée par une équipe prestigieuse (Nina Hagen, Tom Jones, Willy DeVille...) ; Cyndi Lauper fait un tabac dans les pays anglo-saxons en reprenant *le Monde est stone (The World Is Stone)*. Une belle revanche pour Plamondon. Et pour Berger.

Un mal aimé

Michel Berger s'attendait à l'accueil mitigé de la presse. Il a toujours été le mal-aimé des médias. Quoi qu'il fasse, et quelle que soit la qualité des chansons qu'il écrit pour les autres et pour lui, il provoque immanquablement l'hostilité. Sans doute est-il trop doué, a-t-il trop de facilité pour composer pour tous les profils. Ou est-il trop sage et discret, pas assez excentrique ? On lui jalouse aussi la multiplicité de ses talents : il est à la fois compositeur-auteur-interprète, producteur de disques et de spectacles, metteur en scène et réalisateur. A la fois saltimbanque et financier.

Mais ce qu'on lui reproche le plus, insidieusement, c'est encore d'être issu d'un milieu bourgeois : l'époque exige que soient affichées des origines prolétaires. Or, le père de Michel Berger, Jean Hamburger, est un grand professeur de médecine, et sa mère, Annette Haas, une pianiste concertiste. Des tares impardonnables.

Berger tient du surdoué, de l'inspiré, du magicien capable de transformer en or tout ce qui lui passe par les mains. Du domaine qu'il s'est choisi, la chanson, il explore chaque recoin avec une passion inaltérable, une même méticulosité, un même bonheur. Pointilliste et audacieux, il sait programmer une opération de marketing, mais aussi tout risquer sur un coup de poker. « Faire tout, dit-il, c'est le seul moyen de rester indépendant, d'adopter, sans tenir compte des ukases, ce qui vous convient le mieux. »

Tout jeune, environné de musique, il s'est enthousiasmé pour elle. Mais le rituel, la solennité des grands concerts le rebutaient, et il n'avait guère envie de jouer les œuvres des autres. Il veut créer, même s'il est, surtout au départ, conscient de ses insuffisances. Il cherche sa voie, écoute attentivement Georges Brassens, découvre enfin Ray Charles, puis Bill Haley. Une révélation : c'est par le blues et le rock que passera son chemin.

Il débute très tôt. A seize ans, son premier disque figure dans la *play list* de *Salut les copains*, Bible de la génération yé-yé. *S.L.C.* est d'ailleurs longtemps son principal soutien. Parmi les nouvelles vedettes adolescentes, souvent frustes, il fait un peu figure d'intellectuel, tout comme son amie Françoise Hardy. Toutes les expériences le tentent. « J'avais publié, sous le nom de Jérémy Faith, un super-tube qui s'était vendu à un million et demi d'exemplaires. J'étais riche avant de devenir adulte », confiera-t-il plus tard.

Il compose, il écrit et, sans trop y croire, poursuit ses études : un moyen de rassurer sa famille, inquiète de le voir emprunter des chemins de traverse. Il entreprend même une maîtrise de philosophie sur le thème : « Esthétique de la pop music ». Il s'y livre à un examen comparatif des deux derniers albums de Jimi Hendrix. Mais sa grande affaire reste la musique. Curieusement, Bourvil sera son premier interprète : « Ce n'était pas mon style, mais il était très gentil, se souvient Berger. Je lui ai proposé une chanson bizarre, sur une musique d'inspiration africaine, *les Girafes*. Elle a marché. »

Comme tout ce que Michel Berger entreprend. Il demeure pourtant insatisfait. Il se juge trop dans la norme, pas assez original. Ses ambitions en font un risque-tout. Nous sommes en 1971. L'idée d'associer la musique classique et la pop fait son chemin. Il est l'un des premiers à oser la réaliser. Il loue la salle Pleyel, engage un orchestre symphonique et quelques-uns des meilleurs musiciens pop du moment. Ainsi naît le concerto *Puzzle*, œuvre étrange et « flop » complet, engloutissant d'un coup des années de recettes. « Le bide du siècle », dira-t-il plaisamment.

Bientôt Michel Berger rencontre Véronique Sanson (dont il devient le producteur). Ils trouveront ensemble leur style, leur ton et leur originalité respectifs. Pour Françoise Hardy, il écrit plusieurs chansons, dont l'une, *Message personnel*, la relance d'un coup. Berger enregistre, lui aussi, mais ses propres textes n'obtiennent qu'un succès limité. Ils contiennent pourtant en germe tous les éléments qui vont faire de lui une vedette.

L'essor d'un grand

Ses rapports avec la presse « branchée » se sont envenimés. Les journalistes lui auraient pardonné d'être resté un yé-yé comme les autres. Mais, qu'il cherche à inventer une nouvelle musique, qu'il la nourrisse de phrases intelligentes est insupportable à leurs yeux. D'autant qu'il a, sans doute mieux que la plupart d'entre eux, compris l'apport musical américain, et qu'il sait l'intégrer à ses propres compositions.

Il ne vient à la scène que tardivement, en 1980, au théâtre des Champs-Élysées. Autour de lui, des musiciens de rock et l'orchestre des Concerts Colonne. Une revanche prise sur *Puzzle* ; il a mêlé les genres et les styles, les a réunis dans une grande fête de la musique. Le risque est grand de paraître trop fragile au cœur de cet ensemble impressionnant. Mais la salle est pleine à craquer. En 1982, Berger est à l'Olympia, en 1983 au Palais des Sports, en 1986 au Zénith... Chaque fois, le succès, et l'éreintage en règle dans la presse. Il laisse dire. Surtout, pas de polémique. Pas le temps. Berger est un foudre de travail.

Il permet à France Gall, qu'il épouse en 1976, d'abandonner les rôles de fillette insolente et d'ingénue libertine de son adolescence. Il lui forge une personnalité nouvelle, lui offre de très bonnes chansons, telles *Il jouait du piano debout*, *Résiste*, *Musique* et surtout *Cézanne peint* : « Cézanne peint / Et il éclaire le monde / Pour nos yeux qui ne voient rien / Si le bonheur existe / C'est une épreuve d'artiste... » Il produit et met en scène les spectacles qu'elle donne.

Pour Johnny Hallyday, qui cherche à renouveler son

personnage, il réalise un grand disque, *Rock and roll attitude*, dont une chanson, *Quelque chose de Tennessee*, rejoint les anthologies. Il met en scène le récital qui suit, le plus sobre et le plus efficace des shows de Johnny. On avait pourtant voué à l'échec la collaboration de ces hommes si dissemblables.

Il tente, avec Luc Plamondon, de renouveler l'exploit de *Starmania*. Ensemble, ils écrivent *la Légende de Jimmy*, une histoire inspirée de la vie de James Dean. Malgré d'étonnants décors, une mise en scène efficace de Jérôme Savary, de bons acteurs-chanteurs (Renaud Hantson, Diane Tell), ce n'est qu'une demi-réussite. James Dean n'est pas encore entré dans la mythologie française.

Il ne se décourage pas, menant une course folle contre la montre. En 1992, il sort un CD, *Double Jeu*, en duo avec France Gall, prévoit un spectacle commun dans une salle à dimensions humaines, se prépare à tourner un film... On le reconnaît partout dans le monde comme un grand compositeur (« un des meilleurs qui soient » selon Elton John) et comme un vrai parolier. Même en France, les réserves de la critique se font plus discrètes. Dans la nuit du 2 au 3 août, une crise cardiaque le terrasse. Il avait quarante-cinq ans et encore beaucoup à donner. Un créateur talentueux est parti. Il aura marqué durant un quart de siècle la chanson française.

Michel Berger a aussi joué un autre rôle. Il est de ceux qui ont donné un sens nouveau à l'engagement des artistes. Dans les années 70, l'engagement est essentiellement politique : c'est François Béranger le révolutionnaire, Higelin oscillant entre toutes les tendances de l'extrême gauche, Maxime Le Forestier pacifiste et non violent, sans compter les écolos, les régionalistes, etc. Dans les années 80, tout change : aux grandes idées succèdent les grandes causes, l'aide à l'Afrique affamée, la lutte contre le racisme et pour les droits de l'homme, etc. On soutient les organisations non gouvernementales, Amnesty International, Médecins sans frontières (M.S.F.), Médecins du monde... Une soixantaine d'artistes participeront au Gala des Potes en soutien à S.O.S. Racisme. Par centaines, les gens du show-business s'engagent dans les Restos du cœur lancés par Coluche.

Devenir une idole

Poussé par Valérie Lagrange, Renaud a été le premier à donner l'impulsion, reprenant d'ailleurs des initiatives venues des pays anglo-saxons. Enregistré par une trentaine d'artistes, le disque *Chanteurs sans frontières* connaît un succès considérable et apporte un soutien efficace à M.S.F. Il provoque toutefois une polémique, car quelques chanteurs classés à droite n'ont pas été contactés... Bientôt, on assiste à une véritable spécialisation de la charité : le sympathique Jean-Luc Lahaye, qui connaît une période faste en 1985-1986 avec un répertoire sincère et tristounet, écrit un *best-seller* sur son enfance de pupille de la D.D.A.S. (*Cent familles*) et se bat pour que se multiplient les maisons d'accueil destinées à l'enfance défavorisée ; Line Renaud et Barbara font leur la lutte contre le sida et Régine la guerre contre la drogue... La liste est loin d'être exhaustive.

A l'été 1985, Daniel Balavoine assiste, à Wembley, en Angleterre, à un grand concert organisé par l'association humanitaire Band Aid qu'anime le chanteur de rock Bob Geldof, au profit des populations d'Éthiopie. Il en revient avec une idée qu'appuieront aussitôt Richard Berry, France Gall et Michel Berger : la création des comités Action-École. Le but premier est de recueillir dans les établissements scolaires des dons et de la nourriture. Très vite, cet objectif est dépassé : il faut aller plus loin, sensibiliser les enfants des écoles aux problèmes de la sécheresse et de la famine. Balavoine a, lui, d'autres objectifs : profiter du rallye Paris-Dakar pour montrer la réalité africaine dans des émissions destinées aux radios locales, et mettre en place des pompes à eau solaires dans chaque village traversé par le rallye. Sa mort tragique, en janvier 1986, ne signe pas l'arrêt des efforts entrepris. Michel Berger et France Gall poursuivront l'expérience Action-École, la fondation Daniel Balavoine celle des pompes solaires.

Dès la première moitié des années 80, Daniel Balavoine est l'un des personnages les plus marquants de la chanson. Contradictoire. Enfant – il a seize ans en 1968 –, il participe déjà aux mouvements lycéens révolutionnaires mais rêve de devenir député. Rebuté par les difficultés, il se réfugie alors dans la musique et anime les bals du samedi soir. En 1971, monté à Paris, il travaille avec le groupe Présence qui disparaîtra très vite. Il joue un petit rôle dans *la Révolution française*, une comédie musicale présentée au palais des Congrès. Il devient ensuite choriste de Patrick Juvet, vedette considérable en 1973 et 1974, dont certains imaginent qu'il peut être l'un des successeurs de Claude François.

En 1975, Balavoine enregistre son premier album, *De vous à elle en passant par moi.* Le deuxième, en 1977, est beaucoup plus ambitieux : *les Aventures de Simon et Gunther* a été conçu comme un album-concept, l'histoire de deux frères séparés par le mur de Berlin. Courageux, généreux, sensible, n'ayant pas peur de heurter, Balavoine précise son personnage public et aligne ses atouts : une sincérité totale, une voix d'une tessiture étendue, passant d'un coup des graves aux aigus, et surtout une musique qui, tout en empruntant au rock, est originale et demeure profondément française. Aux Victoires de la Musique 1985, il répondra à Henri Salvador, annonçant la mort de la chanson française atteinte d'« anglo-saxonnite » : « A propos de la chanson française, on est ici assez nombreux à penser qu'on est bien assez grands pour se défendre [1]. »

L'année 1978 marque le tournant de sa carrière. Il enregistre et joue *Starmania* : un rôle qu'il tient magistralement, bien que son physique plutôt rond et rassurant n'évoque pas précisément celui, qu'on imagine ascétique et inquiétant, d'un chef terroriste. Vient surtout son premier énorme succès, *le Chanteur,* « en rien autobiographique » à l'en croire. Comment ne pas le regarder comme tel ? Balavoine est le premier à oser crier qu'il veut « réussir [sa] vie », « être beau, gagner de l'argent », « devenir une idole ». Un texte tout à fait dans l'air du temps – quoique piqué d'ironie – qui exalte les gagneurs, les ambitieux, les gens prêts à tout sacrifier pour « arriver »... Comme est dans l'air du temps l'attitude inverse, celle de Johnny Rockfort, le héros désespéré de *Starmania.* Balavoine perce au moment où les punks gémissent « *no future* » et où les

1. Cité par Geneviève Beauvarlet, *Daniel Balavoine*, éd. Seghers, 1986.

futurs *golden boys* exultent : « L'avenir est à nous ! » Il choisit même d'endosser les deux défroques, bien qu'il se sache davantage battant que battu.

Un contradicteur contradictoire

Contradictoire, il l'est à chaque moment de sa vie. Individualiste proclamé, il cherche à secourir les autres. Il aime les belles voitures, participe deux années de suite au Paris-Dakar (que Renaud dénoncera bientôt, avec une violence attendue) mais s'intéresse, au contraire des autres coureurs, aux à-côtés de la course. Il parle de réussite, mais ironise : « Je veux de l'or. » Il feint de ne pas s'engager, mais écrit un texte bouleversant sur la famine en Afrique : *Un enfant assis attend la pluie.* Enfin, il crie : « Je ne suis pas un héros ! » Malgré lui, il l'est devenu pour des centaines de milliers d'adolescents.

C'est que, outre sa voix très attachante, Daniel Balavoine est également un orateur-né. Il parle bien et fort. Quelques incidents émaillent sa carrière et font de lui, presque inconsciemment, le porte-parole de sa génération. Le 16 mars 1980, il participe au journal d'Antenne 2 en compagnie de quelques interlocuteurs, dont François Mitterrand, futur candidat à la présidence de la République. On ne le laisse pas parler. Il intervient vigoureusement, rappelant que rares sont les jeunes qui s'intéressent à l'objet du débat, en l'occurrence l'attitude de Georges Marchais, secrétaire général du parti communiste, pendant l'Occupation. Il récidive en 1983, au moment de la mort de cinquante-huit soldats du Liban, en s'en prenant aux anciens combattants, coupables, selon lui, de se féliciter « alors que les jeunes trouvent chaque jour la mort sur une planète qui se transforme de plus en plus en poudrière ».

En vérité, son franc-parler, voire son agressivité, masquent mal que l'amour est la grande affaire de sa vie et de ses chansons. Pas l'amour mièvre des chanteurs de charme, ni l'amour idéalisé, séparé du contexte politique et social. La petite *Rougeagèvre* a « au bout des cils / Un peu du charbon des terrils » ; *l'Aziza*, chanson qu'il a dédiée à sa femme, n'est pas « une chanson contre le racisme, explique-t-il, mais une chanson pour l'amour entre les races » : « Ton étoile jaune, c'est ta peau... / Ne la porte pas comme on porte un fardeau. » Le dernier album qu'il enregistre en studio porte un titre prédestiné, *Sauver l'amour.* Il y chante : *Aimer est plus fort que d'être aimé.* L'ensemble est riche, généreux, altruiste... Nul ne donne, nul ne se donne plus que ce prétendu individualiste.

On pourrait consacrer des pages aux contradictions de Daniel Balavoine. Incroyant, incapable de se ranger sous la bannière d'une église, il se laisse aller à des exclamations significatives : « Dieu que c'est beau ! », « Dieu que l'amour est triste ! » *Kramer contre Kramer,* film un peu mélodramatique, l'émeut. Il entre dans le jeu, comme s'il était lui-même atteint, et, tête baissée, défend les pères abandonnés en chantant *Mon fils, ma bataille.* Que quelque chose le blesse, il ne réfléchit pas et s'engage à fond, comme si son existence en dépendait.

Tout cela, ses admirateurs le sentent. Ils sont des milliers, des centaines de milliers à acheter ses albums et à assister à ses concerts, en 1980 et 1981 à l'Olympia, en 1982 et 1984 au Palais des Sports. En 1985, grâce à *l'Aziza,* il obtient le prix SOS Racisme. Le 14 janvier 1986, l'hélicoptère de Thierry Sabine, organisateur du Paris-Dakar, s'écrase au sol près de la frontière entre le Mali et le Burkina Faso. Cinq personnes sont à bord, parmi lesquelles Daniel Balavoine. Aucune ne survivra. Pendant des mois, par dizaines de milliers, les jeunes refusent de croire à la mort du chanteur.

L'ermite d'Astaffort

Abandonner Balavoine ou Michel Berger pour Francis Cabrel, c'est, semble-t-il, changer d'univers. Bien sûr, ils ont des points communs. Les trois garçons ont été, chacun à sa manière, engagés dans les grandes causes qui ont fait frémir les années 80 ; ils ont chanté pour les « potes », les populations du tiers monde et les victimes de l'injustice. Mais cette réaction indignée, dans le cas de Cabrel, est la suite logique d'une série d'engagements. Avant de devenir un écolo à l'idéologie vague qui, dans ses refrains et son comportement, cherche avec angoisse à se trouver des racines, Cabrel a été un lycéen rebelle, un maoïste qui, sans même se référer au « petit livre rouge », désirait intensément changer l'homme. Quand, en 1983, il rend hommage aux chevaliers cathares, héros mythiques de sa terre, c'est pour retrouver d'instinct le manichéisme de son adolescence : les Cathares sont beaux et bons, leurs adversaires et ceux qui leur ont succédé (les constructeurs d'autoroutes par exemple) méchants et laids. Il n'imagine pas que la grandeur des Cathares puisse être née de leur défaite et de leur mort dans une dignité exemplaire.

De 1977 à 1979, lorsque Cabrel apparaît sur les ondes et sur les scènes, il semble anachronique. Ses chevaux de bataille ont un ou deux bons lustres de retard : refus de la cité dans *Ma ville* (« La rue est sale / On n'y chante plus / On s'y croise à peine »), exaltation d'une certaine existence rurale dans *les Murs de poussière* (« Il n'a pas trouvé mieux / Que son lopin de terre / Que son vieil arbre tordu au milieu. ») On ne sait pas encore que ce dernier titre conte l'histoire de son grand-père quittant son Frioul natal en quête d'une existence plus facile dans le sud-ouest de la France.

Plus frappant encore est son retard musical. Balavoine parle de mettre « sa musique à l'heure », en phase avec l'époque. Cabrel donne au contraire l'impression que sa montre s'est arrêtée le jour où Bob Dylan a cessé de se faire accompagner par un ensemble acoustique. Ses admirateurs parlent à son sujet de *country rock*, modernisant la dénomination faute de moderniser le son. Caractéristique est la réaction de ce journaliste « branché » qui, après l'un de ses spectacles, qualifie sa musique de « délicieusement désuète »...

Ce débat, de ceux qui divisent les médias français dès qu'apparaît un nouveau venu de talent, n'a pas de véritable raison d'être. Oui, Francis Cabrel s'inscrit dans le courant des *folksingers* qui a dominé les années 70 naissantes. Non, il n'en est pas un rejeton démodé. Arrivée en France avec Hugues Aufray et Graeme Allwright, la mode du *folksong* a certes connu quelques éclipses, mais elle ne s'est jamais éteinte. Elle correspond à un besoin profond de la jeunesse, celui de chanter devant les copains quelques strophes en s'accompagnant d'une guitare, le plus simple des instruments.

Aussi, lorsque Cabrel fait son apparition dans le monde de la chanson, il ne fait pas figure de nostalgique, mais de précurseur. Tandis que Maxime Le Forestier et ses amis s'« électrifient » et s'informatisent, Cabrel prend le relais à la guitare sèche, pour une série de succès tant auprès du public que de la profession – elle lui distribuera des récompenses à foison.

D'autre part, les « écolos » sont en perte de vitesse au moment où il perce. On couvre de ridicule les derniers défenseurs de la nature et partisans du retour à la terre, tous affublés du même qualificatif de « baba-cool ». L'homme des temps qui viennent, dit-on, doit être jeune, urbain, ambitieux, voire arriviste et cynique, bref, correspondre au portrait-robot du *golden boy* à l'américaine. Il suffira de quelques éternuements de la Bourse pour ébranler cette statue, et pour lui substituer des écolos *new style*, politisés, pourfendeurs du gaspillage et des déchets à risques, prophètes ultrapessimistes d'une terre qu'ils disent condamnée à mort par l'inconscience des hommes. La nouvelle écologie ne fait pas dans la nuance. Sont ainsi rejetées pêle-mêle les constructions d'autoroutes ou d'aérodromes (nuisibles à l'atmosphère), de voies de TGV (peu polluantes mais inesthétiques), d'usines (néfastes sous toutes leurs formes), etc. On fait alors peu de cas de l'isolement des populations concernées par ces projets. Rétablir l'équilibre de l'environnement, en réintroduisant au besoin quelques lynx, loups ou serpents dans les régions qui avaient eu beaucoup de mal à s'en débarrasser, semble devenu l'idée maîtresse ; on ose même opposer aux droits de l'homme les Droits de la nature.

Idées que n'a jamais défendues l'« ermite d'Astaffort » (un de ses surnoms) ou le « Mousquetaire de Gascogne » (autre appellation non contrôlée). Mais on a beau savoir que son village d'enfance est d'abord un lieu où il se ressource, un refuge contre le stress des grandes villes (ce qu'est Natashquan à Gilles Vigneault), le fait qu'il choisisse pour y vivre un coin de province plutôt que la capitale ne laisse subsister aucun doute... Pour les écolos en devenir et les jeunes qui les suivront bientôt (la génération *Grand bleu* ou *Danse avec les loups*), il est un symbole vivant. Ne prend-il pas parti pour les Indiens d'Amérique, les Palestiniens, les

Noirs sud-africains de Soweto, tous les laissés-pour-compte, les victimes du modernisme, de l'égoïsme blanc et d'une civilisation dévoreuse d'hommes et d'âmes ?

Victoire de l'amour

A la manière des néo-écolos, il cultive volontiers la culpabilité collective des nantis, responsables tout désignés de tous les drames environnants : « T'envoies dix francs pour les enfants d'ailleurs / Parce que t'as vu les photos qui font peur... » A ses yeux, pas de différence entre les Cathares brûlés à Montségur, les guerriers de Géronimo massacrés par les émigrants affamés qui se ruaient vers l'Ouest ou les Gitans rejetés auxquels, dans *les Chemins de traverse*, il s'identifie à mots couverts : « Et quelquefois je me souviens / De ceux qui nous ont lâché les chiens / Et jeté des pierres au visage. »

Certes, Cabrel ne se veut pas un chanteur engagé. « Plutôt un chanteur préoccupé », confie-t-il à Marc Robine [1]. Ce qui ne l'empêche pas de dénoncer l'état d'urgence en Pologne, la milice dans les rues d'Odessa et de faire « tourner les hélicos » au-dessus des cités noires d'Afrique du Sud. Il déplore l'ère de l'individualisme, la solitude des grandes villes et l'inhumanité des cités HLM (il a lui-même vécu un moment dans les immeubles du quartier de la Défense) : « Allumés les postes de télévision / Verrouillées les portes des conversations... » (*Carte postale*).

Sa voix prenante, chantante et chaleureuse, qui défend des positions aussi vigoureuses, sa silhouette rurale, un peu gauche, à la chevelure libre et à la moustache puissante, laissent imaginer un Cabrel tout d'une pièce, bardé de certitudes, étranger à l'angoisse. Il n'en est heureusement rien. L'homme a toujours été partagé, tout à la fois avide de voyages et casanier amoureux de son village. Obligé, pour gagner un peu d'argent, de faire la tournée des bals avec des groupes commes les Virginys, et d'y jouer une musique qu'il n'aimait pas, il écrivait en secret

---

1. *Francis Cabrel*, éd. Le Club des Stars/Seghers, 1987.

quelques « petites choses » plus ou moins inspirées par ses modèles, Dylan, Aufray et Antoine.

On ne le voit pas ambitieux ; il l'est. Il joue délibérément la carte du show-business, pour, en cas d'échec, ne rien pouvoir se reprocher : il aura tout essayé. Il progresse assez vite, rencontre un producteur qui le soutiendra toujours, Richard Seff, puis monte à Paris, avec plus ou moins de bonheur. Son premier album cumule les récompenses : il remporte un concours organisé par RMC, puis un prix au festival de Spa, et un « Félix », récompense suprême au Québec. Il traverse cependant une multitude de « galères » : un lever de rideau à l'Olympia devant Dave, vedette langoureuse qui ne durera que quelques étés ; une tournée sans public dont il partage la vedette avec Isabelle Mayereau, auteur-compositeur-interprète passionnante qui n'a pas fait la carrière que méritait son talent.

Une chanson d'amour, *Je l'aime à mourir*, est en 1979 son premier véritable tube. Une chanson qui ressemble à Cabrel : fraîche, un peu naïve, parfois grandiloquente et d'un romantisme sans retenue. Même expérience, même éloquence, même sincérité dans *l'Encre de tes yeux*, un des plus grands succès de l'album *Fragile* paru en 1980, d'un ton qui lui est déjà familier. D'autres titres sont moins convenus, telle cette très inhabituelle *Dame de Haute-Savoie*, ou cette curieusement démonstrative *Question d'équilibre* : « J'ai besoin de toi pour vivre / C'est une question d'équilibre / Quand t'es partie ça m'a coupé les ailes / Depuis le plancher m'appelle. »

Après les errements des débuts, les difficultés à « prendre place dans le trafic », la silhouette de Cabrel s'impose assez vite. Le voilà à l'Olympia en 1980, 1982 et 1984. La machine est lancée. Année après année, ses succès grandissent et le rangent parmi les premiers vendeurs d'albums. Fin 1992, l'impression persiste qu'il est encore là pour longtemps. On ne déracine pas aisément les ruraux rockers.

Une discrétion criarde

Bizarrement, il existe une nette différence entre les admirations, les amitiés, les complicités de Francis Cabrel et le personnage public, à la fois retenu et extraverti, qu'il a choisi d'incarner. Discrètement, il fait entrer les spectateurs dans son jeu. Ses amis et ses modèles restent à distance. C'est le cas d'Isabelle Mayereau, parolière et musicienne très douée, à l'écriture exemplaire, mais qui, malgré l'appui de Jacques Bedos, remarquable directeur artistique, ne parviendra pas à se faire une place. Jean-Pierre Bucolo n'est pas plus chanceux. Guitariste et ami de Cabrel, compositeur très doué, futur coauteur, avec Étienne Roda-Gil, de l'album *Cadillac* pour Johnny Hallyday, il sort en 1992 un CD, *le Château de cartes*, remarquable réalisation qui ne peut déboucher, malgré son talent, sur un succès. Mayereau et Bucolo semblent défendre une chanson pudique, voire minimaliste : tout peut être dit, aucune censure n'est admissible, mais il convient de rester neutre et de savoir maîtriser ses sentiments.

Tel est aussi le cas d'un des modèles de Francis Cabrel – même s'il ne s'en inspire pas –, Gérard Manset. Dans ce monde passablement déséquilibré qu'est la chanson (et surtout le rock), Manset est un funambule. Il parle peu, mais ses silences sont éloquents. Du moins pour ceux qui les comprennent. Ils sont nombreux, c'est vrai. Guidés par la lanterne magique de Bayon, ils se laissent porter par une littérature exaltante mais guère limpide, et voient en Manset une réincarnation de Céline et de Proust, de Beckett et de Keaton, de Rimbaud et, pourquoi pas... de Bouddah.

Manset cultive ses mystères. Il accorde au compte-gouttes les interviews, part pour de lointains voyages couverts par le « secret d'État », mais sur lesquels il laisse filtrer quelques informations suffisamment diffuses pour épaissir encore son énigme. On ne sait s'il est flatté de se laisser présenter comme un guide moral et spirituel et d'accueillir dans le flot de ses admirateurs Enki Bilal et Louis Pauwels. Il laisse dire et paraît s'en désintéresser, comme de sa propre production : il envoie, dit-on, ses disques au pilon parce qu'il ne les aime plus. Rarement photographié, il s'entoure d'un flou artistique. Quand il n'est pas perdu en des ignorés antipodes, il lui arrive de prendre le métro... Encore quelques comparaisons pour mettre à mal sa modestie « naturelle » : André Gide, Victor Segalen et Henri de Monfreid, auquel il rend hommage dans une de ses chansons.

Tant d'éloges sans nuances agacent. Manset n'est jamais devenu une grande vedette, mais il a un public régulier : quelques dizaines de milliers de fidèles assurent à ses disques une vente appréciable et garantissent sa pérennité. Ne pas en être, c'est se ranger automatiquement dans une frange inculte, incapable de comprendre le contenu d'une œuvre dépassant largement le tout-venant de la chanson et du rock.

Aussi Manset suscite-t-il des réactions d'hostilité aussi violentes qu'est béate l'admiration qu'il inspire. Il faudra bien un jour, disent certains, s'apercevoir que le roi est nu, que le tissu d'or dont il paraît se vêtir n'est qu'illusion, et que du silence au vide, de l'hermétisme à la vacuité, il n'y a qu'un pas. Manset se veut-il impénétrable parce qu'il n'a rien à dire ? Question sans réponse et qu'on nous pardonnera de laisser en suspens...

Objet de culte, Manset est en réalité au cœur d'une polémique dont ses chansons ne peuvent que souffrir. Écoutons-les. Depuis 1968 et *Animal on est mal,* elles sont le plus souvent originales, surprenantes et beaucoup moins obscures que ne le souhaitent ses contempteurs comme ses inconditionnels. Il y a dans *Animal* un peu d'humour, une pointe de désespoir, des réminiscences de *la Métamorphose* de Kafka et des jeux de mots. Rien qui puisse faire trembler les bases de la chanson traditionnelle.

Œuvre plus ambitieuse, *la Mort d'Orion* (son second album) ajoute à ces ingrédients un zeste de spiritualité, un supplément d'inquiétude, mais il n'est pas certain que tous ses admirateurs s'en aperçoivent, noyés qu'ils sont dans un univers informe et parfois pédant. L'étonnante *Chimène* que Manset a écrit pour René Joly trahit la même emphase, la même volonté de faire partie d'un monde jugé culturellement évolué. Une citation latine vient ennoblir la brochure qui accompagne le coffret *Manset 1968-1976.* Visiblement, Manset n'écrit pas pour les illettrés. On pense malgré soi à cette maxime en vogue en 1968 : « La culture, c'est comme la confiture, moins on en a, plus on l'étale... »

Reste que l'on se trouve désarmé face à Manset. A peine succombe-t-on à l'agacement que reviennent en mémoire quelques-unes de ses chansons : *Y a une route, Il voyage en solitaire, Marin' bar...* Une fois encore, on se laisse prendre... Manset peint, écrit des romans, tel *Royaume de Siam,* titre également d'un disque. Est-il poète, philosophe ou prophète ? A chacun d'en juger ; mais quand, de sa voix discrète, un peu mélancolique, il détaille une de ses belles chansons, aucun doute n'est plus permis : il est un grand auteur-compositeur-interprète, un des meilleurs du moment.

Un dandy équilibriste

Autre personnage rare, plutôt précurseur que chef de file de cette génération de chanteurs « minimalistes » qui marquent la décennie 80 de leur présence aussi forte que discrète, Jean-Claude Vannier. Musicien autodidacte, il se taille au début des années 70 une enviable réputation d'orchestrateur de talent. Il travaille avec Higelin et Brigitte Fontaine (*Cet enfant que je t'avais fait*), donne une partie de ses couleurs à *l'Histoire de Melody Nelson* de Serge Gainsbourg, sert d'arrangeur (comme on dit) à Julien Clerc, à Claude Nougaro (*Plume d'ange*), etc. Une très belle carrière semble s'ouvrir devant lui.

Il y renonce. La chanson l'attire, non seulement comme auteur et compositeur mais aussi comme interprète. Il écrit *Super Nana*, le premier véritable succès de Jonasz. Bientôt, il se voue lui-même à l'interprétation. Non sans mal : la scène n'est pas son élément naturel. Il s'y sent mal à l'aise, crée presque instantanément une distance avec le public. Sans le vouloir, il est un disciple de Brecht et de la distanciation ; il chante ses couplets de loin, comme s'il trouvait impudique de se laisser prendre par eux.

Pourtant, une atmosphère indéfinissable l'entoure. Malgré ces barrages plus ou moins conscients, son ironie, le désespoir maquillé de ses couplets ensorcellent les auditeurs. Envoûtement manifeste dès son premier spectacle, donné à la Mûrisserie de bananes, une boîte proche des Halles, engloutie depuis par la restructuration du quartier.

Il conçoit le plus souvent ses shows comme des histoires, choisit un thème privilégié et imagine toujours des orchestrations et des accompagnements parfaitement originaux. En 1978 à Campagne-Première, un café-théâtre de la rive gauche, il est seul à son piano, mais joue simultanément deux personnages aux caractères contrastés, passant et ôtant alternativement un imperméable. Au Ranelagh, il conte l'histoire d'enfants perdus dans des cours d'immeubles en banlieue, tandis que sèche sur des fils de fer le linge familial ; le tout accompagné par un trio à cordes classique... Un orchestre à cordes de vingt musiciens le seconde au TLP Dejazet ; des petits papiers déchirés couvrent la scène du théâtre de la Ville... Les vedettes avec lesquelles il a travaillé viennent discrètement participer à ses concerts des Trottoirs de Buenos Aires, et, lors de ses apparitions en 1992 à l'auditorium des Halles, il est entouré par une fanfare féminine.

Aucun de ses spectacles ne ressemble aux précédents, n'était ce personnage qu'il a choisi d'incarner. Entre les deux « paumés » vaguement antagonistes de Campagne-Première, les gamins sans illusion du Ranelagh et le désabusé du théâtre de la Ville, il y a plus que des ressemblances. Tous sont frères. Frères d'un homme trop lucide pour être optimiste, trop sensible au ridicule pour se laisser aller au gémissement, et qui a choisi de leur laisser la parole. Grâce à lui, ils oscillent sans cesse entre la tragédie et le comique, entre le grotesque et le mélo. Vannier a cette élégance d'épargner à ses héros le misérabilisme comme la pitié.

C 'est que Jean-Claude Vannier est un dandy, un des rares que la chanson française ait engendrés. Il pense pouvoir aborder les sujets les plus sérieux avec dérision et évoquer gravement les choses les plus futiles. L'amour ? Il le moque : « Ah ! si tu m'aimais vraiment / Il y a longtemps, très longtemps / Longtemps qu'tu m'aurais quitté / Mais t'as pas de cœur... » (*T'as pas d'cœur*). La mort l'inquiète ? Il nous donne un cours accéléré de maniement du browning : « Vise vise vise / Tire tire tire / Bang bang bang / Saigne saigne saigne... » L'échec l'angoisse ? Il écrit une *Berceuse pour un raté*. L'érotisme le tarabuste ? Il imagine de très affriolantes *Divas divines*. Ainsi de suite.

L'incertitude des sentiments humains lui inspire *Cette race bizarre* : « Mais l'amour nouveau ne vaut / Pas mieux qu'celui d'naguère ou guère / Et ton billet d'première d'hier / Aujourd'hui n'est plus / Qu'un ticket de quai. »

Pour lui, « l'amour c'est comme du savon noir », et le désespoir ressemble à des « petits bouts de verre cassé » qu'on observe en écoutant une *Petite Musique d'ennui.* Vannier ne se fait guère d'illusion sur le rôle de son art : « J'ai rien à dire alors je chante. » De la vie, il connaît les victimes, le *Pauvre Muezzin* condamné d'avance, le *Beau Travelo* qui découvre ses rides et ses cheveux gris. Il se passionne pour des lieux et des causes presque disparus, la banlieue d'autrefois (*Habitants de Bécon-les-Bruyères*), les « jardins ouvriers » qui ont longtemps entouré les pavillons modestes où vivaient les familles populaires. Il sait qu'on peut résumer en une formule (*Des coups de poing dans la gueule*) toutes les vicissitudes de l'existence, et lorsque, dans *Pleurez pas les filles*, il se fait philosophe, encore est-ce à la manière de ses prédécesseurs en dandysme, Boris Vian et Serge Gainsbourg : « L'amour on n'a pas idée / Comme ça fait mal / Et comme c'est mal fait. »

Jean-Claude Vannier écrit parfois pour les autres, Julien Clerc et Maurane récemment. Auteur-compositeur-interprète, il est reconnu et admiré par ses pairs. Mais, si depuis ses débuts on n'a cessé de lui être fidèle, le grand public le boude... ou plutôt l'ignore. Il ne fait rien, il est vrai, pour le conquérir. Pas de gestes. Pas d'appels du pied. Aucun sourire de complaisance. Il ne se veut pas maudit, le terme ne lui sied pas. Cet équilibre entre l'estime de quelques-uns et le plébiscite de tous semble le satisfaire. Peut-être le juge-t-il confortable. Au moins le laisse-t-il libre.

Le maître de l'école de Nancy

La liberté, chacun la trouve à sa façon. Dans sa terre d'origine ou en s'en éloignant. En exprimant le fond de sa pensée ou en la voilant, laissant à l'auditeur le soin de l'interpréter. Parfois en faisant l'un et l'autre, cachant l'essentiel pour n'accorder que quelques confidences savamment distillées. Charlélie Couture explique : « J'habite une région en plomb qui a vu passer les armées ennemies : les habitants ont appris à se taire, alors ils font des bocaux, ils font des conserves, ils s'enterrent dans le travail, ils méprisent l'insouciance, ils méprisent le plaisir. Le ciel est bas de plafond, et tout l'été n'est là que pour préparer l'hiver[1]. » Certes. Encore faut-il préciser que cette « région de plomb », Charlélie en a fait son pays d'élection. C'est à Nancy, à l'école des Beaux-Arts, qu'il découvre la peinture, qu'il n'abandonnera jamais ; à Nancy qu'il fait ses premières armes dans une technique, le cinéma, qui continue de le passionner.

Très tôt, la chanson l'attire. Autour de lui, une petite bande, des copains, des amis qui partagent les mêmes goûts, les mêmes besoins d'expression. Pierre Éliane, lui-même auteur-compositeur-interprète de valeur (même s'il ne fait pas carrière), invente ce qu'on appellera bientôt « l'école de Nancy ». Il donne l'exemple : dans le grenier de la famille Couture, transformé pour l'occasion en studio, il enregistre un album en autoproduction. Bertrand Charles-Élie emboîte le pas en 1978 avec *Douze chansons dans la sciure,* un disque tiré à mille exemplaires qui séduit Claude Brunet, à l'époque directeur des programmes d'Europe 1. Malgré des passages répétés à l'antenne de la station, le disque ne se vend pas, faute d'une bonne diffusion simultanée. Mais Charlélie fait l'expérience du public, au Festival folk de Cazals, en interprétant ses propres chansons. Naïf, il croit qu'il faut payer pour avoir le droit de chanter celles des autres.

En 1979, RCA produit son deuxième album. Pour le troisième, qui sortira en 1981, plusieurs candidats se disputent la possibilité de l'enregistrer : Daniel Colling, directeur du Printemps de Bourges, Chris Blackwell, patron d'Island Records, qui édita Robert Palmer, Grace Jones, et même Bob Marley... Charlélie choisit Island. Il y enregistre son album *Pochette surprise* et se trouve le premier artiste français produit par la firme. Le nom de Couture devient populaire, si bien que Claude Berri lui confie la musique de *Tchao Pantin,* le film qui révèle tout le talent dramatique de Coluche.

Charlélie Couture n'aime pas le mot *look,* ironisant volontiers à ce sujet, notamment dans *Mille interviews.* Il est cependant un des premiers chanteurs en France à se

---

1. Béatrice Soulé, *Charlélie Couture,* éd. Le Club des Stars/Seghers, 1987.

faire connaître tant par ses chansons que par son apparence (un terme qu'il préfère à *look*). Ses premières apparitions sur scène surprennent : pantalon trop court, bretelles, queue de cheval, barbichette, bonnet... Une image qu'il juge drôle, mais qu'il abandonne avant que ses fans exigent qu'il s'y conforme en permanence.

Plus déconcertante encore est sa manière de chanter : d'une voix monocorde, sans effets, il marmonne plus qu'il n'articule, exige de ses auditeurs une écoute attentive : surtout, ne pas perdre une parole. Ce n'est pas exactement de la chanson telle qu'on a l'habitude de l'entendre, pas plus que des mots plaqués sur de la musique – de ce *talk over* auquel Gainsbourg s'est converti dans les années 80. Charlélie Couture chante comme on psalmodie, n'exécutant que de minimes variations de ton dans la mélodie, plaçant sa voix de curieuse façon, légèrement nasillée. Ses concerts en sont-ils plus monotones ? Jamais. Avec sa voix, sa diction un peu lasse, Couture crée un climat propice aux aventures qu'il cherche à conter.

Étranges aventures, en vérité. Des plans fixes saisis par l'œil de la caméra, comme dans *l'Histoire du loup dans la bergerie* ; des récits réduits à l'essentiel, hachés, épurés, sans arabesques ni développements, tel ce *Combat de phoques,* précis, comme disséqué (« Y a pas de loi / Pour les coups bas. / S'crétaire prévue / La jupe fendue. ») ; des aphorismes aussi, comme dans *T'en vas plus, t'en vas pas* (« A trop vouloir garder / On finit par tout perdre ») ; des souvenirs et des constats, enfin, comme dans *les Pianistes d'ambiance.* (« J'ai longtemps voulu être celui qu'on regarde avec un petit sourire plein de circonspection parce qu'on le trouve étrange ; il n'est pas comm'tout l'monde. »)

La bizarrerie de ses propos, son langage à la fois prosaïque et elliptique s'accordent avec la musique qu'il compose. Du rock, évidemment, encore que, comme toujours, le mot rock recouvre bien des réalités. Couture, dont la musique est plus riche qu'il ne paraît, essaie d'en faire la synthèse. Il écrit : « L'art rock existe car le rock est une pensée » et explique : « Le rock est plein de gadgets. Il a vite fait de devenir ennuyeux une fois qu'on a compris le *gimmick* [le truc sonore, l'astuce qui accroche l'oreille]. »

Éclectismes

« Le rock se vit, parce que le rock est initialement primaire. Plus on fait fort, plus on risque d'être entendu, plus on a l'impression d'être fort, plus on a l'espoir d'être reconnu... On pousse les amplis à bloc, et on couvre le boucan de la contradiction d'où qu'elle vienne : des parents, du système, de la famille, des institutions, de l'autorité en général », explique Couture. Mais « l'art rock » ne se limite pas à la musique. La petite troupe d'amis qui l'entoure pratique, elle aussi, la poésie, le graphisme, la peinture, la sculpture, etc. Couture est de ceux qui ne se « contentent pas d'une seule porte pour entrer dans la maison ». En tournée, il dessine, expose entre deux concerts, comme le font ses amis nancéens.

Tom Novembre, acteur et chanteur de qualité, est le faux jumeau de Charlélie. Plus sec, plus ironique également. Mais tout aussi talentueux. Charlélie produit Tom Novembre. Comme il a produit Richard Berry, Pierre Éliane et Mil Mougenot. Un électisme de bon aloi. Après la Péniche où il a débuté (une vraie péniche située sur un canal parisien), Couture est passé au Café de la gare, à Bobino et à l'Olympia, donnant des centaines de concerts en province et à l'étranger. Touche-à-tout impénitent, c'est sans doute sur la chanson moderne que son empreinte est la plus profonde.

Louis Chédid est, lui aussi, un homme éclectique. Pour le définir, ses propres mots : « Sans imagination, que deviendrait-on ? » Fils de la poétesse Andrée Chédid, il trouve d'abord sa voie dans le cinéma. Une voie qu'il n'abandonnera jamais, et qu'il trouve même le moyen de transposer dans la chanson (*En 24 images seconde*). Beaucoup d'autres textes témoignent de cette inspiration. *Tarzan de la jungle,* publié en 1974, rappelle à la fois la bande dessinée et le film d'aventures ; *Hold-up* (1975), récit haletant d'un braquage raté, est découpé seconde par seconde, comme l'aurait été un scénario ; *Ainsi soit-il,* grand succès en 1981, est l'histoire symbolique d'une vie regardée par l'œil d'une caméra, dans l'esprit des *Trois Cloches* de Gilles. Même *la Belle* (1978), qui conte une évasion, semble la transposition sonore d'un film de gangsters.

Mais, comme un bon metteur en scène, Louis Chédid imprime à ses images sa propre personnalité. Chacune de ses chansons trahit son humour, sa distance, son refus évident de prendre ses personnages (et lui-même) au sérieux. Comme il le chante, *Nous sommes des clowns.* Il lui arrive pourtant de philosopher. En souriant. Le profil bas de notre monde lui fait écrire *T'as beau pas être beau* (1978), une chanson somme toute plutôt joyeuse. Joyeux aussi sont ses couplets sur le féminisme : « Ma pépée, ma poupée m'a quitté » (*Oukélé*), comme ceux qu'il consacre à l'égoïsme des hommes (*Égomane,* 1980).

Sur scène, Louis Chedid est un garçon un peu maladroit et sympathique qui dégage une chaleur communicative. Peu de jeu de scène ; il n'en a pas besoin pour séduire. Il écrit bien, sait traduire, de sa voix discrète, la malice de ses textes. On a, en l'écoutant, l'impression que rien n'a vraiment d'importance.

Il lui arrive pourtant de s'indigner, gravement, avec conviction. Il ose alors se lancer dans la chanson politique, efficace, parce qu'elle désigne nettement ceux qu'elle vise. Personne ne se trompe quand il dessine la silhouette du *Gros Blond* ou lorsqu'il développe ses idées dans *Bleu blanc rouge.* Des textes solides, précis, qui vont droit au but. Parmi ces chansons politiques est un authentique chef-d'œuvre, *Anne, ma sœur Anne.* Doucement, sans emphase ni trémolos, il va droit à l'essentiel : « Elle ressort de sa tanière / La nazie nostalgie... / Elle a pignon sur rue / Des adeptes, un parti / La voilà revenue / L'historique hystérie. » Jamais on n'a aussi justement décrit un phénomène qui, au moment où la chanson est écrite, en 1985, n'a pas encore connu le développement que l'on sait.

Le bel indifférent...

Autant Chédid le placide sait s'engager quand la nécessité l'en tenaille, autant Étienne Daho, qui se veut dandy, reste indifférent au monde extérieur. Sa façon d'être intègre ? Refuser de participer au concert pour l'Éthiopie parce que la chanson emblème adoptée par les participants ne lui plaît pas. Il est, dit-on, représentatif de la génération qui a eu vingt ans en 1980. Une génération sans idéologie ni passion, sans regret ni espoir. Désintéressée, pour ne pas dire inintéressée. On parle à nouveau de la « Bof génération » que *le Nouvel Obs* avait rendue célèbre quelque dix années auparavant. Instinctivement, Daho se met à son niveau. Né à Paris, élevé à Rennes, admirateur du groupe Marquis de Sade – un de ceux qui, avec Bijou, ont provoqué quelques vaguelettes dans le monde du rock –, il se réclame du Velvet Underground (Lou Reed, John Cale...), de Serge Gainsbourg, de Jacques Dutronc et de Françoise Hardy (à laquelle il consacrera un livre), tout en se présentant comme un héritier de la grande époque yé-yé.

Ses fidèles, dont le nombre ira croissant au fil des années, évoquent volontiers le jeune insolent qu'il serait ; ses adversaires le taxent plutôt d'insignifiance. Il est vrai que la première écoute laisse perplexe : une musique neutre, sans aspérités, où se croisent de multiples influences, mais si diffuses qu'aucune n'apparaît déterminante ; des textes apparemment sans consistance, qu'on entend mal d'ailleurs (la non-articulation est l'une des coquetteries de Daho), interprétables à loisir, mais sans aucune garantie ! Autant d'éléments qui ajoutent à la réputation d'impénétrabilité du « bel Étienne », comme l'appellent certains.

Le personnage prête à toutes les comparaisons, à la fois nombreuses, variées et vaseuses. Tel fidèle parle de « Verlaine londonien », tel autre le voit fils naturel de James Dean. Hervé Guibert, qui, en juillet 1984, lui consacre un grand article dans *le Monde,* évoque ses lectures de jeunesse : Julien Green et Jack London, Henry Miller et Proust, Artaud et Hemingway. Il ajoute qu'elles n'ont pas pour lui « plus d'importance qu'aller à la piscine ou boire du thé à la mandarine ». En réalité, Daho s'ennuie. C'est ainsi qu'il devient par automatisme le porte-drapeau de ceux qui s'ennuient. Au contraire de 1968, la morosité des années 80 ne débouche que sur elle-même. Daho en tire un disque dans lequel, dit-il, il cherche à expliquer à la fille qu'il aime *comment* il l'aime. Le disque s'appelle *Mythomane,* la fille en question ne comprend pas tout et le public n'achète pas. Cet échec conforte la détermination de Daho : il ne sera pas chanteur.

Il préfère, de retour à Paris, traîner la nuit dans les endroits où il faut être, et peut-être être vu. Avec élégance, il glisse d'une boîte à l'autre, fréquente les Halles où ne se rassemblent pas encore les marginaux de toutes sortes, demande à Françoise Hardy l'autorisation de chanter une de ses chansons, et fourre le tout, sous des dehors western, dans un grand album, *la Notte la notte*... Succès énorme auquel Daho doit son surnom de « chanteur cow-boy » (porté avant lui par Long Chris, le « cow-boy solitaire ») et sa réputation de yé-yé impénitent.

Daho atteint les sommets. Il s'y maintiendra. Dans son troisième album, *Pop Satori*, il change de ton. Insouciant, il est devenu nostalgique, décrivant dans *Paris le Flore* une capitale plutôt tristounette : « Des pleurs en frime / Paris déprime / Saint-Germain s'illumine / Se fondre à la foule / dans la ville aux rencontres faciles. » La voie est libre pour passer à la phase suivante, la chanson noire. Le sida est là, il fait peur : « J'aime avec prudence / De peur des conséquences. » Il a désormais trente ans, occupe le Zénith à Paris, mène à travers la France des tournées triomphales. Quelques-unes de ses chansons restent en mémoire : *Tombé pour la France, Épaule tattoo*... L'ancien licencié d'anglais de Rennes, ancien élève du Conservatoire d'art dramatique, s'est maintenant fait une place ; il est même devenu producteur. A-t-on pourtant bien compris ses intentions ?

... et ses frères

Des frères, Daho en compte plusieurs. Ils ne disent pas la même chose que lui, mais évoluent dans un climat cotonneux, un peu flou, très voisin du sien. Ainsi Jean-Pierre Mader, Pierre Schott. Et plus encore Jean-Louis Murat. Ce dernier a couru le monde avant de trouver dans sa campagne de Clermont l'apaisement et le refuge. Il porte, à la Gainsbourg, une barbe de trois jours, estime que Leonard Cohen est la personnification du suprême génie et collectionne les épithètes : « Prince rock français à la beauté pantelante », « Dandy bucolique », « Ange noir », et celle-ci, qu'il s'est lui-même attribuée : *Paysan*. Au point qu'il a fait transporter son matériel sur un plateau perdu pour enregistrer quelques-unes de ses récentes chansons.

De bonnes chansons en général. Plus significatives, plus sombres que celles de Daho. Il chante *Suicidez-vous le peuple est mort,* évoque *l'Ange déchu, le Venin...* Il se réclame de Ferré, de Ferrat, de Brassens, mais aussi d'Apollinaire et d'Éluard, veut aller plus loin encore dans la sobriété et la discrétion. A paroles fortes – les siennes le sont souvent – présentation à peine appuyée, interprétation légère. Le chanteur doit juste transparaître. Murat a du talent (Julien Clerc lui a emprunté quelques chansons) ; il n'a pas atteint le sommet, mais, sans se forcer, il grimpe. Sans faire beaucoup de bruit autour de lui.

Tout regroupement paraît artificiel dans la chanson. Bien difficile d'enfermer les interprètes dans des écoles. Mais, si l'on cherche des points communs, on finit toutefois par en trouver : manière de chanter, rudesse ou légèreté de l'orchestration, inspiration parfois. Des métamorphoses se produisent : des artistes auxquels on avait donné une silhouette muent, changent de peau, de style, de répertoire.

Ainsi Alain Chamfort est-il passé du rôle de poulain de Claude François à celui d'adepte de Serge Gainsbourg. Un gouffre ! L'avoir franchi sans se rompre les os constitue un exploit. Chamfort a réussi le grand écart.

En 1966, Alain Legovic – il ne s'appelle pas encore Chamfort –, breton d'origine, monte un groupe, les Mods, qui ne tiendra guère plus d'une année, le temps d'enregistrer deux 45 tours longue durée très vite oubliés. En 1968 et 1969 sortent cinq nouveaux super-45 tours solo signés Legovic. Succès tout aussi limité et éphémère, bien que les paroliers de Julien Clerc, Étienne Roda-Gil et Maurice Vallet aient accepté de travailler avec lui. Avec Michel Pelay, ancien musicien de Dutronc, il décide de composer, rencontre Vline Buggy, parolière appréciée du moment ; les trois tentent le coup. Sans résultat. Mais ils se retrouvent chez Claude François aux disques Flèche, et montent un groupe de choristes – quatre garçons et quatre filles, les Fléchettes – qui marche fort bien. Alain devient Chamfort, chanteur et séducteur pour minettes, sous l'égide de Claude François. Son nouveau 45 tours, *Un signe de vie un signe d'amour,* se vend à 350 000 exemplaires.

C'est parti. Presque trop bien. Au point de provoquer

l'ire de « Clo-Clo ». Entre 1972 et 1975, il sort huit 45 tours et un album qui s'arrachent comme des petits pains. Claude François boude : le grand patron n'aime pas être concurrencé par un de ses poulains. Et le personnage d'Alain a déjà acquis une crédibilité qui ne semble pas devoir s'estomper.

C'est alors que Chamfort trahit son mentor et décide de changer radicalement de style. Dès 1976, le chanteur pour minettes a disparu. Pour marquer sa différence, il demande à Gainsbourg de lui écrire les textes d'un album. Ce sera *Rock'n'rose*. Échec. Les programmateurs en sont restés au bourreau des cœurs adolescents qu'il était. Le Chamfort à la mode Gainsbourg leur déplaît. Pourtant, quelques chansons accrochent, *Baby Lou* par exemple. Chamfort connaît des creux, mais son personnage commence à s'imposer. Gainsbourg écrit encore pour lui – mais plus rarement : *Manureva,* hommage à Alain Colas, navigateur disparu en mer ; *Bébé Polaroïd* ; plus tard *Bambou.* Leurs rapports se détériorent. Mais Chamfort est en place. Son album suivant, *Secrets glacés,* est proche de la perfection. Entretemps il produit un album de Lio, un énorme succès. Le voilà relancé, secondé par de bons paroliers : Alanski, Bourgoin, Bergman... Il peut à lui seul remplir l'Olympia ou le Casino de Paris. Il a trouvé un ton discret, sans lyrisme apparent, mais efficace. On reconnaît sa musique, sa façon de percher ses mots, à la première strophe d'une chanson. Alain Chamfort a réussi sa mue.

Vertiges de Bashung

Gainsbourg, Bergman... Deux références aussi pour Alain Bashung. Un cas particulier dans la chanson. Naissance à Paris en 1947. Breton par sa mère, Alsacien par son père et par le cœur. C'est dans cette province de l'Est, – dans les campagnes on parle bien mieux le dialecte local que le français –, qu'il vit une bonne partie de ses premières années. Il y entend plus fréquemment des chants bavarois que des chansons françaises. Il y apprend aussi le mutisme, un certain pessimisme, la pudeur dont il ne se débarrassera jamais. Plus tard, avec la complicité de Boris Bergman, il écrira : « Je suis né tout seul près de la frontière / Celle qui vous faisait si peur hier / Dans mon coin on f'sait pas d'marmots / La cigogne faisait tout le boulot » (*Elsass blues*).

Il découvre Brassens, Gainsbourg, mais aussi le rock, Buddy Holly, James Brown, Elvis Presley... L'implantation de bases américaines est alors un excellent vecteur pour les musiques d'outre-Atlantique. A Jean-Jacques Jelot-Blanc, il confiera : « J'ai eu énormément de chocs musicaux parmi les Noirs, Marvin Gaye, Ray Charles ; j'avais une profonde admiration pour des gens comme Ben E. King, Sam Cooke, Brook Benton et même Nat King Cole[1]. »

Nous sommes en 1966. Bashung, à dix-neuf ans, entre dans le jeu. Avec, déjà, une certaine insolence (*T'as qu'à dire Yeah !*). Il signe alors Baschung (l'orthographe exacte de son nom) et entame une longue « galère » qui durera une bonne dizaine d'années. Il voit alors sans plaisir le rock français s'enfoncer dans la médiocrité, découvre Bob Dylan et ses prédécesseurs en *folksong*, de Woodie Guthrie à Pete Seeger, participe à d'énormes shows pop, est engagé pour chanter dans *la Révolution française*, double album (puis spectacle) composé par Claude-Michel Schönberg.

C'est en 1977, avec l'album *Roman photos*, que la chance commence à lui sourire. Le disque comporte enfin les ingrédients du futur « style Bashung » : des paroles surréalistes, un mélange d'humeur et de noirceur, une musique qui sonne moderne, un usage à l'américaine de la voix, dont il accentue la raucité et la gouaille. L'album ne marche pas très bien. C'est le dernier à connaître ce sort. Le suivant, *Roulette russe*, part en flèche. (Il en existe deux versions, l'une sans *Gaby oh Gaby*, la seconde avec.) Les titres *Je fume pour oublier que tu bois, Bijou, bijou* et surtout *Gaby* connaissent un véritable succès. Au début 1980, Bashung est presque un inconnu ; à la fin de l'année, il est devenu célèbre. L'album suivant recèle lui aussi une chanson culte, *Vertige de l'amour* : « J'aurais pas dû ouvrir / A la rouquine carmélite / La mère sup' m'a vu v'nir / Dieu avait mis un kilt. »

---

1. *Alain Bashung*, éd. Le Club des Stars/Seghers, 1987.

Les relations entre Bergman et Bashung se distendent. Le chanteur a trouvé un nouveau parolier de choix en la personne de Serge Gainsbourg. L'un et l'autre traversent une période difficile qui donne son ton à l'album *Play blessures.* Un album qui plaira moins, malgré de grandes chansons comme *C'est comment qu'on freine.*

Le reste est connu : reconstitution du couple Bashung/Bergman, sortie régulière de tubes comme *Malédiction, l'Arrivée du tour,* de plus en plus délirants, avec trois jeux de mots par ligne et des notations féroces sur le monde contemporain... Un passage aux côtés de S.O.S. Racisme, le temps d'écrire *Touche pas à mon pote* (« Qui a vendu la mèche / Et la p'tite moustache avec ? / A vot' bunker messieurs-dames... »), on retrouve Bashung de nouveau au sommet en 1992, avec une formidable chanson, *Osez osez Joséphine,* et un album à l'avenant.

Après sa longue dérive, il a parcouru du chemin. L'Olympia en 1981, le Casino de Paris en 1983, le Grand Rex en 1987, sans oublier les tournées, les rôles dans divers films, les Victoires de la Musique et un humour désespéré qui jamais ne l'abandonne. Il est de ceux qui ont donné une âme au rock français. Sans doute le sait-il. Il n'en parle pas. Une manière de cultiver son blues. Car, avec son air de ne pas y toucher, Bashung est un *bluesman.* Comme ceux qui se réclament directement de cette musique noire, lugubre et hilarante venue des États-Unis : Bill Deraime, le précurseur, auteur doué qui mêle l'astuce au cafard ; Benoît Blue Boy qui, aujourd'hui, se ressource en popularisant le folklore cajun de la Louisiane ; Patrick Verbeke qui ironise (*De quoi j'vais m'plaindre aujourd'hui* ?) ; et, enfin, l'exceptionnel musicien qu'est Paul Personne, encore mal connu, mais déjà très apprécié. A coup sûr un grand nom de demain.

21.

EN ROUTE VERS L'AN 2000

Le maître des sons

Installé derrière ses pupitres, les doigts rivés aux curseurs de la table de contrôle, les yeux fixés sur les deux platines qu'il utilise simultanément, le disc-jockey, maître du son, a les danseurs en ligne de mire. Il les éblouit d'éclairs, de spots lumineux et de rayons laser, les assourdit, les aveugle et les envoûte. Comment résister au vacarme, à l'atmosphère close des boîtes de danse ? Parfois, en fin de nuit, le D.J. programme quelques *slows,* juste le temps pour les corps et les cœurs solitaires de se retrouver. Le tohu-bohu doit reprendre aussitôt.

Le disc-jockey est devenu, cette dernière décennie, un homme tout-puissant. Il a su, au début des années 80, imposer le disco, dont l'âme est un pied de béton cognant machinalement sur une grosse caisse. Aujourd'hui, il contraint nombre de chanteurs à enregistrer de leurs œuvres un *remix dance* spécialement destiné aux boîtes. Grâce à lui, tous les styles, funk, rock, blues ou variété courante se mélangent en une bouillie insipide et bruyante. Pis, on lui doit la technique du *sampling* qui consiste à piller des extraits musicaux d'œuvres existantes, à les enchaîner et à y ajouter quelques mesures de rythmes syncopés.

Quel rapport ont ces techniques avec la chanson ? Aucun. Sinon que les « boîtes à danser » sont pourvoyeuses de royalties ; on ne peut refuser aux auteurs et aux compositeurs le droit de beurrer leurs tartines. Nombreux sont d'ailleurs ceux qui songent aux revenus que des passages fréquents dans ces lieux bizarres pourront leur apporter.

Bien sûr, ni la vogue disco ni la *dance* d'aujourd'hui n'ont produit de chef-d'œuvre, ni même de véritable star, sur la durée. Cerrone a vendu des millions d'albums, aussi vite oubliés qu'écoutés, mais au prix de combien de déconvenues, d'échecs et de déceptions...

La vague perdure malgré tout, pour la simple raison que, sur une piste de danse, personne n'écoute la musique ni les paroles. L'amateur de boîtes de nuit n'a le choix que de se constituer prisonnier. Entrer dans une boîte de jazz – comme l'a si bien chanté Michel Jonasz –, c'est aller à la rencontre des autres, communiquer, participer à la fête. Pénétrer dans un dancing, c'est l'inverse. Les adolescents qui s'y pressent avec enthousiasme, sinon masochisme, y abusent parfois d'alcool (de bière surtout, moins coûteuse), plus rarement d'amphétamines ou d'autres paradis artificiels. Le rock et la pop avaient mis ces derniers en vedette ; la *dance music* les démocratise. Le comble est atteint avec la *house music,* qui, à certaines drogues comme l'*ecstasy*, associe, sous couvert de dérision, quelques réminiscences fascistes du plus curieux effet.

Curieusement, le disco, la *dance music* et la *house music* ne correspondent pas à un besoin impérieux. La mode les a imposés, relayée par certaines stations FM. La mode les maintient envers et contre tout, même si, confronté au retour en force de musiques plus riches, plus originales ou authentiques, le disc-jockey doit s'incliner et retrouver le simple rôle de machiniste qui est le sien.

La folie zouk

Sauf exception, le disc-jockey n'aime pas le zouk. Il n'a aucun pouvoir sur cette musique. Et pour cause : le zouk est une musique antillaise authentiquement populaire, née de la tradition locale et nourrie de jazz, de rock et de funk nord-américaines, ainsi que de samba et de salsa latino-américaines. Ses caractéristiques : le son original des instruments acoustiques, peu ou pas de musique de synthèse ; une atmosphère de liesse et de plaisir ; enfin, pour lier le tout, la richesse de la langue créole.

Le fait est connu : le créole s'est popularisé en France

grâce à des interprètes métropolitains, Trenet (*Gala-potée, Biguine à Bango*), Vian et Salvador... Ce dernier, créole authentique, a fait carrière en imaginant – hormis dans des chansons folkloriques telle *Adieu foulards, adieu madras* – des personnages humoristiques. Des chanteurs tels Moune de Rivel et Gilles Sala défendent certes une authentique musique antillaise, et Toto Bissainthe la tradition haïtienne, mais leur influence reste limitée. Quant aux vraies chansons populaires de la Caraïbe parvenues en France, elles sont passablement édulcorées voire caricaturales, celles de David Martial (*Célimène, Joséphine*) comme celles de la Compagnie créole (*C'est bon pour le moral*). Enjouées et dansantes, elles sont cependant sans génie. Bizarrement, c'est à un « béké » – un descendant des grandes familles blanches des îles –, Philippe Lavil, que l'on doit en France les premières chansons authentiquement créoles (*A la califourchon*).

Le zouk va bouleverser les données. Les Antilles ne s'y sont certes pas unanimement converties. De fortes personnalités indépendantes des courants et des modes continuent à suivre leur chemin et à innover, tel Henri Guédon, écrivain, peintre, musicien et chanteur, plus proche dans son inspiration d'Aimé Césaire que des nouveaux groupes. Mais ceux-là occupent une place à part : ils aiment le zouk sans s'y retrouver. Ils lui résistent.

La Martinique, la Guadeloupe sont plus vulnérables. Le zouk y est devenu la musique favorite de la population. Des groupes se créent, qui mêlent la traditionnelle biguine et la vieille mazurka aux nouveaux sons, groupes d'amateurs et de professionnels : Malavoi à la Martinique, Kassav' en Guadeloupe, mais aussi Fall Frett et Zouk Machine. Des personnalités émergent. Jocelyne Béroard, Marijosé Alie, et Joëlle Ursull, issue de Zouk Machine, qui a représenté la France au prix de l'Eurovision en 1990, obtenant la deuxième place.

Au début des années 80, les Antilles sont conquises. La France le sera bientôt, par l'intermédiaire de la communauté antillaise, mais pas seulement... Des chansons comme *Caressez-moi* grimpent au Top 50. Le succès s'étend, retraverse l'Atlantique pour conquérir les États-Unis. *Maldon*, que chantent les Zouk Machine, s'installe dans les *charts* américains. Succès qu'explique la vivacité sonore, la variété de tons, la sensualité, la provocation ironique de cette musique ennemie de la nostalgie qui s'offre et se refuse, toujours sur le ton de la gaieté. Le zouk se présente comme la face aimable de l'amour et du désir. Alors que la situation politique et sociale des îles est souvent tendue, le répertoire zouk s'en désintéresse. Certes, les membres des groupes s'engagent individuellement, parfois dans des sens différents, mais la musique les unit.

Le zouk enrichit la chanson française. Il n'est pas le seul. Empruntant à la chanson française ses tics et ses ritournelles, souvent déformés par les océans, les francophones du monde entier, africains surtout, réinventent, modifient et souvent améliorent nos traditions musicales. La *world music* et la « musique métissée », très en vogue sur le vieux continent, sont devenues en France un véritable phénomène de mode. Ce n'est pas un hasard si, au prix de l'Eurovision 1991, une Tunisienne, Amina, représentait la France en interprétant une chanson d'un compositeur sénégalais nourrie d'influences arabes, africaines et purement métropolitaines. Le mouvement est tel que beaucoup d'interprètes français vont rechercher en Afrique ou aux Caraïbes le rythme, l'orchestration ou les sonorités qui lui permettront d'être dans le vent. C'est ainsi que Bernard Lavilliers se fait accompagner par Doudou N'Diaye Rose et ses tambours de Dakar. Des voix africaines viennent symboliquement ornementer *Être né quelque part* de Maxime Le Forestier qui, sur la même lancée, atteint des sommets avec *Ambalaba*, chanson créole de l'île Maurice. Le saxophoniste (et chanteur) camerounais Manu Dibango participe aux concerts de Jacques Higelin à Bercy. Quant à Francis Bebey, autre Camerounais, c'est en français qu'il écrit et conte ses histoires ou qu'il interprète ses chansons, telle la facétieuse *Condition masculine.* Autres Africains révélés par la France, Pierre Akendengué, du Gabon, Mory Kanté le Guinéen, les Touré Kunda de Casamance, Salif Keita, Youssou N'Dour et le Congolais Zao.

Les autres Afriques

Le Maghreb a longtemps échappé à la chanson française. Aujourd'hui encore, les chanteurs de raï comme Khaled sont fidèles à l'arabe ; les Kabyles comme le poète Djamel Allam ou comme le groupe féminin Djurdjura chantent en berbère, même s'ils accompagnent leurs chansons de traductions françaises. C'est parmi les jeunes de la deuxième génération que se manifeste une forme de chanson originale, en français, mais sur une musique orientale mâtinée de rythmiques essentiellement américaines. Rachid Bahri, pour lequel Étienne Roda-Gil a écrit, apparaît comme le précurseur du genre, suivi de garçons comme Karim Kacel, qui, un temps, fut le porte-parole des « beurs » (*Banlieue*), mais qui, aujourd'hui, a choisi de poursuivre une certaine tradition française à laquelle appartient également Jean-Jacques Goldman. Citons aussi le combatif Mounsi, dont les couplets sont des brûlots et qui porte sans ambiguïté possible la coiffe des combattants palestiniens, et le groupe Carte de Séjour, qui célèbre ironiquement l'intégration des « beurs » en donnant sa propre version, très drôle, de *Douce France* de Charles Trenet.

Dans ce mélange de genres, une fille, Sapho, est allée plus loin encore. Une personnalité hors du commun. Chanteuse, auteur-compositeur, dessinatrice, romancière, elle a le goût de la provocation. Avant même ses débuts, au Petit Conservatoire de la chanson de Mireille, elle s'était distinguée en se faisant passer pour une jeune Québécoise, Bergamotte, dont elle imitait l'accent !

Sur scène, quelques années plus tard, elle se présente comme une chanteuse style Saint-Germain-des-Prés qui aurait découvert le rock. Ses couplets sont fins, léchés, bien écrits. Elle conte les nuits de la capitale : « Comme on hante les bars / Les nuits de désespoir / On rit sous la lune, tard / Rue des Lombards » (*Train de Paris*). Comme les chanteurs rive gauche, elle s'engage (dans *Thatcher Murderer*) et joue avec les mots : « Méthylène / Belladone / Mets ta laine / Belle Donna » (*Méthylène*). Talentueuse, surprenante, Sapho cultive son originalité, sans toutefois avoir trouvé son véritable style. Il est vrai qu'elle n'a pas cherché à renouer avec ses racines. Elle se situe au confluent de trois civilisations qui, chacune à sa manière, l'ont marquée. Orientale née à Marrakech, elle a vécu une partie de son enfance dans les ruelles où résonnait la langue arabe ; Juive, et donc regardée comme une demi-paria, elle traîne dans son âme les déchirures de la diaspora ; Française, enfin, elle a grandi dans nos écoles et aimé notre littérature. Elle connaît par cœur nos rengaines et écrit ses romans en français, bien plus qu'une langue d'élection.

Ces trois profondes sources d'inspiration, Sapho souhaite les servir également en les fondant en un langage commun, si bien qu'elle est, du point de vue intellectuel, la chanteuse la plus métissée de notre pays. Claude Fléouter, dans *le Monde*, titre à son propos : « Sapho'rientale ». L'intéressée précise : « Mon Orient me souffle des mots à l'oreille. » Orientale, mais pas soumise, comme le voudrait la règle. Engagée, sans toutefois appartenir au MLF, elle défend les positions du féminisme.

Contradictoire, donc. Directe comme le rock et théâtrale à l'extrême, agressive et séductrice, elle conte dans son deuxième roman, *Ils préféraient la lune*, l'histoire du jeune Tunisien Aziz, avec le langage de la zone, celui de Renaud. Tout l'intéresse, les camés et la Bible, l'exhibitionnisme et la mise en scène de sa propre fragilité, la révolte contre les hommes et le mariage. Tout en cultivant un *look* excentrique, elle se souhaiterait discrète et solitaire comme « une jument noire ». Sa philosophie tient dans ce couplet inédit qu'elle a confié à Salah Guemriche : « Le corps à corps rock accord / Nous a brûlé le corps / Entre Afrique et puis Amérique / Voilà ma musique[1] » (*Rock accord*). Encore plus révélateur est le concert qu'elle a consacré à Oum Kalsoum, la plus grande chanteuse du monde arabe. Plus qu'un hommage, la reconnaissance de l'esprit et du cœur.

Métisse, Sapho cherche l'authentique avec d'autant plus de constance qu'il ne s'agit pas pour elle de renouer avec ses origines. La voie qu'elle a suivie, les groupes métis l'empruntent en sens inverse. Les Négresses Vertes et la Mano Negra ne cherchent pas à faire revivre une tradition. Avec humour, délicatesse et beaucoup d'imagination, ils

1. Salah Guemriche, *Sapho*, éd. Seghers, 1988.

puisent leur inspiration à toutes les sources, naviguent entre l'Afrique, la France, l'Espagne et les terres tziganes, fabriquant avec allégresse une musique flambant neuve, sympathique et gaillarde, par laquelle on se laisse facilement emporter. Ils se moquent de tout et, joyeusement irrespectueux, malmènent paroles et musique. Ils se disent rockers, mais le rock lui-même n'échappe pas à leur arme favorite, la dérision. Dans un monde grave, ils apportent la fantaisie. Moins innocemment qu'il n'y paraît : se baptiser de noms extravagants et provocateurs, proposer une musique tellement hybride qu'elle en devient neuve, c'est manifester un certain style, celui du *melting-pot* et de la fusion des cultures, du rapprochement entre les hommes. Non pour unifier les pensées, mais pour donner à chacun le loisir de s'exprimer, de rester soi-même au sein d'un groupe cohérent : une *Famille nombreuse*, comme le chantent les Négresses Vertes.

Des groupes odorants

A la réflexion, malgré la sympathie qu'ils inspirent, ces nouveaux groupes, souvent burlesques, ne font pas preuve d'une grande inventivité musicale. Certes, la *world music* n'a pas encore atteint sa maturité, et représente déjà un courant original. Mais l'humour, la dérision, la chanson-sketch sont-ils vraiment d'aujourd'hui ? Cette nonchalance, cet humour potache et bon enfant ne nous sont-ils pas déjà connus ? Pour peu qu'on veuille leur chercher des ancêtres, les « petits jeunes » de la Mano ou des Négresses se révéleront issus d'une vieille tradition, petits-fils anachroniques de Ray Ventura ou, trente ans plus tard, du Grand Orchestre du Splendid. Même inspiration, souvent mêmes chansons, une once de délire et de provocation en plus. Ce que d'autres groupes, plus directs, plus grinçants, parfois scatologiques et pornographiques, à l'image d'un Coluche encore débutant, ont réussi avec plus d'éclat au début des années 70. A cette époque sévissaient sous l'égide de Ramon Pipin, qui a promené pendant une dizaine d'années sa silhouette inquiétante et son sourire sarcastique, deux groupes virulents, Au bonheur des dames et Odeurs. Lesquels semblent avoir cédé place aux Négresses et à la Mano, et avant eux à des groupes passionnés de jazz, enthousiasmés par les formations vocales animées par Mimi Perrin auxquelles participait souvent Christiane Legrand. Ainsi les Double-Six. Il n'est jusqu'au pari américain de Manhattan Transfer, à ses exploits vocaux et à ses mises en scène très music-hall, qui n'aient laissé des traces aujourd'hui.

Ainsi sont également nés des ensembles vocaux très riches musicalement, au jeu de scène efficace et capables de transformer en show la moindre de leurs prestations. Le premier à ouvrir la voie est Tchouk Tchouk Nougah, groupe malheureusement éphémère. TSF leur emboîte le pas, avec une mise en scène très visuelle qui leur vaut d'être souvent comparés aux Frères Jacques. Il n'y a là aucune exagération. Chacun de leurs concerts suscite une allégresse spontanée.

Chanson Plus Bifluorée emprunte un autre chemin. Plus sérieux d'aspect, ce groupe est doté d'un humour à froid franchement loufoque, et de voix viriles. Leur inoubliable version de *l'Internationale* signe, mieux qu'un long exposé, la mort des idéologies : il faut avoir entendu au moins une fois leur éloge faussement révérencieux à un certain Joseph Staline rendu par une doublure de Georges Brassens, ou, sur l'air revu et corrigé de *Une chanson douce* de Salvador, leur *Principe du moteur à explosion* (que n'aurait pas renié Boris Vian). Très proches d'eux par l'esprit, la dérision et l'iconoclasme, plus clownesques aussi sont les quatre « violons dingues » du Quatuor, qui convient sans complexe Jean-Sébastien Bach à leurs parodies échevelées de pop et de rock. De quoi secouer le plus blasé des spectateurs. Dernier groupe du genre, et le plus récent, l'ensemble Pow Wow, dont *le Chat* est d'ores et déjà un tube.

Aussi incontestable soit leur talent, tous ces groupes champions du verbe et de la diction n'ont joué à ce jour qu'un rôle secondaire dans la chanson et le rock. A croire que les auditeurs accordent d'emblée un surcroît de crédit aux groupes instrumentaux. Deux d'entre eux, dès la fin des années 70, ont su conquérir un public jeune : Starshooter et Téléphone. Niagara et Indochine devaient les rejoindre bientôt. A quelques nuances près, tous relèvent la même mouvance. Ils pratiquent un rock âpre, sonore, puissant, rythmé et sans concession, et obtiennent immédiatement un incontestable succès : disques vendus en pagaille, concerts à guichets fermés. Le titre d'un des tubes de Téléphone, *la Bombe humaine,* témoigne parfaitement de leur état d'esprit. Le noir est leur couleur, celle d'un futur sans espoir. C'est, disent les commentateurs, la musique d'une jeunesse qui quitte l'université pour aller pointer à l'ANPE. Bien sûr, ces groupes ne sont pas coulés dans le même moule : Téléphone est plus direct, plus brutal qu'Indochine, qui préfère pratiquer la dérision.

Les sérieux et les dingues

Le propre d'un groupe est de n'être pas éternel. Seul Indochine aujourd'hui perdure. Téléphone s'est scindé : d'un côté, Louis Bertignac (et les Visiteurs), musicien de Higelin pendant sa période rock ; de l'autre, Aubert et les autres. Chacun a tenté une carrière solo, intéressante, mais avec moins de succès. Le cas de Starshooter est plus simple : le groupe s'est autodissous. Ne surnage aujourd'hui que le chanteur, rebaptisé Kent Hutchinson, puis simplement Kent. Depuis trois ou quatre ans, il reprend en solitaire une carrière qui s'annonce favorable. Abandonnant la violence sonore de Starshooter, il se réfugie dans cette forme minimaliste du rock dont Daho s'est fait le héraut. Avec parfois des coups de gueule, plus ou moins bien venus (*Belle jeunesse qui rit quand on l'encule*), car ils ne correspondent pas à sa (nouvelle) personnalité. Homme honnête, un peu naïf parfois, Kent tente, dans des couplets généralement bien écrits, de retrouver le monde chaleureux et illusoire de l'enfance. Il y parvient souvent. Petit à petit, il reconquiert un public, séduit par sa sincérité et sa tendresse. Le rebelle incorruptible d'hier est devenu un homme fraternel.

La décennie 80 est très favorable aux groupes. Il n'est d'ailleurs plus besoin d'être en grand nombre pour en constituer un. Il suffit d'être deux. Ainsi naissent Chagrin d'amour, Blues Trottoir, Vaya con Dios (venu de Belgique) et bien d'autres. Ils connaissent le succès le temps d'un tube, puis disparaissent jusqu'à leur prochain jour de chance. Leur musique est le plus souvent enjouée, leurs chansons bien troussées accrochent l'oreille. Que leur manque-t-il pour durer ? Peut-être de pouvoir surprendre, de choquer. Ils se contentent de plaire à des auditeurs qui n'exigent d'eux rien d'autre qu'un divertissement. Ils ne dérangent pas, ne changent pas le cours de la musique, et ne pratiquent pas le double sens.

Les Rita Mitsouko sont tout l'inverse d'un groupe d'agrément. Est-ce seulement un groupe ? se demande-t-on d'abord. N'est-ce pas le pseudonyme bizarre d'une chanteuse hystérique ? Certains expliquent que Rita, c'est Catherine Ringer (la chanteuse), et Mitsouko Fred Chichin (le musicien). Un nom, et déjà tout un mystère : décidément, ce groupe ne fait rien comme les autres. Son goût de la provocation nous le confirme. Catherine Ringer ne chante pas, au sens ordinaire du terme ; elle pousse sa voix au plus aigu et s'y maintient alors qu'elle semble tout près de craquer. Attitude inhabituelle, comme l'est son étrange façon de remuer sur scène, de se tortiller de bas en haut – comme autrefois Boby Lapointe, mais bien plus violemment. Bientôt, sa jupe découvre ses cuisses et son pull-over grimpe si haut sur son buste qu'on finit par apercevoir ses seins nus.

Autant d'excentricités qui donnent aux prestations du groupe un aspect surréaliste et loufoque. A écouter et regarder *Marcia Baila,* leur premier grand succès, on pense à une chanson « marrante ». On ne comprend pas d'emblée que le texte parle du cancer et de la mort : il faudra d'ailleurs les explications de Catherine Ringer pour apprendre qu'il s'agit là d'un hommage à une amie professeur de danse frappée par la maladie...

Les Rita Mitsouko sont impénétrables. Aussi se pique-t-on de décrypter la signification profonde de leur répertoire. Tout est possible puisqu'ils n'expliquent rien. *Le Petit Train* était une rengaine légère et exotique des années 50. Facile à danser, facile à retenir, elle faisait alors les belles soirées des bals populaires de fin de semaine. Les Rita l'adoptent. Et la transforment, évidemment, en ritournelle criarde, tout à la fois drôle et inquiétante. Pourquoi l'ont-ils choisie ? A quel dessein ? Mystère. Sans doute ont-ils voulu simplement démontrer que le ton Rita Mitsouko peut frapper n'importe où, contaminer jusqu'à l'œuvre la moins intéressante. Catherine Ringer n'a-t-elle pas avoué : « Si Lio me confiait une chanson, j'en ferais du Rita Mitsouko » ? Signalons toutefois qu'à force de chercher, certains ont conclu que ce *Petit Train* est celui qui conduisait les déportés vers les camps de la mort...

Ces mystères n'ont pas de fin. Ainsi, pourquoi Catherine Ringer chante-t-elle en duo avec Marc Lavoine ? Il dit : « Qu'est-ce que t'es belle », elle répond : « J'me sens pas belle... » Pourquoi cette rencontre entre un des charmeurs de la chanson française et sa plus flagrante provocatrice ? La réponse est simple : parce que ça les amuse tous les deux. Personne n'y avait pensé, semble-t-il. En fin de compte, tout cela relève de l'anecdote. L'important est ailleurs. Quand, dans dix ans, nous en serons venus à nous remémorer la décennie 90, nul doute que les Rita Mitsouko y figureront en bonne place.

Femmes rétives

Ce n'est pas révéler un secret de rappeler que c'est surtout à la voix de Catherine Ringer que les Rita doivent leur formidable popularité. Mais, pour une femme dans le vent, combien se sont égarées en cherchant le succès ? Malgré leurs atouts, elles sont souvent restées dans l'ombre de ce milieu masculin, voire macho, que fut longtemps le show-business. La plupart du temps, d'ailleurs, ne perçaient que celles qui dédaignaient d'utiliser leurs appas.

C'est à la fin des années 70 que les choses changent. Le féminisme a fait son œuvre ; bientôt, le harcèlement sexuel est considéré comme un délit. La nouvelle chanteuse des années 80 agrémente sa panoplie de séductrice de quelques épices plus modernes : insoumission, insolence, gentille moquerie du sexe fort et indépendance, sinon fièrement proclamée, du moins vécue au quotidien. Elle se soucie peu d'être une « écrivaine », et non un « écrivain », préférant même être auteur tout court plutôt qu'auteur de chansons. Le plus important est encore de pouvoir chanter.

Quoique issues de la même « révolution », toutes ces chanteuses n'affichent pas moins leurs singularités. Quoi de semblable, en effet, entre une Manon Landowski, plutôt littéraire voire précieuse, et une Caroline Loeb qui, avec la gouaille bienfaisante de *C'est la ouate,* a remis à l'honneur le mythe béni de la paresse et l'éloge d'une voluptueuse fainéantise ? Quoi de commun entre Patricia Lai, écorchée vive émergée des bas-fonds de la chanson réaliste, à laquelle elle insuffle une angoisse et un attrait supplémentaires, et la toute charmante Elli Medeiros (*Toi mon toit*) dont les textes, apparemment innocents et simples prétextes à divertissement, recouvrent un sens plus profond ? Entre Zaniboni, rockeuse au cafard noir, et Isabelle Morelli, réaliste romantique ? Entre Mouron, ludion échappé du Big Bazar, Véronique Gain, classique au talent affirmé, Catherine Boulanger, version féminine du *Compagnon des mauvais jours* de Prévert, Sofie Kramen la sophistiquée, Clarika l'ironique et Buzy, si « gainsbourgeoise » que le grand Serge lui prêtera sa voix le temps d'une chanson ?

Aucune commune mesure, assurément. Seul point de convergence : ce sont toutes des femmes qui s'assument totalement. Même celles qui recherchent l'appui ou la caution d'un Gainsbourg, d'un Ferré, ne renoncent pas à leur indépendance. Elles ne sont en cela pas différentes des hommes ; il n'enlève rien à la gloire de Brassens d'avoir aimé Trenet, à celle de Gainsbourg de s'être référé à Vian ou à celle de Lavilliers de considérer Ferré comme un maître.

Que France Léa soit passée du monologue à la chanson, aussi émouvante dans un registre que dans l'autre ; qu'Anna Baum, ex-comédienne, ait trouvé le moyen de théâtraliser un répertoire souvent poignant ; que Chantal Grimm ait joué un rôle d'historienne de la chanson française avant d'écrire ses propres couplets ; que Véronique Gain ait tout fait avant de parvenir à la scène (conservatoire, Ateliers chansons de Paris, École des Variétés), toutes ces différences n'ont aucune importance. Elles ont toutes suivi, comme l'écrit Patricia Scott-Dunwoodie[1], « le parcours des battantes ». Elles ont de l'audace. Aucun sujet ne

1. In *Paroles et Musique.*

leur fait peur, pas même l'érotisme, voire la pornographie. Quand la chère France Gall chantait *les Sucettes*, elle devait – cela va de soi – ignorer le double sens des couplets. Mylène Farmer, jolie silhouette, joli talent, plus libertine qu'ingénue, sait très bien ce qu'elle dit. Amoureuse d'une infirmière dans un hôpital, elle fait un clin d'œil au lesbianisme, clame sa profession de foi : « Je suis libertine » et fait enfin l'éloge de la sodomie dans *Pourvu qu'elles soient douces*, ce qui vaudra quelques ennuis à sa chanson sur certaines stations de radio puritaines. Elle ne s'en plaint pas : le public, passablement secoué par la révolution des mœurs, n'hésite pas, malgré la menace sous-jacente du sida qui plane sur les libres amours, à lui faire un triomphe sans mesure. De même, Guesh Patti, ex-danseuse convertie à un style de chanson ironique et violente, réclame-t-elle *Étienne Étienne* avec la voracité d'une ogresse affamée ! Le temps semble s'éloigner où les femmes, apparemment passives, se laissent désirer. Aujourd'hui, souvent féroces, elles choisissent leur partenaire, parfois leur victime, un peu comme l'eût fait un Casanova au féminin. Quand elles ne sont pas mantes religieuses, elles se montrent d'avides collectionneuses.

De Mas en Kaas

Toutes ne sont pas des mangeuses d'hommes. En *Rouge et noir,* look agressif, Jeanne Mas raconte dans *Toute première fois* ses expériences d'amoureuse débutante. Elle chante et plaît parce qu'elle semble personnifier la femme moderne, toute de passion et d'audace. Brûlant les étapes, elle arrive au sommet au milieu des années 80, multipliant les disques d'or, attirant les foules comme une fleur les abeilles. Puis, touchant au but, la voilà qui se met à philosopher. Un choc... Une tout autre personnalité se révèle. On la croyait d'avant-garde : elle retarde, abandonnant son audace pour prôner la vieille « sagesse des nations », avec ses tabous et ses idées reçues, ses réflexes réactionnaires... Le public la boude. Tout est à recommencer.

Une leçon que retient Patricia Kaas. Au départ, lorsqu'elle lance *Mademoiselle chante le blues,* on la croit pétrie de jazz. On ignore encore qu'elle a déjà vécu une dizaine d'années de « galères ». Une enfance difficile, un père mineur de fond à Forbach, plusieurs concours de chant remportés à l'âge de dix ans... Patricia est une enfant prodige « managée » par sa mère ; elle connaît même un certain succès en Allemagne où elle chante dans les cabarets. Mais le grand public l'ignore : elle n'a pas enregistré de disque.

François Bernheim, puis Didier Barbelivien vont décider de son sort. Barbelivien est un mal-aimé de la chanson. Son nom est aujourd'hui attaché à ces couplets populistes, un rien démagos, et à ces duos qu'il a lui-même enregistrés avec Félix Gray – lesquels, malgré le succès qu'ils remportent, ne font rien pour améliorer son image. Il lui arrive, en pire, ce qui est arrivé un moment à Pierre Delanoë. Il écrit beaucoup, connaît trop de réussites, joue et gagne plus que son dû. C'est du moins ce qu'affirment ses contempteurs qui, comme ils l'ont fait avec Delanoë, ne se donnent même pas la peine de lire ses textes. Or, ce n'est pas un hasard si les grands paroliers ont du succès. Ils ont aussi du talent.

Avec Patricia Kaas, Barbelivien ne commet pas d'erreurs. Elle n'a pas encore de profil défini : il va s'efforcer de lui en modeler un. En jouant sur le blues, bien sûr, auquel sa voix se prête à merveille. Puis en accentuant ses particularités. *D'Allemagne* est, à ce titre, une chanson exemplaire : « D'Allemagne / L'histoire passée est une injure. » Il lui fait aussi raconter *son* histoire, une histoire mélancolique à souhait. La personnalité de la chanteuse, surtout, l'inspire. Patricia est à la fois volontaire et fragile. Elle tire, de ce corps qu'on sent vulnérable, une voix puissante, souvent déchirante, qui prend le public aux tripes. Elle a la force d'émotion d'une Piaf. Autant d'atouts à mettre en valeur.

La métamorphose s'opère grâce à une chanson, *Mon mec à moi,* mélange *bluesy* de deux vieilles chansons, *Mon homme,* que chantèrent Mistinguett et Piaf, et *Tel qu'il est*, interprété de façon ironique par Fréhel. Une quintessence de rengaine réaliste. C'est la voie que va désormais emprunter Patricia Kaas, sans abandonner son sens du rythme ni ses couleurs. Mais ses textes sont plus mélodramatiques, plus empreints d'un tragique du quotidien.

Elle ne se veut pas pour autant une héritière de Piaf. « La môme » est un mythe intouchable : ce serait lèse-majeté de voler son style. Puisant son inspiration chez Piaf comme, outre-Atlantique, chez Ella Fitzgerald, Kaas, au contraire, incarne sur scène un personnage original nourri à ces diverses racines. Très typique de ce nouveau style est sa chanson *Rose Kennedy*, l'histoire d'une famille frappée par le sort, à la rythmique très américaine, mais sur un texte typiquement français.

Le public ne s'y trompe pas. Cette musique actuelle, quoique enracinée dans la tradition, ne lui donne pas l'impression de retourner en arrière. Il ne se sent jamais dépaysé. Patricia Kaas jette un pont sur un quart de siècle de chanson. Barbelivien a provoqué le déclic qui a permis à la jeune femme de se révéler. Mais, à l'évidence, il ne l'a pas créée de toutes pièces. Elle avait tout pour s'imposer. Patricia Kaas n'est pas un produit de fabrication. Barbelivien lui a simplement fait gagner du temps. Ce temps qui a manqué à Anne Pekoslawska : qualités proches de celles de Kaas, même goût du jazz, un brin de folie en plus, à la Diane Dufresne. Mais moins de chance. Il y a pourtant fort à parier qu'elle saura refaire parler d'elle.

Novatrices ou lolitas

Les années 90 sont extrêmement fécondes en silhouettes féminines. Difficile, parfois, de mettre un visage sur leur nom. Enzo Enzo, Jill Kaplan, Viktor Lazlo... qui est qui ? Heureusement, ni les silhouettes ni les voix ne trompent. Elles sont belles. Leur prénom pas plus que le timbre de leur voix ne les range parmi les faibles femmes. Leur style ne s'est pas encore décanté, mais elles sont portées vers des personnages forts, amoureux des mots drus. Peu de chance qu'on les oublie vite.

D'autres sont plus ironiques : Pauline Ester, qui se moque un peu de tout et transforme volontiers ses chagrins d'amour en jeux d'humour ; Élisabeth Anaïs, auteur apprécié qui a fait de Catherine Lara la *Rockeuse de diamants* ; Marie-Laure Béraud, qui explore sans complexe tous les genres, passant allègrement de l'ironie à la chanson réaliste ; Véronique Rivière surtout, qui, un sourire sans indulgence aux lèvres, pose sur ses compagnons supposés un regard impitoyable *(Capitaine, Miguel);* et Maurane, encore, qui a fait de *Mentir*, en 1992, un succès. La toute neuve Juliette, à peine entrée dans le monde de la chanson, s'y meut avec la grâce d'un jeune éléphant, cassant tout, improvisant sa propre version, bien plus agressive que celle du film de René Allio, de *la Vieille Dame indigne*. Iconoclaste jusqu'au bout des ongles, elle propose une interprétation – tango et espagnolade – de *l'Homme à la moto* réduisant en miettes celle que Piaf avait transformée en tragédie du quotidien. Accompagnée de « l'Orchestre », Gina invente, avec beaucoup de drôlerie, une parodie de chanson réaliste, efficace et drolatique.

Liane Folly, enfin. Alpine nourrie de jazz et de bals populaires, elle recrée une variété *jazzy*, jouant autant de son sens du rythme, de sa voix très ample et de son envie de ressusciter, avec des accents modernes, l'esprit de Saint-Germain-des-Prés.

Toutes ces jeunes femmes, talentueuses et novatrices, semblent destinées à faire de belles carrières, même si, pour l'heure, elles doivent faire face aux nouvelles Lolitas que sont Charlotte Gainsbourg (quoique la chanson ne soit pas son moyen d'expression favori) et Elsa. Cette jolie fillette, devenue une délicieuse adolescente, chante les problèmes et les chagrins de la jeunesse ; elle semble aujourd'hui éprouver des difficultés à se forger un répertoire digne de son âge, malgré la volte-face de son dernier album, délibérément « adulte », voire sexy.

Tel n'est assurément pas le cas de Vanessa Paradis. Elle débute à quatorze ans, petite fille à la beauté acidulée. Étienne Roda-Gil lui a taillé un répertoire sur mesure : *Joe le taxi* devient immédiatement un tube. Serge Gainsbourg s'en mêle, la surnomme « ma Lolycéenne » et lui offre un album, *Tant d'aime*, évoquant sans ambages l'attirance que la toute jeune fille exerce sur les hommes : « On m'dévisage / On m'envisage... » Sur ce disque figure une reprise de *Walk on the wild side*, le standard de Lou Reed, l'une des meilleures versions enregistrées de cette chanson. Un troisième album, enfin, en anglais, vient d'être enregistré aux États-Unis avec Lenny Kravitz. Entre-temps, elle a joué le rôle principal d'un film dramatique, et s'est distinguée dans un spot publicitaire sophistiqué pour les parfums Chanel. Sans effort, elle est en train de devenir une star. Les raisons de ce succès, Laurent Joffrin, directeur de la rédaction du

Nouvel Observateur, les résume en quelques paragraphes : « Vanessa Paradis est sortie du bataillon des chanteuses pour collégiens parce qu'une autre génération, celle de ses parents, l'a acceptée. Or, cette autre génération, c'est celle des *baby-boomers*... Les *baby-boomers* aiment Vanessa Paradis parce qu'elle les renvoie à leur jeunesse perdue... »

Quelques mots, encore trop rapides, sur le beau sexe. Et sur l'énigme Michèle Torr : trente ans après ses débuts, elle est toujours en piste. Sur les raisons de cette pérennité, on s'interroge. Elle a ses « fans », mais pourquoi demeure-t-elle une vedette ? A chacun de ses passages, le public se presse en foule. Étrange et magnifique longévité. Linda de Suza n'est pas sans lui ressembler, mais plus explicablement. Elle cultive la chanson langoureuse et le romantisme tragique, celui de sa *Valise en carton.* Linda a connu un succès fulgurant, mais l'échec de la comédie musicale tirée de son livre l'a forcée à tout reprendre de zéro. Il lui faut, depuis, gravir à nouveau une à une les marches qu'elle a dégringolées.

Une époque nostalgique

Et les hommes ? Plus on s'approche de la fin de la décennie, plus ils s'accrochent : les combatifs Alain Manaranche et Allain Leprest, le premier plus « intellectuel », le second plus « direct », dans le style de Ferré ; Romain Didier, ciseleur de chansons, sensible au temps qui passe, mais que la structure du métier semble condamner à demeurer au second plan ; Hubert-Félix Thiéfaine qui, depuis une quinzaine d'années, a choisi délibérément de rester en marge... Une marge aujourd'hui sensiblement élargie !

Le répertoire de Thiéfaine, insensé, déstructuré et jovial, emprunte autant au surréalisme qu'au langage de l'enfance. On ne le comprend pas, on l'entend rarement à la radio, on ne le voit jamais à la télévision, mais les quelque douze albums qu'il a enregistrés ont presque tous été disques d'or et il n'y a rapidement plus de places disponibles dans les grandes salles où il se produit. Clown grinçant, il se moque de lui-même sans oublier d'agresser ses contemporains.

Autre marginal, ceint lui aussi d'un cénacle de fidèles, quoique moins nombreux, Môrice Bénin mène également une carrière en solitaire. Il a modernisé sa musique et ses textes, mais reste, quoi qu'il en pense, dans la lignée des années 70. Peut-être une chance pour lui. Cette décennie, en effet, semble revenir en vogue.

Citons encore Hervé Christiani, auteur de plusieurs tubes (*Il est libre Max*), toujours resté à la limite entre grand succès public et reconnaissance du métier, sans avoir jamais vraiment obtenu l'un et l'autre ; Julie Piétri (vedette à éclipses se faisant naguère appeler simplement Julie) qui, elle aussi, se contente de flirter avec le succès ; Dany Brillant, dont *Suzette*, tube de 1992, semble faire le chef de file de la vogue rétro ; Jacques Haurogné, à l'humour permanent et à la voix de haute-contre ; Gérard Berliner, venu à point pour rappeler la dureté de la condition prolétarienne de jadis (*Louise*) ; Jean-Louis Mahjun, violoniste et rocker, aussi excellent chanteur que musicien ; Pierre Bachelet, homme du Nord et de la mer qui dialogue joliment avec Florence Arthaud ; Marc Lavoine, jeune premier et romantique échevelé dont chaque chanson connaît le succès ; Gilles Langoureau qui a réussi à rendre au jazz populaire sa veine humoristique ; Richard Bohringer et Philippe Léotard, anges noirs, étranges et angoissants de la chanson ; Michel Arbatz, enfin, souriant et mordant accordéoniste.

Bill Baxter est un groupe qui monte avec verve de petites comédies musicales, sans toutefois dépasser ce stade. Le salace groupe Elmer Food Beat a brillé l'espace de deux saisons ; on l'oublie un peu. Le groupe Au p'tit bonheur perce, mais semble ressasser son premier succès. Les Innocents sont en pointe, mais pour combien de temps ?

Plus assurés de durer sont les groupes qui gravitent autour de Boucherie Productions, presque tous « ex-alternatifs » convertis à la chanson réaliste d'avant-guerre, version *hard*. Pigalle a déjà à son actif deux chansons à gros succès, dont le fameux *Bar-tabac de la rue des Martyrs*.

Toutes ces équipes sont porteuses d'une mode très puissante aujourd'hui ; on leur doit l'anthologie *Ma grand-mère est une rockeuse*, hommage à Fréhel et à Piaf... Que deviendront-elles demain ? On ne jurait il y a cinq ou six ans que par les groupes Gold, Image et Noir Désir, tous trois influencés, même à leur insu, par les Enfants terribles des années 60 et 70. Gold s'est dispersé, Image disparaît, Noir Désir est moribond.

Fortes têtes

Une seule certitude : seules les fortes personnalités résistent à la mode. On ne sait si Jean Guidoni rencontrera un jour le succès public qu'il mérite, ni s'il connaîtra le Top 50 ou le Top albums. Il est certain, en revanche, qu'il ne cédera pas la place qu'il s'est ménagée. Ses débuts sont ceux d'un chanteur mignon et sans problème. Une de ces silhouettes qui passent inaperçues – sauf des adolescentes. Un jour, Jacques Lanzmann lui confie *le Têtard,* chanson inspirée de son roman en partie autobiographique. C'est un texte plus fort que ceux que Guidoni a coutume d'interpréter. Mais il ne s'y reconnaît pas exactement. Il a besoin d'un monde plus âpre, d'une atmosphère plus trouble.

Il les trouve en 1980. « La révélation lui est venue au Pigall's, où chantait Ingrid Caven », révèle Colette Godard[1]. Personnage peu banal que celui de cette Allemande qui, dans son cabaret, restitue un climat délétère, inquiétant et sans espoir. En l'écoutant, Guidoni a trouvé son monde, son univers... A l'Européen, aux Bouffes du Nord, à l'Olympia, il affectionne les décors « glauques », très théâtralisés. Il plonge ses spectateurs dans un climat qui rappelle celui de la comédie musicale *Cabaret.* On y sent la misère physique et morale, on y respire l'alcool frelaté et la drogue. L'homosexualité masculine, sujet tabou entre tous, n'y est pas occulté. Marseille la joyeuse, Paris l'accueillante y sont présentées sous un jour inhabituellement lugubre ; tout plaisir est amer et désespéré, tout amour malheureux... Parfois, la colère emporte Guidoni ; il dresse alors un portrait cruel et juste du bon guide, le

1. *Jean Guidoni,* éd. Seghers, 1988.

maréchal Pétain, symbole d'oppression et d'hypocrisie. Guidoni travaille avec Pierre Philippe et Astor Piazzolla, le rénovateur du tango. Sur chacun, il imprime sa marque. Philippe écrit des textes dont on sent qu'ils correspondent parfaitement à la pensée de Guidoni. Dans ses propres couplets, ce dernier exprime ouvertement ses sentiments et ses sensations : « Je pourris camarade / De vivre sans comprendre / De n'être sûr de rien... » Il n'a pas changé. Toujours aussi angoissé, toujours aussi original. Toujours hors norme.

Autant Guidoni a choisi l'isolement et la solitude, et s'y trouve à l'aise, sinon heureux (mot toutefois rare dans sa bouche), autant Francis Lalanne a besoin, pour pouvoir respirer, qu'on l'aime, qu'on l'admire, qu'on s'intéresse à lui et qu'on lui manifeste de la sympathie. Ainsi s'expliquent ses derniers errements, ses manifestations à la tête des intermittents du spectacle en grève, sa prise de position en faveur du « non » au référendum de Maastricht. On se rappelle aussi, voici plusieurs années, sa violente diatribe sur France-Inter contre Hélène Hazéra, critique à *Libération,* qui avait eu le malheur de ne pas aimer un de ses spectacles...

L'homme est singulier, mais capable du meilleur, telles ses chansons *la Maison du bonheur, la Plus Belle Fois qu'on m'a dit je t'aime, Voisin mon frère,* etc. Et du pire : des shows interminables où il remplit de réflexions par trop simplistes les vides que le spectacle ne peut dissimuler. De lui, Claude Fléouter écrit dans *le Monde* : « Pour une génération partagée entre la science-fiction, l'informatique et le romantique, Francis Lalanne [...] est un magicien lunaire, un bateleur, un Candide généreux et fougueux qui a le pouvoir de déclencher une fête un peu démesurée... » Mais *le Matin* est plus sévère : « Lalanne en rajoute dans la démagogie, dans le style grand frère qui connaît le mal de vivre de ses cadets. »

Deux opinions, deux vérités. Lalanne ne laisse pas indifférent. Il est l'un des premiers depuis bien longtemps à susciter le fanatisme irraisonné de ses admirateurs. Il a du pouvoir, on est prêt à se battre pour lui. Dès que s'élève la moindre réserve sur ses productions, le courrier afflue dans les salles de rédaction. On a osé mettre en doute le héros, on a commis un crime de lèse-majesté.

Il travaille tous azimuts, compose de nombreuses chansons, se transforme en producteur de cinéma pour *le Passage,* un film avec Alain Delon, et écrit un roman de science-fiction, *Ajedhora,* qui ne laissera pas de grande trace dans la littérature. Peu d'humour dans sa production. Un sérieux inébranlable, une confiance en soi absolue qui le rendent insupportable à certains, et qui font porter sur lui des jugements souvent injustes. Non, il n'est pas le rimailleur médiocre que certains prétendent. Oui, il est parfois une véritable poésie dans ses couplets. Oui, sa voix chaude et modulée sait convaincre. Mais il n'est pas le centre du monde. Pas encore, du moins ! Le jour où il s'en rendra compte, il ne s'en portera que mieux.

Entre amitié et idolâtrie

Autant Lalanne paraît égocentrique, autant Jean-Jacques Goldman se montre discret. Peu ou pas d'interview à la presse, pas d'appel au public, pas de geste démagogique. Déjà simple du temps du groupe Taï Phong avec lequel il a débuté en 1975, il le demeure en 1982, après le deuxième album paru sous son propre nom, dont deux titres (*Au bout de mes rêves* et *Quand la musique est bonne*) connaissent un succès exceptionnel. Dès lors, sa carrière est toute tracée. Dès la fin de la même année, il est le numéro 1 des ventes d'albums en France, le *showman* le plus populaire du pays.

Un succès qui l'étonne. Intelligent, sympathique et chaleureux, il écrit de bons textes qui correspondent à son âge et séduisent les adolescents. Ses musiques, modernes, ne se conforment pas aux dernières astuces en vogue. Mieux (ou pis) : il est lucide. Il connaît ses limites, envisage son métier d'abord comme un aimable divertissement. Et ne se prend ni pour un philosophe ni pour un maître à penser. Il ne lui viendrait pas à l'idée de diffuser des mots d'ordre ou des directives. Plus grave encore : à Jacques Erwan et Marc Legras qui, pour *Paroles et musique,* lui demandent s'il pense toujours que le rock est, comme il l'a déclaré un jour, un mouvement de droite, il répond : « Je pense qu'il y a beaucoup de caractéristiques de droite dans le rock : par exemple, le rapport avec les femmes ou le rapport avec la foule et son fanatisme, les collusions avec l'argent et le pouvoir... L'appel à la drogue, l'insolence et la révolte très adolescente qui alimentent les textes de rock confortent les pouvoirs établis... »

L'ennui, pour Goldman, c'est que le succès le confronte précisément à des problèmes de ce genre. Même si ses textes, plus travaillés que ceux des rockers, évitent de mettre en avant la révolte adolescente et proscrivent la drogue, même s'il fait un effort pour limiter le rock pur et dur dans son répertoire, il ne parvient pas à éviter les mouvements de foule, ne peut s'empêcher de les canaliser et finit par être idolâtré. Le show-business est une machine terrible qui transforme les artistes qui en vivent. Ils étaient libres, ils deviennent bon gré mal gré les prisonniers de leurs fans.

Pour Jean-Jacques Goldman et son public, le roman d'amour est appelé à durer au moins une décennie. Ce qui rend sa situation encore plus délicate. Il aurait voulu être un ami, le voilà devenu une idole, aujourd'hui obligé de limiter au minimum ses interventions publiques et d'accorder ses interviews au compte-gouttes, quitte à protester avec véhémence lorsqu'il se juge trahi. Ce n'est pas pour lui de la forfanterie, plutôt une forme d'honnêteté.

Mais moins il parle, plus il chante, plus son influence grandit. Bien que ses couplets fuient toute idéologie et bien qu'il déteste les slogans, on en arrive à le présenter comme le chef de file de la « génération morale », très à la mode à la fin des années 80. Il a beau dire, toujours pour *Paroles et musique,* mais cette fois à Didier Varrod : « Je vote, mais je ne me sens pas suffisamment connu pour faire partager mes opinions », on ne l'entend pas.

Il faut attendre Patrick Bruel pour voir Goldman débarrassé de ce rôle de mentor, sans pour autant perdre ses fidèles un instant désarçonnés par la formation du groupe Fredericks-Goldman-Jones. Incapable de tricher, de mentir ou de se prendre au sérieux. Mais, l'expérience aidant, il est devenu plus méfiant, moins volubile. Il accepte de se livrer, dans certaines limites : il ne veut plus être dupe.

Patrick Bruel est un personnage plus complexe. Le fanatisme l'angoisse. Qu'on hurle son prénom le hérisse. La foule qui l'entoure à chacun de ses déplacements l'affole. Pourtant, il ne peut s'en passer depuis qu'il a entendu le public acclamer Jacques Higelin aux Francofolies de la Rochelle. Bouleversé, il a crié des heures entières dans la nuit de la vieille cité.

Adolescent, Bruel ne sait pas très bien quelle voie choisir. Il s'est trouvé une bande, un clan... Des jeunes, qui vivent dans le même quartier, partent ensemble en vacances, chantent Brassens, Le Forestier, Lama et *Amsterdam* de Jacques Brel, une chanson qu'il interprète aujourd'hui à merveille. Premier choc : un spectacle de Sardou à l'Olympia.

Tout commence en 1978. Patrick a dix-neuf ans, mais paraît plus jeune. Alexandre Arcady tourne son premier film, *le Coup de sirocco,* adapté d'un roman de Daniel Saint-Hamon. Son sujet : l'exode des pieds-noirs. On cherche un fils à Roger Hanin. Patrick rate son bac, mais obtient le rôle. Il a à peine besoin de jouer : il connaît le sujet sur le bout des doigts. Cette histoire – dont il est le narrateur –, il l'a presque vécue, enfant, quand il lui a fallu quitter l'Algérie.

C'est son premier grand film. Il y en aura d'autres. En attendant, Patrick est G.O. au Club Med. Il espère décrocher un contrat dans une maison de disques. Rien ne vient. Course aux cachets. Petits rôles au cinéma et au théâtre, notamment dans une pièce, *le Charimari,* qui restera deux ans à l'affiche. Enfin un nouveau rôle dans *le Grand Carnaval* d'Arcady, quelques passages télé, un film de Lauzier (*la Tête dans le sac*), et un autre film, *P.R.O.F.S.*, que voient 3 500 000 spectateurs en 1985. Il est devenu une vedette. Il tourne bientôt dans *la Maison assassinée* de Georges Lautner, *l'Union sacrée* d'Arcady et *Toutes peines confondues,* de Michel Deville, où il forme avec Dutronc un duo subtil et lugubre.

Mais, désormais, la chanson l'accapare. Ses albums sont, l'un après l'autre, classés en tête du Top albums. *Casser la voix, J't'le dis quand même* et *Place des grands hommes* deviennent d'immenses tubes. Le grand garçon brun et frisé à la voix chaude est devenu une idole. Il est bon auteur, chante bien, mais possède quelque chose de plus, cette pointe de folie qui bouleverse ses admirateurs... et surtout ses admiratrices. Elles l'ont d'abord aimé comme un grand frère, puis comme un *sex symbol.* Lui paraît s'y refuser ; jusqu'à quel point ?

D'autres, en tout cas, aspirent à telle popularité. On les annonce comme les vainqueurs de la dernière décennie du siècle. Florent Pagny, garçon généreux et flamboyant, parfois excessivement enthousiaste ou, au contraire, vindicatif, est déjà considéré par certains comme le rival direct de Patrick Bruel. Nilda Fernandez, dès son premier album, a séduit : ses textes sont remarquablement écrits et sa musique est chaleureuse. Certaines des chansons – *Entre Lyon et Barcelone, Nos fiançailles* – sont d'ores et déjà des tubes. Sa voix, surtout, est son meilleur atout. Étrange et pure, d'une féminité volontairement accentuée, elle trouble l'auditeur, qui abandonne toute défense.

Moins éthérés, plus carrés sont les raps de M.C. Solaar, autre vainqueur de l'année 1992 et prétendant au titre de chanteur de la décennie. C'est un rapper qui écrit bien et dont l'album *Qui sème le vent récolte le tempo* part en flèche, emmené par les succès *Bouge de là* et *Caroline.*

Nous ne saurions terminer sans citer un dernier prétendant, moins vite parti, mais qui a délibérément choisi les chemins de traverse. Il manie volontiers l'absurde, invente des aventures délirantes qui vont jusqu'à mettre en scène le général de Gaulle, s'appuie sur des musiques variées, du jazz au rock en passant par le blues, sans oublier le *song* à la Kurt Weill, et pousse sa voix râpeuse avec un humour discret et efficace. C'est un artiste-né, un enfant de la balle. Il s'appelle Arthur H.

ÉPILOGUE

Ce livre n'est pas exhaustif. Il ne pouvait l'être. Il aurait fallu rédiger trois à cinq fois plus de pages pour parvenir à dresser un panorama à peu près complet de cinquante années de chanson française. Un ouvrage de cette nature repose sur la mémoire bien plus que sur la documentation. Et, en dépit de notre volonté, la mémoire est toujours sélective. Elle efface certains souvenirs, en magnifie d'autres – comme il arrive à tout amateur de chansons. Nous ne sommes pas maîtres de ces souvenirs. La mémoire, comme la culture, est ce qui reste.

Ce livre ne peut non plus être parfaitement objectif. Impossible de faire abstraction de ses sentiments, ses goûts, ses sympathies, ses passions et même de ses aversions. Il y a ceux que, d'instinct, l'on aime, ceux qu'on apprécie avec réserve, et ceux qui irritent ou qui laissent indifférent. Le dire, c'est prendre parti. Ne pas le montrer, ce serait tricher sans doute. L'amoureux de la chanson n'est pas un entomologiste. Il n'éprouve pas la même sympathie pour chacun des insectes sur lesquels il pose son regard : l'araignée le révulse, il supporte mal les piqûres de moustique et éprouve une sorte de tendresse pour la coccinelle – animal féroce –, simplement parce qu'elle est jolie.

Cet ouvrage repose sur un parti pris. Nous savions d'où partir et où parvenir. Sur la chanson, nous avions quelques idées préconçues, parfois erronées, mais que nous pensions justes. Bien sûr, quand la tentation était trop forte, nous nous sommes laissé séduire par les chemins non balisés. Mais nous ne nous y sommes pas attardé. Peut-être aurions-nous dû ? Nous les avons quittés pour rejoindre cette « grande route » que notre boussole nous indiquait.

Nous avons ainsi négligé des hommes qui, tout en ne chantant pas, ou rarement, ont joué un rôle certain dans la chanson française. Des auteurs comme Jean-Michel Rivat, Frank Thomas, des pères spirituels comme Henri Christiné et Vincent Scotto... Peut-être n'avons-nous pas assez accordé de place à Mireille et à Jean Nohain. Il eût fallu des pages pour rendre hommage à un auteur de la stature de Bernard Dimey, qui a écrit tant de chansons pour les autres, ironiques, sarcastiques et désespérées, qu'il disait lui-même en poète, célébrant les voyous, les buveurs de gros rouge et les amoureux de bistroquets mal famés du XVIIIe arrondissement de Paris. Nous avons aussi passé sous silence ceux qui ont permis à la chanson de s'exprimer, agents, producteurs, directeurs artistiques. Nous avons évoqué Jacques Canetti ou Claude Dejacques, sans parler de Jacques Bedos, Philippe Lerichomme, Gérard Meys, Bob Socquet, Bertrand de Labbey. Comment oublier aussi les créateurs de salles, ceux qui leur ont donné une âme, Maurice Alezra à la Vieille Grille, Lucien Gibara à la Pizza du Marais, et, toutes proportions gardées, Bruno Coquatrix, Jean-Michel Boris, Patricia et Paulette Coquatrix, à l'Olympia, Félix Vitry, enfin, à Bobino ? Il faudrait raconter l'odyssée des créateurs des plus grands festivals de chansons en France, le Printemps de Bourges de Daniel Colling, les Francofolies de La Rochelle de Jean-Louis Foulquier[1] (qui ont essaimé à Montréal et en Bulgarie).

Les porteurs d'espoir

Il eût fallu aussi évoquer tous ceux qui ont souhaité enseigner l'art de la chanson à leurs jeunes contemporains : Mireille et son célèbre Petit Conservatoire de la chanson en premier lieu, mais aussi l'école d'Alice Dona (à laquelle on doit déjà l'excellent groupe Génération), les Ateliers Chanson de Paris, l'École des Variétés de la Sacem

1. Foulquier, qui fut chanteur, le redevient le temps d'un CD. Canetti, malgré les ans, continue à produire des spectacles comme *la Femme acéphale*, consacré à Prévert par l'émouvante Sarah Boréo.

– la plus renommée... Et beaucoup d'autres, qui fleurissent dans tous les coins de France. Évoquer aussi ces concours qui permettaient l'émergence de vraies personnalités : pendant vingt ans, le Festival de Spa en Belgique a été un passage obligatoire pour nombre de futures vedettes, et les journées Georges Brassens de Sète ont révélé de multiples talents sept années durant.

Nous avons aussi négligé la radio et la télévision. Hormis le Grand Échiquier de Jacques Chancel, qui ne craignait pas de présenter des jeunes dans une émission jugée sérieuse, Roger Gicquel avec ses Vagabondages et Michel Drucker, qui se laisse aller à de sympathiques et gentils coups d'audace, les variétés, parentes pauvres du petit écran, sont souvent diffusées pour mettre en vedette leurs animateurs, et non pour permettre à des nouveaux venus de s'exprimer. Pascal Sevran, tête de Turc des chansonniers, représente un cas exceptionnel, car il a su, gaillardement, tant sur le petit écran qu'à Radio-Montmartre, rendre à la chanson ancienne sa popularité perdue.

La radio est plus généreuse. Pas seulement parce que les grands patrons de stations sont des enfants du sérail (Philippe Labro a écrit des chansons, Pierre Bouteiller a été musicien de jazz avant de devenir directeur respectivement de RTL et de France-Inter), mais aussi parce que les responsables de programmes sont des passionnés : Patrice Blanc-Francart (spécialiste de musique anglo-saxonne !) et Denise Lebrun à Europe 1, Monique Le Marcis à RTL. Durant quelque vingt-cinq ans, les jeunes de plusieurs générations ont appris la musique au Pop-Club de José Artur sur France-Inter, et sont longtemps allés la déguster aux Musicoramas que Lucien Morisse diffusait sur Europe 1. Bernard Shu, sur RTL, a fait entendre tout ce qui se faisait en France durant les années 70. Sur France-Inter, Jean-Louis Foulquier a pris le relais avec Pollen ; il y joue à la fois le rôle d'animateur, de découvreur et d'organisateur de spectacles. Comme autrefois Michel Lancelot dans Campus sur Europe 1, il donne la parole aux gens de la chanson et leur permet de s'expliquer. Tous ont joué ou jouent encore un rôle irremplaçable. Malgré les progrès de la télévision, les modes fluctuantes et les clips – moins efficaces qu'on ne l'imagine, sauf ceux de Michael Jackson, de

Madonna et, en France, d'Axel Bauer (*Cargo de nuit*) –, la radio demeure le principal et le plus efficace vecteur de la chanson.

Des négligés non négligeables

Il ne nous reste à présent qu'à évoquer quelques chanteurs, et non des moindres, qu'il nous a fallu écarter de cette histoire au long cours de la chanson française. Les suivre nous eût par trop éloignés de notre chemin.

Et tout d'abord, les disparus : Sirima, découverte alors qu'elle chantait dans les couloirs du métro, voix superbe et personnalité éclatante, assassinée par son amant musicien qui ne supportait pas son succès ; Gribouille, très émouvante personnalité de la rive gauche qui parvenait à traduire son cafard en couplets (*Mathias*), mais qui n'a pas réussi à tenir ; Danielle Messia, qui cachait comme un drame secret la douleur de venir de l'autre rive de la Méditerranée et qui n'a pas résisté, malgré ses chansons poignantes, à son déchirement ; Andrée Simons, enfin, qui possédait tout pour devenir une artiste reconnue, l'intelligence, le talent, l'inspiration, des textes et des musiques originaux. Tous ces atouts n'ont pas suffi pour lui donner le goût de se battre. Tragiquement, elle s'est lentement laissée mourir de faim.

Dieu merci, tous ceux qui n'ont pas fait carrière n'ont pas connu cette fin révoltante. Jeanne Moreau, dont les chansons connaissaient un grand succès – qui ne se souvient du *Tourbillon* et de *J'ai la mémoire qui flanche* – mais qui a préféré à la carrière de chanteuse celle de comédienne ; elle était et elle reste une des plus grandes artistes du cinéma et du théâtre français. Situation un peu semblable pour Régine, dame de la nuit devenue chanteuse populaire de bon aloi (Gainsbourg et Paolo Conte ont écrit pour elle), aujourd'hui revenue, peut-être par plaisir, aux lieux noctambules qui avaient fait sa réputation. Armande Altaï, puissant personnage dont le charme accompagnait Jacques Higelin au Cirque d'Hiver, n'a pas réussi à mener une grande carrière en solitaire.

Certains ont disparu parce que leur groupe s'est dissous, tel l'excellent Imago (*Geronimo*), ou parce qu'ils ont choisi une autre voie, telle Marianne Oswald, géniale interprète de Prévert et de Cocteau. D'autres ne correspondaient plus à l'époque, telle Jeanne-Marie Sens ou Mama Béa (qui tente aujourd'hui un retour). Certains, qui ont conservé leur talent, périclitent faute de pouvoir écrire « le » tube qui les relancera, tel Nicolas Peyrac, qui s'évertue à retrouver la gloire que lui avaient apportée *So far away from L.A.* ou *Et mon père*, et telle Anne Vanderlove dont le nom reste attaché à un titre, *Ballade en novembre*. Karen Cheryl continue également de se battre en défendant un bon répertoire, mais les auditeurs ne semblent pas vouloir lui pardonner de ne plus être la Lolita qu'elle fut adolescente. D'autres, enfin, résistent malgré l'âge et les difficultés. Magali Noël, qui fut, des égéries de Boris Vian, la plus provocante (*Fais-moi mal Johnny*), donne en 1992 l'un des meilleurs spectacles de l'année. Soutenus par Richard Marsan, le directeur artistique de Léo Ferré, et par Boris Bergman, grâce à un 33 tours où se distingue un tube, *Dis à ton fils* , Marianne Mille et Maurice Dulac obtinrent les meilleures ventes de l'année 1970 et emportèrent le Grand Prix de l'Académie Charles Cros. Mais les albums suivants marchaient de moins en moins bien. Après une longue éclipse, ils ont repris le harnais en 1992. Jean-Patrick Capdevielle a été, grâce à *Quand t'es dans le désert,* une des vedettes les plus marquantes du milieu de la décennie ; on recommence à l'écouter cette année. Louis Arti, anar musclé, fils spirituel de Léo Ferré, se bâtit patiemment un public, lui aussi. Tout comme le rebelle Louis Capart, coléreux et véhément. Ou l'émouvante Marie-José Vilar, femme de tendresse et de combat. De même le très original Antoine Tomé, amoureux des sons d'Afrique et sorcier de la chanson, doit se contenter d'un petit groupe de fidèles.

D'autres, enfin, mènent involontairement une carrière en zigzag. Ainsi Philippe Chatel, lancé sur les chapeaux de roue, qui a fait de sa comédie musicale *Émilie Jolie* un énorme succès (plus d'un million de disques vendus). Il a aujourd'hui disparu, sans qu'on puisse comprendre les causes d'une telle défaveur. Nous attendons son retour. De

Xavier Lacouture, rocker prolifique très inspiré, on n'attend que le tube qui fera de lui une vedette grand public. Des tubes, David Koven, homme de rock et d'humour lui aussi, en a connus, mais pas suffisamment pour trouver la place que mérite son talent.

Le passé présent

Parier sur l'échec ou le succès, c'est se laisser porter par le hasard. Le marché connaît des soubresauts totalement imprévisibles. On a l'impression d'un foisonnement désordonné duquel il est impossible de dégager un sens. On détecte à peine une tendance dans la chanson actuelle qu'aussitôt, venue comme un démenti, une autre constatation mène à la direction inverse. L'ultramodernisme et la nostalgie se conjuguent parallèlement, parfois paradoxalement portés par les mêmes personnes. Cette sensation de désordre, déjà ancienne, s'est fortement accentuée ces derniers mois.

La période a, dit-on, été très marquée par un retour au passé. Normal ! Un très grand personnage a quitté ce monde et l'hommage qu'on lui rend redonne vie aux mélancolies. Les colères de Léo Ferré, disparu un jour de fête nationale, vont manquer à tous et, malgré leur talent souvent indiscutable, ceux qui s'inscrivent dans sa descendance n'ont pas – ou pas encore – retrouvé la rigueur de ses indignations, la poésie qui imprégnait ses phrases, la puissance de son souffle et son pouvoir très particulier de transmettre ses émotions. Les regrets sont unanimes ; la jeune et talentueuse Catherine Boulanger lui offre un texte attachant ; Philippe Léotard donne de ses œuvres une belle, délicate et très originale interprétation. Mais, même « avec le temps », l'homme manquera toujours. Personne ne saura crier comme lui : « Les temps sont difficiles. »

On s'incline devant Léo Ferré, on continue d'apporter son tribut aux autres grands disparus. Arlette Mirapeu retrouve les astuces de Bobby Lapointe et Valérie Ambroise la bonhomie de Georges Brassens. Michel Hermon, étrange interprète fidèle aux traditions de la chanson réaliste, et Anne Pekoslawska, chanteuse et musicienne marquée par le jazz, plongent, chacun à sa manière, dans l'univers poignant de Piaf. Bernadette Rollin, aussi à l'aise dans la chanson que sur les tréteaux d'un théâtre, rend hommage à la comédienne italienne Anna Magnani, avec une fougue exceptionnelle.

Les disparus sont portés aux nues. Les vivants, eux, s'imposent et triomphent. On aurait pu, constate un journaliste, appeler l'histoire de ce demi-siècle « de Trenet à Trenet ». Trenet s'affiche, attire les foules, emplit les salles et donne à tous des leçons d'éternelle jeunesse. Barbara, malgré l'angoisse et la fatigue, sait mettre à jour les problèmes cruciaux qui troublent les adolescents d'aujourd'hui. Juliette Gréco parvient, grâce à sa rencontre avec Étienne Roda-Gil, à trouver, longtemps après Saint-Germain-des-Prés, un nouveau répertoire.

Les Victoires de la Musique 1994 témoignent de cet attachement au passé. Principaux lauréats : Barbara, Eddy Mitchell, Alain Souchon. Avec *Renaud cante el Nord*, Renaud y est, pour la première fois de sa carrière, primé aux victoires. Il y chante en patois ch'timi.

Autre symptôme visible de la nostalgie ambiante : le succès de la nouvelle version de *Starmania*, mise en scène par Lewis Furey ; le théâtre Mogador est bondé tous les soirs et le CD né du spectacle s'est vendu à un million d'exemplaires. Les retours de vedettes sont également nombreux dans tous les domaines : Charlebois, qui se souvient des charmes du joual ; Brigitte Fontaine, qui parvient à glisser un « tube », *le Nougat*, dans son dernier album *French Corazon* ; Louise Forestier, qui réveille les souvenirs de la grande époque québécoise... Jean Sommer, ancien de la rive gauche, revient, tout comme Jacques Yvart, défenseur de la chanson de marins ; Vincent Absil, ex-mentor du groupe Imago... Comme beaucoup d'autres aussi dont on avait presque perdu la trace : Gilles Elbaz, James Ollivier, Martine Sarri, Nicole Rieu...

La grande fusion

Des exceptions, bien sûr : Jean Ferrat, exilé volontaire et qui ne revient qu'à ses heures ; Guy Béart, victime d'une injuste défaveur alors que des générations entières connaissent par cœur la plupart de ses chansons ; Isabelle Mayereau, disparue alors que chacun croyait à son talent ; Marie Myriam, vedette de l'Eurovision. Même des gens touchés plus récemment par le succès se sont estompés, absorbés par la grisaille : l'hilarant Éric Morena, caricature réussie de Dario Moreno et de Luis Mariano ; Vivien Savage et Jackie Quartz, héros de l'instant, du mois ou de l'année... Et la belle et prenante Sarah Eden, dont certains pensaient qu'elle deviendrait une version française de la somptueuse Rita Hayworth.

Le goût du passé n'implique pas un refus des valeurs nouvelles. La « culture hip-hop », le tag et le rap ne sont pas en recul, loin de là. Mais ils évoluent. Alors que, suivant l'exemple américain, ils apparaissaient comme le moyen de combat des exclus, cri des banlieues lépreuses sur fond de haine et de baston, les voilà qui rompent avec leurs origines, explorant de nouvelles perspectives. Le rap découvre la province et devient régionaliste avec Fabulous Trobadores, IAM et Massilia Sound System... Il se plonge dans la littérature, et l'on rapproche M.C. Solaar de Prévert, Bobby Lapointe, Raymond Queneau, Georges Perec et l'Oulipo – l'« Ouvroir de littérature potentielle ».

On assiste aussi à une fusion des genres. Bien sûr, le fossé reste béant entre les rappers et les minimalistes, façon Daho ou Murat, tels Philippe Katerine, Dominique Dalcan, Jean-Louis Coulonges ou Alan Simon (qui se veut l'héritier de Jean-Michel Caradec).

Mais ailleurs, les différences s'estompent. Les personnages de la variété comme Rachel des Bois, les groupes comme Regg Lyss *(Mets de l'huile)* ont emprunté à la fois au rap et à la musique métisse. On écoute aussi bien Angélique Kidjo ou Princesse Erika, les Africaines, que la Grecque Angélique Ionatos ou la Capverdienne Césaria Evoria, avant de se plonger dans l'univers délirant des Tétines noires, de Victor Racoin, des Têtes raides (ex-Red Tett), des Sardines, des V.R.P., de l'Affaire Luis Trio. Les exotiques Native cohabitent avec le groupe Au p'tit bonheur ou avec les Avions, venus du Sud-Ouest.

Cette volonté de tout regrouper est devenue une donnée essentielle de la chanson française. Les deux grandes tendances de l'accordéon y trouvent des places voisines : Michèle Bernard le joue et le chante « classique » alors que Richard Galliano le préfère jazz et rock (encore que son *Paris-Musette* joue sur tous les tableaux). Le jazz, qui reste une grande source d'inspiration, influence Pierre Meige, tandis que la puriste Élisabeth Caumont en défend l'intégrité. On va chercher des modèles au Brésil avec le trio Esperanza, et on fait un succès au groupe de filles belgo-zaïrois Zap Mama. Même la musique yiddish, qui avait connu une éclipse de quelques années, revient en force, entraînée par les succès comiques de Popeck et de Lionel Rocheman. On croise avec Ben Zimet et avec Talila des personnages qui ont l'air de s'inscrire dans la comédie musicale *Un violon sur le toit*, alors qu'une Israëlienne, Sara Alexander, continue à prêcher la réconciliation entre Juifs et Arabes et que, pour donner le ton de son album *Rouge*, Jean-Jacques Goldman s'appuie sur les chœurs de l'ex-armée soviétique.

La nef des fous

Cette époque est celle où, grâce à une Allemande de charme, Marèn Berg, on regoûte aux plaisirs des cabarets d'autrefois ; où Hélène Delavault, grande dame s'il en est, fait tour à tour apprécier la saveur de la République et celle de l'absinthe... L'époque des fous également : la rageuse Clarika, première non-rockeuse éditée par les Garçons Bouchers ; l'irrésistible Juliette, joyeuse iconoclaste qui détaille avec un plaisir évident les textes de Pierre Philippe ; le puissant Arno, que la Belgique, avec raison, admire, mais que la France tarde à découvrir ; les délirants Claude Semal et Didier Odieu, qui poussent la provocation aux extrêmes. Plus fou encore : Jean-Louis Foulquier, animateur de radio, inventeur des Francofolies, revient à la chanson après vingt ans d'absence et parvient à sortir un excellent CD, où sa voix un peu usée fait merveille.

C'est à Foulquier qu'on a, en ce début de l'année 1994, confié l'organisation de la semaine de la chanson. Une bonne initiative, quoi qu'en aient dit certains : des spectacles un peu partout, les stations de radio insistant sur les nouveaux venus. Aussi louables sont les créations de cafés-musique ouverts aux débutants : les premières parties de spectacles, les petits lieux où les jeunes pouvaient s'essayer disparaissaient peu à peu. Quant au disque, outre qu'il soit d'accès difficile à un débutant, il ne joue pas le rôle qu'on pourrait attendre de lui.

Apparemment, certes, le marché du disque se porte bien ; on a vendu en 1992 plus de CD (78 millions) qu'on avait écoulé d'albums en 1978, année record. Mais derrière ces chiffres, se cache une réalité inquiétante : les structures de vente ont changé. Les gros vendeurs atteignent des scores plus élevés que par le passé, les petits vendeurs l'inverse. A cela une raison essentielle : plus que les disquaires, les chaînes ou les grandes surfaces spécialisées (Nugget's, FNAC, Virgin), les hypermarchés ou les supermarchés se taillent la part du lion dans la distribution des enregistrements, essentiellement grâce à leurs bas prix. Ils peuvent se permettre de vendre sans bénéfice, voire à perte, puisque le disque est pour eux un produit d'appel. Or, c'est sur les vedettes les plus connues que porte l'effort des grandes surfaces : on y trouve plus facilement Madonna que Paul Personne. Et leur action entraîne la disparition, déjà largement amorcée, des disquaires de ville ou de quartier, qui offraient, eux, un choix plus large.

Des quotas ou pas

De là une première revendication : une nouvelle réduction de la TVA sur le disque, qui permettrait de compenser l'instauration d'un prix minimum (comme cela s'est fait pour le livre). Ainsi, petits commerces et grandes surfaces pourraient presque lutter à armes égales. Sur ce point, les avis sont partagés, comme ils le sont sur l'autorisation donnée aux maisons de disques de faire de la publicité à la télévision. La « pub » coûte cher ; un disque sans « pub » se vend plus difficilement. Compte tenu des budgets disponibles, multiplier les « pubs » nécessite de réduire la production.

Mais le grand sujet de litige se situe ailleurs. La loi vient de fixer un quota minimum de chansons francophones, applicable surtout aux radios FM, et qui devra progressivement atteindre 40 % du total des œuvres diffusées. En outre, un pourcentage important de nouveaux venus devra bénéficier d'une diffusion aux fortes heures d'écoute. Deux clans se font donc face. D'un côté, les auteurs, les compositeurs et une bonne partie des interprètes ; de l'autre, certains réseaux qui se sont spécialisés dans la musique anglo-saxonne et qui n'accordent qu'une infime place à la chanson française : Fun, Skyrock, Europe 2, NRJ...

Difficile de trancher dans les arguments des uns et des autres : le quota, c'est le repli sur soi, la peur de l'affrontement... Oui, mais c'est un quota (bien plus élevé : 65 %) qui a permis à la chanson québécoise, plus menacée encore que la nôtre, de survivre et de progresser.

Jusqu'à présent, la chanson française s'est assez bien tiré d'affaire. Bon an, mal an, elle représente la moitié des ventes réalisées sur le territoire national. Mais cela risque de ne pas durer. Dans la plupart des pays européens, la diffusion d'œuvres anglo-saxonnes dépasse les 65 %.

Parler de « situation spécifique » ne signifie pas grand-chose. C'est grâce à leur ton « jeune » (plus qu'à leurs choix artistiques) que Fun Radio ou Skyrock ont conquis un auditoire d'adolescents. Quant à argumenter sur la qualité... On diffuse en France des sous-produits de Madonna... mais l'album français le plus exporté est celui de Jordy (1 600 000 exemplaires). Comment opposer Lou Reed à Jordy, ou Jacques Higelin à une copie de Michael Jackson ?

Quelle que soit la solution finalement mise en place (le quota a été voté, mais comment sera-t-il appliqué ?), elle laissera à tous quelque amertume. Quand on dit : « Il faut protéger la production télévisuelle française », on se rappelle les grandes émissions de Stellio Lorenzi ; mais lorsqu'on vend, c'est souvent « Hélène et les garçons » que réclame l'acheteur étranger.

Tout serait tellement plus simple si, en chanson, il fallait choisir entre Brel et Dylan : chacun trouverait aisément sa place.

BIBLIOGRAPHIE

Jacques ATTALI, *Bruits : essai sur l'économie politique de la musique*, PUF, 1981.

Pierre BARBIER et France VERNILLAT, *Histoire de France par les chansons* (8 vol.), Gallimard, 1956-1961.

Pierre BARLATIER (sous la direction de), *Regards neufs sur la chanson*, Le Seuil, 1954.

R.-P. BARJOU, *La Chanson aujourd'hui*, Le Centurion, 1959.

Jacques BARSAMIAN et François JOUFFA, *L'Age d'or du rock'n roll*, Ramsay, 1980.

Jacques BARSAMIAN et François JOUFFA, *L'Age d'or de la pop music*, Ramsay, 1982.

Jacques BARSAMIAN et François JOUFFA, *L'Age d'or du yé-yé français*, Ramsay, 1983.

Jacques BARSAMIAN et François JOUFFA, *L'Age d'or du rock et folk*, Ramsay, 1985.

Jacques BARSAMIAN et François JOUFFA, *L'Age d'or de la rock music*, Ramsay, 1986.

Jacques BARSAMIAN et François JOUFFA, *L'Aventure du rock*, Ramsay, 1989.

Jean-Michel BORIS et Marie-Ange GUILLAUME, *28, boulevard des Capucines*, Acropole, 1991.

Pierre BROCHON, *Le Pamphlet du pauvre*, éd. Sociales, 1957.

Chantal BRUNSCHWIG, Louis-Jean CALVET, Jean-Claude KLEIN, *Cent ans de chanson française*, Le Seuil, 1981.

Jacques CANETTI, *On cherche jeune homme aimant la musique*, Calmann-Lévy, 1978.

Lucienne CANTALOUBE-FERRIEU, *Chanson et poésie des années 30 aux années 70*, Nizet, 1981.

Simone et Jacques CHARPENTREAU, *La Chanson*, éd. Ouvrières, 1960.

Marc CHEVALIER, *Mémoire d'un cabaret : l'Écluse*, La Découverte, 1987.

Philippe CONRATH, Rémy KOLPA-KOPOUL, Marc TOESCA, *Guide du tube*, Seghers/Le Club des Stars, 1987.

Paulette COQUATRIX, *Les Coulisses de ma mémoire*, Grasset, 1984.

Sylvie COULOMB et Didier VARROD, *Histoire de chansons*, Balland, 1987.

Pierre DELANOË, *La Vie en chantant*, Julliard, 1980.

Thierry DELCOURT et Frank TENAILLE, *La Chanson en France*, CNAM, 1986.

Guy ERISMAN, *Histoire de la chanson*, P. Waleffe, 1967.

Claude FLEOUTER, *Un siècle de chansons*, PUF, 1988.

Jean-Louis FOULQUIER, avec la collaboration de D. VARROD, *Au large de la nuit*, Denoël, 1990.

Angèle GULLER, *Le Neuvième Art*, Vokaer, 1978.

André HALIMI, *On connaît la chanson*, La Table ronde, 1958.

Antoine HENNION, *Les Professionnels du disque*, A.-M. Metailié, 1981.

Fred HIDALGO, *Putain de chanson,* Éditions du Petit Véhicule, 1992.

Dominique JANDO, *Histoire mondiale du music-hall*, Delarge, 1979.

Brigitte KERNEL (sous la direction de), *Chanter made in France*, Michel de Maule, 1987.

Jean-Claude KLEIN, *La Chanson à l'affiche*, Éditions du May, 1991.

Edgar MORIN, *L'Esprit du temps*, Le Seuil, 1962.

Jean-Pierre MOULIN, *J'aime le music-hall*, Denoël, 1962.

Alain-Pierre NOYER, *Dictionnaire des chanteurs francophones de 1900 à nos jours*, CILF, 1989.

Pierre SAKA, *La Chanson française des origines à nos jours*, Nathan, 1980.

Gilbert SALACHAS et Béatrice BOTTET, *Le Guide de la chanson*, Syros, 1989.

André SALLÉE et Philippe CHAUVEAU (sous la direction de), *Music-hall et café-concert*, Bordas, 1985.

Pascal SEVRAN, *Histoire de la chanson française*, Carrère-Lafon, 1986.

Jacques VASSAL, *Français, si vous chantiez*, Albin Michel, 1976.

France VERNILLAT et Jacques CHARPENTREAU, *Dictionnaire de la chanson française*, Larousse, 1968.

France VERNILLAT et Jacques CHARPENTREAU, *La Chanson française*, Que sais-je ? n° 1453, PUF, 1971.

Boris VIAN, *En avant la zizique... et par ici les gros sous*, Le Livre contemporain, 1958, et 10/18, 1971.

On consultera également avec intérêt la collection de *Chanson* (dirigé par Lucien Nicolas), *Chanson Magazine* (dirigé par Jean-Louis Foulquier), *Paroles et Musique* (dirigé par Fred Hidalgo), les périodiques *Rock et Folk, les Inrockuptibles, Show Magazine, Jukebox Magazine, La Revue du spectacle, Je chante/Discographies, Chorus, Une autre chanson* (Belgique), *Chansons d'aujourd'hui* (Québec), ainsi que les biographies d'artistes parues dans les collections *Poésie et chansons, Le Livre-compact* et *Les classiques compacts* (Seghers), *Rock et Folk* (Albin Michel).

INDEX DES PRINCIPAUX NOMS CITÉS

TABLE

REMERCIEMENTS

L'auteur et l'éditeur tiennent à remercier, pour l'aide qu'ils ont apportée à l'élaboration de cet ouvrage, Geneviève Beauvarlet, Pierre Achard et Éric Dufaure, de la SACEM, Christian Marcadet, du Centre de la chanson française, Raoul Bellaïche, de la revue *Je chante !*, ainsi que Fred Hidalgo et Marc Robine, du trimestriel *Chorus (les Cahiers de la chanson)*.

Cet ouvrage composé
par D.V. Arts Graphiques 28700 Francourville
a été achevé d'imprimer sur presse Cameron
dans les ateliers de Brodard et Taupin
à La Flèche (Sarthe)
en mars 1994
pour le compte des Éditions de l'Archipel

Imprimé en France
N° d'édition : 29 – N° d'impression : 1313 J-5
Dépôt légal : mars 1994